KOZMİK BİLİM IŞIĞINDA

ŞİFALI BİTKİLER

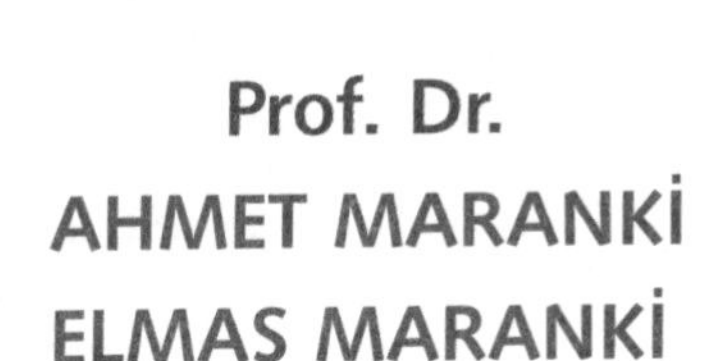
Prof. Dr.
AHMET MARANKİ
ELMAS MARANKİ

MOZAİK YAYINLARI

EDİTÖR	YAYIN YÖNETMENİ	TEKNİK KOORDİNATÖR
Selim ÇORAKLI	Ali İhsan BAYRAK	Aysun ÖZPOLAT

ISBN : 978-975-8821-32-7
Sertifika No : 1206-34-004559
Baskı Yeri ve Tarih : 2009 - İstanbul
Kapak Tasarım : Selim Çoraklı
Yayına Hazırlık : Mozaik Yayınları
Baskı ve Cilt : Ebru Matbaacılık Bas.Yay.San.Tic. Aş.
Organize Sanayi Bölgesi Atatürk Cad. No:135
İkitelli-İST. / Tel:+90 (212) 671 93 70

MOZAİK YAYINLARI
Beyazıt Ağa mah. Dullar Çıkmazı Sk. No:2 Kat: 4/5 Fatih / İstanbul
Tel: 0212 521 29 29 - Faks: 0212 523 29 99
www.mozaikyayinlari.com - e-mail: bilgi@mozaikyayinlari.com
online sipariş: kitapmarket.com

KOZMİK BİLİM IŞIĞINDA

ŞİFALI BİTKİLER

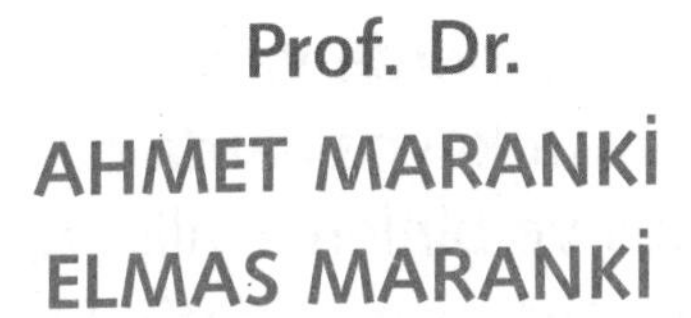

Prof. Dr.
AHMET MARANKİ
ELMAS MARANKİ

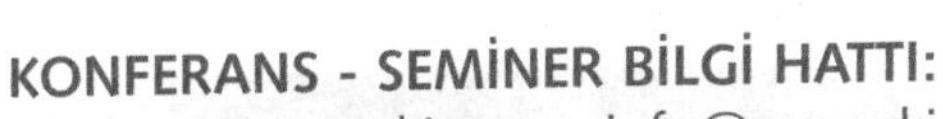

KONFERANS - SEMİNER BİLGİ HATTI:
www.maranki.com - info@maranki.com
www.kozmikbilim.com info@kozmikbilim.com
www.ifcch.org

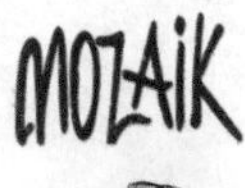

İTHAF:
Bizleri bu kitabı hazırlamamıza sebep olan başta ebeveynlerimize, hocalarımıza, emeği geçen büyüklere ve bütün diğer öğreticilere birer Fatiha ile....

Şifalı bitkiler ve bitkilerle tedavi bütün inanç kitaplarında, kültürlerde yazılı ve yazılı olmayan kaynaklarda bahse konu olmuş ve binlerce yıllık zengin bir tarihi geçmişe sahiptir. Bize düşen bu zenginliği günümüz insanıyla paylaşarak, insanımızın istifadesine sunmaktır.

İÇİNDEKİLER

Giriş....5
Kozmik Bilim Işığında Önemli Hatırlatmalar....9
İçindekiler....15
Bitkiler Dünyası ve sağlıklı beslenme Hakkında Önemli Başlıklar....25

1. BÖLÜM
VÜCUDUMUZLA İLGİLİ GEREKLİ BİLGİLER

Tıbbın Tanımı....33
Ahlât Nedir?....33
Kan....34
Balgam....34
Safra....34
Sevda....35

Vücudumuzu Tanıyalım

Organ....36
Kalp....36
Beyin....36
Karaciğer....36
Yumurtalık....36
Sinir....36
Omirilikle Başlayan Sinirler....37
Atardamarlar ve Toplardamarlar....38
Böbrek....38
Mide....38
Bağırsak....38
Dalak....38
Akciğer....38
Kemik ve Kıkırdaklar....38
Eklem....39
Kas....39
Deri....39
Mizaç....39
Nabız....39
İdrar....40
Uyku....40
Hafıza....41
Ruh....41
İnsan Vücudunda Şifrelerle Şifa....41
Hastalık ve Sağlığın Tanımı....42
Mukus....43
Hastalıkta Teşhis....43
Bazı Natüristlerin Hastalığa Yaklaşımları....43
İnsanoğlunun Yaşam Evreleri....44
İnsanın Sağlık Durumunu Değiştiren Sebepler....44
Hastalık ve Sağlığı Meydana Getiren Sebepler....44
Eskimez Metotlarla Hastalıkların Tedavi Yolları....45
Eskimez metotlarla İlacın Vücuda Hangi Yönden Verileceğinin Tespiti....46
Kan Aldırmak....46
Hacamat....46
Kusmak....47
Kanın Bileşimi ve Oluşumu....47

Sağlıklı Olmanın Vazgeçilmez Kuralları....48

2. BÖLÜM
SAĞLIKLI BESLENME FORMÜLLERİ....51

Ragner Berg'in Listesi....51
Ragner Berg'in Besin Tablosu....52-56
Sağlıklı Bir Hayata Geçiş Diyeti....57
Besinlerin Kalori Değerleri....57-59
Sağlıklı Yaşamın Diğer Boyutları....59

3. BÖLÜM
DÜNDEN BUGÜNE BEDENİ KORUMANIN KOZMİK BOYUTLARI

Beden Organlarının Aktif Vakti ve Önemi....60
Bitkilerle Kozmik Beslenmenin Önemi....61
Bitkilerle İlgili Özel Bilgiler....61
Sağlıklı Yaşam İçin Özel Bilgiler....62
Sağlıklı Beslenmek İçin Özel Bilgiler....63
Mucize Kaynağı Suyla İlgili Özel Bilgiler....67
Anti-Aging Beslenmede Dikkat Edilmesi Gerekenlere de Uymalıyız....67
Yemek Yemenin Edebi Çok Yemenin Zararları....69
Hamile ve Emzikli Kadınların Tedbirleri....69
İhtiyarların Alması Gereken Tedbirler....69
Hava-Suyun Önemi....69
Mevsimlerin Önemi ve Dört Mevsimde Alınacak Tedbirler....70
Hareket Etmek....71
Cismin Hareketi ve Durmanın Önemi....71
Nefsin Hareketi ve Durmanın Önemi....71
Uyku ve Uyanıklığın Önemi Sağlıklı Uyku Saatleri....71
Boşaltma ve Çıkarmanın Önemi....72
Üretkenlik ve Cimanın Önemi....72
Hamamın Önemi ve Hamamda Yıkanmanın Edepleri....73
Kaplıca ve Kür Sularının Önemi....73

4. BÖLÜM
A'DAN Z'YE BİTKİLER DÜNYASI

Hamilelikte Kaçınılması Gereken Bitkiler....76
Bitkileri Yetiştirme....76
Bitkileri Toplama ve Saklama....76
Bitkileri Toplamak İçin En Uygun Zaman....76
Saklama Şartları....77
Şifalı Bir Bitki Çayı ve Kürü Hazırlama Yöntemi....77

ŞİFALI BİTKİLER DÜNYASI

Abanoz Ağacı....79
Acı Çiğdem....80
Acı Pelin Otu....80
Adaçayı....81
Adam Otu....83
Ağaç Kavunu....83
Akasma....85
Akdiken....85
Akhuş Ağacı....86
Akrep Otu....87
Alfa Alfa....87
Alıç....88
Altınbaş Otu....89
Anason....89
Anber....90
Andız....91
Ardıç....92
Arı Sütü....92
Arnica....93
Arpa....94
Ashwganha....94
Aslanpençesi....95

Asma....96
Aspir....97
Atkestanesi....97
At Kuyruğu Otu....98
Ayçiçeği....99
Aynı Safa Otu....100
Ayrık Otu....101
Badem....102
Bahar Otu....103
Barut Ağacı Kabuğu....104
Bazek....104
Beyaz Hardal....104
Beş Parmak Otu....105
Biberiye Yaprağı....105
Bit Otu....106
Boğumlu Sıraca Otu....107
Boswellia Serrata....107
Böğürtlen....108
Cat's Claw....109
Cranberry....109
Centiyane....109
Ciğer Otu....110
Civanperçemi....111
Çam Ağacı....112
Çarkıfelek....113
Çay....113
Çemen Otu....115
Çilek Otu....116
Çobançantası....117
Çobandeğneği....118
Çördük Otu....118
Çörek Otu....118
Çöven Otu....120
Çuha Çiçeği....121
Dalak Otu....122
Darı....122
Defne Yaprağı....123
Deniz Üzümü....124
Dereotu....124
Deve Dikeni....125
Diken Otu....126
Dişbudak Otu....127
Diş Otu....127
Dong Quai....128
Duvar Sarmaşığı....128
Dulavrat Otu....129
Ebegümeci....130
Eğir Otu....131
Enginar....131
Fesleğen....133
Fıstık Çamı....134
Funda Yaprağı (Piren)....134
Gece Çuha Çiçeği....135
Geleboru....135
Gelincik....136
Gentian....136
Ginko Biloba....137
Ginseng....137
Gotu Kola....139
Guarana....139
Gül....139
Güvey Feneri....140
Güyegü Otu....140
Haşhaş....140
Hatmi Çiçeği....141
Havlıcan....141
Hayıt....142
Hazanbel....143
Hodan....143
Ihlamur....144
Isırgan Otu....145
Itır....146
İğde....147
İnci Çiçeği....147
İt Üzümü....148
Kâfur....148
Kahve....149
Kakao....149
Kakule Meyvesi....150
Kapari....151
Kara Ardıç....152
Karabaş Otu....153

Karabiber....................................153
Karga Düveleği...........................154
Karahindiba................................154
Karanfil.......................................155
Kaşni..156
Kavak...156
Kava Kava..................................157
Kaya Kekiği................................157
Kaya Tuzu..................................158
Kayın Ağacı Yaprağı....................158
Keçi Boynuzu..............................158
Kedi Otu Kökü............................159
Kekik..160
Kendene.....................................160
Kenevir......................................160
Keten Tohumu............................161
Kılıç Otu....................................162
Kınakına....................................163
Kırmızıbiber................................163
Kızılcık.......................................164
Kimyon Meyvesi.........................165
Kiraz Sapı..................................165
Kişniş...166
Kombu Çayı...............................167
Koyun Otu..................................167
Köpek Dili..................................168
Kudret Narı................................168
Kurt Pençesi...............................169
Kuşburnu...................................170
Kuşkonmaz................................170
Kuşüzümü..................................171
Kuzukulağı.................................172
Küçük Hindistan Cevizi................172
Lavanta Çiçeği............................173
Leylek Burnu..............................174
Limon Otu..................................174
Mahlep.......................................175
Maitake......................................175
Mate Yaprağı..............................175
Maydanoz..................................176
Melek Otu..................................178
Melisa Yaprağı............................178
Menekşe.....................................179
Mercanköşk...............................180
Mersin..181
Meşe Ağacı................................181
Meyan Kökü...............................182
Mısır Püskülü..............................183
Mürver.......................................184
Müşk..184
Nane..185
Nergis..186
Noni...186
Okaliptüs....................................186
Ökse Otu....................................187
Öksürük Otu...............................189
Papaya.......................................189
Papatya......................................190
Pazı..191
Peygamber Çiçeği........................192
Peygamber Düğmesi....................193
Pelit Burcu.................................193
Pelit Yosunu...............................193
Phyllanthus................................194
Reishi ve Shiitake Mantarları........194
Rezene.......................................194
Rhodiola.....................................196
Rooibus......................................196
Sabun Otu..................................196
Safran..197
Sakız Ağacı................................197
Sandalwod..................................198
Sarı Kantaron.............................198
Sarısabır.....................................199
Sarmaşık....................................200
Saw Palmetto.............................201
Schisandra..................................201
Sedef Otu...................................201
Sığırkuyruğu...............................202
Sibirya Ginsengi..........................203

Sinameki....203
Sinirli Ot....204
Siyah Hardal....204
Siyah Çay....205
Söğüt....205
Spirulina....206
Sultan Otu....208
Sumak....208
Susam....209
Şahtere....210
Şakayık....211
Şeker Pancarı....211
Şerbetçi Otu....212
Şeytan Teresi....212
Şimşir....213
Tarçın....213
Tarhun....214
Tere Tohumu....215
Tongat Ali....215
Türbüt....215
Üvez....215
Üzerlik....216
Üzüm Çekirdeği Ekstresi....217
Yabani Hindiba....217
Yaban Pelini....217
Yaban Razyanesi....218
Yarpuz....218
Yemlik....219
Yer Fıstığı....219
Yeşil Çay....220
Ylang Ylang....222
Yoğurt Otu....222
Yohimbin....222
Yulaf....223
Zakkum....223
Zambak....224
Zencefil....224
Zerdeçal....226
Bitkilerin Gruplandırılması....227

5. BÖLÜM
BİTKİLERDE DÜNYASINDAKİ TERİMLER, DEYİMLER VE İFADELER...
VÜCÜDUMUZA FAYDALI ENZİMLER, VİTAMİNLER VE MİNERALLER...
Serbest Radikal Nedir?....230
Antioksidan Nedir?....231
Kolesterol....231
Enzimler....232
Ascidophilus....232
Asthaxanthin....232
Beta-Glucan....232
Bioflavonoitler....233
Bromelain....233
Brewerrs Yeast (Bira mayası)....233
Carnitine....233
Chlorella-Spirulina....233
Coenzyme Q-10....233
Dhea (Dehidroepiandrosterone)...233
Emu Oil....234
Feverfew (Tanacetum parthenium)....234
Fish Oil (Balık Yağı)....234
Flaxseed Oil (Keten Tohumu Yağı)..234
GHR (Büyüme Hormonu Salgılatıcısı)....234
Glutathione (Glutatyon)....234
Lecithin....235
Likopen....235
L-lysine....235
L-arginine....235
L-tyrosine....235
Melatonin....235
Nac....236
Olive Leaf Extract (Zeytinyağı Ekstreleri)....236
Omega-3 Oil....236
Propolis....236
Psyllium Husks Fibre (Plantago

ovata)....................................236
Phenylalanine............................236
Rutin..236
Shark Cartilage..........................236
Shar Liver Oil.............................236
Soya İsoflavonları.......................236
Superoxide Dismutase................236
Kefir..236
Vitamin ve Minerallerin Görevi
Mineraller
Bakır...238
Bizmut......................................238
Bor...238
Brom..238
Çinko..238
Demir.......................................239
Fluor...239
Fosfor.......................................239
İyot..240
Kalsiyum...................................240
Kobalt......................................240
Krom..240
Kükürt......................................240
Lityum......................................240
Magnezyum..............................241
Manganez................................241
Molibden..................................241
Nikel..241
Potasyum.................................241
Selenyum.................................241
Silisyum...................................241
Sodyum....................................242
Vitaminler
A Vitamini................................242
B1 Vitamini (Thiamine)...............242
B2 Vitamini (Riboflavine)............242
B3 Vitamini (Nicotniamide)..........243
B4 Vitamini (Adenine)................243
B5 Vitamini (Pantathenniqu Asit)..243
B6 Vitamini (Pyridoxine).............243
B8 veya H1 Vitamini (Biotine).....243
B9 Vitamini (Folik Asit)...............243
B10 Vitamini-H2 Paba................244
B11 veya O Vitamini..................244
B12 Vitamini ve L2 Vitamini.........244
B13 Vitamini (Oratik Asit)............244
B14 Vitamini (Xanthapterine).......244
B15 Vitamini (Panganik Asit)........244
C1 Vitamini...............................244
C2 Vitamini...............................245
D Vitamini (Kalsiferol)................245
E Vitamini.................................245
F Vitamini.................................245
İ Vitamini..................................245
J Vitamini..................................246
K Vitamini.................................246
M Vitamini (Stigmasteriol)..........246
N Vitamini (Thiotik veya Lipoik)...246
P Vitamini (Rutine).....................246
U Vitamini.................................246
Kainat Eczanesinden Yeterli ve Dengeli Beslenmek İçin
Proteinler..................................247
Karbonhidratlar..........................248
Yağlar.......................................248
Su..248
Sağlık Açısından Diğer Gıdalar
Yumurta....................................249
Süt...249
Kaymak....................................250
Yoğurt......................................250
Peynir.......................................251
Et...251
Tereyağı...................................253
Zeytinyağı.................................253
Ayçiçeği-Pamuk-Mısır Yağları.......254
Kolesterole Dikkat......................254
Bal Mucize Besin........................254
6. BÖLÜM
MEYVE VE SEBZELERDEKİ ŞİFALAR
Temizleyici Besinler- Sebzeler....258

Bamya....256
Bakla....257
Bezelye....257
Biber....257
Börülce....258
Brokoli....258
Brokoli Kürü....258
Domates....258
Fasulye....259
Havuç....259
Hıyar....261
Ispanak....261
Kabak....262
Karnabahar....262
Kereviz....263
Kırmızı Pancar....264
Kuru Fasalye....264
Lahana....264
Mantar....265
Marul....265
Mercimek....266
Mısır....266
Nohut....267
Patates....267
Patlıcan....268
Pırasa....268
Pirinç....268
Roka....269
Sarımsak....269
Semizotu....270
Soğan....270
Soya....271
Şalgam....271
Tere....272
Turp....272
Zeytin....272
Besleyici Besinler - Meyveler
Armut....273
Ayva....273
Avokado....274
Ceviz....275
Çilek....275
Dut....276
Elma....276
Erik....277
Fındık....277
Fıstık....277
Greyfurt....278
Hurma....278
İğde....279
İncir....279
Karpuz....280
Kavun....280
Kayısı....280
Kestane....281
Kiraz....281
Limon....281
Mandalina....282
Muşmula....282
Muz....283
Nar....283
Portakal....283
Şeftali....284
Üzüm....284
Yerelması....285
Zerdali....285
Çocuklar İçin Genel Öneriler286
7. BÖLÜM
HASTALIKLAR VE ŞİFALARI
Adet Düzensizlikleri ve Adet Sancıları....288
Ağız Kokusu....290
AIDS (HIV Virüsü)....291
Alalık....293
Alerji....293
Alzheimer....294
Arpacık....295
Artrit(Eklem İltihabı)....296
Astım (Nefes Darlığı)....298
Ateş Yükselmesi....299
Bademcik....300

Bağırsak Solucanları....................301
Baş Ağrısı....................302
Bel Soğukluğu....................303
Brusella....................303
Bronşit....................304
Böbrek İltihabı....................305
Burun Tıkanıklığı....................305
Cilt Bakımı....................305
Cinsel Performans Eksikliği....................308
Cüzam....................308
Çıban....................309
Damar Sertliği....................309
Dalak Rahatsızlıkları....................310
Depresyon....................310
Diş Ağrılarında....................312
Diş Eti Kanamalarında....................313
Dilin Tat Alma Duygusunu Kaybetmesi....................314
Diyabet....................314
Egzama....................315
El Ayak Titremelerinde....................316
Ereksiyon Sorunları....................316
Ergenlik Sivilcelerinde....................317
Ezik ve Yaralarda....................317
Felç....................317
Frengi....................318
Fıtık....................318
Gastrit....................319
Göz Nezlesi....................319
Grip....................319
Gut(Nikris)....................320
Hafıza Zayıflığı ve Unutkanlık....................321
Hazımsızlık....................322
Hemoroit(Basur)....................322
Hıçkırık....................324
İdrar Yolları Hastalıklarında....................324
İltihaplanmalarda....................326
İnme(Beyin krizi)....................326
İshal....................328
İştahsızlık....................328
Kabızlık....................329
Kalp Damarları Tıkanıklıkları....................330
Kanser....................332
Kansızlık....................334
Karaciğer Rahatsızlıklarında....................335
Katarakt....................336
Güçlü Gözler İçin....................337
Kısırlık....................338
Kolesterol....................339
Loğusalık ve Emzirme....................341
Lumbago....................341
Meme Kanseri....................342
Menopoz....................342
Migren....................343
Mide Rahatsızlıkları....................344
Mide ve Onikiparmak Ülseri....................345
Multiple Sclerosis(MS)....................345
Nasır....................346
Nezle....................348
Osteoporoz....................349
Ödem....................350
Öksürük....................351
Parkinson Hastalığı....................352
Prostat Sağlığı....................354
Romatizma ve Eklem Problemleri....................355
Saç Bakımı....................355
Sara....................356
Sarılık....................357
Sekte....................357
Selülit....................357
Sinüzit....................358
Soğuk Algınlığı....................359
Stres....................360
Tansiyon....................360
Titreme....................361
Topuk Dikeni....................361
Tiroid....................363
Uyku Bozuklukları....................363
Uyuz....................364
Üre....................365
Varis....................366

Veba....367
Verem....368
Yanıklarda....370
Yara İzlerini Giderici....371
Yaşlanma....371
Yorgunluk....372
Yüz Felcinde....373
Yüzdeki Çiller....373
Zatürree....373
Zayıflamak İçin....375
Zayıflıkta....376
Zehirlenmelerde....377
Zona....377
Zihni Gücü Artırıcı Formüller....379
8. BÖLÜM
BİTKİ VE MEYVELERİN KİRLİAN RESİMLERİ....381
9. BÖLÜM
KÂİNAT ECZANESİNDEN COSMİC BİTKİSEL BESİN DESTEK HAZIR ÜRÜNLER....393
Cosmic Alfa Alfa....394
Cosmic Soya....395
Isırgan....395
Cosmic Kapari....396
Spirulina....397
Nar Çiçeği....398
Zencegil....398
Yeşil Çay....399
Enginar....400
Pirenli Bitkisel Karışım Tablet....401
Sarı Kantaron....402
Karışık Cosmic Yağlar....403
Sıkça Sorulan Sorular....403
Hastalıklarla İlgili Ürün Kullanım Tablosu....404
10. BÖLÜM
EK BELGELER....407
Burçlar Tablosu....408
Kozmik Beslenme Tablosu....409
Sıcak-Soğuk Bitkiler İle Besinlerin Tabii Özellik Tablosu....410
Ahmet Maranki Kimdir?....412
Elmas Maranki Kimdir?....414
John Hopkins'ten Kanser Güncelleme Özeti....436
A'dan Z'ye Konular İndeksi....439
Kaynaklar....448

Her insanın ilk ve en birinci vazifesi, kendini keşfedip tanıması ve bu sayede aydınlanan mahiyet adesesiyle dönüp Rabbi'ne yönelmesidir. Kendi mahiyetini tanıyıp bilmeyen ve Yüce Yaratıcısıyla münasebet kuramayan bahtsızlar, sırtlarında nasıl bir hazine taşıdıklarını bilemeyen hamallar gibi bu dünyadan geçer giderler.

DÜNYADA EN BÜYÜK İZZET VE ŞEREF; ÂLEMLERİ YOKTAN YARATIP İNSANIN EMRİNE VEREN ALLAH'A(CC) HAKKIYLA KUL OLMAKTIR.

Kuru topraktan çıkan, aynı su ile sulanan meyveler ve sebzeler inanılmaz bir çeşitliliğe sahiptir. Meyvelerin ve sebzelerin lezzetleri, kokuları ve tatları düşünüldüğünde akla böyle bir çeşitliliğin *"nasıl ortaya çıktığı"* sorusu gelecektir. Aynı topraktan, aynı suyu ve mineralleri kullanarak, farklı tatları, kokuları yüzyıllardır hiç şaşırmadan, birbirlerine karıştırmadan tutturanlar, elbette üzümlerin, karpuzların, kavunların kendileri değildir. Şüphesiz bu benzersiz lezzet, görünüş ve tat onlara *"Şanı Yüce bir Yaratıcı"* tarafından verilmektedir.

GİRİŞ

Değerli okuyucular yaşam enerjisi dizisinin 4. kitabıyla yine sizlerleyiz. Kitabımızda bugüne kadar hiçbir Türkçe kaynakta bulunmayan bitkiler dünyası ile ilgili bilgi ve belgelerini sonuçlarıyla beraber yine sizlerle paylaşacağız.

KOZMİK BİLİM IŞIĞINDA ŞİFALI BİTKİLER kitabımızın giriş bölümünde sizlerle geniş bir konjöktür içinde bitkilerin dünden bugüne geçirdiği süreçleri ve dünya üzerindeki uygulama alanlarını ve bugün gelinen noktayı kozmik bir bakışla bütün gerçeklerle yüzleşerek konuyu sizlerle paylaşmak istedik.

ESKİMEZ METODLAR

Daha sonra insan vücudundaki organlarımıza bir bakışla kadim ve eskimez kitaplardan günümüze organlarımızın fonksiyonlarını, özelliklerini ve onlara bakarak hastalıkları belirleme gibi özellikleri ilk defa bu kitapta göreceksiniz. Mesela mizacınızdan neticeler çıkaracak, nabzınızı ölçerek kendinize teşhis koyabilme metotlarını, idrarınızdaki özelliklerle de sizlere ne mesajlar veriliyor, bunlarla kendinize yeni bir ufuk açıp, bilgi dağarcığınızı geliştireceksiniz.

İnsanın sağlık durumunu değiştiren sebepler, sağlıklı kalmak için alınacak tedbirler anlatılırken yine kadim ve eskimez kitaplardaki metotların etkisinden söz edilecek, hamamın, uykunun, mevsimlerin, yemek yemenin, kan aldırmanın, hacamatın nasıl yapıldığından tutun da kötü gibi bilinen **kusmakla** bize verilen mesajları yine hayretle okuyacaksınız.

Sağlıklı beslenmeden de kısaca bahsedilecek ve Türkiye'de ilk defa bir tez ortaya konularak bir ilki yaşayacaksınız.

Bu arada yine ilkleri öğreneceğiniz **"Sağlıklı Beslenme"**kitabımızın da **"Yaşam Enerjisi"** dizisinin 5. kitabı olarak hizmetinize kısa zamanda sunulacağı müjdesini vermek isteriz.

Almanya'da yapılan bir bilimsel laboratuar çalışmasında bedenimizi hastalandıran, asit oluşturan ve oluşturmayan bitkileri liste olarak ilk defa size sunacağız. Bu listede bitkinin asit tutucu özelliği ne

kadar çoksa **mukus** atıcı değeri de o kadar önemlidir. Burada da görüldüğü gibi sebzelerden turpun, ıspanağın, yeşil çayın, maydanozun neden arındırıcı özellik taşıdığını da ilk defa öğreneceğiz.

Bu listede bitkilerin pozitif ve negatif yüzdelik oranları size verilerek bitkilerin ne kadar asit, mukus oluşturduğunu veya asitleri etkisiz hale getirdiğini görebileceksiniz.

GÜNLÜK KALORİLER

Ayrıca kullandığımız besinlerin günlük kullanımları ile ne kadar kalori aldığımızın tablosunu da sizler için hazırladık. Buradan da günlük kalori tüketiminizi takip ederek, sağlıklı beslenebileceksiniz.

Sağlıklı yaşamda kozmik bilimden de bahsedilerek bedenlerimizin beden organlarımızın aktif, pasif çalışma saatleri sizler için bir tablo halinde verilmiş ve kozmik beslenmenin önemi uzun araştırmalar sonucu ortaya çıkarılan çalışmalar ana başlıklar halinde hizmetinize sunulmuş olup bu liste sizin kalan ömrünüzü sağlıklı ve mutlu yaşamanıza rehber olacak niteliktedir.

İnsan neslinin kurtuluşuna sebep olabilecek dünyamızı ve bedenimizin 2/3ünün sularla kaplı olmasından aldığımız mesajla **suların kozmik boyutu ve kaplıca, kür sularının insan üzerindeki tesirleri** de bitkilerle kombinasyonu da işlenmiştir.

Kitabımızın ana konusu olan **A'dan Z'ye Bitkiler Dünyası'nda** daha çok ülkemizde bilinen ve kullanılan tıbbi ve aromatik(hoş kokulu) bitkilerle beraber dünyada meşhur olup ülkemizde üretilmeyen çok önemli bitkilerde listeye alınmış ve yine ilk defa bunların Türkiye'deki muadili bitkiler açıklanmıştır.

Türk insanının Çin'deki bir bitkiyi alıp kullanmasını mantığı incelendiğinde Yaratıcının adil olduğu hükmüyle insanımız için o bitkinin mutlaka bu topraklarda da şayet insanımızın bu bitkiye ihtiyacının bulunacağı ve yetişeceği mantığı ile ilk defa **muadil bitkiler** de incelenmiştir. Mesela Aloe Vera yerine Sarı Sabır, Ginseng yerine Adamotu, Yer elması gibi bitkiler örnek gösterilebilir.

Listedeki bitkiler verilirken kolay tanınması için kısa **bitki biyografileri** verilmiş, önerilen hastalıklar, kullanım şekli ve dozu en çok kullanılan pratik ve uygulama alanı bulmuş, **denenmiş-mücerrep** kaydıyla sizlere sunulmuş, ayrıca bitkinin yan etkisi olup olmadığı da geniş olarak kaydedilmiştir.

SICAK-SOĞUK BİTKİLERİN MASAJI

Diğer kitaplarda olmayan bitkilerin eskimez kadim kitaplarda belirtildiği gibi sıcak, soğuk veya kuru, nemli bitki olup olmadığı ve ne manaya geldiği de ilk defa kaydedilmiştir. Ayrıca bu **tıbbi ve aromatik bitkilerin yağları** ile de hangi hastalıklara çare olacağı ve kullanım şekli uygulamalı ve örnekleriyle kitapta yer almıştır.

BİTKİLERİN GRUPLANDIRILMASI

Okuyucularımız bilgilenmesi açısından yine ilk defa bitkiler gruplandırılarak; taneli bitkilerin, tereterevezlerin, kabuklu bitkilerin, kokulu bitkilerin, baharatların ve

yağı çıkarılan ve kullanılan bitkilerinde listesi verilerek ilk defa bir kaynak oluşması sağlanmıştır. Bu listeyi yapmamızdaki sebep Türkiye'de yukarıda adı geçen bitkilerin bu vasıfları maalesef bilim kitaplarında belirtilmemesindendir.

BİTKİLERİN TERİMLERİ

Yine önemli bir bölüm olarak bitkiler dünyasındaki terimleri, deyimleri, kullanılan ifadeleri sizin için kısaca açıklama ihtiyacı duyduk. Mesela **serbest radikal, antioksidan** vs. Bundan başka bitkilerde bedenimize faydalı olması için içindeki **etkin maddeleri, mineralleri, vitaminleri** bitki bölümünde verdiğimiz gibi merak edenlere burada neye yaradıklarını daha geniş bir şekilde bize her konferansımızda defalarca sorulduğu ve halkımızın bilgilenmesi için geniş yer verdik.

Yine ilk defa **enzim, vitamin ve minareller** alınırken bunların hangi bitki, sebze ve meyveden ne miktarda ve oranda elde edilme metotlarıyla birçok kürler halinde sizin için özel olarak hazırladık. Hedefimiz bunları bugünkü yaygın hali kapsül veya drop olarak bunu alamayanlara da bir yol açmak ve fayda sağlamaktır. "Sizin en hayırlınız insanlara en faydalı olanınızdır" hükmü niyetiyle....

Bunları yazarken bu terimlerin bize yabancı literatürden geçtikleri ve daha kolay anlaşılmaları için dünyada en çok kullanılan adlarıyla yani İngilizce, Almanca veya Latince olarak yazılmış, yanlarına Türkçe karşılığı verilmiştir. Flaxseed oil-keten tohumu yağı, brewers yeast-bira mayası gibi.

Enzimlerin Türkçe karşılıkları olmadığı için dünyada bilinen ve tanınan orijinal adlarıyla yazılmışlardır. Bazı bilim adamları bu terimleri ülkemizde kullandığı ve halkımızca anlaşılmadığı için anlaşılması ve sadece bilgi vermek için bu enzimler konulmuştur.

Sağlık açısından bitkiler dışında kullanılan **proteinler, karbonhidratlar, yağlar** hakkında da kısa bilgiler verilmiş olup, yine sağlık açısından en çok kullanılan gıdalardan bitki olmamasına rağmen **et, et ürünleri, süt, süt ürünleri, yumurta ve bal** hakkında da çarpıcı ve bugüne kadar hiç açıklanmayan bilgiler veril-miştir.

SEBZELER VE MEYVELER

Bitkiler dünyasından aromatik ve tıbbi bitkiler dışında en çok kullandığımız sebzeler ve meyveler hakkında kitabımızda ayrı bir bölüm açılmış, kullandığımız bütün sebzeler ve meyvelerin özellikleri, ihtiva ettiği etkin maddeleri, en çok hangi hastalıklara karşı kullanıldıkları ve kullanım şekilleri de ayrı ayrı metotlarla **yeme, içme, demleme veya kür** şeklinde olacağı detaylı olarak en çok kullanılan ve denenmiş-mücerrep şekliyle duymadığınız metotlarla ve formüllerle hizmetinize sunulmuştur.

HASTALIKLAR VE ŞİFA

Kitabımızın ana bölümlerinden biri olan hastalıklar ve şifaları

bölümünde dünyada ve ülkemizde bilinen hastalıklar tek tek ele alınmış, hastalığın bilimsel açıklaması yanında, anlaşılır semptomları, kâinat eczanesinden bu hastalıkla ilgili kullanılması önerilen bitkiler kısa açıklamalarıyla verildiği gibi hastalığın çözümü için pratik bitkisel formüllerde alternatifli ve pratik uygulaması ve hazırlanma şekilleriyle hizmetinize sunulmuştur.

KOZMİK BİTKİSEL KARIŞIM DESTEK HAZIR ÜRÜNLER

Son bölümde bitkiler dünyasından KOBİK tarafından insanlığa hizmet amaçlı olarak çok uzun araştırmalar sonunda yukarıdaki bilgiler münderecatında **eskimez metotlar ışığında, Radyestezi** ile ve çağımızın teknolojileriyle birlikte hazırlanan formüllerden oluşturulan ve **Türkiye'de ilk defa yerli bitki, yerli üretim, yerli istihdam ve yerli iş gücü kullanılarak Türk gıda kodeksine uygun ve bilinebilen hiçbir yan etkisi bulunmayan kanuni ruhsatlı COSMIC bitkisel karışım besin destek ürünleri** hakkında teferruatlı ve **geniş bilgi sizlere sunulmuştur.** Bunu yapmamızdaki amaç da insanlarımızın bitkileri tamamen bilmemeleri ve istifade yollarını daha da kolaylaştırmak içindir.

KOBİK burada bir müjde daha vererek Türkiye'de ilk defa kozmik tabletleri en iyi ve istenilen şekilde hizmetlerinize sunup, fayda alabilmek amacıyla binlerce dönüm orman arazi kiralayarak organik tarıma başlamış, bugüne kadar Kastamonu, Yozgat, Tokat, Antalya, Burdur pilot bölge seçilmiş ve buralara bir milyon adete yakın bitki ve ağacı dikerek üretime başlamıştır.

TAVSİYELER VE TEŞEKKÜR

Türkiye'de bu kapsamda bir kitap hazırlanırken tabiî ki eksik veya fazlalıklarımız olabilecektir. Bu husustaki öneri ve tekliflerinizi **info@maranki.com** adresine ileriki baskılarda yayınlamak üzere bekliyoruz. Bize bu kitabın hazırlanmasında katkıları bulunan kaynakçada gösterdiğimiz eserlerin sahiplerine ve yayınevlerine bu sahada ülkemize ve dünya insanlığına böyle eserler kazandırdıkları için burada teşekkür eder, hakları varsa helal etmelerini istiyoruz.

"İlim Müslüman'ın yitirilmiş malıdır." Bizler diğer bazı yazarlar gibi yapmıyor, kitabımızdan kaynak gösterilerek istifade edilebileceğini burada bir kere daha beyan etmek istiyoruz.

KOZMİK BİLİM IŞIĞINDA ÖNEMLİ HATIRLATMALAR

Değerli Kozmik Bilinç şuurundaki okuyucuları!

Bugüne kadar sizlere; "**Kozmik Bilim ve Bilinçle Yaşam Enerjisi**" başta olmakla yine aynı seriden "**Noktalarla Tedavi**" ve "**Masajla Tedavi**" kitaplarımızla tanışmıştınız. Çok şükür sizlerin teveccühü ile bu kitaplarımız onlarca baskı yaparak yüz binlerce kişi tarafından alındı, okundu ve inşallah istifade edildi. Bize gelen mail telefon ve faks bilgilerinden milletimizin **Kozmik Bilinç**'e erişmede giderek artan bir ivme kazandığı ve bu büyümenin her geçen gün daha da katlanarak ve hızla arttığını biz de müşahede etmekteyiz.

Kozmik Bilim ve Bilinç Kulübü-Kurumu(KOBİK) olarak sizlere bu mesajları ulaştırabilmek çokta kolay olmadı.

2 yıl içinde dünyada ve Türkiye'de "İlmin zekatı" niyetiyle temennasız 250'ye yakın konferans, yazılı medyada yüzlerce haber, görüntülü medyada ise 100'ün üzerinde canlı yayına katılarak KOBİK fikirleri anlatılmaya çalışıldı. Bugün hem Türkiye'de hem de Avrupa'da bilhassa Türk soydaşlarımızın yaşadığı Almanya, Hollanda, Belçika, Fransa, Avusturya, İsviçre, Danimarka başta olmak üzere Avrupa'nın hemen hemen her şehrinde birkaç konferanslar verilerek onlarla tanışma, görüşme ve dertlerini dinleme imkânı bulduk. Yine Türkiye'de başta doğu ve güneydoğu illerimiz olmak üzere KOBİK ekibi olarak yoğun bir konferans organizasyonu yaşadık.

Örneğin, Mardin'in sınır ilçelerinden biri olan Dargeçit'teki bir yatılı bölge okulunda verdiğimiz konferansta yaklaşık 2000 kişinin ayakta 3,5 saat sinevizyon eşliğinde konferansı dikkatle izlemeleri ve sonunda memnuniyetlerini tek tek dile getirmeleri bizi bu bölgelere konferans vermeye teşvik etmiştir. Aynı teveccühü; Bingöl'de 2, Sivas'ta 4, Van'da 2, Tatvan'da, Gaziantep'te 3, Şanlıurfa'da 5, Kahramanmaraş'ta 5 ve bilhassa Adıyaman'ın neredeyse bütün ilçelerinde konferans vermemiz ve bu şehirlerin çoğunun tekrar konferans talep etmeleri Kozmik

Bilim'e ne kadar ihtiyaç olduğuna ve anlatılanların önemine işaret etmektedir. Burada Batı bölgelerinin her ne kadar İstanbul, Bursa, İzmir gibi şehirlerde 50'ye yakın konferans vermemize rağmen Batı bölgesinin Doğu kadar konuya duyarlı olduğunu söyleyemeyiz. Bunun sebeplerinin yaptığımız araştırmalarda Batı insanının refah düzeyinin yüksekliğiyle umursamazlık içinde olduğu, ancak hastalık son noktaya geldiğinde sağlık konularını önemsediği yani günü birlik yaşadığı gerçeğidir.

Esas olan her günümüzü sağlıklı ve hastalanmadan yaşamak ve bunu da yapabilmek için Yaratıcı'nın bize ilk talimatı olan **"Oku, araştır"** hükmünü icra etmek, **"ya okuyan, ya okutan ol, ya dinleyen ya dinleten ol beşincisi asla olma"** hükmünü kendimize şiar edinmektir.

Bütün bunlar yapılırken bölge insanının yürek sesini de sizinle paylaşmak isterim ve ilgililerine ithaf ederiz...

Konferans yaptığımız bütün gönüllü kuruluşların ortak görüşleri **"Hocam, neden Doğu ve Güneydoğu'ya gelip başta üniversitedeki bilim adamları ve diğer aydınlar ve yazarlar konferans vermiyorlar, biz bu ülkenin vatandaşı değil miyiz?"**dir. Kim bilir belkide halktan kopuk sırça köşklerde yaşayanlar halktan davet almıyorlardır...

NEDEN BUGÜN?

Bu kitabın hazırlanması uzun yıllar almıştır. Eserimizi her geçen gün gelişen teknolojiden ve yapılan araştırmalardan istifade edilerek kitap münderecatı ve sizden gelen yoğun talep üzerine baskıya vermeye niyet ettik. Ve hep erteledik, daha vakti gelmedi diye... Son günlerde ülkemizde hastalıkların hızla artış göstermesi, hastahanelerdeki kuyruklara yenilerinin eklenmesi bizi bu kitabı bir an önce çıkarmaya ve insanlarımızla sağlıklı beslenme üzere bilgilerimizi, bitkilerin koruyucu, önleyici ve tedavi edici özelliğini de sizinle paylaşmaya zorladı.

Biz yıllardır her konuşmalarımızda ve konferanslarımızda bitkilerle ilgili görüşlerimizi dile getiriyorduk. Son birkaç aydır birkaç sağduyulu bilim adamlarımız ve araştırmacılar nihayet ülkemizde bu konuları yüksek sesle dile getirmeye başlamışlar ve halkın istifadesine sunmaya devam etmektedirler.

Türk insanının tamamen ilaç bağımlısı ve hasta olduğu bir zamanda bu seslerin bilimsel noktada artmasını ve üniversitelerimizin ve devlet yetkililerimizin bu sese kulak vererek ilgili kanun, yönetmelik ve dersliklerin üniversitelerde ders programlarının konulmasının vaktinin gelip geçtiğinin kanaatindeyiz.

Sağlık, insan hayatı için en önemli ve üzerinde titizlikle durulması gereken ve ihmale gelmemesi lazım gelen bir konudur.

Ortodoks tıbbının bugüne kadarki engin tecrübe ve araştırmalarından istifade ederek teknolojinin gelişimiyle birlikte bu sahada

insanlığın geleceği için yapılabilecek çok güzel gelişmeler sağlanabilir.

Bitkiler dünyası bunun bir örneği olup Uzak Batı, Avrupa ve Uzak Doğu'da kullanılan gelişmiş bütün metotlar ülkemizdeki bütün devlet üniversite ve diğer kuruluşlarda aynen hayata geçirilmelidir. Burada birtakım kaygı ve gerekçelerle geç kalınması Türk insanını biraz daha hastane kapılarına ve kimyasal ilaçlara mahkûm edecek ve **hasta hastane ve ilaç kısır döngüsünün** içinde bırakacaktır.

Başta hükümet sağlık, tarım ve ilgili diğer bakanlıklar ile üniversiteler ortak bir koordinasyon kurarak dünya örneklerindeki uygulamaları hemen ülkemize adapte etmelidirler.

Zaten **Avrupa Birliği**'ne girme sürecinde olan ülkemizin uyum programları paketlerinde bu düzenlemeler mevcut olup görüldüğü gibi çok yavaş ilerlemekte, bu da bizim kaygımızı artırmaktadır.

Burada en büyük vazife devletimizin yanında gönüllü kuruluşlarımıza, medyamıza ve bilhassa üniversitelerimize düşmekte olup suiistimale açık olan sağlık konusunun mutlaka hekim ve uzman kontrolünde düzenlenmesi ve en kısa zamanda Avrupa'da örnekleri olduğu gibi bitkisel tedavi uzmanlık bölümleri açılarak hayati önem taşıyan bitkiler dünyası ehillerine teslim edilmelidir.

NASIL BİR KİTAP?

Bitkiler konusunda yaptığımız araştırmada Türkiye'de bugüne kadar 100'ün üzerinde kitap yazıldığı, bunların pek çoğunun diğer kitapların değişik versiyonu, eskimez kitapların tercümeleri, bazılarınınsa dış kaynaklı ve içine suiistimale açık fikirlerinde derc edildiği eserlerin tercümesi olduğu, birkaç tanesinin ise akademik kaynaklı ve araştırmalar ihtiva eden ve üniversitelerde ders kitabı olarak okutulan kitaplar olduğu tespit edilmiştir.

Bu çalışmaları maalesef **dünya literatürüyle** karşılaştırıldığında bitkiler sahasında eskimez kitaplarda pek çok araştırma ve kaynak kitabı bulunmasına rağmen Cumhuriyet Dönemi'nden günümüze kadar birkaç tercüme dışında hiçbir çalışma yapılmamıştır.

Hans'ın, Jony'nin yazdığı tercüme kitaplar ve çalışmalar dışında fazlaca bir araştırma bu sahada maalesef yapılmamıştır.

Ülkemizde milyarlarca dolar sağlık harcamaları gideri de gelinen bu acı sonucun neticesidir.

Bitkilerle tedavi bütün inanç kitaplarında, kültürlerde yazılı ve yazılı olmayan kaynaklarda bahse konu olmuş ve binlerce yıllık zengin bir tarihi geçmişe sahiptir. Bize düşen bu zenginliği günümüz insanıyla paylaşarak, insanımızın istifadesine sunmaktır.

Bunu yaparken bu sahada onlarca kitap olduğunu ve bunların eksiğini tamamlama düşüncesiyle biz elinizdeki bu eserde sadece

bugünün tıbbını değil eskimez yani kadim tıp metotlarını da dünden bugüne tarayarak bilimin ışığı altında ve 50 yıllık hayatımızdaki çalışma ve tecrübelerimizi de ortaya koyup mecz ederek sizinle yani dostlarımızla paylaşmaya karar verdik.

Çünkü dünle bugünü barıştıran ve buluşturan bir eser ortaya koymamız gelecek nesiller için bir bilim hazinesinin kaynağını oluşturacaktır.

DİĞER KİTAPLARDAN FARKI

Elinizdeki kitap için, eski Orta Asya kültür ve Türk töresinden başlayıp İslam medeniyeti ve Tıbb-ı Nebevi'yi de içine alarak Selçuklu ve Osmanlı dönemlerinde yazılmış kadim ve eskimez asrın tıp kitaplarından kaynak olarak istifade edilmiştir. Bu kaynaklar ışığında;

Kitabın bu hale gelmesinde İ.Ü Tütün Eksperleri Yüksek Okulu'nda başlayan tarımla alakam, İstanbul Üniversitesi'ndeki dünya tütün tarım sanayi ve politikaları mastır tezim ve ABD Kentucky Üniversitesi'ndeki bitkilerle ilgili doktora üstü çalışmalarım ve yine devlet göreviyle 1991 yılında ABD Tarım Bakanlığı'ndaki çalışmalarım neticesinde gördüğüm Gen Teknolojileri çalışmaları ile ABD'de tarım işletmeleri ve tütün çiftliklerinde yaptığım araştırmalarda bizim dünyaca meşhur 3 cmlik İzmir kokulu tütününün yerine 1 metreye yakın boydaki Fluecured, Virginia, Burley tütünlerinin yetiştirildiğini ve yıllar sonra bugün Türk sigaralarında bu tütünlerin kullanıldığını görmem beni bu sahada çalışmaya yönlenmeme önemli bir sebep ve insanlığın geleceği için bir kurtuluş reçetesi olabilecek çalışmaların başlangıcı olmuştur.

TEHLİKELİ ÇALIŞMALAR

Bitkiler üzerinde yapılan çalışmalar ve bitirdiğim kurslar da bizzat yaşadığım ve gördüğüm olaylar neticesinde aynı uygulamaların ileride asrın şifa reçetelerinin çıkabileceği bütün bitkilerde uygulanabilir olacağı tehlikesiyle kendimi bu sahada yoğunlaştırarak çalışmalar ve araştırmalar başlattım. 1993 yılında Rusya'da T.C tarafından eski adıyla SSRI'de konumla ilgili araştırmalar yapmak ve ders vermek üzere görevlendirildim. Bir yıl diye başlayıp 15 yıla yakın süren bu görevimde Batı tarafından bilinmeyen pek çok teknolojileri, gizli ve stratejik araştırmaları ve yine başta bitkiler olmak üzere hayvanlar, insanlar ve ekoloji üzerinde yapılan deneysel ve tıbbi araştırmalara şahit oldum. Doğu'da gördüklerim Batı'daki-lerden farklı değildi. Aynı şekilde Rusya'da da bitkilerin genleri üzerinde transgenetik çalışmaların yoğunlukla yapıldığını ve bu yapılırken de amacın aynen Batıdaki gerekçelerle aynı olduğu; dayanaklı tohum türleri, çevre, ekoloji ve mikroplara karşı dayanıklı ve verimli tohum yetiştirilmeyi amaçlandırdığı dile getirilmiştir.

Bu konunun önemine binaen birkaç önemli konuda açıklama yapmak istiyorum; çünkü geleceğimizin kurtuluş reçetesi olabilecek bitki-

lerin gelişme seyrini sizinle paylaşarak yetkili yetkisiz her vatandaşın ve gönüllü kuruluşların bu dehşet verici gelişimlerden haberi olsun istiyorum.

G.D.O'LAR

1970'lerde başlayan transgenetik çalışmalar Rusya kapalı bir toplum olduğu için pek haber alınamamasına rağmen soğuk iklime karşı halkın en çok tükettiği buğday, patates ve lahana üzerinde çalışanlar yapıldığı bilinmekteydi. 80'li yıllarda ilk bitki biyoteknolojisinde genetiği değiştirilmiş ürün çalışmaları başlatılmış ve nihayet 1996 yılında su yüzüne çıkmış " Flavr Savr" adı verilen domates üretilmiş savunması yapılırken de diğerlerine göre daha uzun raf ömrüne sahip olduğu ve besin değerinin farklılığı gibi konular ön planda tutulmuştur.

Domatesi transgenetik mısır, pamuk ve patates takip etmiş olup; 2007 yılında dünyada başta ABD, Kanada, Arjantin, Brezilya, Çin, Hindistan, Avustralya ve İspanya gibi toplam 25 ülke 120 milyon hektar alanda transgenetik ürün ürettiğini açıklamıştır.

Bu gibi konulara tepkiler yine bu işin bayraktarlığını yapan ABD'den gelmiş, transgenetik domateste bulunan bir bakteri yüzünden 100'lerce kişinin hastaneye kaldırılması ve bu kişilerin genetik yapılarının bozulup bozulmadığının araştırılması ABD kamuoyunda geniş yer bulmuş ve transgenetik tohumların kullanılmasıyla üretilen bitkilerin yenilmesinden insan genetiğinin ne kadar etkilendiği üzerinde araştırmalar başlatılmıştır.

AB ise transgenetik ürünlerle ilgili AB yasalarında çok önemli sınırlamalar getirerek ticari maksatla pazara transgenetik ürün sürmek isteyenler yazılı izin alarak üretim yapmalarına müsaade edilmekte, bu firmalar 2003 yılından beri bir katalogda toplanarak, liste halinde üye devletlere ve halka duyurulmaktadır.

Ülkemizde ise transgenetik tohumların insan sağlığını tehdit ettiği, başta DNA kırılmaları sebebiyle kanser, alerji, antibiyotiğe dayanıklılık, bebeklerde cinsiyet sorunları ve umum manada da bağışıklık sistemini olumsuz etkilediği yetkililer ve üniversiteler tarafından açıklanmıştır.

Transgenetik tohumların mevzuat ve denetim eksikliği yanında, bu tohumların inceleneceği laboratuarlar Türkiye'de bitki, doku kültürü yatırımları altında çalışmalara başlamış olup, bu laboratuarlar ziraat fakültelerinde ve tarım bakanlığı araştırma enstitülerinde bulunmaktadır. Laboratuarlarda maalesef son derece basit bir teknoloji gerektiren **"patates tohumluğu"** ihtiyacı bile karşılanamamaktadır. Bu transgenetik tohumlar ihtiyacın karşılanması için başta İsrail olmak üzere yurtdışından getirildiği ve gümrüklerden rahatça geçtiği çiftçilerimizin de daha çok verim ve gelir kaygısıyla bu tohumları düşünmeden kullandığı ve bunun giderek arttığı bir gerçektir.

G.D.O'LAR YAYGINLAŞIYOR

Dünyada ve Türkiye'de halen domates, patates, mısır ve pamuğun yanında şimdide muz, çilek, kiraz, ananas, biber, ahududu ve kavun ve karpuzda transgenetik çalışmaların hız aldığı, bu tohumların Türkiye'ye girmesi halinde, üreme yeteneği alınmış, transgenetik tohumlarla her yıl milyonlarca dolarlık yeniden tohum alınması gerekeceği, doğrudan çiftçimizi etkileyeceği gibi bunlardan üretilen yan sanayinin de etkilenerek mısır ve soyadan üretilen sıvı yağ ve türevlerinin un nişasta ve hemen hemen her konsantre üründe kullanılan glikoz, sakaroz, früktoz ihtiva eden gıdaları da etkileyeceği, dolayısıyla geleceğimiz olan başta çocuklarımız olmakla en çok tüketilen bunlardan üretilen gıdalar arasında yer alan bisküvi kraker, kaplamalı çerezler, pudingler, bitkisel yağlar, şekerlemeler, çikolata ve gofretler, hazır çorbalar, ve son yılların genç annelerce en çok itibar edilen hazır mamaların yanında transgenetik üretilen mısır ve soyayı yem sanayisinde kullanarak beslenilen hayvansal et, tavuk ve çiftlik balıklarının da etki alanlarına girmektedir.

Beslenmemiz dışında çok önemli bir tehlikede pamuğun transgenetik olarak üretilmesi ve yan sanayide ve tekstilde hayatımıza girerek son yıllarda sık sık görülen ve bilhassa çocuklarımızda baş gösteren alerji rahatsızlıklarına sebep olması mıdır?

ALINACAK TEDBİRLER

Bütün bu tartışmalar bilimsel bir zeminde kurulacak milli bir biyogüvenlik kurumunun başkanlık statüsünde kurularak devlet ricalinin bu işe el atması kaçınılmaz bir gerçektir. Biran önce yapılanması gereken bu kurumun ideolojik, ekonomik ve kişisel tercihlerin ağır basmayıp hükümetler dışı bir bağımsız kuruluş olarak hizmet vermesi gerekmektedir. Yoksa devlet tarafından kurulan bir kuruluşun A'dan Z'ye insan hayatıyla ilgili olması ve çok büyük bir mali potansiyele sahip olması sebebiyle, bu şartlar oluşmadan bağımsız olarak hizmet vermesi mümkün olmayacaktır.

Türkiye bu yıl itibariyle 300 milyon dolarlık bir bitkisel tohum pazarının yaklaşık 1/3'ünü yurtdışından ithal etmektedir.

Türkiye bu ithal politikaları yerine Türk özel sektörünü destekleyip ülkemizdeki nadir bulunan her türlü Türk bitkisinin tohum, gen kaynaklarını korumaya alarak üretilmesine geç kalınmadan, iş işten geçmeden, milli ve bağımsız bir devlet olmanın bilinciyle acilen tedbir alarak destek vermelidir.

BİTKİ DÜNYASI VE SAĞLIKLI BESLENME HAKKINDA ÖNEMLİ BAŞLIKLAR

Son 70-80 yıldır hayatımıza giren sadece kimyasal terkiplerden oluşan ilaçlardan medet umarak çığ gibi büyüyen hastalık çeşitlerini ve oranlarını yok etmeyi beklemek yerine, binlerce yıldır insanlığın şifa bulduğu eskimez metotlarla birlikte gelişen teknolojinin ışığı altında ORTODOKS TIBBININ deneyim ve engin tecrübelerinden de istifade ederek işbirliği ile İntegratif-Bütünsel Tıp metotlarını da kullanarak çözüm yolları aramanın vaktinin geldiğini hatta geç kalındığını paylaşarak sizlere yeni bir ufuk açmak istiyoruz.

KORUYUCU HEKİMLİK

İlkokuldan başlayarak, lise ve üniversitede mutlaka önleyici, koruyucu hekimlik ve sağlıklı beslenme ile ilgili dersler zorunlu okutulmalıdır.

Tıp fakültelerine dünyadaki emsalleri gibi bitkisel tedavi ile ilgili bölümler ve yan bilim dalları geç kalmadan kurulmalıdır.

İLAÇ TÜKETİMİ

Avrupa ve dünya ülkeleri kendi ilacını kendi üretmektedir.

Türkiye yüz milyarlarca dolar dövizi ilaca vermektedir. Ülkemiz bu kadar zengin değildir. Ülkemizdeki yetkililer sağlıkta başka metotlar aramadığı için birtakım telkinlerinde etkisiyle bu necip milletin torunları sadece kimyasal ilaçlara mahkûm edilmekte kısır bir döngüde kalan son ömürlerini elinde ilaç torbalarıyla hastane kapılarında geçirmektedir.

Türkiye binlerce yıllık tababet kültür birikimiyle çaresiz değildir. Yeterki istenilen irade ortaya konulabilsin. O zaman çare çoktur.

Bitkiler dünyası bunlardan sadece birisi olup, bilimin ışığında insanlığın kurtuluş reçetelerini ortaya koyabilecek birikime sahip olduğunun işaretidir. Dünyamız, kuruluşundan bugüne kadar insanlığa yaptığı ve hiçbir zarar ve yan etkisi ve bağımlılığı olmayan, doğru kullanıldığında şifa veren bitkiler dünyasıdır.

MELEZ-HİBRİT DÖLSÜZ TOHUMLAR

Bitkilerden; meyve ve sebzelerin geni değiştirilmiş-melez-hibrit-ebtergeridönüşümsüz-tek kullanımlık dünya literatüründeki adıyla *disposable* tohumlardan üretilenleri kullanmayınız. Israrla doğal tohumlardan üretilen bitkileri tercih ediniz. Bu gibi tohumlardan üretilen bitkiler şifacı olamayacağı gibi bağışıklık sistemine hiçbir katkısı olmayan antioksidan mineral ve vitamin ihtiva etmekte, buda bugün hızla artan kanser hastalıklarını tetiklemektedir.

İYİ NİYETLERLE ORTAYA ÇIKAN BU GİBİ ÇALIŞMALARIN BİLİMSEL OLARAK İNSANA VE DOĞAYA TESİR VE GERİ DÖNÜŞÜMLERİ, SONUÇLARI MUTLAKA ARAŞTIRILMALIDIR!

Toprağın biyolojik yapısını bozduğu ve sonraki kullanımlar için dejenerasyona uğratması yanında bu tohumlardan çıkan bitkilerden uçan polenlerin son zamanlarda artan allerjik hastalıklara sebep olduğu, floraya tesir ederek çevre ekolojik dengeyi etkilediği dikkate alınmalıdır.

Son zamanlarda ülkemizde sık sık ve dünyada da yaygın olarak görülen mucizevi iksir "balı" üreten arıların ölümü acaba bu hibrit tohumlardan üretilen bitkilerin polenlerinden mi kaynaklanmaktadır.

Daha bunun gibi yine ülkemizde yetişen sulu bitkiler; kavun, karpuz, domates, salatalık gibi antialerjik, soğutucu bitkiler oldukları halde tam aksine kendileri allerjen duruma gelmişlerdir. Bütün bu bitkilerin tüketilmesiyle insan geninde zamanla dejenerasyona uğrayabileceği de dikkatle düşünülmelidir.

Doğum oranlarının son yıllarda azalması ve kısırlık probleminde hibrit tohumların etkisi mutlaka araştırılmalıdır. Dölsüz tohumlardan tüketerek döl vermek mümkün müdür? Kesinlikle ve acil olarak araştırılmalıdır.

KOBİK ORGANİK ARAZİLERi

Kobik, bütün bu olumsuzlukları ortadan kaldırmak ve halkımıza organik olmayan araziler ve hibrit-dölsüz tohumlardan üretilen bitkiler yerine özel, bugüne kadar ekilmeyen belgeli organik arazilerde bitkilerini üretmekte ve insanlığın hizmetine sunmaktadır.

Bu, asrımızın çözümsüz problemlerinin en başında yer alan bir durumdur. Bu duruma devlet ve sağduyulu çiftçiler mutlaka el atmalı, gelecek nesillerimizi korumak için Anadolumuzun tabii arazileri ve tohumları tamamen yok olmadan müdahale edilmelidir.

Bitkileri tohumlarını seçtikten sonra ekilecek arazinin münbit ve temiz olması, tohumu ekecek kişinin ruh durumu, sağlığı düzgün olmalı, yani ekimi, dikimi, büyütme, hasadı, kurutmasından bize ulaşan en son mamül haldeki içecek ve droglarına kadar yapılacak **İŞLERIN SEVGİYLE VE İSTEYEREK YAPILMASI** çok önemlidir.

Gelişen teknolojik aletlerle yapılan Kirlian fotoğraf tekniği, termal kamera ve bio rezonans aletlerinin de görüntülemeleriyle ortaya çıkan bir gerçek, sevgiyle yapılan bu işlerde bitkilerin tamamen etkilendiği hatta kimyalarında değişik-

likler husule gelerek etkin maddelerinin oranlarının ve enerji boyutlarının tamamen farklılaştığı ortaya konulmuştur.

AŞIRI GÜBRELEME

Sebzeler temizleyici, meyveler ise besleyicidir. Sebze ve meyvelerinizi tüketmeden önce günümüz çevre ve toprak kirliliğini (nitrat fazlalığı ve toksin vs), yetiştirme aşamasında tatbik edilen hormon ve antibiyotik vs. katkıların zararlarını minimuma indirmek için elma, üzüm, limon sirkelerinden birine karıştırılmış sıcağa yakın ılık suda bir kaç dakika tutulmasını öneririz.

PİŞİRME

Bitkilerden hazırlanan yiyecek ve içecekler tedavi edici kürler dışında kesinlikle fazla pişirilmeden, tıkırında ve suları dökülmeden günlük olarak tüketilmelidir. Mümkünse suları içilerek, yemek haricinde günlük tüketilmelidir. Meyve ve meyve hoşaflarında da aynı metot geçerlidir.

MEYVE - SEBZE SULARI

Alışkanlık haline getirdiğimiz ve sıkça kullandığımız portakal, greyfurt, elma, vişne, kayısı, erik gibi meyve sularını mevsiminde çiğden sıkarak içmeli, konsantre halde kullanmamalıyız. Bunları tüketirken en fazla kilonuza göre içeceğiniz miktar 1-2 bardak olmalıdır.

Boş karna portakal, greyfurt gibi asitli meyve suları içilmemeli, mümkünse yemek aralarında uygun miktarda tüketilir. Kür uygulamaları bunun haricindedir. Kür uygulamalarında zeytinyağı ile yudum yudum içilen meyve suları bununla karıştırılmamalıdır.

KAÇ ÖĞÜN YEMELİ?

Günde iki öğün ve öğünlerinizde her zaman bir çeşit gıda tüketiniz. Örneğin; bir öğün lahana, bir öğün makarna gibi...

Kanuni Sultan Süleyman ve Yavuz Sultan Selim gibi cihan padişahlarının herkesten çok imkânlarının olmasına rağmen hayatları anlatılırken en önemli özelliklerinin başında her gün iki öğün ve bir çeşit yemek yediklerine ibretle şahit oluruz. **"Olmaya devlet cihanda bir nefes sıhhat gibi"** sözünün açılımından bunu mu anlamalıyız acaba?

MEVSİMLERDE NE YİYELİM?

Salatalarınızı mutlaka mevsimlik sebze ve meyvelerden seçiniz. Yani kışın domates, salatalık, yeşilbiber kullanmayınız. Yazında kışlık sebzeleri kullanmayınız. Türkiye için havuç ve lahanayı(yuvarlak, suni lahana) bu kışlık sebzeler içinde gösterebiliriz. Bu sebzeler yaşadığınız iklime göre değişim göstermektedir.

Yenilebilecek et yemek türlerinden önce salata yiyiniz ki, bitkilerdeki temizleyici özellikle etten gelebilecek zararların önüne geçilsin.

Bitkileri ve çaylarını kür uygulaması haricinde **DEVAMLI VE PEŞPEŞE** tüketmeyiniz.

Beyaz ekmek tüketmeyiniz. **ÇOK ÇABUK ACIKIRSINIZ.** Tabi mayayla üretilmiş tabi buğday unundan ekmeği diğer günlerde kepek, yulaf, çavdar, mısır gibi veya çekirdek ekmek gibi ekmek çeşitlerini münavebeli olarak tüketiniz. Acıkmadığınızı göreceksiniz.

KAHVE VE ÇAYA DİKKAT!

Siyah çayı radyasyonsuz olarak yemeklerden bir saat önce veya bir saat sonra içebilirsiniz. Ancak yeşil çayı içebilir, hatta posasıyla birlikte tüketmenizi öneririz. (Yeşil çayın içindeki Kateşin etken maddesinin demlemeyle suya %15-25 oranında geçtiği, daha iyi aktioksidan etki göstermesi sebebiyle yeşil çayı posasıyla veya sıkıştırılmış tablet olarak tüketilmesini öneririz.

Her türlü bitki çayını aromatik ve uçucu yağlar ihtiva eden bitkiler hariç, aşırıya kaçmamakla günde 2-3 bardak birkaç damla limon damlatarak içebilirsiniz.

Bütün bitki çaylarınızı tatlandırırken bal, hurma, kuru üzüm, siyah kuru kayısı, tabii pestil, dut vs. kullanabilirsiniz. Suni şeker ve tatlandırıcı tüketmeyiniz.

Her gün 2 veya 3 küçük fincan dövülmüş Türk kahvesini kahvaltı ve öğle yemeği sonrası ve akşamüstü (ikindi çayı yerine) içebilirsiniz. (Her hangi bir kronik rahatsızlığınız, kalp kolesterol rahatsızlığınız, alerji sorununuz ve vitiligo rahatsızlığınız mevcut değil VE SAĞLIKLIYSANIZ.)

Vitamin, mineral, enzim ve besin destek ürünlerini <u>suni, kimyevi, tabii olmayan metotlarla saflandırılmış</u> droglar-tabletler halinde almamaya çalışınız. Metabolizma bunları belli yaşlarda (erken ve geç yaşlarda), tolare edememekte, bedende alınan bu ağır metaller sebebiyle çökme yaparak toksin ve kitleler oluşabilmektedir.

KANSERE SEBEP Mİ?

Kanser diye teşhis konulan vakaların bazılarında yapılan laboratuar analizlerinde, oluşan kitlelerin, safra ve böbrek taşlarının bu sebeple oluştuğu üzerinde görüşler ağırlık kazanmaktadır. Biz bu destekleri tamamen ve doğrudan tabii olarak kaynağından yani bitkilerden-sebze ve meyvelerden almaya gayret göstermeliyiz.

Mesela hepimizin alışkanlık haline getirdiği ve bilhassa çocuklarımızın kullandığı C vitaminleri ve yaşlılara kullandırılan kalsiyumun fazla kullanımı vücutta kireçlenmelere böbrek, prostat ve safrada taşlaşmalara sebep olabileceği göz önüne alınarak bu gibi vitamin, mineral ve enzimleri havuç, brokoli, lahana, maydanoz gibi bitkilerden almalıyız. Burada çok önemli bir detayı açıklamak istiyorum; suni olarak aldığımız vitamin ve minerallerden sadece o özelliği yani kalsiyumu veya vitamini bildirilen miktarda alırız.

Bitkilerle tabi yoldan o özellikleri almak istediğimizdeyse, o özellikle beraber onun bedene girmesiyle fazla veya eksik olabilecek ve onun tolaresine yardımcı olabilecek farklı özellikte vitamin, mineral ve enzimleri de beraber alırız. İşte bu özelliğinden dolayı vitamin, mineral ve enzimlerimizi bitkilerden sağlamalıyız.

YEMEK YEME SANATI

Yemeklerin arkasından hemen meyve ve tatlılarınızı yemeyiniz, çay içmeyiniz. İnek yağı ve tabii şekerden yapılmış başta meyve tatlısı olmak üzere bütün tatlılarla ile çayınızı tatlandırarak yemeklerden en az 1 saat sonra, meyvelerinizi de 2 saat sonra mevsimlik meyve olarak tüketebilirsiniz. Tatlıları yemeklerden öncede tüketebilirsiniz.

BESİNLERİ KARIŞTIRMAYIN!

Yukarıda anlatılanların gerekçesi olarak, yenilen öğünlerde karbonhidrat, protein, şeker ve diğer enzimlerin birbirine karışarak, hem aldığınız besinlerin yan etkisinden korunmanıza, hem de gıdaların tam olarak alınmasına ve metabolizmanın bozulmamasına kaygı ön planda tutulmaktadır.

ÖĞÜNLERİN VAKTİ

Akşam, güneş battıktan sonra son öğününüzü yiyebilir iki saat sonra çay, tatlı ve meyve dahil hiçbir gıda almayınız. Çünkü bu saatten sonra safra kesesi saati başlamaktadır. Kitabımızda gösterilen **Beden Organları Aktif Çalışma Saatlerini** dikkatle inceleyip ona göre bir beslenme, dinlenme ve hayat tarzı modeli geliştiriniz.

Kitabımızın sonunda verdiğimiz, hangi bitkinin hangi bitkiyle kullanılabileceğini gösteren **"Kozmik Beslenme Tablosu"**nu dikkatli inceleyerek uymaya çalışınız.

ÜÇ BEYAZDAN KAÇININ

Öğünlerinizde 3 beyaz yani bize göre suni un, suni tuz, suni şekerden uzak durmanızı, bunların yerine zaten bitkilerde olanlarıyla iktifa etmenizi ve tabii şekliyle kullanılmalarını öneririz. Çünkü beyaz un onlarca işlemden geçerek önünüze gelmekte, tuz rafine edilmekte, şekerse tabiilikten tamamen uzaklaşmaktadır. Şayet siz yeni bir dünyaya doğsaydınız zaten ekstradan ne un ne şeker ne de tuz kullanacaktınız. Kısaca bunların bir alışkanlık olduğunu önemle hatırlatmak istiyoruz.

Burada 3 beyaz üzerinde önemle durmamızın sebebi, bugünkü hastalıkların sebeplerinin hepsinde bu suni 3 beyazın çok büyük bir payı olduğu gerçeğidir.

SUYUN ÖNEMİ

Sabahları kalktığınızda bir bardak ılık su içmenizi, mümkünse taze sıkılmış limon suyuyla karıştırarak içmenizi öneririz. Sular kullanılırken klordan arındırılmış olması gerekir. Klor serbest radikalleri arttırabileceği gibi klorlu suyla yıkanmak ve ardından güneşlenmek ultraviole ışınlar sebebiyle ciltte tahrişlere sebep olabilir. Halk dilinde alalık denilen Vitiligo'ya sebep olabilir.

SU İÇMEK SAĞLIKTIR

Gün boyunca yemeklerden bir müddet önce ve bir saat sonra en az birer bardak su içmenizi, yatmadan önce bir bardak ılık suya 1 çorba kaşığı tabii elma sirkesi karıştırarak içmek metabolizmanızın yenilenmesi ve tanzimlenmesinde büyük rol oynayacaktır.

TABİİ SÜTLERİ TÜKETİN

Kozmik Bilim bugünün üretim şekil ve şartlarını da göz önüne alarak sütün sadece hayvan ve insanların yavruları için tabii olmak şartıyla tüketilebileceğini önermekte, geni bozulmamış hayvanlardan sağılmış sütlerin ise ancak yağ, yoğurt, peynir, kefir ve diğer süt ürünlerinde kullanılmasını önermektedir. Bugün üretilen tabii süt miktarıyla tüketilen süt ürünleri miktarı arasında çok büyük farklar olduğundan, dolayısıyla sütten yapılmış mamüllerin süt mü süte eşdeğer bir madde mi veya süt tozu, vs mi olduğu araştırılarak tüketilmelidir.

KOBİK bütün bu şartları göz önüne alarak yaptığımız araştırmaların çarpıcı sonuçları karşısında sizlere bu konuda sadece doğal yolla yetiştirilmiş inek, manda, koyun ve keçiden sağılan ve kaynatılarak yapılmış peynir, yoğurt ve yağları, doğal yolla yetiştirilmiş keçi sütünden yapılmış peynir, kefiri ve dondurmaları önermektedir.

LİMON MUCİZESİ

Limon Yaratıcı'nın mucize bir meyvasıdır. Yediğiniz her şeye başta tatlılar olmak üzere, etlerinize ve sebzelerinize limon sıkarak onların olumsuz etkilerinden kurtulabilirsiniz.

İçtiğiniz her bardak suya da birkaç damla olmak üzere limon sıkabilirsiniz.

ASTROLOJİK TAKVİM

Yukarıda sıraladığımız hükümler yanında mutlaka astrolojik boyutta dünyanın her yerinde uygulanan bedeni temizleme-arınma-detoks programlarını yaparak, metabolizmamızı, **kalın bağırsak, karaciğer ve safra kesemizi** temizleyerek bitkilerden azami seviyede istifade ederek sağlıklı yaşama geçebiliriz.

Bütün inanç kitaplarında yer alan bir hükmü hatırlatmak istiyoruz; hastalıklarımızın da sebeplerinde bu hüküme uymamamız görülmekte, her ne kadar konunun uzmanları günde 2-3 öğün değil 7-8 öğün yiyin deseler de, bizler Kozmik Bilinç'te olanlar O'nun yani Yaratıcı'nın ve büyük öğreticilerin sözlerine kulak vererek **"Acıkmadan yemeyin, doymadan yemekten el çekin"** kuralına uymaya çalışalım. Bunu yaparken de yukarıda sıraladığımız kaide ve metotlara uyalım.

Öğrenip öğretilecek şeyler, insanın mahiyetini, kâinatın sırlarını keşfe matûf olmalıdır. Benlik sırlarına ışık tutmayan, mekândaki karanlık noktaları ve tıkanıklıkları açıp aydınlatmayan ilim, ilim değildir.

1. BÖLÜM

DÜNDEN BUGÜNE VÜCUDUMUZLA İLGİLİ GEREKLİ BİLGİLER

"GÖKLERDE OLANLARI, YERDE OLANLARI, HEPSİNİ SİZE MUSAHHAR KILMIŞTIR."

(Casiye 13)

***

"YERYÜZÜNDE NE VARSA HEPSİNİ SİZİN İÇİN YARATAN O'DUR."

(Bakara 29)

***

Peygamber Efendimiz(sav) sahabenin sorduğu, "Ey Allah'ın Resul'ü, tedavi olalım mı?" sorusuna, "Ey Allah'ın kulları, tedavi olunuz. Şüphesiz ki Allah, her hastalığın şifasını da yaratmıştır."diye cevap vermiştir.

(Ebu Davud)

Bir Hadis-i Şeriflerinde Peygamberimiz (sav) buyururlar ki:

"Aziz ve Celil olan Allah, dermanını vermediği hiçbir hastalığı yaratmamıştır."

(Buhari)

İnsan, Allah'ın(cc) en güzel yaratılış sırrına mazhar olarak yaratılan bir mahluktur. Bunun için insanın kendini tanıması en önemli meselelerin başında gelir. Zaten bu, insanın Rabbine giden yolların en büyüklerindendir. Bunun için "Nefsini bilen Rabbini bilir" buyurulmuştur.

VÜCUDUMUZLA İLGİLİ GEREKLİ BİLGİLER

İnsanlar hastalandığı zaman sıhhat bulmak için elinden geldiğince çaba göstermelidir. Bütün inanç kitaplarında sağlığımızı korumakla ilgili çok sayıda tavsiye ve emirler bulunmaktadır. Vücudumuzda bir rahatsızlık baş gösterdiğinde, tüm imkânlarımızla tedavisine çalışmamız gerekir.

"Şifa Allah'tan gelir" emrini unutmadan, gerekli tüm kaidelere uymalıyız. Doktor, verilen ilaçlar, bitkiler bunların hepsi iyileşmemiz için bize yüce Yaratıcı tarafından verilen sebeplerdir.

TIBBIN TANIMI

Sağılıklı bir bedenin sağlığını nasıl koruyacağını, kaybolduğunda ise onu nasıl normale döndüreceğini bildiren sanata "tıp" denir. Tıp, insanoğlunun sağlığa ve hastalığa ait bilgileri öğrenmesine yardımcı olur. Sıhhatli olan kimselerin sağlığını korumak, hasta olanları sıhhate kavuşturmak, tıp ilmi sayesinde gerçekleşir. Bu alanda çok sayıda kitaplar yazılmıştır. Sağlığımızı korumak ve hastalık halinde şifa bulmak için çaba göstermek bir insanlık görevdir. Dinimiz tedaviyi emretmiştir. Vücudumuz bizlere bir emanettir ve bu emaneti korumak gerekir.

AHLAT NEDİR?

İnsan vücudunda varlığı kabul edilen, **kan, balgam, safra ve sevda** gibi unsurlara eskimez kitaplarda **"ahlât"** denir. Vücudun sağlık ve hastalığı bu dört unsura bağlıdır. Bu unsurlar, vücutta normal bir şekilde bulunduğunda insan sağlıklı olur; biri diğerinden fazla olursa da sağlık bozulup, vücutta hastalık meydana gelir. Bu dört ahlâtın tanımlarını ve bunlardan meydana gelen hastalıkları şöyle sıralayabiliriz:

(Sıcak-soğuk, kuru-rutubetli gıdalar. Sıcak ve kuru bir yapının ilacı hıyar ve karpuz gibi sulu gıdalardır. Soğuk ve rutubetli bir yapının ilacı bal, zencefil, susam, mısır gibi kuru ve sıcak gıdalardır. Sıcak ve rutubetli yapının ilacı kuru ve soğuk olan ekşi nar, ekşi meyvelerdir. Kuru ve soğuk olan yapının ilacı, sıcak ve rutubetli kan yapıcı gıdalardır.)

KAN

Rengi kızıl, tadı tatlı, kokusu hoş olan, sıcak ve rutubetli bir sıvıdır. Pis kanın kokusu kötü, rengi de bulanıktır. Doğası kuru ve soğuk olan bütün gıdalar kanın ilacıdır. İnsan vücudundaki yeri karaciğerdir.

Hava unsurundan meydana gelir.

Tesiri

Vücuda kan hâkim olduğunda; şiddetli baş ağrısı, tembellik, vücutta ve başta ağırlık ve sersemlik artar. Beniz, dil ve gözlerde kızarıklıklar baş gösterir, vücutta çıbanlar ve sivilceler ortaya çıkar ve sürekli burun akıntısı meydana gelir.

Sebepleri

Bu haller, sürekli yağlı, tatlı ve kan yapıcı gıdaların yenilmesiyle ortaya çıkar.

Şifası

Bu tip rahatsızlıklar vücutta hâsıl olduğu zaman, özelikle ekşi nar, ekşi meyve suları ve sirkeli yağlar yenilmelidir. Adı geçen gıdaların bir müddet alınması, kanın normale dönmesini sağlar.

BALGAM

Yapısı soğuk ve rutubetli olan unsur, sudan meydana gelir. İnsan vücudundaki yeri akciğerlerdir.

Tesiri

Vücudun büyük bir çoğunluğunda balgam hâkim olduğunda; uykuda ağırlık baş gösterir, idrarın rengi beyazlaşır ve beniz sararır. Tükürük artar, ağız sulanır, susama hissi azalır, ağızdan ekşi balgam gelir.

Sebepleri

Uyku halinin artmasının ardından sersemlik ortaya çıkar, iştahsızlık, hazımsızlık, unutkanlık, mide zafiyeti ve ağız kokusu gibi hastalıklar meydana gelir.

Şifası

Bal, zencefil, karabiber, deve sütü, susam, mısır gibi doğası sıcak ve kuru olan bütün gıdalar, balgamdan meydana gelen hastalıklara şifa olur. Bu gıdalardan yeteri kadar alınırsa, hastalıklar yok olur.

SAFRA

Vücuttaki yeri safra kesesi olan safranın yapısı, sıcak ve kurudur. Ateş unsurundan meydana gelir.

Tesiri

Bedene safra hâkim olduğunda; gözlerde ve vücutta sararmalar olur, ağza sürekli acı bir tat gelir, ağız ve damak sürekli kurur.

Sebepleri

İdrarın sararmasının ardından, baş ağrısı, uykusuzluk, nabız yükselmesi ve serin yerlerde bulunma isteği ortaya çıkar. Vücutta sivilceler oluşur. İnsanın içinde devamlı bir huzursuzluk belirtisi baş gösterir.

Şifası

Şeker, arpa suyu-ekmeği, hıyar ve karpuz gibi gıdalardan biri veya bir kaçı sürekli tüketildiğinde, safra normale döner.

SEVDA

Topraktan meydana gelen safranın doğası kuru ve soğuktur.

Tesiri

Vücutta bulunduğu yer dalaktır. Sevda; kanın yanmasından, mercimek, mısır, sığır eti, patlıcan ve tuzlu fasulyenin çok fazla tüketilmesinde, vücudu etkisi altına alır.

Sebepleri

Bedene sevda hâkim olduğunda; vücutta durgunluk, uykusuzluk, kanın ve benzin koyulaşması gibi şikâyetlerin yanı sıra çok su içmek, mide ağrısı, vesvese, sürekli sıkıntı, kötü rüyalar görmek ve düşünce bozukluğu ortaya çıkar.

Şifası

Sıcak ve rutubetli gıdaların alınması, sevdadan meydana gelen rahatsızlıkları ortadan kaldırır.

Kitabu'l-Müntehab fi't-Tıb'da, "Bedenin aklı balgamdan, kızıllığı kandan, karalığı sevdadan ve sarılığı safrandan olur" şeklinde ahlâtı anlatan çok güzel bir tanımlama yapılmıştır.

Kısaca sıcak bitkiler bedeni ısıtmaya, soğuk bitkiler soğutmaya, kuru bitkiler rutubetli bedenlere, rutubetli bitkilerse bedeni kurutmaya yönelik bir mesaj vererek hayatımıza pratik yön vermeye yardımcı olurlar.

Bütün bitkilerde bu özellikler yazılarak ilk defa bir eskimez metodla bitkiler sınıflandırılmış ve bu konuda ilk Türkçe isimlerle yazılarak, gelecek araştırmacılara kaynak oluşturulmuştur. Sizde her bitkiden bu metotla istifade edebilirsiniz.

İnsanlar, bitkileri, meyve ve sebzeleri tüketerek hayatlarını sürdürebilecek enerjiyi elde ederler. Bu nimetlerin insan için özel olarak tasarlandığı görülmektedir. Çevremize, yediklerimize bakarak düşünelim: Bütün bu nimetler acaba kendiliğinden mi insanların hizmetine girmiştir? Düşünen akıl sahipleri için bunda nice ibretler saklı değil mi?

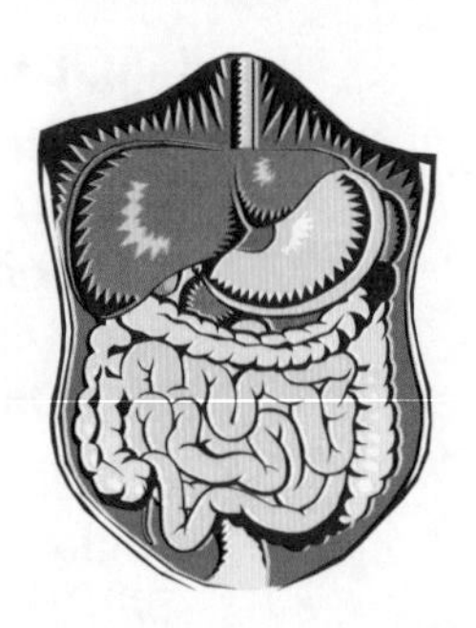

VÜCUDUMUZU TANIYALIM

ORGAN

Organizma içinde özel görevleri olan vücudun aygıtlarına "organ" adı verilir. Bir kısım organlar yaşamamızı ve ürememizi sağlayan temel organlardır. Organlarımız, sağlıklı kalmamıza yarayan çok sayıda görevi yerine getirirler.

KALP

İnsanın yaşamasını sağlayan temel organlardan biridir. Kalp, insanın hayat gücünün başlangıcıdır.

BEYİN

Beyin, his ve hareket gücünün kaynağıdır. İnsan beyninin tüm organları için hareket yetkisi, karar verme istikrarlılığı, hissetme, acı duyma, özleme gibi iradesel konumlarda devreye girerek, bedeni yönetimde tutmak beynin en önemli görevlerindendir. Yumuşak ve beyaz renklidir.

KARACİĞER

Vücudun beslenme gücünün kaynağıdır. Yaşamak için gerekli olan birçok kimyasal olay karaciğerde meydana gelir.

YUMURTALIK

İnsanoğlunun üremesini sağlar. Yumurtalık da insanoğlunun yaşamını devam ettirmesini sağlayan organlar arasında yer alır. Neslimizin devamı bu organlarımız sayesinde gerçekleşir.

SİNİR

Temel organlardan biri olan beynin hizmetinde çalışan organlar sinirlerdir. Hissin ve hareketin gücü, sinirler sayesinde tüm organlara yayılır. Sinirler iki kısma ayrılır; bir kısmı beyinden, bir kısmı omurilikten çıkar. Beyinden çıkan sinirler 7 çifttir:

Birinci çift: beynin iki boşluğunun yanlarından başlayıp, iki göze ulaşır. Gözün nuru o boşluktan geçer.

İkinci çift: beyin içindeki birinci çiftin arkasından başlar, iki göze yayılır ve gözlerin hareketini sağlar.

Üçüncü çift: bu çiftte çok sayıda sinir bulunur. Bazı sinirler kulak

ardından çene eklemlerine, bazıları iki şakağın kaslarına, oradan üst çeneye, üst dudağa ve yüzün derisine yayılır. Bir kısmı da dil üstündeki zara, dişlerin diplerine ve dudağa kadar ulaşır.

Dördüncü çift; üçüncü çiftin ardından başlayıp, beynin içine doğru yol alır.

Beşinci çift; işitme siniri olan sinirlerden biri, kulağın deliğine girer, içinde yayılır. Diğeri geriden başlar, üçüncü çiftin bazı kısımlarına ulaşıp, oradan alt çeneyi hareket ettiren yassı kaslara ulaşır.

Altıncı çift; ense çukurundadır. Ağaç dalına benzer. Burada üçüncü çiftten ve yedinci çiftten birkaç sinirle kuvvetlenir.

Kafa çiftlerinden bazıları; dil dibindeki kaslara döner, bazıları dirsekteki yassı kaslara ulaşır, bazıları da boyun içinden geçerek birkaç dalla boğazdaki adalelere dağılır. Göğse inen bir takım sinirler de çok sayıda bölük oluşturur. Oluşan bölüklerden bir kısmı, yukarı doğru dönerek boyun kaslarına ulaşır. Bir kısmı ise kalpte, göğsün iç yüzündeki zarda yayılır. Aynı sinirler mide ağzına ve karına varır. İki böbreğe ulaşan sinir, omurilikten çıkan sinirlere karışır.

Yedinci çift; bu çiftteki sinirler genelde dildeki kaslara, çok az bir bölümü de boynun iç yüzündeki kaslara yayılır.

OMURİLİKTEN BAŞLAYAN SİNİRLER

29 çifttir. Bunlardan 8'i boyun boğumlarından,12'si göğse karşı olan omurganın boğumlarından başlar; 5 çift bel boğumlarında, 4 çift de kuyruk sokumu boğumlarında biter.

Birinci çift: Omurilikten çıkan sinirlerden biri sağ tarafa, diğeri de sol tarafa gider. Boyun boğumlarından çıkan çiftlerden birisi, boynun üst boğumundaki delikten çıkıp, baştaki kaslara dağılır. Bu delik dar olduğu için oradan geçen sinir çifti küçüktür.

İkinci çift; birinci boğumla ikinci boğum arasındaki boşluktan çıkar, baş derisine ulaşıp ona dokunma hissini verir. Oradan gözlerdeki ve yanaklardaki kaslara ulaşır. Kaslarda his ve hareketi sağlar.

Üçüncü çift; ikinci boğumla üçüncü boğum arasından iki kısım olarak çıkar. Bir kısmı başın derisine ve boyun ardındaki kaslara his ve hareket verir. Bir kısım da kulakların çevresindeki kaslara yayılır.

Dördüncü çift; üçüncü boğumla dördüncü boğum arasından çıkarak, boynun, başın ve belin üstündeki kaslara his ve hareket verir.

Beşinci çift; dördüncü ve beşinci boğumlar arasından çıkan sinirler büyük ve küçük olmak üzere iki kısma ayrılır. Küçüğü yukarıdan aşağı inerek, dirseğe varır.

Büyüğü de kendi arasına iki kısma ayrılır. Birisi bel boğumları üstündeki kaslardan başın ve boynun iç yüzündeki kaslara kadar uzanır.

Diğeri de belden çıkan altıncı çiftin bazı parçalarıyla birleşir.

Altıncı çift; beşinci boğum arasından biter.

Yedinci çift; altıncı boğumla yedinci boğum arasından biter. Bütün sinirler birbirleriyle adeta kenetlenir.

Kuyruk sokumundan çıkan dört çift sinirin bir çifti sol baldıra ulaşarak, oradaki sinirlerle karışır. Baldıra gelen diğer bir çift sinir de anal bölgedeki ve mesanedeki kaslara yayılır.

ATAR VE TOPLAR DAMARLAR

Kalbin hizmetinde çalışan atardamarlar, hayat gücünü kalpten alıp bütün organlara dağıtır. Toplardamarlar ise, beslenme sonucu ortaya çıkan besleyici maddeleri karaciğer vasıtasıyla tüm organlara taşır.

BÖBREK

Temel organlar kalp, beyin ve karaciğere hizmet eden organlar arasındadır. Böbrek, kandaki kirli maddeleri idrar yoluyla vücuttan atmamıza yarar. Kanımızı filtre edip, kirli kanı temizler.

MİDE

Büyük miktarda yiyeceğin geçici olarak depolandığı organa "mide" denir. 1,5 litre sıvıyı içinde tutabildiği gibi en fazla 4 litre sıvıyı da tutma kapasitesi vardır. Temel organların hizmetindedir.

BAĞIRSAK

Bağırsaklar, sindirimimizi sağlayan önemli organlarımızdır. Yapılan araştırmalara göre, muayene edilen kalın bağırsakların yüzde 60'ı ile yüzde 70'inde kurtlara ve yıllardır birikmiş dışkı atıklarına rastlanmıştır. Bağırsakların iç duvarları, eski ve sertleşmiş dışkı kabuklarıyla kaplanmıştır. Günümüzde sağlıklı kabul edilen insanların çoğu, çocukluğundan bu yana sürekli olarak üzerinde birkaç kilo hiç dışarı atılmamış dışkıyla yaşamaktadır. Bu durumda, olanların günde bir kez iyi bir boşaltım yapmalarının hiçbir önemi yoktur.

DALAK

Eskimiş kırmızı kan hücrelerini ortadan kaldırarak, yeni kırmızı kan hücreleri oluşmasını sağlar.

AKCİĞER

Vücut hücrelerinin artık maddesi olan karbondioksiti vücuttan atmaya yarayan ve yaşam için temel gereksinim olan oksijeni vücuda alan organımızdır.

KEMİK VE KIKIRDAKLAR

Kemik, kalsiyum ve fosfattan oluşan sürekli gelişen bir yapıdır. Vücudun kalsiyumunun yüzde 99'u kemiklerde yer almaktadır. Kıkırdak da, vücudumuzdaki pek çok organın fonksiyonları yerine getirebilmesi için farklı bir yapıya sahip olan esnek, bağlayıcı bir dokudur. Bu doku, farkında

olmadığımız halde, iskeletimizin en önemli bölümü olan omurgamıza hareket kazandırır, eklemlerimizin sorunsuz çalışmasını sağlar, burnumuza, kulaklarımıza esneklik ve şekil verir.

Kemiklerin, hareketi sağlayan ve sağlamayan kemikler olmak üzere birbirleriyle iki türlü bağlantıları vardır. İnsan bedeninde 248 tane kemik vardır. Bunlar, kafatasında, şakaklarda, alt ve üst çenede, ellerde, ayaklarda, köprücüklerde, göğüste, kaburgalarda, kuyruk sokumunda ve kasıkta bulunur.

EKLEM

İskelet sistemini oluşturan kemikler arasında, bağlantıyı sağlayan birleşme yerine "eklem" adı verilir. İki çeşit eklem vardır. Bunlardan biri kafatasında bulunan gizli eklemler, diğeri de el kol gibi sürekli hareket içinde olan eklemlerdir.

KAS

Vücudun ve iç organların hareket etmesini sağlayan dokulara "kas" denir. Kaslar, sinir ve etten oluşur. Kasların bir kısmı kontrollü hareketleri sağlar. Vücudumuzda 529 tane kas vardır. Kasların vücudumuzdaki dağılımı ortalama olarak şu şekildedir: Gözlerde 24, aşağı çenede 12, yüzde 9, başta ve boyunda 23, dilde 9, boğaz ve gırtlakta 32, iki omuzda 14, iki uzuvda 26, her kolda 19, göğüste 109, belde 48, dişten göğse kadar 8, hayalarda 4, mesanede 1, erkeklik organında 4, kalçada 4, her butta 13, her baldırda 10, iki ayakta 56 ve iki ayak parmaklarında 22.

DERİ

Organların dışını kaplayan bir örtüdür. Derinin dışı, içinden daha kalındır.

Hekimlerin ve feylesofların üstadı, dâhî-i meşhur İbn-i Sina, bir sözünde şöyle demiştir: "İlm-i Tıbb'ı iki satırla topluyorum. Sözün güzelliği kısalığındadır. Yediğin vakit az ye. Yedikten sonra dört-beş saat kadar daha yeme. Şifa, hazımdadır. Yani, kolayca hazmedeceğin miktarı ye. Nefse ve mideye en ağır ve yorucu hal, yemek üstüne yemek yemektir."

ESKİMEZ TIPTA TEŞHİS VE ŞİFA

MİZAÇ

Mizaç, bir insanın huyunu, fıtratını, tabiatını, bünyesini gösteren bir niteliktir. **Sıcaklık (hararet), soğukluk (bürudet), nemlilik (rutubet), kuruluk (yubuset)** gibi zıt niteliklerin birbirleriyle kaynaşmasından meydana gelir.

NABIZ

Nabız, kalbin bir dakika içinde kaç kere kasıldığını, yani kalbin hızını yansıtır. Ruhun kaplarının bir hareketidir. Nabzın her atışı kasılma ve gevşeme olarak iki hareketten oluşmuştur. Kalp her kasılmasıyla bir miktar kanı atardamarlar içine fırlatır ve damarların esneyebilme özelliğinden dolayı atardamarlarda buna bağlı bir genişleme olur ve ardından eski durumuna dönmek ister. Bu genişleme, damarların yüzeysel seyrettiği el bileği, dirsek içi, kasık, şakak, ayak bileği gibi yerlerde nabız dalgası olarak hissedilir. Nabızlar, durumlarına göre 10 türde incelenebilir.

1 – Nabzın; uzun nabız, kısa nabız, normal nabız, enli nabız, dar nabız, dar ile enli arasında olan nabız, yüksek nabız, alçak nabız, yüksek nabız ile alçak nabız arasındaki nabız olmak üzere 9 türlü kasılma çeşitlerini bilmemiz gerekir.

2 – Nabza bakanın parmaklarında hissedilmesine göre nabız atışları; kuvvetli, zayıf ve mutedil nabız. (Mutedil nabız, ikisi arasındaki normal duruma denir.)

3 – Hareketin zamanına göre nabız atışları; çabuk, geç ve mutedil nabız.

4 – Damarların kıvamının niteliğine göre nabız atışları; sert, yumuşak ve mutedil nabız.

5 – Nabzın sükûnet zamanına göre atışları; kısa, uzun ve mutedil nabız.

6 – Damarların boşluğu ve doluluğuna göre nabız atışları; dolu, boş ve mutedil nabız.

7 – Dokunmakla damarın hacmini tespit üç şekilde olur. Kanın sıcaklığına, soğukluğuna ve mutedil durumu.

8 – Nabız hareketinin derecesinin tayini; nabzın hareketsizlik zamanı, hareketin zamanına eşit olduğunda nabzın ölçüsü doğru olur.

9 – Nabzın denkliliği ve farklılığına göre nabız.

10- Nabız hareketini belli bir oranda koruyup, o şekilde devam etmesi.

Bu nabız türlerine bakılarak, hastaya teşhis konulabilir.

İDRAR

Böbrek tarafından süzülen kandaki kirli maddelerden oluşan sıvıya **"idrar"** denir. Sindirim kanalının yanı sıra önemli bir boşaltım yolu da idrar kanalıdır. İdrarın, sarı,

kızıl, yeşil, kara ve beyaz gibi 5 rengi bulunur. Bunların her biri organizmanın faaliyetlerine göre değişir.

Hekimler idrarın rengine bakmaya önem verirler. Her renk vücuttaki bir hastalık ya da sağlığın belirtisidir. İdrarda şeker ya da protein bulgusuna rastlandığında durum, böbrek ya da diyabet teşhisiyle sonuçlanır.

İdrarın kıvamı 3 şekilde olur. İnce, yoğun ve ikisi arasındaki normal durum olan, mutedil durum. İnce idrar; böbrek zayıflığına, sevdaya, çok su içmeye zarlı maddenin idrar yolunda harcandığına işaret gösterir. İdrar yoğunluğu; insan vücudunda varlığı kabul edilen kan, balgam, safra ve sevda gibi dört unsurun ismi olan "ahlât"ın çokluğuna delalet eder.

İdrarın kokusu 4 şekilde olur. Kokusu az olan idrar mizaç soğukluğuna ve vücut ısısının zayıflığına delalet eder. Ekşi kokulu idrar, vücut ısısının etkisiyle değişir, hoş kokulu idrar, kan fazlalığının işaretidir. Pis kokulu idrar ise, idrar yollarında taş olduğunu belirtir.

İdrar tortusu, sudan seçilebilen, önce idrarın üstündeyken dibe çökebilen yoğun bir cevherdir.

UYKU

Uyku, kendimizi iyi hissetmemiz için gerekli ve hayati olan bir şeydir. Sırrı tam çözülemeyen uyku; bedenin dışını soğutur, içini ısıtır, yemeği hazmettirir. Uykusuzluk ise bunun tam tersidir.

HAFIZA

Hafıza, kuruntuyla varlığı hayal edilen şeylerin, beyinde tutulması ve saklanmasıdır. Bu kuvvetin yeri beynin arkasındaki bölümdür.

RUH

Ruhlar, ahlâtın gözle görülmeyen cisimleridir. Bizleri yaşatan bir enerji kaynağıdır.

Kendi arasında 3'e ayrılır.

Tabii ruh; karaciğerde bulunur, vücudumuzdaki hareketsiz damarlar içinde gezer.

Hayvani ruh; kalpte bulunur, vücudumuzdaki hareketli damarların içinde gezer.

Nefsanî ruh ise, beyinde yerleşmiştir, vücudumuzdaki sinirler içinde dolaşır.

SICAK - SOĞUK - RUTUBETLİ VE KURU BİTKİ VE BESİNLER

İnsan vücudundaki en sıcak şeyler ruh ve kalptir. Ruhun bulunduğu yer kalptir. Oradan tüm vücuda yayılır.

İnsan vücudundaki soğuk olan şeyler, balgam, kemik, kıllar, kıkırdaklar, beyin, yağ ve sümüktür.

Rutubetli olanlar, balgam, yağ, ilik, beyin, akciğer, dalak, böbrek ve adalelerdir. Vücudumuzdaki kuru olan şeyler, kıllar ve kemiklerdir.

ÖNEMLİ NOT:

Sıcak, Soğuk, Rutubet, Kuru bit-kilerle ilgili tablo ve kullanımı 410 ve 411. sayfalarda ilk defa gösterilmiştir.

ESKİMEZ METOTLAR IŞIĞINDA KOZMİK BAKIŞLA HASTALIK VE SAĞLIĞIN TANIMI

KOZMİK BİLİM'den bir pencere açarak insana, sağlığa, hastalıklara bakarsak;

İnsan bedeninin düzgün çalışmasına **"sağlık"**, çalışmasının normalden farklılık göstermesine de **"hastalık"** denir. Hastalık ve sağlık kavramları kültürlere bağlıdır. Örneğin; bir topluluğun çoğunda bağırsak paraziti varsa, bu durum hastalıktan sayılmayabilir. Pek çok insan bir yerinden şikâyetçi olmadığı zaman kendisini sağlıklı kabul eder.

Sağlık, yalnızca hasta veya sakat olmamak değil; bedenen, ruhen ve sosyal yönlerden tam bir iyilik halidir. İnsanın çevresindeki ve kişisel olumsuzluklarının toplam etkilerinin insan vücudunda yol açtıkları sistem bozukluklarına da **"hastalık"** diyebiliriz.

Vücudumuzun yaradılışta mükemmel olarak kurulmuş bulunan ahengindeki aksaklık, hastalıktır. Her hastalık, bir tıkanıklıktır. Bu nedenle hastalık belirtileri, vücudun belirli bir yerinde birikmiş olan **mukusun** meydana getirdiği tıkanıklığın işaretidir. **Mukusun** en fazla birikim yaptığı bölgeler, dil, mide ve tüm sindirim kanalıdır. Vücudumuzda en fazla tıkanma, bağırsaklarda meydana gelir.

Bağırsaklarımızda ortalama olarak en az 5 kilo dışarıya atılmamış dışkı bulunur. Bu da kan dolaşımımızın ve tüm vücut sistemimizin zehirlenmesine neden olarak, bizleri hasta yapar. Her hasta insan, az ya da çok mukusla tıkanmış bir organizmadır.

İnsan vücudunun tüm boru sitemi, özellikle mikroskobik boyuttaki kılcal borular, yanlış beslenme sonucu kronik olarak tıkanmıştır. Bu durum, hiç temizlenmeyen bir soba borusunun kurumuna benzer çünkü protein ve karbonhidrat içeren besinlerden geriye kalan atık maddeler zamanla katı hale gelerek vücutta tıkanmalara neden olur.

Mukus

Çocukluk dönemlerinden birikmeye başlayan, iyi sindirilmemiş ve dışarı atılmamış besin parçalarından oluşmaktadır. İşte hastalık, vücudun yıllardır biriktirdiği bu mukus, artık, yabancı madde ve zehirleri boşaltmak için başlattığı bir girişimdir. Aslında iyileşmesi gereken hastalık değil, vücuttur. Sağlığımıza ilaç şişeleriyle kavuşamayız. Bizim bu kitapta anlatmak istediğimiz tedavi yöntemi, tamamıyla yenilenme, genel bir temizliktir. Bu tedavi kişiye daha önce yaşamadığı mükemmel bir sağlık kazandırır. Fakat bu sağlığa birkaç günlük arınma programlarıyla ulaşamayız. Hayatımız boyunca yaşantımıza dikkat etmeliyiz.

Hastalıkta Teşhis

Doktorlar hastalığın teşhisine, tedaviden daha fazla önem verir. Belirlenen raporlar, belirtiler ve uzmanlık bilgileriyle hastalığa teşhis koyan hekimler, tedavi için uygun yola başvururlar. Aslında hastalığın adının çok fazla önemi yoktur. Gut hastalığı ya da sindirim bozukluğu hastalığına yakalanmış biri, aynı yöntemlerle tedavi edilebilir. Önemli olan hastanın durumu ve yaşam gücünün ne ölçüde etkilendiğidir.

Vücuda uygulanan kısa bir oruçla, en kesin teşhis konulabilir. Oruç sırasında hasta kendini ne kadar kötü hissederse, vücudundaki zorlanma o derece büyük demektir.

Baş dönmesi ya da baş ağrıları ne kadar şiddetliyse, hastanın kanı o ölçüde mukus ve toksinle kirlenmiş demektir. Kalp çarpıntısı fazlalaşması, vücudun herhangi bir yerinde iltihap oluşumunu gösterir. İyi bir doktor, vücudun iç bölgelerinde oluşan tıkanmayı, o bölgede hissedilen hafif bir ağrıyla, röntgen ışınlarına gerek kalmadan teşhis edebilir.

Hastalıkları teşhis etmenin en kolay ve güvenilir yolu, 2–3 gün oruç tutmaktır. Oruç sırasında dilin yüzeyindeki tabaka, vücudun iç görünümünü açıkça yansıtacak, hastanın ağız kokusu da bozulmanın ne ölçüde olduğunu tespit edecektir. Bir oruç kürünün başlangıcında, metabolizmanın herhangi bir yerinde ağrı söz konusuysa, o ağrıyan yer sizin zayıf noktanızdır. Oruç sırasında hasta kendini ne kadar zayıf hissediyorsa, vücudundaki yük de o kadar büyüktür.

Bazı Natüristlerin Hastalığa Yaklaşımları

Natürizm, tıptan daha ileri bir aşamadır. Bu öğretiye göre hastalıklar, doğrudan bedensel durumla ilgilidir. Natürizm, hastalıkların temel unsuru olan yabancı maddelerin nedenini, türünü ve bileşimini yeterli görmez.

Dr. Lahman şöyle diyordu: **"Hastalıkların sebebi, karbondioksit ve gazlardır."**

Fakat Dr. Lahman bu gazların, çürümüş, sindirilmemiş besin parçacıklarından kaynaklandığını

(Mukusunu sürekli gaz oluşturduğu aşama) bilmiyordu. Dr. Jaeger şöyle diyordu: **"Hastalık kötü bir kokudur."**

Doğa, bedensel yıkımın ne derece ilerlediğine dair, kötü koku şeklinde bir bulguya işaret etmektedir. İngiltere'den Dr. Haigh, "anti-ürik asit diyetini" geliştirmiştir. Dr. Haigh, hastalıkların çoğunun ürik asitten kaynaklandığı düşüncesindeydi ki gerçekten de hasta bedende mukusun yanı sıra ürik asit de önemli bir paya sahiptir. Natürizm, bu semptomatik bulgu öğretisini önemle dikkate alırken, sadece tek bir hastalığın var olduğu gerçeğini göz ardı etmektedir.

(Kaynak: Prof. Dr. Arnold Ebret, Die Schleimfreie Heilkost, Şifalı Besinler ve Mukussuz Şifa Diyeti, İm Yayınları 2001 İstanbul sf: 61

İnsanoğlunun Yaşam Evreleri

İnsanlar sürdürdükleri hayatları boyunca dört evreden geçerler. Birincisi; insanın bedeninin, kuvvetinin ve güzelliğinin sürekli arttığı **"gençlik dönemi"**dir. Bu yaşın sonu 20 yaşına kadardır. Sıcaklık ve nemlilik bünyeye hâkim olur.

İkincisi; **"olgunluk ve öğrenme dönemi"**dir. Vücut bu yaşta kemale erişip, olgunluğunu korur. Bu yaşın sonu 36 yaşa kadardır. Sıcaklık ve kuruluk bedene hâkim olur.

Üçüncüsü; **"yaşlılık dönemi"**dir. Bu yaşta insan kendisini geliştiremez, geriye gider. Bu yaşın sonu 60 yaşa kadardır. Yaşlılıkta soğukluk ve kuruluk bedeni sarar.

Dördüncü evre ise; **"ihtiyarlıktır"**. Bu dönemde eksiklikler ortaya çıkar. Bu yaşın sonu ömrün sonuna kadardır. İnsanın ihtiyarlık döneminde vücudunda soğukluk ve nemlilik hâkim olur.

İnsanın Sağlık Durumunu Değiştiren Sebepler

Hava, mevsimler, rüzgâr, dağlar ve denizler, yaban yerlerdeki değişiklikler, yiyecek ve içecekler insan sağlığını etkileyen sebeplerdendir. Bedeni kuşatan hava, kalbimizin rahatlamasına ve ruhumuzun değişmesine neden olur. Mevsimlerin ilkbahar, yaz, sonbahar ve kış olarak çeşitlilik göstermesi; rüzgârın, kuzey, doğu, batı ve güney yönlerinden esmesi sağlığımızın değişmesine sebeptir. Dağ ve deniz havasının farklı olması da sağlığımızı olumlu ya da olumsuz yönde etkileyebilir.

Hastalık ve Sağlığı Meydana Getiren Sebepler

Hastalık ve sağlık; maddi, fail, suri ve tamamlayıcı olmak üzere dört farklı sebepten meydana gelir. **Kan, safra, balgam ve sevda gibi "maddi sebepler", birinci sebeplerdir. İkinci sınıf fail sebepler,** yiyecek ve içeceklerden meydana gelir. Hava ve içinde bulunan yabancı buharlar, dumanlar, gazlar, bunların vücutta toplanmaları, iklimler, şehirler, oturulacak evler, erkeklik, dişilik gibi etkenler hastalığa tesir eden fail sebeplerdir. Bir organın boyutlarının

büyük veya küçük olması gibi **üçüncü sınıf etkenler** yani "suri sebeplerdir. Tamamlayıcı sebepler ise, kan, balgam, safra, sevda ve azaların işlevlerine mahsus olan hallerdir.

Soğuk ülkelerde yaşayan insanların bünyesi oldukça kuvvetlidir. Rutubetli bölgelerin insanları genelde şişman, derileri ince olur ve genç yaşta ölürler. Buna rağmen, güzel ve ciltleri yumuşak olur. Yüksek yerlerde bulanan insanlar kuvvetli ve sıhhatli olur, boyları uzun olur. Kuru yerlerde bulunan insanlar kuru ve zayıf olurlar. Derileri çatlar, dimağları çabuk kurur. Çok kuru yerin ahalisi çok ateşli, kederli ve gamlı olur. Dağlık ve taşlık yerlerin ahalisi kuvvetli, kibirli ve bozuk ahlaklıdır.

En önemli kronik hastalık sebepleri; fiziksel egzersiz eksikliği, yüksek kan basıncı, yüksek kolesterol, şişmanlık, sigara ve alkol kullanımı, hiddet ve korku, yüksek ateş, aşırı sinir ve stres, beng tohumu kullanmak, karın soğuğuna temas etmek, aşırı aç kalmak, aşırı tok kalmak, ter yollarının iyice tutulması, çok hareket etmek ve aşırı hareketsiz kalmaktır.

Vücudumuzu etkisi altına alan hastalıklar, bazı belirtilerle kendisini gösterir. Örneğin; kilolu bir bedende oluşan yağlanmalar en büyük hastalık belirtisidir. Böyle bir insanın vücudunda sıcaklık etkili olur. Bu da hararetlenmelere sebebiyet verir.

Vücudun çok kıllı olması, tenin **renginin kara, kırmızı, sarı gibi renklerden oluşması hasta bir bedenin belirtisidir. Yüz rengi kırmızı ise kalp hastalığına, sarı ise karaciğer ya da safra kesesi hastalığına, kara ise dalak hastalığına işarettir.**

Eskimez Metotlarla Hastalıkları Tedavi Yolları

Hastalıkların tedavisi, ilaç kullanmak veya elle müdahaleyle sağlanır. Bunu şöyle açıklayabiliriz: İlaçla olan tedavi, bedenin içinden ve dışından olur. **Vücudun içinden yapılan tedaviler, kusmayı kolaylaştıran otlar veya kabızlığı sağlayan tutucu otlarla gerçekleşir.** Bedenin dışından olan tedavilerse, bedenden çıkanı tutan kan tutucu otlar veya mizacı değiştiren su banyoları, merhemler, yakılarla yapılabilir. Kırık sarmak, kan almak, göz kapağını kesmek gibi tedavi yolları, elle yapılan tedavilerdir.

Hastayı ilaçla tedavi eden hekim, hastalığın cinsi, sebebi, gücü ve zayıflığı, sıhhatin mizacı, hastalığın mizacı, hastanın yaşı, hastanın itiyatları, yaşadığı şehrin havası, rüzgârların zararlı olduğu zamanlar ve hava durumu gibi etkenlere dikkat etmelidir. İlacın özellikleri, etki derecesi ya hastalığın özeliklerinden ve derecelerinden ya bedenin mizacından ya da yaşanılan şehrin özelliklerinden anlaşılmaya çalışılır.

Çok sıcak tabiattaki hastalık, soğuk tabiatlı otla tedavi edildiği gibi sıcak mizaçlı kişide hararet oluştuğu zaman mizacını biraz soğut-

mak gerekir. Soğuk mizaçlı kişiye soğuk hâkim olursa mizacını ısıtmak gerekir.

Vücudun içinden yapılan tedavilerden biri olan kusma yöntemini, hastalığın başlangıcında uygulamak doğru değildir. Uygunu, kusturucu otları hastalığın sonuna doğru kullanmak veya hastalığın gücünden anlaşılmaya çalışılmasıdır. Zira hasta kuvvetliyse kusturmayı geciktirmek doğru değildir.

Zayıfsa gücünü besinlerle kazanmaya çalışılmalıdır. Kusturmayı kış günlerinde öğle vakti, yaz günlerinde seher vakti yaptırmak uygundur.

Eskimez Metotlarla İlacın Vücuda Hangi Yönden Verileceğinin Tespiti

Vücutta hastalık baş gösterdiğinde, hasta organa en yakın yerden tedaviye çalışılır. Mesela; yukarı bağırsaklardaki "mehhec" hastalığında ilacı ağızdan vermek, aşağı bağırsaklarda rahatsızlık olduğunda ise ilacı aşağıdan lavman yoluyla vermek gerekir. Uygun ilacı seçme yolu, hastalığın muhtevasına ve zayıflığına bakarak açıklanmaya çalışılır. Hastalık ağır veya hafif olduğunda, ona göre ilaç vermek gerekir.

Organların tedavisinde kullanılacak ilaçlar, organın mizacından, yaratılışından, gücünden ve durumundan olmak üzere 4 yolla anlaşılır. Her bir organın doğal bir mizacı vardır. Bu nedenle her organın sağlıkta ve hastalıkta mizaçlarını bilmek gerekir. Ancak bu sayede hastanın mizacını, sağlıklı haldeki mizacına döndürmek mümkün olabilir. Sert ve gevşek mizaçlı olan akciğerin tedavisinde, sert ilaçlar kullanılır. Böbrekler gibi sıkı ve sert olan organların tedavisinde ise ağır ilaçlar tercih edilir.

Kan Aldırmak

Çok yiyip çok içenlerin yılda en az bir kere kan aldırmaları, sağlık açısından çok faydalıdır. Kan almaya en uygun damarlar kol damarlarıdır. Hastalık kafada ise, kifal damarları açılıp kan akıtılır. Hastalık vücudun aşağı kısımlarında ise, baselik damarı açılıp, kan akıtılır. Kanın çokluğunda veya bozukluğunda mutlaka kan aldırılmalıdır. Kan aldırmak, gelmiş ya da gelecek tüm hastalıklara mani olur. Âdeti kesilen kadınlar, renkleri çok kırmızı olanlar ve saralı olanların ilkbaharda kan aldırmaları gerekir. Kanı az olanlardan, gebelerden, 14 yaşından küçüklerden ve 70 yaşından büyüklerden kan aldırmak caiz değildir. Kan alındıktan ancak bir saat sonra yemek yenir.

Hacamat

Bir hastalığın tedavisi için deri altından kan alma işlemine denilir. Organın çevresindeki kanı topladığından, kan almadan daha zayıf etkisi vardır.

Baldırların hacamatı, bedenin başka yerlerinden yapılan hacamatlardan daha kuvvetlidir. Hacamat kameri ayların ortasında, güneşin doğmasından 3 saat sonra yaptırılır.

Peygamber Efendimiz(sav) hacamatı o dönemde uygulanan en iyi tedavi metotları arasında saymıştır. Ağrılara ve baş ağrısına karşı; baş, omuz, boyun damarları, kalça ve ayağın üstünden hacamat yaptırılır.

Abdullah bin Abbas'tan (RA) rivayet edilen hadisi şeriflerinde buyururlar ki: "Üç şeyde şifa vardır: Bal şerbeti içmek, hacamat aleti ile kan aldırmak, ateşle dağlamak. Fakat ben ümmetimi başka çare bulunmadıkça ateşle dağlamaktan men ederim." (Buhari Tecri-i sarih: 1921)

Kusmak

Kusturucu otlarla yapılan kusma, çok öğürmekten dolayı ölüme yol açabileceğinden riskli bir tedavi yoludur. Fakat çeşitli yemeklerle sağlanan kusma, mideyi ve mideye yakın organları temizler. Bir kişi ishal ettirilmek isteniyorsa; müshilden önce bağırsakları yumuşatıcı nesneler verilir, hareket ettirilir. Öğürmeyi ortadan kaldıracak ayva, nane gibi otlar koklatılır. Hasta aşırı ishal olursa pirinç, patates gibi tutucu gıdalar kullanılır. Vücutta, kokulu ishal baş göstermişse, en iyi çare lavman yapmaktır. Lavman, karın ve bağırsaktaki hastalığa sebep veren kan, balgam, safra ve sevdadan her birini (hıltları) boşaltır.

Kanın Bileşimi ve Oluşumu

İnsan vücudundaki kan oluşumu, sağlık sorunlarıyla yakından ilgilidir. Bazı besinler bünyemize zarar vererek, asitli, sağlıksız kan dolayısıyla birçok hastalığa neden olurken, bazı besinler de iyileşmemizi ve sağlıklı kan oluşumunu sağlar. Kanın bileşiminde alyuvarlar ve akyuvarlar bulunur.

Kusursuz bir kan için gerekli olan en önemli olan madde, protein ya da mineraller değildir.

İnsan kanı için gerekli olan asıl madde, karbonhidratın en gelişmiş şekli olan ve kimyasal olarak "glikoz" veya "früktoz" diye adlandırılan şekerdir. Bu şeker, olgun meyvelerde, salata ve sebzelerde bulunur. Patoloji bilimi hastalık sırasında kanın bileşiminde bulunan akyuvarların çoğaldığını ileri sürerken, fizyoloji bilimi de akyuvarların sindirim esnasında vücutta çoğaldıklarını ve bunların protein ağırlıklı besinlerden ileri geldiğini belirtiyor.

Fizyolojik kimya ve mineral teorisinin kurucusu Hensel, "Yaşam" adlı kitabında şu ifadelere yer veriyor: "Demir kanımızda kimyasal olarak gizlidir. Kanımızda bulunan protein, şeker ve demir oksitten oluşan bir bileşiktir ancak ne şeker ne de demir, normal kimyasal testlerle saptanamadığı için fark edilmiyor. Testin tam anlamıyla yapılabilmesi için önce kan proteinin yanması gerekir."

Kanda bulunan fazla asit, bir hastalık belirtisidir. Buna göre, karma beslenen bir insanın midesini her gün et, karbonhidrat ve şekerlemeyle doldurduğunu, üstelik hepsini aynı öğünlerde tükettiğini varsayarsak, kanında fazla aside rastlanmasına hiç şaşmamak gerekir.

Sağlıklı Olmanın Vazgeçilmez Kuralları

Sağlıklı olmak; gıda, uyku ve riyazetten yani hareketten geçer. Sıhhatlerini korumak isteyenler, yiyecekleri gıdalara çok dikkat etmelidirler.

Açlık hissetmeden önce yemek yenmemelidir. Kış mevsimlerinde ısıtıcı, yaz mevsimlerinde ise tabiatı soğuk gıdalar yenmelidir.

Gıdaların cinsine bakmalı, miktarına dikkat etmeli, pişmesine önem vermelidir.

Zayıf **bünyeli ve ihtiyacı olan kimse-ler, çok besleyici gıdalar yemelidirler. Yemekten sonra çok su içmemelidir. Hiçbir vakit mide tam doluncaya kadar yememelidir. Yemeğin hazım olunması için ise yemeklerden sonra biraz hareket edilmesi şarttır.**

Uyku, nefsin kuvvetini rahatlatır ve cevherini çoğaltır. Sağlam bir bünyeye sahip olabilmek için zamanında yatmak, zamanında kalkmak ve yeteri kadar uyumak lazımdır. Uyku derin olursa iyi olur. Gündüzleri uyumak ve aç karnına yatmak iyi değildir.

Güreşmek, ata binmek, koşmak, sıçramak ve jimnastik gibi riyazetlerin yapılması gerekir. Böylelikle beden yumuşar, rutubet vücudu terk eder.

Riyazeti terk etmek, hayatı terk etmek gibidir. Riyazetten sonra vücudu yağlamak ve ovmak faydalıdır.

İnsanın uyuması ya da uyanıklığı illâ gözlerinin açık ya da kapalı olmasına bağlanmamalıdır. Gözü açık olup da gönlü uyuyan bir sürü insan vardır. Aslında; hakiki görme mahalli kalptir. "Kalp gözünün açıklığı" da diyebileceğimiz basiret sayesinde insan, İlahi tecellilerle nurlanıp Zât-ı Uluhiyet'in ünsiyeti ziyasıyla sürmelenmiş bir idrake sahip olur. Bu idrak ile de o; delil ve şahide ihtiyaç duymadan eşyanın perde arkası sırlarıyla havlet olur.

2. BÖLÜM

SAĞLIKLI BESLENME FORMÜLLERİ

"O, gökten su indirendir. Bununla her şeyin bitkisini bitirdik, ondan bir yeşillik çıkardık, ondan birbiri üstüne bindirilmiş taneler türetiyoruz. Ve hurma ağacının tomurcuğundan da yere sarkmış salkımlar, -birbirine benzeyen ve benzemeyen- üzümlerden, zeytinden ve nardan bahçeler (kılıyoruz.) Meyvesine, ürün verdiğinde ve olgunluğa eriştiğinde bir bakıverin. Şüphesiz inanacak bir topluluk için bunda gerçekten ayetler vardır.

❖❖❖

(Kur'an-ı Kerim - En'am - 99)

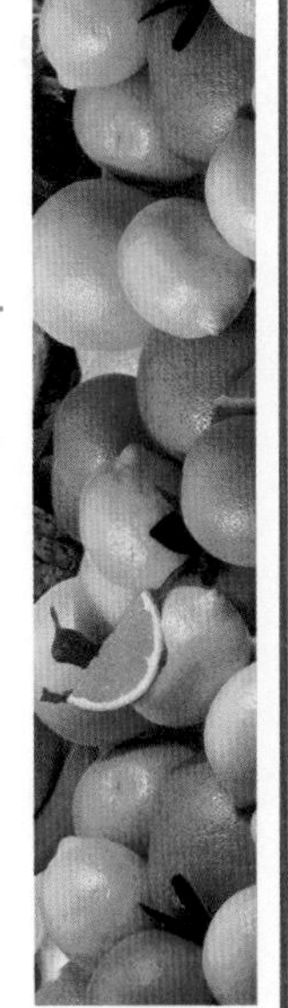

Kozmik yaşamın en önemli faktörlerinden birisi bitkiler dünyasıdır. Bitkiler asrın çözümsüz problemlerine reçete olabilir. Bu kitap konu itibariyle sadece bitkilere yönelik olmadığından, burada bazı önemli başlıklara dikkatinizi çekerek hayatınıza ve yaşam enerjinize katkı yapabilirsiniz.

SAĞLIKLI BESLENMENİN FORMÜLLERİ

Beslenme ile hastalık arasındaki bağı, tıp göz ardı etmemelidir. Beslenmek, gerekli en temel ihtiyaçlarımızdan biridir. Dünyanın her yerinde yapılan araştırmalar, kötü beslenmeyle hastalıklar arasında bir ilişki olduğunu kanıtlar. İnsan vücudundaki iç kirliliğin ölçüsü, çok fazladır. Bu kirliliklerin en büyük nedeni, rafine hale getirilmiş ve kimyasal maddelerle yapaylaştırılmış besin maddeleri yani konsantre ürünlerdir.

Yapılan otopsilerde, damarlardaki tıkanıklıklar ve bağırsaklara yerleşmiş eski dışkı kalıntıları iç kirliliğimize en iyi örnektir. Bağırsaklardaki kokulu gaz birikimi ve ağız kokusu ise bu kirliliğin başka bir işaretidir.

Doğru beslenme, mukus ve protein içermeyen besin maddelerinden oluşmalıdır. Hastalıkların asıl nedeni yanlış beslenmedir. Ancak doğru beslenmeyle tedavi sağlanabilir. Vejeteryanlık, meyve ve kabuklu yemiş diyeti, sayısız beslenme kürleri ve oruç tedavilerde faydalı olur.

Doğanın en büyük şifa aracı olan oruç, bilinçsizce kullanılması nedeniyle çoğu insana gerçek şifasını verememiştir. Bu nedenle orucun tüm ayrıntılarıyla bilinmesi büyük önem taşır.

Vücudun mukus, kalsiyum, fosfat gibi ağırlık yapıcı atık maddeleriyle tıkanmasına izin verirsek, yüksek tansiyondan dolayı kalbin, kan dolaşımının düzenli sirkülâsyonunu sağlamakta zorlanacağını da göze almamız gerekir. Günümüzde hastalıksız ve mukussuz bir insana rastlayamazsınız.

Ragnar Berg'in Listesi

Günlük besinler içinde bulunan zararlı asitleri tutmak ve etkisiz hale getirmek için mümkün olduğu kadar mineral içerikli ve asit oluşturmayan besinler gerekir.

Eğer et, yumurta, süt ve karbonhidratlı besinler tüketiyor, aynı zamanda da sağlıklı kalmak istiyorsanız meyve ve karbonhidrat içermeyen sebzeleri de tüketmeniz uygundur.

Besinlerin pozitif özellikleri, bol suyla kuvvetli pişirme sırasında değişime uğrar. Besinin tüm faydaları ve

değerli mineraller suyla birlikte yok olabilir. Dr. Lahmann'ın Almanya'daki sanatoryumunda, besin maddeleriyle ilgili araştırmaların yapıldığı özel laboratuarda görev yapan Ragnar Berg'in listesi, asit oluşturmayan besinleri en güzel şekilde aktaran listelerin başında gelmektedir. Berg'in listesinde şu ifadelere yer veriliyor: ***"Sağlıklı besinleri zehirli hale dönüştüren çeşitli yöntemler vardır. Örneğin, kuru meyvelerin kükürtlü işleme tabi tutulması, bozulmasını önlemek amacıyla konserve gıdalara natriumbenzoat veya salisilik asit eklenmesi. (Her ikisi de güçlü zehirlerdir.) En tehlikeli metot ise sülfürik asit buharının kullanılmasıdır."***

Berg'in listesindeki pozitif ve negatif özelliklerin yüzdelik oranları, bir besinin ne kadar asit yani mukus oluşturduğunu ve asitleri etkisiz hale getiren alkali mineralleri belirtir.

Bir besinin asit tutucu özelliği ne kadar çoksa, mukus atıcı değeri de o kadar önemlidir. Örneğin; sebzelerden olgun siyah turp, ıspanak, karahindiba, soya fasulyesi, yeşil çay, maydanoz, marul ve dereotu, meyvelerden incir, kuru üzüm ve zeytin vücudumuzu arındırıcı özelliktedir.

Bu gıdalarla farklı bir hayata başlayabilir, sağlıklı yaşam enerjinizi artırabilirsiniz.

RAGNER BERG'İN BESİN TABLOSU

Besinin Adı	(Olumlu) Pozitif Asit Tutucu	(Olumsuz) Negatif Asit Oluşturucu
Et Ürünleri		
Sığır Eti		38.61
Tavuk		24.32
Dana Eti		22.95
Tavşan		22.36
Koyun		20.30
Domuz		12.47
Öküz Dili		10.60
Füme Salam		6.95
Domuz Yağı		6.90
Hayvansal Kan	5.49	
Deniz Ürünleri		
Kabuklu Deniz Ürünleri		19.52
Ringa Balığı (Salamura)		17.35
İstiridye	10.25	

RAGNER BERG'İN BESİN TABLOSU

Besinin Adı	(Olumlu) Pozitif Asit Tutucu	(Olumsuz) Negatif Asit Oluşturucu
Som Balığı		8.32
Beyaz Balık		2.75
Süt Ürünleri ve Yumurta		
Yumurta Sarısı		51.83
İsviçre Peyniri		17.49
Yumurta		11.61
Yumurta Akı		8.27
Margarin		7.31
Kaymağı Alınmış Süt	4.89	
Tereyağı (inek)		4.33
Eritilmiş Domuz Yağı		4.33
Koyun Sütü	3.27	
Kaymak	2.66	
Anne Sütü	2.25	
İnek Sütü	1.69	
Tereyağı Alınmış Süt	1.31	
Keçi Sütü	0.65	
Tahıl Ürünleri		
Pirinç		17.96
Kek (Beyaz Undan)		12.31
Çavdar		11.31
Beyaz Ekmek		10.99
Yulaf		10.58
Arpa		10.58
Peksimet		10.42
Nişasta Unu		10.00
Çavdar Ekmeği		8.54
Buğday (İnce)		8.32
Graham Ekmeği		6.13
Mısır		5.37
Makarna		5.11
Alman Çavdar Ekmeği	4.28	
Pirinç (Kepekli)		3.18
Buğday (Tam)		2.66

RAGNER BERG'İN BESİN TABLOSU

Besinin Adı	(Olumlu) Pozitif Asit Tutucu	(Olumsuz) Negatif Asit Oluşturucu
Sebze-Salatalar		
Siyah Turp (Kabuğuyla)	39.04	
Ispanak	28.01	
Dereotu	18.36	
Kara Hindiba	17.52	
Kıvırcık Salata	14.51	
Göbek Salata	14.12	
Brüksel Lahanası (Gübrelenmiş)		13.75
Domates	13.67	
Salatalık	13.50	
Kırmızı Pancar	11.37	
Kereviz	11.33	
Pırasa	11.00	
Beyaz Turp	10.80	
Tatlı Patates	10.31	
Şeker Pancarı	9.37	
Ravent	8.93	
Taze Fasulye	8.71	
Taze Turp	6.05	
Alabaş	5.99	
Taze Bezelye	5.18	
Beyaz Patates	5.09	
Su Teresi	4.98	
Enginar	4.31	
Lahana	4.02	
Bayır Turpu (Kabuğuyla)	3.06	
Karnabahar	3.04	
Acı Marul	2.33	
Kırmızı Lahana	2.02	
Karpuz	1.83	
Kırmızı Soğan	1.09	
Kuşkonmaz	1.01	
Kabak	0.28	

RAGNER BERG'İN BESİN TABLOSU

Besinin Adı	(Olumlu) Pozitif Asit Tutucu	(Olumsuz) Negatif Asit Oluşturucu
Meyveler		
Zeytin	30.56	
Bira		28.00
İncir	27.81	
Kuru Üzüm	15.01	
Mandalina	11.77	
Portakal	9.61	
Limon	9.09	
Acı Marul Suyu	7.17	
Üzüm	7.15	
Böğürtlen	7.14	
Kuru Erik	5.80	
Mürdüm Eriği	5.80	
Kuru Hurma	5.50	
Şeftali	5.40	
Üzüm Suyu	5.16	
Ahududu	5.04	
Kayısı	4.79	
Kuş Üzümü	4.43	
Vişne	4.33	
Nar	4.15	
Ananas	3.59	
Ale	3.37	
Armut	3.27	
Malaga Şarabı	3.04	
Kiraz	2.57	
Porter Birası	2.05	
Çilek	1.76	
Elma	1.38	
Şampanya	0.97	
Şarap	0.59	
Sherry	0.51	
Kabuklu Yemişler		
Yer Fıstığı		16.39
Palamut	13.64	

RAGNER BERG'İN BESİN TABLOSU

Besinin Adı	(Olumlu) Pozitif Asit Tutucu	(Olumsuz) Negatif Asit Oluşturucu
Kestane		9.62
Ceviz		9.22
Hindistan Cevizi	4.09	
Badem		2.19
Fındık		2.08
Tahıl-Baklagiller		
Soya Fasulyesi	26.58	
Yulaf Ezmesi		20.71
Nöbet Şekeri	18.21	
Kuaker Yulafı		17.65
Mercimek		17.08
Şeker Kamışı	14.57	
Kuru Fasulye		9.70
Yulaf Unu		8.08
Hazır Bebe Maması	5.99	
Kuru Bezelye		3.41
Mantar	1.81	
İçecekler		
Çay	53.05	
Paraguay Çayı	25.49	
Çikolata		8.01
Kahve	5.06	
Kakao		4.79

Ölü toprak kendileri için bir ayettir. Biz onu dirilttik, ondan taneler çıkarttık, böylelikle ondan yemektedirler. Biz, orada hurmalıklardan ve üzüm bağlarından bahçeler kıldık ve içlerinde pınarlar fışkırttık. Onun ürünlerinden ve kendi ellerinin yaptıklarından yemeleri için... Yine de şükretmiyorlar mı?

(Yasin Suresi, 33-35)

SAĞLIKLI BİR HAYATA GEÇİŞ DİYETİ

Hastalık yapıcı besinlerden, şifa verici besinlere doğru yavaş bir geçişle gerçekleşen bir diyettir.

Vücut için en sağlıksız alışkanlık, sabahları yapılan ağır kahvaltılardır. Sabahın erken saatlerinde katı bir şeyler yenmemeli, taze sıkılmış meyve suyu içilmelidir. Burada önemli olan, öğlen yemeğinin aç karnına yenmesidir.

Sağlık açısından en doğru olan, günde iki defadan fazla öğün almamaktır.

Önemli sayılan bir diğer kural da, yemek çeşitinin uyumlu ve az olmasıdır.

Yemek yerken asla başka şeyler içilmemelidir. Eğer çay veya kahve alışkanlığınız varsa, yemekten önce veya sonra bir müddet beklenip içilir.

Ne kadar çok sıvı alınırsa, yenilen besinlerin sindirimi o derece zor olur.

Aldığımız besinlerin kalorilerini bilerek ve ihtiyaç olduğu miktarda almalıyız.

BESİNLERİN KALORİ DEĞERLERİ

BESİN	MİKTAR	KALORİ
Armut	2 Adet	70
Arpa	100 Gram	367
Antep Fıstığı	100 Gram	600
Ay Çekirdeği	100 Gram	578
Badem	100 Gram	600
Baklagiller	1 Porsiyon	350
Balık Tava	1 Porsiyon	370
Beyaz Ekmek	1 Dilim	70–100
Bezelye	100 Gram	89
Biber	120 Gram	15
Biftek (Izgara)	100 Gram	278
Brokoli	100 Gram	35
Buğday (Kuru)	100 Gram	364
Bulgur ve Pirinç Pilavl	1 Porsiyon	300–350
Ceviz	100 Gram	600
Çam Fıstığı	100 Gram	600
Çikolata	1 Porsiyon	520
Çilek	100 Gram	26
Domates	1 Adet	14
Dondurma (1 top)	1 Porsiyon	160
Elma	1 Adet	60
Enginar	1 Adet	10
Erik	1 Adet	8
Fındık	100 Gram	650

BESİNLERİN KALORİ DEĞERLERİ

BESİN	MİKTAR	KALORİ
Fıstık	100 Gram	560
Greyfurt	1 Adet	50
Havuç	100 Gram	35
Hindistan Cevizi	100 Gram	603
Hurma (Taze)	1 Adet	15
İncir (Taze)	100 Gram	41
Ispanak	100 Gram	26
Kabak	100 Gram	25
Kabak Çekirdeği	100 Gram	571
Karnabahar	100 Gram	32
Karpuz	300 Gram	55
Kavun	1 Dilim (300 Gram)	40
Kayısı (Taze)	Orta Boy 1 Adet	8
Kepekli Ekmek	1 Dilim	55–60
Kiraz	100 Gram	40
Kivi	1 Adet	34
Kayısı, Üzüm, İncir	1 Porsiyon	290
Kızarmış Ekmek	1 Dilim	25–35
Lahana	100 Gram	20
Mandalina	2 Adet	50
Mantar	100 Gram	14
Marul	1 Adet	15
Mercimek (Kuru)	100 Gram	314
Margarin (1 Yemek Kaşığı)	28 Gram	204
Muz (1 Adet)	1 Adet	100
Patates (Haşlama)	1 Adet	100
Patlıcan	100 Gram	28
Portakal	1 Adet	50
Pirinç (Kuru)	100 Gram	357
Pirinç (Haşlanmış)	100 Gram	125
Salatalar (Yağsız)	1 Porsiyon	70
Salatalık	1 Adet	11
Sıvı Yağlar (Yemek Kaşığı)	15 Gram	130
Soğan (Kuru)	100 Gram	35
Susam	100 Gram	589
Sucuk	100 Gram	452
Süt (Yağlı)	100 Gram	66–70
Sütlaç, Muhallebi, Aşure	1 Porsiyon	400
Şeftali	1 Adet	60
Tavuk (Izgara)	100 Gram	132

BESİNLERİN KALORİ DEĞERLERİ

BESİN	MİKTAR	KALORİ
Taze Fasulye	100 Gram	90
Taze Yeşil Biber	100 Gram	15
Tereyağı (1 Yemek Kaşığı)	28 Gram	206
Üzüm	100 Gram	57
Yoğurt (Yağlı)	100 Gram	90–100
Yoğurt Meyveli	100 Gram	120–150
Yumurta	1 Adet	80
Yumurta Sarısı	1 Adet	65
Yumurta Beyazı	1 Adet	15
Zeytin (Siyah)	1 Porsiyon	200
Zeytinyağlılar	1 Porsiyon	200

SAĞLIKLI YAŞAMIN DİĞER BOYUTLARI

Mukussuz yaşamaya karar verdiğiniz zaman yapılan sıkı diyetler sırasında ya da oruç günlerinden daha olumlu sonuçlar alabilmek için egzersiz, banyo, masaj gibi bedensel hareketler yapılmalıdır.

En doğal egzersiz, yürüyüş, yüzme ve danstır. Şarkı söylemek de doğal bir nefes egzersizidir. Göğüs kafesimizin hareket etmesini sağlar.

Dağlık bir bölgede yürüyüş yapmak, nefes alış verişimizi doğal olarak hızlandırır. Nefes çok iyi bir egzersiz çeşididir. İdeal nefes dakikada 4 defa burundan alınıp ağızdan verilendir. Sayılı nefeslerimizi iyi kullanmalıyız.

Yaşamamız için aldığımız hava, besinden daha önemlidir. Bu sebeple doğru nefes alıp vermeliyiz.

Günlük spor yapma alışkanlığı; kas ahengini, gerilmeyi geliştirmek, kan dolaşımını ve dengeli hayat gücü akışını teşvik etmek için yardımcı olabilir.

Yoğunlaşma, enerji akışlarını dengelemek için doğa ritimleriyle uyumu yakalamak için mükemmel bir uygulamadır.

Uykunuz düzenli olmalıdır. Erken yatın ve ertesi sabah kişisel bakım için erken kalkın.

Vücudunuzun bakımını doğru şekilde yaptığınız sürece, hiç kuşkusuz sağlığınız daha iyiye gidecektir.

Sağlığınız ve bedensel zindeliğiniz için egzersizleri dar ve havasız bir mekânda yapmamaya özen gösterin.

Pencere önünde yaptığınız her harekette, dolu ve derin bir nefes alın. Nefesinizin burnunuzdan alıp, ağzınızdan verin.

Yaptığınız her hareketi izleyebilmeniz için karşınızda bir ayna bulundurmanız mimik ve mizanseni-zi de gözleme için çok iyi olur..

İşte size pratik bir kaç hareketle sağlıklı bir yaşam deneyin. Fark edeceksiniz...

RUHUN ŞİFASI

Ey hasta kardeşler!
Çok faydalı, her hastalığa iyi gelen, hakikî bir ilaç isterseniz; imanınızı geliştiriniz. Yani tövbe edip, namaz kılıp, kulluk yapmak ile imanı ve imandan gelen çareleri kullanınız. Evet, dünyaya sevgi ve fazla bağlanma yüzünden insanın hasta, manevî bir vücudu vardır. İman ilacının insanı bu hastalıklardan kurtarıp, hakikî şifa verdiğini birçok kereler ispat etmişiz. İman ilâcı ise, farzları mümkün oldukça yerine getirmekle tesirini gösteriyor. Gaflet, başıboş hayat ve meşru olmayan yollar iman ilacının tesirini azaltıp veya kaldırıyor. Hastalık madem gafleti kaldırıyor, iştihayı kesiyor, meşru olmayan yollara gitmeye mani oluyor; ondan istifade ediniz. Hakikî imanın kudsî ilâçlarından, tövbe, istiğfar, dua ve niyaz ile kullanınız.

3. BÖLÜM

DÜNDEN BUGÜNE BEDENİ KORUMANIN KOZMİK BOYUTLARI

Bütün nimetler gibi sağlığın kıymeti de, elden çıkmadıkça bilinememektedir. İnsanın bu yönünü iyi bilen Hazreti Muhammed(sav), iş işten geçmeden insanları şöyle uyarmıştır: "Beş şey gelmeden önce beş şeyin kıymetini biliniz: 1) Hastalık gelmeden önce sıhhatin, 2) Yaşlılık gelmeden önce gençliğin, 3) Fakirlik gelmeden önce zenginliğin, 4) Meşgûliyet gelmeden önce boş vaktin, 5) Ölüm gelmeden önce dünya hayatının...

İslâm'a göre beden, insana verilmiş bir emânettir. Bu nedenle hastalık anında tedavi yolları aranmalıdır; çünkü İslâm inancında şifası olmayan bir hastalık yoktur. Peygamberimiz (sav) şöyle buyurur: "Yüce Allah(c.c); yarattığı her derdin şifasını da yaratmıştır." Tedavi olup olmama konusunda fikrini soran insanlarla peygamberimiz arasında geçen şu konuşmaya dikkat edelim: Bir grup insan gelip peygamberimize; "Tedavi olalım mı?" diye sorarlar. Peygamberimiz: "Evet, tedavi olunuz. Çünkü Allah(cc), şifasını vermediği hiçbir hastalık yaratmamıştır. Şifası olmayan tek hastalık ihtiyarlıktır." cevabını vermiştir.

(Buhari, Hadis No: 291)

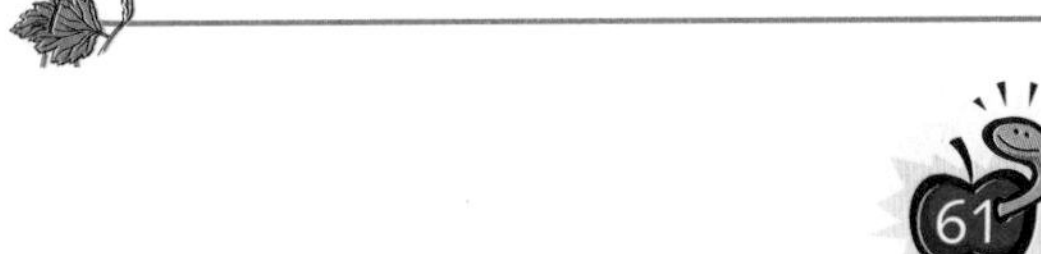

ORGANLARIN AKTİF VAKTİ VE ÖNEMİ

Bedenimizdeki her organın 24 saat içinde aktif çalışma ve kendilerini yenileme vakitleri vardır. Bu vakitlerde o organları rahat bırakmazsak, işlerini yapamazlar. Mesela; gece vakitleri organların aktif saatinde uyumak, yemek yemek, televizyon seyretmek gibi karaciğer ve safra kesesinin düzgün çalışmamasına sebeptir. Bugün bütün insanlarda görüldüğü gibi.

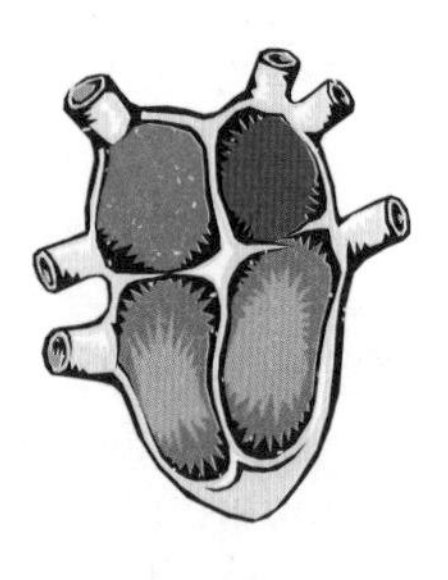
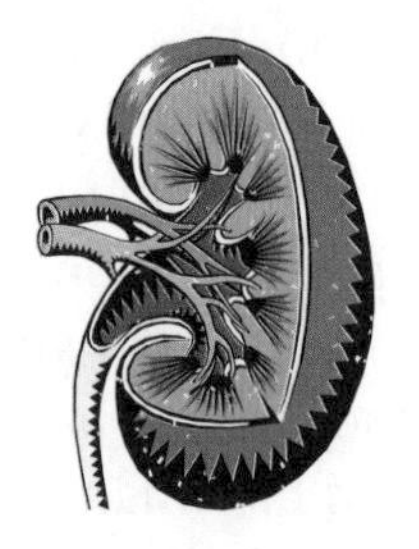
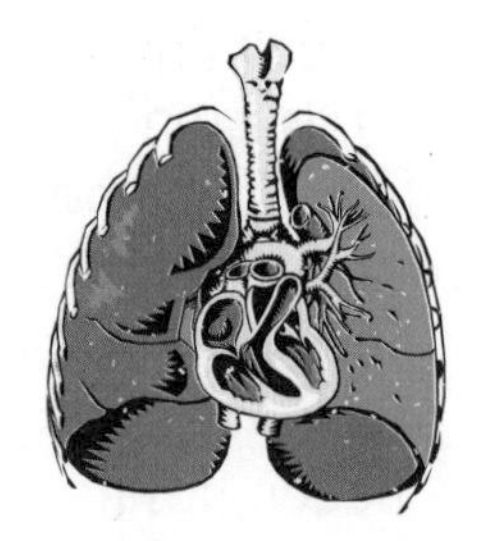
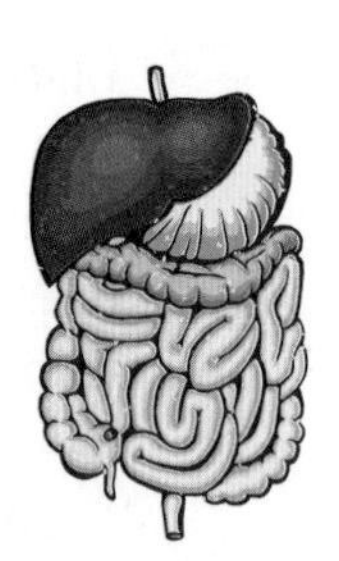

ORGANLAR	AKTİF SAATLER	ORGANLAR	AKTİF SAATLER
Akciğer	03-05	Mesane	15-17
Kalın bağırsak	05-07	Böbrek	17-19
Mide	07-09	Perikard (kalp kası)	19-21
Dalak-Pankreas	09-11	Bedenin ısıtılması	21-23
Kalp	11-13	Safra Kesesi	23-01
İnce bağırsak	13-15	Karaciğer	01-03

BİTKİLERLE KOZMİK BESLENMENİN ÖNEMİ

Kozmik yaşamın en önemli faktörlerinden birisi bitkiler dünyasıdır. Bitkiler asrın çözümsüz problemlerine reçete olabilir. Bu kitap konu itibariyle sadece bitkilere yönelik olmadığından, burada bazı önemli başlıklara dikkatinizi çekerek hayatınıza ve yaşam enerjinize katkı yapabilirsiniz.

Bitkilerle ilgili özel bilgiler

☺ Son zamanlarda çok duyulan "**aloe vera** " yani "sarısabır" bitkisi mutlaka enstitü seviyesinde araştırılmalıdır.

☺ **Uzak doğunun "ginseng" inin kirlenen hafızaların, unutkanlık ve bellek temizlemenin ilacı olabileceği araştırılmalıdır.**

☺ **Papatyagillerin** baş rahatsızlıkları ve çözülemeyen yarım baş ve migren gibi hastalıklara şifa olabileceği hakikati ortaya çıkarılmalıdır.

☺ **Günümüzün en çok konuşulan kilo problemleri, kan yağları ve bilhassa kolesterol rahatsızlıklarının, turunçgiller ve bilhassa greyfurtla tedavisi incelenmelidir.**

☺ **Zencefilin** mucize tedavisi bulantı, kendinden geçme ve pek çok rahatsızlıklara şifa olduğu belirtilmelidir.

☺ **Çözümsüz gut hastalıklarında, kereviz ve kiraz sapının mucizeliği araştırılmalıdır. Nane, kekik gibi keskin kokulu bitkilerin yağlarının direkt olarak bedendeki ağrı merkezlerine etki edeceği bütün Uzak Doğu tedavilerinde kullanıldığı unutulmamalıdır.**

☺ Günde bir **elma** yemek sizin sağlıklı bir insan olmanızı sağlar.

☺ **Turunçgillerin ve bilhassa tropikal bölgede üretilen fekoyayanın şeker hastalarının devası olduğunu biliyor muydunuz?**

☺ **İncir yemek**, kulunç ve romatizmadan emniyette olmayı ve kalbe incelik, mideye rahatlık vermeyi sağlar. Kabızlığı önler.

☺ **Reyhan ve su alınırsa karın ve mesane yıkanır, bunların çok özellikleri vardır.**

- ☺ **Hıyarı** tuzla, cevizi tatlı ile yiyiniz. Beyninizi uyarır.
- ☺ **Patlıcan yumuşatılıp yenirse beden illetleri izale olur.**
- ☺ Toprağın zehri olan doğal **ak mantarın** suyu yüze şifadır. Bedene gıdadır. Enerji özellikleri, tabir edilemeyecek kadar çoktur. Her gün yiyin.
- ☺ **Her gün sabah içilen soğan suyu sizin direnç kaynağınızdır.**
- ☺ **Isırgan kökü,** sapı, yaprağı, çiçeği, meyvesi ve tohumunun şifasından ibret alın. Tıbbın çözemediği hastalıklara şifadır.
- ☺ **Cevizi yeşil kabuğuyla marmelât halde yerseniz, tiroide şifa, cinsel hayata katkıdır.**
- ☺ Kırmızı **kuru üzümün** çekirdeği başta kanser olmak üzere çözümsüz hastalıklara şifadır.
- ☺ **Keten tohumu, yulaf, çavdar, buğday vs. gibi taneli tohumların bedenin tam şifası için ısıtılarak çimlendirilip yenmesi her hastalığın devasıdır.**
- ☺ **Fasulyeyi,** baklayı kabuğuyla yiyen de şeker hastalığı başta olmak üzere bütün hastalıklar çıkar.
- ☺ **Günümüz psikolojik bozukluklarında sakinleştirici olarak "valerian"ın mutlaka insanlığın hizmetine sunulması gerekir.**
- ☺ Aşırı baharat tüketimi zararlı olmakla beraber, normal dozlarda zencefil, zerdeçal, kekik, biberiye, fesleğen, tarçın, dereotu, taze soğan, mercanköşk, karabiber, limon, kereviz sapı gibi baharatları tüketmelidir.

Sağlıklı Yaşam İçin Özel Bilgiler

- ◆ **Tükürüklerini** asla israf etmeyiniz. Mümkünse yutunuz. Ömrünüzde etki eder, gücünüzü arttırır.
- ◆ **Başın** kutsallığını, bütün bedeni idare eden merkez olduğunu ruhumuzun ve bedenimizin yönetim yeri olduğunu düşününüz.
- ◆ **Baş** ve ayak ısı dengesini sağlayın. Başınızın arkasını ılık tutun. Bir şeye devamlı yoğunlaşmayın. Aşırı kullanım ve yoğunlaşma düşünce enerji sisteminizi bloke eder.
- ◆ **Başınızı** serin, ayağınızı sıcak tutmak, bedini mutedil tutmaktır.
- ◆ **Kalp** ve zihin ilişkisini düşününüz. Tutkularınızın esri olmayınız, aklınız kalbinize hâkim olsun.
- ◆ **Seviniz,** sevdiğiniz şeylere sarılınız. Her şeyin aşırısından kaçıp, ılımlı olun. Keskin sirkenin küpüne zarar verdiğini unutmayın.
- ◆ **Böbreklerinizi** dikkate alın, soğuğa, strese ve cinselliğe yenilmeyin. Böbrek saçların dökülmesine olumsuz etki eder.
- ◆ **Cinsel** içgüdülerinizi dengelerseniz, yoğunlaşmanız artabilir. Az konuşup az düşünün. Geçmiş ve gelecek hakkında endişelenmeyin. Enerjileriniz bloke olabilir.
- ◆ **Bugünü** yaşayın, herkesi affedici ve herkese yardım edici ruhta olun.
- ◆ **Keder, sıkıntı, öfke** organlarınızı zehirler. **Mutluluk** bunun panzehiridir.
- ◆ **Daima** gözlerinizi güldürüp, kalbinizi sevgiyle doldurun. Sıkıntılarınıza gülümseyerek bakın ve onu uzaklaştırın.

- **Bitki yağları** ve çaylarıyla vücudunuzu masajla uyarın, enerjinizi arttırın.
- **Gereksiz** yerde gülmek insanı mahcup ettiği gibi acıkmadan yemek, susamadan içmek de vücudun sıhhatine zarardır. Bedeni mahcup eder, üzer.
- **Bedenimiz** için düzenli hareketler yapmayı alışkanlık haline getirmeliyiz.
- **Çok yemek** yememeli, yediğimiz zaman edebinde yemeliyiz.
- **Uyku saatlerimize** dikkat etmeli, mevsim değişikliklerini dikkate almalıyız.
- **Dolu mideyle** asla yatağa girilmemelidir.
- Her gün mutlaka 20 ile 40 dakika arasında **egzersiz yapmayı** alışkanlık haline getirmelidir.
- **Akşamdan** sonra çok geç saatlerde yemekler yenmemelidir.
- **Günlük** stresleri asla ertesi güne taşımamalıdır.
- **İyi bir uyku** düzenine sahip olmalıdır.
- **Cildi** belli aralıklarla, susamyağı, aloe vera gibi nemlendiricilerle beslemelidir.
- Yaşam boyunca yeterince **güneş ışığı** alınmalıdır.
- Sağlıklı ve düzenli bir **cinsel hayat** sürdürülmelidir.
- **Boşaltım sistemini iyi çalıştırmalı, idrar, dışkı, gözyaşı gibi doğal ihtiyaçları asla tutmamalıyız.**
- Bakmaktan ve paylaşmaktan hoşlanılan **evcil hayvanları** bahçede beslemeli, bitki ve çiçekleri yetiştirmelidir.
- **Tok karnına** banyoya girilmemelidir.
- Hanımlar **adet günlerinde** cinsel ilişkide bulunmamalıdır.
- Aşı derecede tokken **cinsel ilişkide** bulunulmamalıdır.
- Kendinize zaman ayırmalı, **besin desteği** almalı ve düzenli olarak **egzersiz** yapılmalıdır.
- **Kahvaltı** 07–09 saatleri arasında, **öğle yemeği** 12–14, **akşam yemeği** gün batımında yenmelidir. Sabah midenin aktifleştiği vakit normal yenilmeli, öğle en kızgın an ağır yenmeli, akşam ise pasifleşmeden dolayı hafif yenmelidir.
- **Her gün bir çeşit yemek yemek, bir hafta bir daha onu yememek bedeni korumanın yoludur.**

Sağlıklı beslenmek için özel bilgiler

✓ **Bal ve bal ürünlerinin** bütün hastalıklarda ana madde olarak kullanılmasının zaruriliği bir kere daha dile getirilmelidir.

✓ Dünyamızın üçte ikisinin sularla kaplı olduğu, denizlerimizdeki balıkların aynı oranda hastalıkları da tedavi ettiği, **balık ürünlerinin** ve **yağlarının** insan sağlığı tedavisinde ön plana çıkarılması gereklidir.

✓ **Yiyecek ve içecekler** bedenin ilacıdır. Maddesiyle ve suretiyle etki eder.

✓ **Bir öğünde** mesela embriyolu buğday ekmeği, koyun eti, kümes hayvanları ile hafif tatlılar, küçük lokmalarla çok çiğneyerek ve meyvelerden incir ve kuru üzümle yenerek ideal beslenme sağlanabilir.

- ✓ **Yaz günlerinde** soğuk yiyecekler, **kış günlerinde** sıcak besinler alınmalıdır. Yemek zamanı kısa tutularak öğün aralarındaki zaman dilimleri açılmalı, hazım karışmamalıdır.
- ✓ **Ekşi yiyecekler** her zaman yenirse bedene zararlı, ihtiyarlatıcı uzuvları kurutucudur. Tedavi edici olarak kullanılabilir.
- ✓ **Tatlı yemekler** mideyi rahatlatır, bedeni ısıtır, safrayı tahrik eder. (Devamlı yenmemek şartıyla.)
- ✓ **Tuzlu gıdalar** bedeni kurutur, safra yapar, şehveti arttırır, uzuv ve kuvvetlere zarar verir.
- ✓ **Tatlıyla ekşi** birbirinin panzehiridir.
- ✓ **İki öğün yemek** ruha hafiflik ve sıhhat verir. Şefaate sebeptir.
- ✓ **Hastalıkların çoğu tokluktandır.** Bundan korunan kimse ömrünü afiyetle geçirir. Balıkla yoğurdu beraber yemek bedene zarardır. "Bazen cüzam ve felç gibi müzmin hastalıkların sebebidir" denmiştir.
- ✓ **Yoğurtla** ekşi, pilavla sirke, sütlaç üzerine nar veya üzüm de mideye zararlıdır ve yenmemelidir. "Yenirse bunların ilacı, ekmekle kuru üzüm yemek olup, bunu yapan hayat boyu doktora muhtaç olmaz" denmiştir.
- ✓ **Sütlü gıdalar** beraberce yenmemelidir. (Süt, peynir, lor, kaşar)
- ✓ **Sebzelerle** (az pişmiş veya taze) et beraber iyi bir besindir. Etle yoğurt birbirini tamamlar. Meyveyle sebze, sütle et, meyve ile et, pirinçle patates, patatesle ekmek beraberce yenmez, pişirilmez.
- ✓ Baharatlarla, kekik, nane, maydanoz, dereotu, zencefille yemekleri süsleyin, şifadır. Nimet olan yemeği severek, isteyerek, çiğneyerek dikkatlice ve başka bir şeyle meşgul olmadan, konuşmadan, televizyon seyretmeden yiyelim. Farkı fark ediniz.
- ✓ Her zaman vazgeçmeyeceğimiz taze meyve, sebze, deniz mahsulü, bakliyat, kurutulmuş kavrulmamış yemişlerle yaşam enerjinizi maksimum düzeyde tutabilir enerji kalkanınızı kuvvetlendirip korunabilirsiniz.
- ✓ Haftada bir gün yemek yemeyin, sadece sıkılmış **taze meyve suyu** için.
- ✓ **Kızartmayla** beslenmeyin.
- ✓ **Tuz ve şeker** yerine doğal tatlandırıcılarla beslenin.
- ✓ **Acıkmadan** asla yemeyin.
- ✓ Yemek yerken mümkünse arpa ekmeği yahut kepekli buğday unuyla karışık arpa ekmeği yiyin.
- ✓ **Embriyonsuz beyaz ekmek alışkanlık yapar. Posadır, açıktırır.**
- ✓ **Devamlı et yemek** kalbi karartır. 41 gün hiç yağlı ve et yememek de insan doğasını değiştirir.
- ✓ **Yemeğin lezzetini** bulacak kadar aç olun. Mümkünse tek bir çeşit yemekle yetinin. Cisim sıhhat ve sürura, kalp hayat ve huzura kavuşsun.
- ✓ **Yemeğin ölçüsü** midenin üçte birini yemek, üçte birini su, üçte birini ise havaya ayırmaktır.
- ✓ **Bütün yemeklerin en iyisi** ve

sevgilisi ve kalpte incelik hasıl edeni, arpa ekmeği, mercimek çorbası ve su kabağından yapılan herizdir. Bunu yiyenin 30–40 adam kuvvetinde bulunacağı ve gece ibadetine sebep olabileceği söylenmiştir.

✓ **Mevsiminde taze meyve, değilse tabi yolla kurutulmuşunu yiyin.**

✓ **Mübarek balı sabahleyin aç karnına yiyen,** içen, her hastalıktan şifa bulur.

✓ **Karbonhidratlı yiyecekleri, sebzeleri kaynatmadan veya kaynayan suyunu dökmeden, tıkırında öldürerek yiyiniz ki beden enerjiniz artsın. Aksi takdirde bedenin yediğiniz posalardan alacağı bir şey, besin yoktur.**

✓ Mümkün olduğunca **hormonsuz** ve **doğal gıdalarla** beslenilmelidir.

✓ **Mevsim dışı yiyecekler, kırmızı et, suni yemle beslenen kümes hayvanları, beyaz un ve beyaz şeker gıdalarından mümkün olduğunca uzak durulmalıdır.**

✓ **Balık, yoğurt, süt, yumurta gibi gıdalar birlikte tüketilmemelidir.**

✓ **Bol miktarda ılık su içmelidir.**

Mucize Kaynağı Suyla İlgili Özel Bilgiler

❖ **Su,** bir içecek olup görevi, besinleri yumuşatmak, pişirmek ve gıdaların dar yollardan geçirilmesini sağlamaktır.

❖ **Suların en yumuşağı** nehir suyu olup şiddetli kayaların ve taşların üzerinde akanı en makbulüdür. Mağara ve kuyu suları sert sulardır. Boruda bekleyen suyu değil, akan suyu içmek şifalıdır.

❖ **Suyun** yemeklerden 2–3 saat sonra veya önce içilmesi faydalıdır. İştahı olmayanlar, sıcakkanlılar yemek sonuna doğru yudum yudum su içebilir.

❖ **Su;** aç karnına, terliyken, cima ettikten, hamamdan çıkıp müshil içtikten sonra ve meyve üzerine içilmemelidir. Bilhassa soğuk su içmek zararlıdır.

❖ **Suyu** çocuğun meme emmesi gibi emerek üç nefeste içmeli, her nefeste üç yudumdan çok içilmemelidir.

❖ Suyu ayakta içmek hatalı ve tehlikelidir.

❖ **Suyu severek O'nun adıyla isteyerek içersek kozmik boyutu değişir.** Kozmik su olur.

❖ **Bütün meyveler,** hamur işleri tek başına yenmeli, yemeklerle beraber asla yenmemeli, yemeklerden önce veya sonra yenmelidir. Kahvaltı gibi.

Anti-Aging beslenmede dikkat edilmesi gerekenlere de uymalıyız

- **Hücrelerin, serbest radikallerin zararlı etkilerinden korunması için her gün sebze ve meyve tüketmelidir.**
- **Konserve besinler** değil, taze veya kurutulmuş olanlar tercih edilmelidir.
- **Sebzeler** mümkün olduğunca çiğ veya az pişmiş olarak tüketmelidir. Çiğ ve taze sebzelerin sahip olduğu antioksidant özellik,

pişirmeyle yok olur. Az pişirme beta karoten emilimini de artırır.

- **Margarin yağlar** yerine hayvani yağlardan (inek), zeytinyağı, kanola yağı, soya yağı gibi sıvı yağlar tercih edilmelidir.
- **Kuru fasulye, nohut, bakla, bezelye, mercimek, yeşil fasulye, soya ve yulafta bol miktarda bulunan saponinler, antioksidant etki göstererek hücrelerdeki DNA mutasyonlarını önleyerek antikanserojen etki gösterir. Bu yüzden kuru baklagiller sıklıkla tercih edilmelidir.**
- **Zeytinyağı** en iyi antioksidant yağdır. Bol E vitamini içermesi nedeniyle gençlik sağlar ve hastalıklardan uzak tutar.
- **Avokado, kötü kolesterolü düşü-rerek, kalp hastalığı riskini azaltır.**
- **Demir,** kırmızı kan hücrelerimizde oksijen taşıyan hemoglobin ve kaslarımızdaki myoglobin proteinlerinin yapısında yer alır. En çok bulunduğu besinler, ciğer, yumurta sarısı, kırmızı etler, nohut, mercimek, balık, istiridye, yeşil yapraklı sebze **VE GENİ DEĞİŞTİRİLMEYEN YOSUN SPİRİLUANA'DIR.** Eksikliğinde, kansızlık ve bağışıklık sisteminde bozukluklar oluşur. Ancak demir fazlalığı vücutta aynen paslanma benzeri oksitlenme yaparak, damar sertliğine ve tüm vücut hücrelerinin erken yaşlanmasına, yağlanmasına neden olur. Bu yüzden demir preperatları doktor kontrolünde alınmalıdır.
- **Beyaz unlu gıdalar,** beyaz ekmek, pirinç, patates ve tüm şeker katkılı gıdaların, glisemik indeksi yüksektir. Bu da erken yaşlanmaya sebep olur. Beyaz pirinç yerine, posa bakımından zengin esmer pirinç veya bulgur pilavı tercih edilmelidir.

Şunu unutmamalıyız; hangi tedavi yöntemini uygularsak uygulayalım, kişinin iyi olacağını bilmesi, kullanacağı maddeyi sevmesi ve onun kendisi için bir şifa kaynağı olacağına inanması çok önemlidir. Bedenimizin değerini çok iyi bilmeli ve kendimize bakmak için hasta olmayı beklememeliyiz.

Amacımız sadece yaşamak değil, yaşanılan sürenin de kaliteli ve sağlıklı olmasıdır.

İNANCIMIZA GÖRE VERİLEN ÖMRÜ UZATAMAYIZ BELKİ AMA VERİLEN ÖMRÜ İRADE-İ CÜZİYEMİZİ İLAHİ KURALLARA UYARAK KALİTELİ VE DİNÇ YAŞAMAK ELİMİZDE OLDUĞUNU UNUTMAYALIM...

YEMEK YEMENİN EDEBİ VE ZARARLARI

Her şeyin çoğunun zarar olduğu gibi, çok yemek yemenin de vücuda bazı zararları vardır. Çok yemek, kalbe zarar verir, önemli hastalıklara sebep olur. İnsan sürekli tok olduğu zaman aç insanın halinden anlamaz. Yediğimiz gıdaların miktarını düzeltmek, bir defada çok sayıda yemeği yememek gerekir. Yemek yağlı ise tuzlu veya acı gıdalarla, tuzlu veya acı ise yağlı nesnelerle yenmelidir. Çorba gibi sulu yemekleri, köfte, pilav gibi kuru yemeklere tercih etmek ve günün belli zamanlarında yemek gerekir. Dengeyi sağlamak için, ekşi ve tatlı gıdaları eşit oranda yemek vücuda çok faydalıdır. Susama ve acıkma hissi geldiğinde, geciktirmeden su içip, karın doyurulmalıdır. Yemek yerken önünden yemeli, lokmaları küçük yapmak ve iyice çiğnemek gerekir. Yediğimiz tabağı iyice temizleyip sünnet etmeliyiz. Yemeği koklamak ve ağzı haşlayacak kadar sıcak yemek sağlık için zararlıdır. Resulü Ekrem, "Sıcak yenen yemekte bereket yoktur" diye buyurmuştur.

Hamile ve Emzikli Kadınların Tedbirleri

Hamile kadınların, kan aldırmaktan ve kusmaktan sakınmaları gerekir. Mecbur kalıp kusarlarsa, kusmanın kesilmesi için gül yağı kullanılır. Emzikli kadının kan aldırması sakıncalıdır. Jimnastik yapması ve hareket etmesi önerilir çünkü anne hareketsiz kaldığında sütü bozulur. Çocuklar çok korkutulmaz ve gelişmesinin engellenmesi için çok uykusuz bırakılmaz

İhtiyarların Alması Gereken Tedbirler

Yaşlı insanların organlarının yapısı soğuk ve kurudur. Değişik mizaçta olurlar. Organlarının boşlukları balgamın rutubetiyle dolu olduğu için verilecek gıdalar, sıcak ve nemli tabiatta olmalıdır. İhtiyarlar gençlerden daha çok istirahat etmelidir. Kabız olmamaya ve idrarın çıkmasına dikkat etmelidirler. Ağır yemeklerden sakınmalı, ekmek, bal, süt, pırasa, pazı ve kerevizi tercih etmelidirler. Zencefil ve sarımsak da tüketebilirler. Yaz mevsimlerinde yaş incir, erik, kışın da kuru incir yemek iyidir. İdrar tutulmaları ve kabız için biberli sarımsak ve soğan yenilip, kereviz tohumu içilmelidir.

Hava-Suyun Önemi

Havasız ve susuz hayat düşünülemez. Çevremizi kuşatan hava, akciğerlerimiz yoluyla içimize çekilip kanımızı temizler. Demek ki içimize çektiğimiz havanın boyutları çok önemlidir. Hatta her mevsim çekilen hava farklı olduğuna göre bunların bedenimize etkilerinin de farklı olması mümkündür.

Suda beden için zaruret vardır. Toprak olan bedenimiz her an temizlenmeli ve sulanmalıdır. Yoksa kirlenir ve solar.

MEVSİMLERİN ÖNEMİ
(Dört Mevsimde Alınacak Tedbirler)

Sağlığımız mevsimlere göre farklılık gösterebilir.

Yazın; aşırı yemek yemekten, aşırı jimnastik yapmaktan ve hareket etmekten sakınılmalıdır.

Ayrıca yaz aylarının bazı dönemlerinde kan aldırmak ve bağırsakları boşaltmak çok faydalıdır.

Sonbaharda; aşırı cinsi ilişkiden, soğuk sudan, soğuk yerde oturmaktan, öğle sıcağından ve gecenin soğukluğundan uzak durmak gerekir. Sulu ve ısıtılmış gıdalar tüketip, arkasından kusmak faydalıdır.

Kış mevsiminde; kan almaktan, kusmaktan sakınmalı, bol gıdayla beslenmelidir.

İlkbaharda ise yaz aylarındaki gibi kan aldırılır ve idrar söktürücü ilaçlar içilir.

Yaz mevsimi, safrayı çoğaltır, rutubeti bozar, kalbi ısıtır, hararet meydana getirir. Yazın az hareket edilmelidir. Gölgede durmalı, hafif soğuk yiyecekler alıp yağlı-kuru gıdalardan uzak kalmalı, kavun, karpuz, hıyar gibi sulu şeyler yemelidir. Beyaz elbise ve bedeni soğutan keten elbiseler giyilmelidir.

Sonbaharda, gece ve gündüz süreleri değişir, sıcak ve soğuklar farklılaşır, meyvelerin çoğalmasıyla kan incelir, sevda artıp hastalık çoğalır.

Çok cima edip, soğuk su ile yıkanmaktan ve kuru şeyler yemekten, soğuk içeceklerden, yaş meyveleri çok yemekten, gecenin soğuğundan, öğlenin sıcağından ve kusmaya yeltenmekten mutlaka korunmalıdır.

Baş kapalı tutularak beden ısısını koruyucu elbiseler giyilmelidir.

Kış mevsimi, balgamı çoğaltır, başı sıkar, zekâyı etkiler, nezle yapar, öksürüğü arttırır ve hastalık verir. Böbrek ve kulağı etkiler. Kışın et ve et gibi kuvvetli ısıtıcı gıdalar alınmalı, kusturucu gıdalar alınmamalıdır. Yünlü ve kalın giyeceklerle beden ısıtılmalıdır.

İlkbahar, kanı, balgamı, safrayı ve sevdayı harekete geçirerek bademciklerin şişmesine, kanın çoğalmasıyla hastalıklara sebep olabildiği gibi hayat ve sıhhat için

en uygun, latif ve tatlı bir mevsimdir. Karaciğer ve gözleri etkiler.

İlkbaharda kavrulmuş şeyler, teskin edici nar tanesi gibi maddeler yenmeli, tatlılardan, hamamlardan ve çok yemeden kaçmalıdır. İnce kumaşlardan yapılmış elbiseler giyilmelidir. Rüzgârdan korunmalıdır.

Hareket Etmek

Bedenimizin sağlığı için yapacağımız kültürfizik hareketleri; maddi hastalıkları ortadan kaldırır, eklemleri sağlamlaştırır, vücuttaki atıkları temizler ve ter yollarını genişletir. Kültürfizik; koşmak, güreş tutmak ve hızlı yürümek gibi bedenle yapılan hareketlerdir. Hızlı yürümek ve koşmak; bacaklardaki, baldırlardaki ve ayaklardaki fazlalıkları temizler. Masaj kararında yapıldığında vücudu güzelleştirir, yavaş yapıldığında bedeni gevşetir. Sert bezle yapılırsa kanı bedenin dış yüzüne çıkarır, el ayasıyla yumuşak bezle olursa kanı güzelleştirir.

Cismin hareketi ve Durmanın Önemi

Kuvvetli ve çabuk hareketler bedeni ısıttığından faydası daha çoktur, yemek yemeyi ve sindirimi kolaylaştırır. Mutedil olanı daha faydalıdır. İlahi hareketler ve duruşlar Yaratıcı için değil insanın kendi sağlığı için faydalı, gerekli ve yeterlidir.

Nefsin Hareketi ve Durmanın Önemi

Bu hareket ruh ile kanın hareketidir. Çok kızgınlık halleri, korku, üzüntü, keder, iç ve dış bedeni hareket ettirir, beden ısınır, çokluğu felakettir. Hareketin azlığı bedenin soğumasıdır. Hareketsizlik hazımsızlıktır. Devamlı beyni yararlı, faydalı şeyler düşünerek, çalıştırmak, ruhu beyin enerjisini besler, enerji alanınızı arttırır.

Uyku ve Uyanıklığın Önemi Ve Sağlıklı Uyku Saatleri

Tok karnına uyumak vücut için zararlıdır. Uyumanın en sağlıklı zamanı, yemeklerden en az 2 saat sonradır. Uyku, bedenin gücünü topladığı ana kadar ne çok ne de az olmalıdır. Aç karnına uyumak, gündüz vakti uyumak çok zararlıdır. Uzun süre uyanık kalma; bedeni hafifletir, yemeğin hazmını engeller, mizacı bozar. Aşırı uykusuzluk ise insanı delirtir.

Güneş batıp İlahi hükümleri yaptıktan bir müddet sonra uyuyan, doğduktan sonra da uyumayan, kalkıp hayata başlayanın bedeni hastalanmaz, organları gıdalanır, her zaman dinç kalır.

Uyku, hareketsizlik, uyanıklık harekettir. Ruh uykudayken hareketiyle sindirim ve bedeni dengeler ve soğutur. Uyuyanın üstü bunun için örtülmelidir. Hazımla beden ısınır, gece uykusuzluğu beyni zayıflatır, sindirimi bozar. Uyku ile uyanıklık arasındaki tereddütler, şaşkınlık ve elem oluşturur.

Geceleyin bol gıda alıp uyuyan, uykuda sebepsiz terler. Yemek yiyip uyumayın, uyurken yan yatın, dizlerinizi birbiri üzerine koyun. İlkbahar ve yazda başınızı doğuya, sonbahar ve kışta başınızı batıya koyun. Uykusu uzun olanın beyninde rutubet galip olur. Uykusuzlara hamam şifa olduğu gibi süt ve arpa suyu gibi şeyler de uyku verir. Uykudaki kâbus, kan, balgam ve sevda buharının beyne çıkmasıdır. İlacı istifra ile beyni rahatlatmaktır. Yaratıcı gündüzü çalışmaya, geceyi uyku ile organların yenilenmesine ayırmıştır. Buna muhalefet ederek yaşayana, bunda ısrar edene rahat olmaz. Yoksa hücre ölümleri ve çözümsüz hastalıkların bir sebebidir. (Epilepsi, ruhi hastalıklar vs.)

Boşaltma ve Çıkarmanın Önemi

Boşaltmak ve çıkartmak, bedenin sıhhatinin koruyucularıdır. Bedenin sıhhatini korumanın devamı, her yıl vücudun organlarının yenilendiği ilkbahar ve sonbaharda lavman yaparak bağırsakları boşaltıp başta karaciğer, safra kesesi olmak üzere bedenin bütün organlarına yeni bir hayat vermekten geçer. Lavman yaparak yani çıkararak bendi soğutur ve boşaltırız. Çıkma gecikirse beden zedelenir, ağırlaşır, iştah kesilir. Fenalık geçirilebilir, yani hastalanırız. Kozmik soğuk su ve gül suyu bu hareketleri def eder.

- Kabızlık, incir, sinameki ve kimyonla yumuşatılır, rahatlık ve selamet verir.
- **Yumuşaklık, sumak ve kuru kavruk kahve, nohut gibi şeylerle yutulur.**
- Geğirme, gaz çıkarma ve ekşime varsa hemen kusmak hayırlıdır.
- **Elma, ekşi nar yiyip mideyi kuvvetlendirmek, midenin halini itidaline kavuşturmak mümkündür.**
- Büyük küçük idrarı, gazı, teri, cerahati, meniyi mutlaka vaktinde atmak vaciptir. Atılmazsa organların ölümüdür.
- **Gazı çıkartmak turp ve tarlasından geçmekle de mümkündür.**
- Böbreğin, idrar yollarının, gece terinin ilacı; aç karnına sabah kaynar halde içilen altın otu, kuşburnu, kiraz sapı ve alıçtan oluşan terkip içine sıkılan bir limonun içilip; gece yatmadan 1 kaşık elma sirkesi katılarak tekrarlanmasıdır. Karaciğer ve kan yağları içinde bu terkip şifadır.

Üretkenlik ve Cimanın Önemi

Sağlıklı ifrazatın en faydalısı ve kolayı cima ve hamamdır. Şehvet olmadan cima etmeye niyetlenmek, bedenin sıhhatine ziyandır. Aşk, sevgi olmadan doğan çocuklar ahmak ve mangurt (düşünemeyen) insanlar olmaya meyyaldir. İnsanlık bu aşkın, sevginin önemini ve mahiyetini anlamadan mutlu olamayacaklardır.

Dengeli cima, harareti gideren, bedeni rahatlatan, yemeye hazırlayan, kızgınlığı zayıflatan, vesveseleri ve düşünceleri izole

eden, balgami hastalıkları gideren ve akabinde de bedene hafiflik, huzur ve uyku getiren bir eylemdir. Cimanın fazlalığı kuvveti azaltır, gözleri zayıflatır. Vücutta titreme, kriz ve sinire sebep olur. Kuvveti, feri ve zekâyı azaltır. Akitle helal dairede olmak kaydıyla, genç ve güzel hanımlarla cima vücuda sıhhat verebileceği gibi, acuze, hasta, küçük ve dullarla cima sağlıksızlık ve üzüntü verebilir. Cima yolları ilahi kitaplarda bildirildiği şekliyle olmalı ki sonucunda iltihabi hastalıklar, doğanda da epilepsi, bit salgını vs. gibi hastalıklar olmasın.

Hamamın Önemi ve Hamamda Yıkanmanın Edepleri

Binası eski, içi geniş, havası hoş ve suyu tatlı olan hamam sağlıklı bir hamamdır. Hamamın sıcaklığı, kişinin mizacına uygun olmalıdır. Çok sıcak olursa, vücudun rutubetini azaltır, kişiyi gevşetir. Hamamın ısısı, vücudun terlemesini ve bedenin hoş bir ısı kazanmasını sağlayacak kadar kararında olmalıdır. Hamam insanı havasıyla ısıtır, suyuyla nemlendirir. Hamamda yiyip içmek, uzun süre oturmak çok zararlıdır. Aç karnına hamama girmek de sakıncalıdır.

Suyu tatlı, harareti mutedil, taştan olanları makbuldür. Odaları ılık, sıcak ve kuru olmalıdır. Fazla hamam baş dönmesi, sıkıntı ve ızdırap verir, enerjiyi azaltır. Yüksek tansiyonda ayağı sıcak suya sokmak şifadır.

Hamam çıkışında iyi korunmalı, dışarının soğuğuyla harareti kaybetmemelidir. Yemekten sonra hamam şişmanlığa, yağlanmaya sebep olur. Yemekten öncesi ise kabızlıktan kurtulmayı ve itidalli olmayı sağlar.

Riyazet etmek isteyen kişi hamamda terlesin. Ter ve kir çıkar. Vücut itidalleşir.

Soğuk su ile yıkanmak noktaları uyarır, gençlere kuvvet verir. Kükürtlü su ile yıkanmanın, titreme, felç hastalıkları, uyuz ve vücuttan fazlalıkları atmaya, mafsal ve romatizma hastalıklarına iyi geldiği tecrübe edilmiştir.

Hamamda haricen sürülen kekik, biberiye, zencefil yağı karışımıyla bedeni fazla kilolardan yağlardan ve selülitlerden masajla terleyerek kurtulunur

Kaplıca ve Kür Sularının Önemi

Kaplıca sularındaki terkiplere göre planlı kür halinde yıkanmanın, bedendeki yaraları, ağrıları iyi ettiği gibi içteki kötü kokuları da giderdiği vakadır.

Tabipler demişlerdir ki; herkes kendi vücudunun doktoru olmalı, kullandığı ilaç ve gıdaların doğalarını ve faydalarını bilmeli, her birini bu hükümle kullanmalıdır. Böylece insan vücudu sağlıklı kalabilir.

Dünyada hamamlar bilimsel araştırma enstitülerinin kontrolünde şifa yaymakta, insanlar sıcak-soğuk su terapileriyle sağlıklı yaşamaktadırlar.

Almanya'da 1821 yılında ortaya çıkan Stephan Kneipp tabi şifahaneleri bütün Avrupa'da bizim anlattığımız metotları uygulayarak ülkesine büyük girdiler sağlamaktadır.

Ülkemizde unutturulan ve yasaklanan Osmanlı darüşşifaları, renk odaları, ses odaları, su terapileri, aroma terapileri, müzik terapileri ile dünya insanlarına şifa vermektedir.

Yetkililere ithaf olunur. Bizler ata yadigârı bu şifahaneleri kurarak, Anadolu insanında çok yakın zamanda kozmik bilinç sınırında olanlarla beraber hizmetine sunacağız inşallah. Yüzyıllar önce araştırılıp, bulunan hastalıklar, çözüm yolları ve riskleriyle bizi uzaya çıkaran bugünkü asrımızın dijital teknolojisiyle bulunan hatalıklar, çözüm yolları ve riskleri karşılaştırdığımızda bugün için gelinen noktada o kadar çok övünülecek bir başarıdan söz etmek için daha çok gayret içinde olmalıyız.

Kozmik bilinci çok daha ileri anlamda ve seviyede anlayan o kadim-eskimeyen-alimleri ve ilimleri burada anmak ve hayırla yâd ederek onlardan öğreneceğimiz çok şeyin olduğunu belirtmek, onların bize bıraktığı büyük mirasa karşı yeterli olamaz sanırım.

Tıbbı Nebevi bir derya olup, biz size bu deryadan bir damla sunmakla sizleri ayrı dünyalara götürerek günümüzün bunalmışlığında yeni düşünce ve yeni ufukların kaynağına az da olsa işaret ederek dikkat çekmek istedik. Bu konuyla ilgili çalışmalarımız devam etmektedir. Sağlık vakfı ve araştırma enstitüsü seviyesinde kurmak istediğimiz müesseselerle ilgili insanımızın teklif ve taleplerini bekliyor; Kozmik Bilim çalışmalarına desteklerini ve katkılarını temenni ediyoruz.

4. BÖLÜM

A'DAN Z'YE
BİTKİLER
DÜNYASI

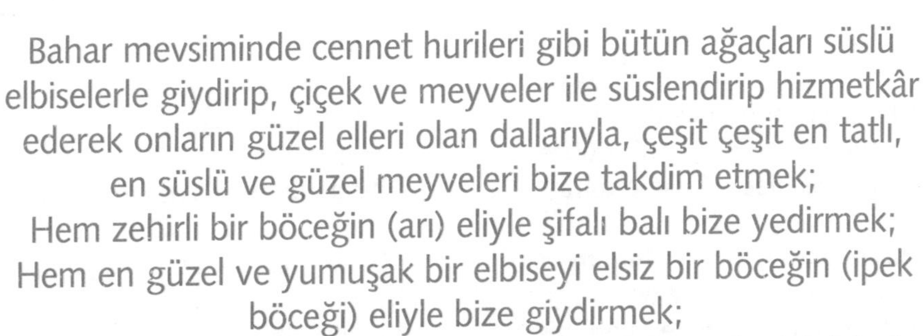

Bahar mevsiminde cennet hurileri gibi bütün ağaçları süslü elbiselerle giydirip, çiçek ve meyveler ile süslendirip hizmetkâr ederek onların güzel elleri olan dallarıyla, çeşit çeşit en tatlı, en süslü ve güzel meyveleri bize takdim etmek;
Hem zehirli bir böceğin (arı) eliyle şifalı balı bize yedirmek;
Hem en güzel ve yumuşak bir elbiseyi elsiz bir böceğin (ipek böceği) eliyle bize giydirmek;
Hem rahmetin büyük bir hazinesini küçük bir çekirdek içinde bizim için saklamak; ne kadar cemil bir kerem, ne kadar latif bir rahmet eseri olduğu açık biçimde anlaşılır.

HAMİLELİKTE KAÇINILMASI GEREKEN BİTKİLER

Hamilelik süresince kadın doğum doktorunuza danışmadan bitkisel ilaçlar kullanmamalısınız. Bunun için oldukça geçerli bir neden vardır ki, o da bir çok bitkinin düşük riskini artırmasıdır.

Kadınlara yönelik bitkisel ilaçlar kitabı **"The Roots of Healing"**in yazarı Maineli herbalist Deb Soule hamile kadınlara diken üzümü kökü kabuğu, alıç kabuğu, krizantem, ardıç üzümü, misk otu, yaban fesleğeni, sedef otu, sinameki, kara pelin, solucan otu, pelesenk armudu, Frenk maydanozu, Çin melek otu, Köpek elması ve dağ nanesi gibi bitkilerden uzak durmalarını tavsiye ediyor.

Kereviz ve maydanozu aşırı miktarlarda tüketmemeleri önerilir. Günlük kafein tüketimlerini sınırlamalıdırlar.

BİTKİLERİ YETİŞTİRME, TOPLAMA VE SAKLAMA

Bitkiler her şeyden önce çevre ve ekolojik kirliliği olmayan, gübre ve kimyasal ilaç istilasına uğramayan, bâkir, nadaslı yer altında dahi magnetik olan uranyum vs. gibi zehir olmayan, rakımı uygun yerlerde yetiştirilmeye özen gösterilmelidir.

Şifalı bitkilerin yapraklarından ne kadar koparırsak, onların şifacı güçlerini o kadar artırmış oluruz. Bu bitki bilim açısından oldukça mantıklı bir yaklaşımdır. Çünkü bitkilerin kimyasal bileşikleri onların savunma mekanizmalarının bir bölümünü oluşturur. Bitkinin yaprağını kopardığımızda, bitki buna saldırıya uğramış gibi cevap verir ve kendisini koruyacak olan şeyleri daha fazla salgılar. Araştırmalar, enfeksiyon kapmış, böcek istilasına uğramış yada yaprakları koparılmış olan bitkilerde, bizim ilaç olarak kullandığımız birtakım kimyasalların düzeyinin yükseldiğini görmüştür.

Bitkileri Toplamak İçin En Uygun Zaman

Her ne kadar bazı herbalistler, şifalı bitkilerin toplanması için en uygun zamanın üzerlerinde hala çiy damlalarının olduğu sabahın erken saatleri olduğunu iddia ediyorlarsa da, bu her zaman doğru değildir. Bitkileri yapraklar canlılıklarını kaybetmeden önce toplamak çok daha uygundur. Kökler için en uygun toplama dönemi ilkbahar yada sonbahardır. Kabuklarda özellikle aradığınız bileşikler taze kabuklarda bulunuyorsa, ilkbaharda toplanabilir. Eğer yeme amacıyla tohum topluyorsanız, bunları kuruyup sertleşmeden önce toplamanız gerekir. Hemen kullanmak için değil de ertesi sene tohumluk olarak kullanmak için toplayacaksanız, iyice kuruyuncaya kadar beklemeniz lazımdır.

Saklama Şartları

Bitkileri ileride bir gün kullanmak üzere saklamak istiyorsanız, bunun en ucuz yolu o bitkiyi kurutmaktır. Bitkiler kuru havada, özelliklede doğrudan güneş ışığı görüyorlarsa, son derece süratli bir şekilde kururlar. Nemli özelliklede sisli havalarda bitkilerin nemini yok etmek için fırınlamanız gerekir.

Kuruyan bitkileri bir kese kağıdında yada bir torbanın içinde saklayabilirsiniz. Kapaklı bir cam kavanoz da aynı işi görür. Isı, ışık ve oksijen bitkilerin etki gücünün en büyük düşmanlarıdır. Bu yüzden bitkilerinizi kiler, mahzen ya da dolap gibi her türlü ısı kaynağından uzak, serin ve karanlık yerlerde saklayın. Sakladığınız bitkilerin bulunduğu ortamdaki oksijeni en aza indirmek için, bitkileri içinde sakladığınız kabı mümkün olduğunca tıka basa doldurun ve içinden kullandıkça daha küçük kaplara aktararak sürekli sıkışık kalmalarını sağlayın.

Şifalı Bir Bitki Çayı Veya Kürü Hazırlama Yöntemi

Aslında iki tür çay demleme yöntemi vardır; sallama ve kaynatarak demleme. Sallama dediğimiz yöntem, günümüzde çay denince birçok insanın aklına gelen bir yöntemdir. Fakat içilecek çay ile iyileştirici özelliği olan bitki demlemek arasında çok önemli bir fark vardır. İçmek için çay yapacağınız zaman, bir poşet çayı kaynar suya batırıp birkaç dakika bekler, sonrada içersiniz.

Eğer bitki demleyecekseniz, bitkinin şifalı kimyasallarının ayrılıp suya geçmesi için 10 ile 20 dakika suda bekletmeniz gerekir.

Bu yöntem, bitkinin yapraklarını ve çiçeklerini kullanıyorsanız çok daha yararlıdır. Gerçekten işe yarar bir şifalı çay yapmak istiyorsanız, önce suyu kaynatın. Su kaynadığında, bitkinizi kaynar suya atın ve su soğuyuncaya kadar bekleyin.

Diğer tarafta, kaynatarak demlemek kür içinse, bitkinizi suya koyun ve uzmanın bildirdiği dakika süreyle kaynatın. Kaynatarak demleme

yöntemi, kökler ve dallar için daha uygundur. Çünkü köklerin ve dalların içerdiği kimyasalları açığa çıkarmak çok daha zordur.

Bazı hastalıkları tedavi eden, bazı rahatsızlıkları da önleyen bitkiler şifalı bitkilerdir. Bu bitkilerin bir kısmından birçok ilaçların hazırlanmasında kullanılan ham maddeler elde edilir.

Her şifalı bitkinin faydalı olması için yetiştirme ve toplama şekli, zamanı ve kurutma şekli vardır.

Bu ayrıntılara dikkat edilmeden toplanan ya da demlenen şifalı otlar, maalesef şifalarını kaybeder. Bu yüzden bitkilerin mutlaka tanımına uygun bir şekilde toplanıp, kullanıma hazır hale getirilmesi gerekir.

Bir hastalığın tedavisine başlamadan önce mutlaka teşhisinin konulması gerekir. Bitkiyle tedaviye başlandığı zaman, sürekli olması önemlidir.

Yukarıda belirttiğimiz gibi, gerekli kıvamına gelmeden toplanan, kurutulmayan ve demlenmeyen bitkilerin şifa niteliği kaybolabilir. Bu nedenle çok dikkat etmek gerekir. Bitkileri kullanırken tarifine uygun dozda kullanmalıdır, aksi takdirde zararlı etkiler meydana gelebilir.

Her bitki her insana farklı tepki yapar. Bazı kimseler için faydalı olan bir bitki, bir başkası için olmayabilir. Bitki çeşitleri bakımından oldukça zengin bir ülke olmamıza rağmen, bizler bu zenginliğin kıymetini bilmemekteyiz.

Günümüzde modern tıp, en ileri seviyede olduğu halde insanlarımızın şifalı bitkilere başvurmaları artarak devam etmektedir. Bunun nedeni insanoğlunun asırlardan beri şifalı bitkilerle tedavi olmalarıdır. Allah-u Teala her hastalığı şifasıyla birlikte yaratmıştır.

Daha öncede belirttiğimiz gibi hastalığın şifa bulmasının ilk adımı, teşhisinin doktor veya uzman tarafından konulmasıdır. Teşhisten sonra hastalığın tedavisi için uğraşılır.

Kozmik Bilim, "Allah'ın(cc) yarattığı her bitkinin, köküyle, sapıyla, yaprağıyla, çiçekleriyle, meyvalarıyla ya da harmanlanmış kür veya drog halinde, mutlaka bir hastalığa şifası vardır." der.

HER ORGAN ŞEKLİ İTİBARİYLE BİR BİTKİYE BENZER VE BU HALİYLE O ORGANI TEDAVİ EDEBİLECEĞİNE İŞARET EDER...

İşte çok sayıda hastalıklara şifa olan **BİTKİLER DÜNYASI...**

ŞİFALI BİTKİLER DÜNYASI

Abanoz Ağacı

Latince Adı: Laburnum anagyroides

Almanca Adı: Gemeiner Goldragen

Diğer İsimleri: Abanoz ağacı, sarısalkım, altın yağmuru, sarı akasya.

Bilinen Bileşimleri: İçeriğinde sitizin alkaloidi, kolin, sistin, pektin, ureaz enzimi, yağlı maddeler ve tanenler bulundurur.

Özellikleri: Tedavide tohumları kullanılan bitki, süs bitkisi olarak yetiştirilir. 7 metreye kadar uzayabilen ağacın yaprakları üçer üçer olup, goncaları yoktur. Bodur ve çalımsı bir ağaç olan abanoz ağacının meyveleri koyu kahve ve fasulye şeklindedir. Mayıs ve haziran aylarında çiçek açar.

Önerilen Hastalıklar: Bitkinin tohumlarının, harap olmuş sinirleri uyarıcı etkisi vardır. Bronşit, nefes darlığı, kalp hastalıkları, çarpıntı, **göz ağrıları gibi rahatsızlıklarda** kullanılması tavsiye edilir. Şu anda, bitki sadece ilaç sanayinde kullanılmaktadır.

Kullanım Şekli ve Dozu: Tozları kaynatılıp, elde edilen suyla devamlı yaşaran gözler ve ağrıyan gözler pansuman yapılırsa şifa verir.

Yan Etkileri: Zehirli olan bitki mutlaka doktor kontrolünde kullanılmalıdır.

Acı Çiğdem

Latince Adı: Colchicum autumnale

Almanca Adı: Herbstzeitlose

Diğer İsimleri: Güz çiğdemi.

Özellikleri: Zambakgillerden olan, boyu 10 ile 30 santimetreye kadar ulaşabilen otsu ve yumrulu bir bitkidir. Sonbaharda pembe renkli, 6 parçalı çiçekler açar. Yaprak ve meyveleri ise ilkbaharda ortaya çıkar. Avrupa'da daha çok yetişir. Kullanılan kısmı yumru ve tohumlarıdır.

Önerilen Hastalıklar: Romatizma ve nikris tedavisinde kullanılır. İdrar artırıcı, terletici ve müshil özelliği vardır.

Kullanım Şekli ve Dozu: Bir tutam acı çiğdem tohumu, 2–3 diş sarımsak ile havanda iyice dövülür. Elde edilen sulu kısmı bir tülbende emdirilip, romatizma nedeniyle ağrıyan kısma sarılır. Bu pansuman birkaç gün arka arkaya yapılır.

Yan Etkileri: Alkaloitlerin çok yüksek zehirleyici özelliği olduğundan, bu droglar ancak hekim kontrolünde kullanılabilir.

Acı Pelin Otu

Latince Adı: Artemisia absinthium

Almanca Adı: Wermut

Diğer İsimleri: Pelin otu, akpelin ve büyük pelin.

Bilinen Bileşimleri: Thuyon, thuyol, artabsin içerikli uçucu yağ, absinthin içerikli acı madde, tanen.

Özellikleri: 1 metre yüksekliğe kadar ulaşan bitki, yol boylarında ve boş arazilerde kendiliğinden yetişir. İki veya çok yıllık otsu bir bitkidir. Gri-yeşil renkli olan bitkinin yaprakları, çok acı ve keskin kokuludur. Yuvarlak top çiçekler, aşağı doğru sarkan salkımlar oluşturur. Tohumlarıyla çoğalır ya da sonbaharda alınan gövde kalemleriyle çoğaltılır. Temmuz ve eylül ayları arasında, çiçekli ve yapraklı üst bölümler kesilir, demetlenerek, gölgelik bir yere asılarak kurutulur. Daha sonra ince kıyılır ve hava

almayan kaplarda saklanır. Kullanılacağı zaman toz haline getirilir, suda kaynatılır ve balla tatlandırılır.

Önerilen Hastalıklar: İştahsızlık sindirim bozuklukları ve safra kesesi rahatsızlıklarına karşı etkisiyle ünlüdür. Mide yanmasına, mide ekşimesine faydalı olup, bağırsak gazlarını giderici etkisi vardır. Kan dolaşımını artırdığı için vücuda zindelik verir, karaciğer tembelliğine, tiksintiye iyi gelir. Önemli bir kansızlık ilacıdır. Hastalıklardan sonra organizmayı güçlendirir. Hanımlarda adet halinin gecikmesini düzenler, beyaz akıntıyı giderir. Ağrılı adet görmeye karşı kullanılabilir. Yüksek ateş ve enfeksiyon durumlarını iyileştirmede çok etkilidir.

Kullanım Şekli ve Dozu: 1 litre sıcak suya, 5–10 gram arası acı pelin otu konur. Aynı karışım, 20 dakika demlendikten sonra süzülür. Günde 2–3 çay bardağı içilir. İştah açması beklendiğinde yemeklerden önce, sindirimi uyarması beklendiğinde ise yemekten sonra 1 bardak pelin otu çayı içilir. Soğutulmadan içilmelidir. Nane ile karıştırıldığında etkisi daha çok artar. Sara hastaları için, 1 bardak kaynar suya, 5 gram pelin otu konulup, demlemeye bırakılır. Balla tatlandırılarak, günde 2–3 bardak içilir.

Yan Etkileri: Bitkinin aşırı dozlarda kullanılması bağımlılık yapar. Bu nedenle uzun ömürlü kullanılması sakıncalıdır. Dikkatli kullanılması gerekir. Süt emziren anneler, çok sağlıklı kişiler, midesi ve bağırsağı hasta olanlar, böbrek hastaları kesinlikle kullanmamalıdır.

Adaçayı:

Latince Adı: Salvia officinalis

Almanca Adı: Salbeiblatt

Diğer İsimleri: Dişotu ve meryemiye.

Bilinen Bileşimleri: **Eterli uçucu yağlar, yüzde 30 thujon, yüzde 5 cineol, linalol, borneol, salven, pinen ve kâfur; tanenler, triterpenoitler, flavonlar; östrojen benzeri maddeler ve reçineli bileşikler içerir.**

Özellikleri: Genellikle Akdeniz Bölgesi'nde ve Ege Bölgesi'nde yetişen, başlık biçiminde çiçek açan, güzel kokulu bir bitkidir. Sadece Anadolu'da 90 kadar değişik türü yetişir. Dünyada, Orta Avrupa ve Balkanlar'da bulunur. Eski Mısırlılar bitkiyi, doğurganlık, bereket ve veremlilik amacıyla kullanmışlardır. Menekşeye benzeyen çiçekleri yaz aylarında açar. Çok eski çağlardan beri ünlü bir şifalı bitki olarak tanınır. **Günümüzde pek çok ilacın**

takribinde, adaçayı ekstreleri bulunur. Temmuz ayında toplanan bitki, gölge ve havadar yerlerde kurutulur. Adaçayı çiçekler açmadan önce öğle sıcağında toplanırsa daha etkili olur.

Önerilen Hastalıklar: Çok iyi bir antiseptik olan adaçayı, kuvvet verici ve uyarıcı etkisi nedeniyle tercih edilir. Gece uyku düzenini sağlayıcı bir etkisi vardır. Mikrop, virgül mantar ve virüslerin oluşumuna karşı tedavi edici özelliği bulunur. Hastalık sonrası kullanıldığında, bedeni kuvvetlendirir. Mide bulantısını kesip, sindirimi düzenler. Karaciğer hastalıklarına şifadır. Göğsü yumuşatır, bademcik ve dişeti iltihaplarına iyi gelir. En etkili nezle ilacıdır.

İçerdiği cineol gibi etkili maddeler sebebiyle öksürüğü engeller, tabii bir antibiyotiktir. Astımdaki sıkıntıları geçirir, kan temizleyici etkileri vardır. Yüksek tansiyonu düşürür, gece terlemelerin en aza indirir.

Menopoz sıkıntılarını azaltır, iltihap kurutucu özelliği vardır. Adaçayı Yağı, Antiseptik özelliği olan adaçayı yağı, yara üzerine tatbik edilerek kullanılır.

Tedavi edici özelliği olan adaçayı yağından günde 3 damla, 1 fincan suya damlatılarak içilir. Bronşit, astım ve adet düzensizliğinde kullanılır. Yüksek miktarda kullanılması zararlıdır.

Kullanım Şekli ve Dozu: Demlenerek hazırlanır. 2 dakikadan fazla kaynatırsanız, çok yararlı olan bu çay, zararlı bir maddeye dönüşebilir. Bir tatlı kaşığı dolusu yaprak, bir su bardağı dolusu kaynar derecede suyla haşlanır. Üstü kapalı olarak 10 dakika demlendikten sonra süzülür. Bu karışımdan günde 2–3 bardak içilir. Taze bitki kullanılması durumunda 4–5 dakika demleme süresi yeterlidir.

Diğer bir terkibinde ise, kaynamakta olan 1 litre suyun içine, kuru yaprak veya çiçek karışımından yarım avuç atılır. Demlenir ve yemeklerden sonra 1 fincan içilir. Yaz ve kış çay yerine kullanılabilir.

Yan Etkileri: İçinde doğal fitoöstrojenlerin olması nedeniyle, erkeklerin aşırı miktarda ve çok uzun süreli kullanmaları önerilmez. Aşırı kullanımda kan basıncı yükselebilir. Sürekli olarak yüksek dozda alınmamalı, günde 3 kahve fincanından fazla içilmemelidir. Hamilelik döneminde kullanılmaz.

Not: Bu bitki KOBİK tarafından bitkisel karışım destek ürünü tablet olarak üretilmiştir.

Adamotu

Latince Adı: Mandragora officinarum

Almanca Adı: Alraune

Diğer İsimleri: Abdüsselamotu, âdemotu, insan otu.

Bilinen Bileşimleri: Skopolamin, hyoscyamin, atropin gibi alkaloidler içermektedir.

Özellikleri: Ginsengin Türkiye versiyonudur. Köklerden adını alan bir bitkidir. Kökünün insan heykeline benzetilmesi nedeniyle bitkiye bu isim verilmiştir. Sonbaharda topraktan çıkarılan kökler, güneşte kurutulur. Daha sonra kuruyan kök, toz haline getirilir. Morumsu çiçekleri olan adamotu, bazen 1 bazen 3 parçalı köklere sahip, koyu yeşil yapraklı ve küçük kırmızı bir elma gibi meyveleri olan bir bitkidir. Kaya dipleri, boş sahalar ve ekilmemiş tarlalarda daha çok yetişir. Yurdumuzda da Ege ve Güney Anadolu'da daha çok bulunur.

Önerilen Hastalıklar: İmmün sistemi güçlendirir. **Cinsel isteği arttırıcı, bitkinliği yok edici, ağrı kesici etkisi olan ve spazm çözücü bir ottur.** Uyuşturucu etkisi de vardır. Ayrıca kuvvetli bir kusturucu ve ishal yapıcıdır.

Kullanım Şekli ve Dozu: Taze yapraklarından elde edilen öz veya kuru yapraklarının tozu, balmumu ile karıştırılarak bir merhem elde edilir. Bu karışım egzamalarda kullanılır. Bu otun suyundan buruna çekilir veya koklanırsa insanı uyutur. **Tohumlarından yutulursa rahim hastalıklarına şifa olur.** Mafsal ağrılarında, tohumlarından lapa yapılıp konursa şifa verir. Bu otun suyu gargara yapılırsa, diş ağrısını keser.

Yan Etkileri: Uyuşturucu etkisi olduğu için dikkatli ve doktor kontrolünde kullanılması gerekir.

Ağaç Kavunu

Latince Adı: Citrus medica

Almanca Adı: Zitrone

Diğer İsimleri: Acem elması, Yahudi limonu

Özellikleri: Bitki kabuk, et, asit ve çekirdekten oluşur. Bu bölümlerin

her birinin kendine has özellikleri vardır. Kabuğu sıcak, kuru; eti sıcak, yaş; asit kısmı soğuk, kuru; çekirdeği ise sıcak ve kurudur. Ülkemizde Akdeniz, Ege, Doğu Karadeniz bölgelerinde yetişir. Limondan büyük, kalın kabuklu ve sarı renkli olan ağaç kavunu meyvesinin, günümüzde kabuğu, yaprağı ve çiçeğinden yararlanılır. Güney Avrupa ülkelerinde pas-

tacılık, şekerleme, reçel yapımında, çiçek ve yapraklarının ise parfüm sanayinde kullanıldığı da bilinir. Aynı bitki Hindistan'da baston yapımında kullanılır.

KOBİK Alanya tesislerinde organik olarak üretilmektedir.

Önerilen Hastalıklar: Kabuğu giyeceklere serpildiği zaman güveye engel olur. Kokusu havanın bozulmasını önler. Ağızda tutulduğu zaman ağız kokusunu güzelleştirir. Baharat gibi yemeğe ekildiği zaman sindirime yardım eder. Etli kısmı midenin ısısını düşürür, acı safra sahiplerine faydalıdır. Asitli kısmı kabız yapar, safrayı etkisiz hale getirir, vücut ısısını yükselten kalp çarpıntısını dindirir. **İçilmesi ve sürme olarak çekilmesi sarılığa faydalıdır.** Asitli kısmının şırası, kadınların şehvetini dindirir, merhem olarak kullanılırsa yüzdeki çillere fayda sağlar ve uyuzu giderir. Ciğerin ısısını düşürüp, mideyi güçlendirir. Acı safranın keskinliğini engeller, bundan doğan sıkıntıyı yok eder ve susuzluğu dindirir. **Çekirdeğinin ise çözücü ve kurutucu bir gücü vardır. Bütün zehirleri etkisiz hale getirir, zehirli hayvanların sokmalarında panzehir etkisi gösterir.** Yaprakları nefesi rahatlatır. Çekirdeklerinin külü diş diplerine ve ödemlere sürülürse faydalı olur.

Buhari'nin Sahih'in de Peygamber Efendimizin(sav) şöyle buyurduğu rivayet edilir: "Kuran okuyan mümin bu meyveye benzer, tadı da güzel, kokusu da güzeldir."

Kullanım Şekli ve Dozu: 5 gram kuru meyve kabuğu dövülüp, bir bardak suyla içildiğinde mide sancısını geçirir. Aynı karışım, soğuktan ağrıyan dişlerin üzerine konduğunda ağrıyı dindirir.

Yaprağı ezilerek suyu balla karıştırılıp, günde 3 kez birer çorba kaşığı yenirse, mesane iltihabına iyi gelir. Çekirdekleri ezilip aç karnına suyla içilirse, bağırsak kurtlarını düşürür. Kabuklarının küllerinden merhem yapılıp sürüldüğünde varisi geçirir, cüzam yaralarına faydalı olur.

Yan Etkileri: Dâhilen kullanılan günlük yaprak miktarı 40 gramı geçmemelidir.

Ak asma

Latince Adı: Clematis vitalba

Almanca Adı: Gemeine waldrebe.

Diğer İsimleri: Orman asması, orman sarmaşığı ve Meryem asması.

Bilinen Bileşimleri: Hederasaponin C, glykoside, organik asitler ve çeşitli mineraller. **Bileşeninde bulunan en önemli madde ise iyottur.**

Özellikleri: Bu bitki çeşidi bir tür sarmaşıktır. Yapraklarını dökmeyen tırmanıcı bir bitkidir. Çeşitli renklerde güzel çiçekleri vardır. Güzel görünüme sahip bu bitkiler bol güneş alan yerlerde yetiştirilmelidir.

Önerilen Hastalıklar: Öksürük, astım ve boğmacaya karşı kullanılan bazı ilaçlarda etkin madde katkısı olarak kullanılmaya başlanmıştır. Bitki, çay içimi olarak, üst solunum yolları nezlesi ve iltihaplı kronik bronşite karşı kullanılabilir.

Kullanım Şekli ve Dozu: 1–2 çay kaşığı dolusu ince kıyılmış yaprak, 1 bardak kaynar suyla haşlanır, 8–10 dakika demlendikten sonra süzülür. Biraz bal ile tatlandırılmalıdır. Günde 1–2 bardak içilir.

Yan Etkileri: Önerilen biçimde kullanıldığında hiçbir yan etkisi yoktur. Meyveleri sağlığa zararlıdır.

Akdiken

Latince Adı: Rhamnus cathortica

Almanca Adı: Kreuzdorn

Diğer İsimleri: Geyikdikeni, barut ağacı.

Bilinen Bileşimleri: Şekerler, organik asitler, yağ, rhamnoxanthin ve locain isimli sarı renk maddeleri, rhamno-emaodin, emodin ve crysophanol isimli antrakinon türevleri denilen kimyasalları taşır. Ayrıca flavon glikozitleri de içerir.

Özellikleri: Akdiken genel olarak tüm Avrupa'da ve Türkiye'nin her

tarafında, Kuzey Anadolu dağlarında yetişir. Ormanlarda, ağaç aralarında büyüyen, boyu 4–5 metreyi bulan bodur ağaç, mayıs ve haziran aylarında küçük sarı, yeşil renkli çiçekler açar. Park ve bahçelerde süs bitkisi olarak da yetiştirilmektedir. Bezelye büyüklüğünde olan morumsu siyah renkteki meyveler, kurutulup veya şurup yapılıp saklanır.

Önerilen Hastalıklar: Peklikte, karaciğer yetersizliğinde çok kullanılır. Karın ağrısına iyi gelir.1–2 yıllık dal kabukları, bağırsakları tahriş etmeden çalıştırır. Müshil etkisi gösterir.

Kullanım Şekli ve Dozu: 1 bardak suya toz halinde bulunan akdiken otundan 1 çay kaşığı konulur. Günde 1 veya 3 defa içilir. Meyvelerinden 15–20 tane yenildiğinde ishal yapar. 20'den fazla yenmemelidir. **25 gram akdiken yaprağı, 1 litre suda kaynatılıp günde 2 bardak içilirse kanı temizler.**

Yan Etkileri: Bitkinin müshil olarak kullanılması sırasında genellikle hafif bir bulantı ve karın ağrısına yol açar.

Akhuş Ağacı

Latince Adı: Betula alba

Almanca Adı: Birke

Diğer İsimleri: Kayın ağacı, huş.

Özellikleri: Yaprakları ilkbahar aylarında toplanıp kurutulan bitki, nemli topraklarda yetişen meyveleri küçük bir ağaçtır.

Önerilen Hastalıklar: Cilt hastalıklarını tedavi eder. Saçları gürleştirip, kepekleri giderir. Böbreklerin düzenli çalışmasını sağlar. **Böbrek taşını atar, idrar tutukluğunu açar.** Romatizma ağrılarını giderir. Hipertansiyona ve kalp çarpıntısına iyi gelir. Kanı temizler, kandan tuz, üre ve ürik asidi atmaya yarar. Şişmanlamayı önler.

Kullanım Şekli ve Dozu: 1 litre suya 10 gram yaprak konulup, 20 dakika kaynatılır. 1 saat demlenen çaydan, günde 3 veya 5 çay bardağı içilir. 15–20 gün boyunca sürekli kullanılmalıdır.

Yan Etkileri: Bilinen ciddi bir yan etkisi yoktur.

Akrep Otu

Latince Adı: Heliotropium arborsecens

Almanca Adı: Vanilleblume- sonnenwende

Özellikleri: Yapısı ikinci derecede sıcak ve kurudur. Sıkıştırıcı özelliği vardır. Mavi zambak ve nilüfere benzer.

Önerilen Hastalıklar: **Tüm öldürücü zehirlere panzehir görevi görür.** Kuduz köpek, tilki, kurt ısırmasına, akrep otundan bir dirhem ve cevzi masilden bir denk karıştırıp içilirse, hayvanların zehirli etkisine engel olur. Hatta kuduz hastalığına yakalandığı düşünülen bir kadına, oğlunun bu ilacı kullandırdığı ve kadınını sağlığına kavuştuğu anlatılmaktadır.

Yan Etkileri: Doktor tavsiyesi olmadan kullanılmamalıdır.

Alfa alfa

Latince Adı: Medicago Sativa

Almanca Adı: Luzerne

Bilinen Bileşimleri: İçeriğinde manganez, kalsiyum, fosfor, potasyum ve bilinen tüm vitaminler ve amino asitlerin pek çoğu bulunur.

Özellikleri: Özellikle arınma kürleri yapanlar ve oruç tutanlar için çok değerli bir bitkidir. Yüksek klorofil ve besleyici maddeler içerir. **Yabani bir yonca türü olan bitki, iyi bir mineral takviyesi isteyenler için güçlü bir destektir.**

Önerilen Hastalıklar: **Bağışıklık sistemini güçlendirmeye yardımcı olarak hastalık riskini azaltılmasında rol oynar. Vücut direncini artırmaya yardımcı olur, hastalıklara karşı bedeni koruyucu etki sağlar. Vücudun kendi kendini onarmasına destek olur. Bağışıklık sistemini güçlendirerek hastalık riskini azaltmaya yardımcı olur. Sağlıklı yaşama ve yaşlanma sorunlarının azalmasına yardımcı olur. Vücuttaki serbest radikallere karşı destekleyicidir,**

Prostat hipertrofisi'nin giderilmesinde tıbbi tedaviyi desteklemek üzere gıda takviyesi olarak kullanılabilir. Psoriaziz (sedef) hastalığının semptomlarının azaltılmasında tıbbi tedaviye destek niteliğinde gıda takviyesi olarak kullanılabilir. Psikosomatik durumların semptomlarının azaltılmasında tıbbi tedaviyi destek niteliğinde gıda takviyesi olarak kullanılabilir. Romatoid Artirit hastalığının tıbbi tedavisine destek niteliğinde gıda takviyesi olarak kullanılabilir. Böbrek taşı düşürmeye yardımcı olur. Vücuttaki fazla suyu atmak, şişkinlik ve gaz gidermek için kullanılır. İştah artırıcı, kabızlıkta rahatlatıcı, karaciğer, kan ve böbrekleri temizleyici özelliği vardır.

Kullanım Şekli ve Dozu: Alfa Alfa, tabletler halinde sunulmuş olup, gıda takviyesi olarak günde yemeklerle beraber, alınabilir.

Yan Etkileri: Bilinen ciddi bir yan etkisi yoktur. Bu bitkiye karşı alerjisi olanların kullanması önerilmez.

Not: Bu bitki KOBİK tarafından bitkisel karışım destek ürün tableti olarak üretilmiştir.

Alıç

Latince Adı: Crataegus monogyna

Almanca Adı: Weissdorn

Diğer İsimleri: Yemişen

Bilinen Bileşimleri: Tanen, trimethylamin, C vitamini, flavon türevleri, procyanidin, oligomerler ve triterpen türevleri taşımaktadır.

Özellikleri: Uzun yıllardır geleneksel tedavi yönletmelerinde kullanılan alıç bitkisi, kırlar ve dağlık bölgelerde yetişir. Kırmızı ve sarı meyveleri tam bir C vitamini kaynağıdır. Meyveleri küçük muşmulaya benzer. Bahar aylarında açan 2 ile 4 metre yüksekliğindeki bitki, ülkemizde en çok Batı ve Güney Anadolu Bölgesi'nde yetişir.

Önerilen Hastalıklar: Kalp hastalığına karşı en yaygın doğal reçetelerden biridir. Kalp yetmezliği, yüksek tansiyon gibi sorunlara karşı kullanılır. İçinde bulunan etken maddelerin kan ve dolaşım üzerine olumlu etkisi vardır. Aynı zamanda güçlü antioksidanlar olduklarından, dokuları serbest radikal hastalıklardan da korurlar. Çok iyi bir beyin süzücüdür. Özellikle yaşlılarda görülen kalp atışlarının hızlanmasıyla birlikte olan kalp ritmi bozukluklarında faydalı olabildiği görülmüştür. Kalple ilgili olan bu etkileri, uzun süreli kullanımda kendini göstermektedir. Alıç içerdiği maddeler açısından vücutta birikme, zehirlilik ve alışkanlık yapma gibi özellikleri bulunmadığından uzun süreli kullanıma uygundur.

Kullanım Şekli ve Dozu: 1 bardak sıcak suya, 1 tatlı kaşığı çiçek ve yaprak konulur. 20 dakika sonra süzülür, bu suya 2 veya 3 çay kaşığı bal ilave edilip, günde 2–3 bardak içilirse, kalp çarpıntısı, ritim bozukluğu, kalp krizi sonrası yüksek kan basıncı durumlarında faydalı olur. Aynı içecek uykusuzluk, dikkati toplayamama, yüksek tan-

siyon, baş dönmesi ve kulak çınlamasında da şifa verir.

Yan Etkileri: Kalp ilaçları kullanan şahısların, alıç bitkisinin mutlaka doktor kontrolünde kullanması gerekir. Bazı zamanlarda nadir olarak bulantı ve uyuşukluk yapabilir. Hamilelik döneminde kullanılmaz. Glikozit içeren kalp ilaçlarıyla (Digitalis gibi) ve beta blokerlerle beraber kullanılması, bu ilaçların etkisini artırabileceğinden önerilemez.

Altınbaş Otu

Latince Adı: Helichrysum graveolens

Diğer İsimleri: Dalak otu, mayasıl otu.

Bilinen Bileşimleri: Eterik yağ, flovonlar, flovon glikozitleri, sterinler, acı maddeler, tanenler, boya maddeleri, reçine, karotin, C vitamini, kumarin ve P vitamini.

Özellikleri: Temmuz ve ağustos aylarında çiçek açan bitki, çalılıklar arasında ve kayalıklı yerlerde yetişir. Çiçeklerinin açtığı yaz aylarında toplanan toprak üstü kısımları, gölgede kurutularak toz haline getirilerek kullanılır. Birinci derecede sıcak, ikinci derecede kurudur.

Önerilen Hastalıklar: Böbrekleri çalıştırır, üre düşürür, iltihabı giderir. Nefrite, ödem idrar tutukluğu, albümin, çocuk ishalleri ve ince bağırsak iltihabında çok fayda verir. Hanımların aşırı adet kanamalarında tavsiye edilir. Karaciğerdeki tıkanmaları açıp, karaciğerin temizlenmesi sebebiyle kalbe ferahlık verir. Safranın ve kanın kaynaşmasını engeller. **Dalaktaki tıkanıklıkları açar.**

Kullanım Şekli ve Dozu: 1 litre suya kurutulup, ufalanmış bitkiden 1 yemek kaşığı konulur. 10 dakika kaynatılıp, 20 dakika demlenerek süzülür. İki yemek arasında 3 bardak içilir. Bu çayın içilmesine 10 veya 15 gün devam etmelidir. Tekrar kullanmadan önce10 gün ara verilmelidir. Yaprağı kaynatılıp içilirse, vücuda büyük fayda sağlar.

Yan Etkileri: Doktor kontrolünde kullanılmadır.

Anason

Latince Adı: Pimpinella anisum

Almanca Adı: Anissaat

Diğer İsimleri: Raziyane, enison ve nanahan.

Bilinen Bileşimleri: Nişasta, müsilaj, sabit ve uçucu yağ vardır. Uçucu yağ içinde etkili madde olan anethol ile az miktarda estragol ve terpenler bulunur.

Özellikleri: Yaz aylarında beyaz çiçekler açan, 30 santimetreden 70 santimetreye kadar uzanabilen bir yıllık otsu bir bitkidir. Bitkinin orijinalinin Yakın Doğu'dan geldiği

öne sürülmektedir. Ülkemizde Akdeniz ve Ege Bölgesi'nde yetişir. Yaprakları böbrek şeklinde olup, tohumu ufaktır. Keskin kokusu bulunan anasonun yakıcı bir tadı vardır. Bitkinin kullanılan kısım meyveleri veya meyvelerinden su buharı ile elde edilen uçucu yağlarıdır. Rakı üretiminde kullanıldığı için Çeşme, Eskişehir, Isparta ve yakın illerde kültürü yapılmaktadır. Türkiye'de yabani olarak 17 türü bulunmaktadır.

Önerilen Hastalıklar: Mide, bağırsak şikâyetlerine, hazımsızlığa ve soğuk algınlığına çok iyi gelir. Ağrı kesici özelliği bulunmaktadır. **Balgam söktürücü olan anasonun antiseptik özelliği de vardır. Spazm giderici, gaz söktürücü ve idrar artırıcıdır.**

Bazı ülkelerde rakı ve alkollü içeceklerin içine katılırken bazı yerlerde de şekerlemelere, etlere, fırın yemeklerine çiklet ve dondurmalara ayrı bir tat verir. Kusmaları ve ishali keser.

Kalbi kuvvetlendirir. Cinsel arzuları kamçılar. Aynı şekilde içilmeye devam edilirse, anne sütünü arttırmada da iyi bir besin maddesidir.

Kullanım Şekli ve Dozu: Bitki çiğneyerek de kullanılabilir. Tohumu kaynatılıp balla tatlandırılarak içilmeye devam edilirse, iltihap kurutur, bronşite iyi gelir. Yatmadan önce 1–2 tatlı kaşığı öğütülmüş anasonu, ılık suyla içen bayanların menopoz şikâyetleri ortadan kalkar. Demlenerek kullanılmaktadır. Anason tohumu, biberiye ve sinirli ot kaynatılıp balla tatlandırılarak içilmeye devam edilirse, astıma bağlı nefes darlığına şifadır. Sinirleri yatıştırır. 1 su bardağı kaynar suya, 1 tatlı kaşığı anason atılarak karıştırılır. Daha sonra bal veya şeker ile hafif tatlandırılarak içilirse, hazımsız ve bağırsak gazlarını giderir.

Yan Etkileri: Anasona veya anetole karşı alerjisi olanlara önerilmez. Bebeklerde kullanılması önerilmez çünkü beyni uyuşturur. Bunun yerine rezene çayı kullanılabilir.

Not: Bu bitki KOBİK tarafından bitkisel karışım destek ürün tableti olarak üretilmiştir.

Anber

Sıcak ve kuru özellikte, deniz dibinde biten bir bitkidir. Bazı deniz hayvanları onu yutup, yararlı kısmını kullandıktan sonra gübre olarak tekrar dışarı atar. Misk kadar etkili olmasına rağmen, gücü daha fazladır.

Kalp, zekâ, duyu ve vücut organlarını güçlendirir. Felç, yüz felci ve balgama bağlı hastalıklarda, soğuk mide ağrıları ve yoğun gazlarda faydalıdır. Buharı koklandığı zaman nezle ve baş ağrısına, soğuk algınlığına, yarım baş ağrısına iyi gelir.

Andız

Latince Adı: İnula helenum

Almanca Adı: Alant

Diğer İsimleri: At gözü otu.

Bilinen Bileşimleri: Seskiterpenli laktonlar, eterik yağ, inulin, psevdoinulin, inulinin, az miktarda alkaloidler, helenin, benzoen asidi, helme ve acı maddeler ihtiva eder. Saplarda yüzde 3 oranında eterik yağ bulunur.

Özellikleri: Genellikle dere boylarında, rutubetli çalılıklar arasında ve ormanlarda bulunur. 1,5 metre kadar yükseklikte, çok yıllık otsu bir bitkidir. Ağustos ayında papatyaya benzer çiçekler açar. Sıcaklık ve kuruluğu birinci derecededir. Kök sapları mart, ekim ve kasım aylarında topraktan sökülür. Yıkanıp iyice temizlendikten sonra parçalanıp güneşte kurutulur.

Önerilen Hastalıklar: Öksürüğe ve göğüs hastalıklarına çok faydalıdır. **Böbrek ve mesanede olan taşları eritip idrar yolundan dışarı atar.** Bronşit, soğuk algınlığı, grip, verem, mide ağrıları (gastrit, ülser), ağrılı adet ve adet yokluğu, safra ve karaciğer ağrılarında yardımcı ilaç olarak, kullanılır. Bedeni güçlendirir, terletir. Solunum yollarını sterilize eder ve mikropları öldürür. **Tümörlerin gelişimini durdurduğu tespit edilmiştir, balgam söktürücüdür, akciğer iltihabında kullanılabilir.**

İştah açar, sindirimi kolaylaştırır. Kansızlığa iyi gelip, tansiyon yüksekliğini ayarlar. Sarılık ve karaciğer hastalıklarında faydalıdır. Kalbe kuvvet verir.

Kullanım Şekli ve Dozu: Tazeyken toplanan kökler, iyice yıkandıktan sonra havanda dövülür. Daha sonra damıtılıp suyu içilen bitki, yukarıda adı geçen tüm hastalıklara iyi gelir. Aynı otun kökü yine aynı şekilde dövüldükten sonra bir miktar zencefil tozu ekleyip, vücuttaki şişin üzerine ya da yılanın soktuğu yere lapa olarak uygulanırsa zehri yok edip, şişleri indirir. Başka bir tarifinde ise, 1 litre suya, 15 gram ufalanmış kök konur. 15 dakika kaynatılıp, 2 saat demlenir ve süzülür. Yemeklerden önce sıcak olarak günde 3 çay bardağı içilir. Egzama için, andız otu kök haline getirilir, zeytinyağıyla merhem yapılır, hastalıklı cilde sürülür.

Yan Etkileri: Yüksek dozda ve aşırı miktarda kullanılırsa, mide bulantısı yapabilir. Alerjik tepkiler görülebilir. Bilinen başka bir yan etkisi yoktur. Çocuklarda dozaj yarıya indirilmelidir.

Ardıç

Latince Adı: Juniperus communis

Almanca Adı: Wacholder

Bilinen Bileşimleri: Organik asitler, reçine, acı madde, uçucu yağ, glikoz, sakkaroz ve juniperin mevcuttur.

Özellikleri: Dağlarda, taşlı ve kurak arazilerde yetişen bitki, her mevsim yeşil kalır. Siyahımsı ve mor meyveleri olan bir ağaçtır. Orta Avrupa'da; Almanya, Macaristan ve Fransa'da, yurdumuzda ise Trakya, Ege ve Akdeniz bölgelerinde bol miktarda yetişir. Nisan ve mayıs aralarında çiçek açar, meyvelerine "***ardıç tohumu***" adı verilir. Ortaçağda her derde deva olarak bilinen ardıcın yaprakları çam yaprağı gibidir. Ardıç meyveleri, sonbaharda toplanır ve gölgede kurutulur. Güçlü bir antiseptik olan ardıç, yüzyıllardan bu yana ilaç olarak kullanılmıştır. Kuvvetli bir C vitamin deposudur.

Önerilen Hastalıklar: İdrar söktürücü ve terletici özelliğiyle soğuk algınlığı, kalp yetmezliği gibi hastalıklarda kullanılır. Romatizma hastalıklarında, burkulma ve çarpma gibi kazalarda ağrı kesici etkisini gösterir. Kanı temizler, solunum yollarını açar, nefes alıp vermeyi kolaylaştırır. **Hanımların aybaşı kanamalarını düzenler, ağrılarını hafifletir.**

Kullanım Şekli ve Dozu: Ardıç meyvesinin yaprakları kaynatılıp, balla tatlandırılarak içilirse, mide ağrısı, gastrit, öksürük ve bronşite iyi gelir. 40 gram ardıç tohumu, 1 litre suda kaynatılıp sabah akşam birer bardak içilir. Başka bir tarifi de şöyledir: 20 gram ardıç tohumu veya yaprağı, 20 gram biberiye ile 1 litre suda kaynatılıp bal ile tatlandırılarak içilmeye devam edilirse, bol idrar söktürür, mideyi uyarır. Ardıç yaprakları, nane ile beraber kaynatılır, bal ile tatlandırılır, yemeklerden sonra birer çay bardağı içilirse hazmı kolaylaştırır.

Yan Etkileri: Uzun süreli kullanımlarda yüksek miktarda tüketilmesi böbreklere tahriş yapabilir. Böbrek rahatsızlığı olanlar ve hamile kadınların doktor kontrolünde kullanması gerekir.

Arı Sütü

Latince Adı: Royal jelly

Bilinen Bileşimleri: A, B,C ve E vitaminlerinin yanı sıra, lizin, metionin, lösin, fenil-alanin, treonin, triptofan, valin, izolösine ilave olarak, kalsiyum, potasyum, fosfor, demir, sülfür, bakır ve silisyum minerallerini içerir.

Özellikleri: Arı sütü işçi arıların gırtlak bezelerinden salgılanan bal emülsiyonudur. Kraliçe arının besi-

ni olup, besin değeri çok yüksektir. Tüm yaşamı boyunca arı sütüyle beslenen kraliçe arının ömrünün uzunluğuna en önemli işarettir. Diğer arılar sadece 2 ay yaşarken, kraliçe arının ömrü 6 yıldır. Arısütüne günümüzde pek çok etki atfedilmiştir.

Önerilen Hastalıklar: Bronşit, astım, akciğer hastalıkları, uykusuzluk, böbrek ve mide rahatsızlıkları, bağışıklık sisteminin güçlendirilmesi, saç, cilt ve tırnakların beslenmesi ve güçlendirilmesi, sindirim sistemini sağlıklı tutmak, düşük tansiyon, ruhsal ve zihinsel dayanıklılığı artırmak, yorgunluk, soğuk algınlığı, grip ve sinirsel ve ruhsal dengenin kurulması durumlarında faydalıdır. Hücre yenileyici, yaşlanma etkilerini geciktirici, eklem problemlerine karşı yardımcı olarak kullanılmaktadır. Arı sütü, erkek ve kadınların kullanabilecekleri doğal bir ürün olup, özellikle orta yaş üzerinde olanlar, menopoz dönemindeki kadınlar ve sporcular tarafından da rahatlıkla kullanabilir.

Kullanım Şekli ve Dozu: Arı sütü, günde 1–2 defa alınabilir.

Yan Etkileri: Bazı kişilerde alerjik reaksiyonlara neden olabilir.

Arnika

Latince Adı: Arnika montana

Almanca Adı: Arnika

Diğer İsimleri: Dağ öküzgözü.

Bilinen Bileşimleri: Uçucu yağlar, acı glikozitler, alkaloitler, flavonitler, tanen ve gibi maddeleri içerir.

Özellikleri: Orta Avrupa'nın dağlık kesimleriyle Kuzey Afrika ve Batı Asya'da yetişen bu bitki Türkiye'de görülmez. Bileşikgiller familyasındandır. 20 ile 60 santimetre kadar uzayabilen, çok yıllık, dayanıklı otsu bir bitkidir.

Yerde yatarak uzayan kök gövdeleri, rozet oluşturan ince uzun kargı biçimli tüylü yaprakları, yaz boyunca açan ve papatyaya benzeyen hoş kokulu turuncu-sarı renkli çiçekleri vardır. Arnika, güneşli yerleri, kumlu, asitli ve bol humuslu toprakları sever.

Önerilen Hastalıklar: **Yara iyileştirici özelliği çok belirgindir.** Ekstreleri haricen burkulmalar, incinmeler, kas ağrıları, kas sertleşmeleri ve romatizma için kullanılır.

Kozmetikte en çok kullanılan bitkilerden biridir. Morarmalarda, deride

sancı varsa rahatlatıcı ve iyileştiricidir. Romatizma, flebit, mayasıl (deri çatlamamışsa) ve benzeri durumlarda ağrı ile yangıları azaltıp rahatlatıcı etki yapar. **Estetik uygulamalarda, çürüklerin olmaması ve izlerin çabuk geçmesi için de kullanılır.**

Kullanım Şekli ve Tozu: Yaprakları ince ince kıyılarak yararlı otlardan yapılan tütüne katılır.

Yan Etkileri: Bilinen ciddi bir yan etkisi yoktur.

Arpa

Özellikleri: Arpa tek yıllık bir uzun gün bitkisidir. Bitki boyu ortalama 35-100 santimetreye kadar uzar. Birinci derecede soğuk ve kuru olan tahılın besleyici özelliği buğdaydan daha azdır. Buğdaygillerden nişastası bol bir bitkidir. Protein, B1, B3, B6 vitaminleri ile demir, magnezyum, selenyum, potasyum, fosfor ve manganez mineralleri açısından zengin bir besindir.

Önerilen hastalıklar: Öksürüğe ve boğaz kuruluğuna faydalıdır. İdrar söktürür, susuzluğu giderir. Dil iltihaplarına karşı da yararlıdır. **Böbrek taşlarını ve kumlarını dökmeye yardımcı olur.**

Kullanım şekli ve dozu: Arpa, sirke ile kaynatılıp uyuz, egzama gibi kaşıntılı deri hastalıklarına sürülürse faydalı olur. **Prostat büyümesini önler.** Baş ve boğaz ağrılarını dindirir. Taneleri ekmek yapımında kullanılır. Ayrıca, hayvan yemi olarak da kullanılır. Kavrulup kahveye karıştırılır. Arpa saplarının ezilip un haline getirildikten sonra katırtırnağı otu, mine çiçeği ve papatya ile birlikte kaynatılması ile elde edilen arpa çayı yatıştırıcıdır. Uykusuzluğa iyi gelir. Spazmlara karşı da koruyucudur. İbn-i Mace Aişe'nin şöyle söylediğini rivayet eder: "Aile fertlerinden birini sıtma tuttuğu zaman Peygamber Efendimiz, arpadan çorba yapılmasını emrederdi ve derhal yapılırdı. Peygamber Efendimiz(sav) daha sonra çorbadan yudumlayarak şöyle derdi: 'Arpa çorbası, üzgün olan kimsenin kalbini sağlamlaştırır ve kuvvetlendirir. Hasta olan kimsenin kalbini rahatlatır ve birinizin yüzünden kiri suyla giderdiği gibi hastalığı giderir.'"

Ashwagandha

Latince Adı: Withania somnifera

Özellikleri: Ashwagandha, Hindistan'da çok sık rastlanan ve Batı'nın önem verdiği bir bitkidir. Domatesle aynı ailedendir. Tıpta meyveleri ve çiçekleri kullanılır.

Önerilen Hastalıklar: Sinir sistemini rahatlatıcı ve dengeleyici bir etkisi vardır. **Aşırı beyin yorgunluğunda ve unutkanlıkta çok faydalıdır.**

Spor yapanlar için çok iyi bir destekleyicidir. Bu bitkinin eklem iltihabında, **kanserde,** yoğun strese yararlı ve dayanıklılığı artırıcı etkisi bulunduğu tespit edilmiştir.

Kullanım Şekli ve Dozu: Kapsül şeklinde olan preparatları güvenlidir.

Yan Etkileri: Sakinleştirici ilaçlarla beraber alınırsa, sersemlik ve koordinasyon kaybına neden olabilir. Antidepresan ilaçlarla beraber kullanılmamalıdır

Aslanpençesi

Latince Adı: Alchemilla vulgaris

Almanca Adı: Frauenmantel

Diğer İsimleri: Şebnemli, aslan ayağı.

Bilinen Bileşimleri: Tanen, eterik yağ içerir.

Özellikleri: Genelde dere kıyılarında ve ormanlarda yetişen, güzel bir görünümü olan bitki, çok yıllık, yabani otsu bir bitkidir. Kökü geniş, dairemsi biçimde, kenarları dişli ve yeşil renkli yaprakları olan aslanpençesi otunun çiçekleri, yaz mevsiminde açar. Bitki, bu çiçeklerde bulunan tohumlarla ve kökünün bölünüp başka yerlere ekilmesiyle çoğaltılabilir. Büyük ve parçalı olan yaprakları mayıs ve haziran aylarında toplanarak gölgede kurutulur. Kökler ise çiçek açma zamanında, üst kısımların solmasından sonra topraktan çıkarılır ve gölgede kurutulur. Çeşitleri çoktur.

Önerilen Hastalıklar: Özellikle kadın hastalıklarına karşı eski zamanlardan beri başarıyla kullanılır. Adet halinin güç, ağrılı ve aşırı olmasını engeller. Adet kanamalarını düzene sokar. Düşük ihti-

malini önlemek için gebeliğin üçüncü ayından sonra her gün aslanpençesi çayı içilmelidir. Hamileliği kolaylaştıran bu mucizevî ot, anne sütünü arttırır. Menopoz dönemlerinde rahatlatıcı olur. Şekeri düşürüp, vücuda kuvvet verir. Göz hastalıklarına, cilt yaralarına, hanımlarda ud yeri kaşıntısına çok faydalıdır. Romatizmaya iyi gelir, mide spazmında, karaciğer şişliğinde, sinir yorgunluğunda, damar sertliğinde çok faydalı bir bitkidir. Aslanpençesi, toplattırıcı olarak da çok etkilidir. Apseli yaralara, ihmal edilmiş çıbanlara

Asma

Latince Adı: Vitis vinifera

Bilinen Bileşimleri: Asmanın içinde A, B, B2 ve C vitaminleri ile çeşitli mineraller bulunur.

Özellikleri: Asma, üzümün ağacı yani asma çubuğudur. En büyük özelliği, soğuk ve kuru olmasıdır. Asma, gelişme devresi oldukça uzun olan bir bitkidir. Günlük ısı ortalaması 10 dereceyi bulunca, gelişmeye başlar ve sonbaharda ısı ortalaması bu derecenin altına düşünceye kadar gelişmesini sürdürür.

Asmanın kökleri derinlere gittiği için diğer bitkilere oranla daha az yağış alan yerlerde de yetişebilir. Yıllık yağış miktarı yanında, yağışın dağılımı bağcılık bakımından çok önemlidir.

Önerilen Hastalıklar: Dövülerek, ağrıyan başa sarıldığında ağrıyı dindirir. Mide iltihabına iyi gelir. Budanan asma dallarının şırası içildiğinde, kusmayı yatıştırıp ishali önler. Bu dalların özleri yaşken ağızda çiğnendiğinde de aynı sonucu verir. **Asma yaprağının şırası, bağırsaklardaki yaralara, kan çıkmasına, kanın akmasına ve mide ağrısına fayda sağlar. Asma ağacından sızan su içildiği zaman taşları döker.** Bu su ve pustan merhem yapılıp sürüldüğü zaman baştaki bit ve pire yumurtalarını yok eder. Yaralı ve normal uyuzu iyi eder. Sigara tiryakileri için anadolumuzda kökleri ve sapları içilerek kullanılmaktadır.

Kullanım Şekli ve Dozu: Yanmış asma dallarının külü, sirke, gülyağı ve sedef bitkisiyle birlikte merhem yapılarak sarılırsa, dalakta meydana gelen şişliğe faydalı olur. Asma çiçeği yağının özelliği, gül yağının özelliğine benzer ve kabız yapar. **Üzüm ağacının yararları çoktur. Sigara bırakmada tefrin denen sapların kullanıldığı tarihte görülmüştür..**

Yan Etkileri: Bilinen bir yan etkisi yoktur.

karşı su toplayıcı ilaç olarak kullanılır. Zor doğum yapan ve düşük yapmaya yatkın kadınlarda, ceninin dölyatağındaki durumunu sağlamlaştırmak ve doğum yaralanmalarına en önde gelen yardımcıdır.

Kullanım Şekli ve Dozu: Yarım tatlı kaşığı ince kıyılmış bitki, orta boy bir su bardağı dolusu kaynar derecede sıcak suyla haşlanır ve 1 dakika demlendikten sonra süzülür. Günde 2–4 bardak taze demlenmiş çay soğutulmadan yudumlanır. Diğer bir terkibinde ise, 1 litre suya, 1 çay bardağı dolusu aslanpençesi otu konulur. 5 dakika kaynadıktan sonra, yarım saat demlenip, süzülür.

Yemeklerde günde 3 çay bardağı içilir. Diş çekildikten sonra bu çay

ile ağız gargara yapılırsa daha çabuk iyileşir. Yapraklar ince kıyılarak, salatalara katılıp çiğ olarak da yenir, kas erimesi için şifalıdır.

Yan Etkileri: Bilinen ciddi bir yan etkisi yoktur.

Aspir

Latince Adı: Carthamus tinctorius

Almanca Adı: Saflor

Diğer İsimleri: Boyacı aspiri, aspur ve yalancı safran.

Özellikleri: Yaklaşık 50 santimetre boyunda, yaz sonuna doğru turuncu çiçekler açan, bir yıllık otsu bir bitkidir. Anavatanı Arabistan Yarımadası olup, İran, Hindistan, Pakistan gibi ülkelere yayılmıştır. Türkiye'de Anadolu'da yabani olarak rastlanmakta ve ekimi de yapılmaktadır. Benzerliği nedeniyle safran bitkisiyle sık sık karıştırılır. Bitkinin yaprakları sapsız, kenarları dikenlidir. Tedavide kullanılan kısmı, bitkinin kurutulmuş çiçekleridir. Bu çiçekler aynı zamanda boya maddesi olarak da kullanılır. Meyvesi yüzde 28–40 oranında sabit yağ taşımaktadır.

Önerilen Hastalıklar: Kızamıkta ve kadın hastalıklarında kullanılır. Aspirin ayrıca terletici etkisi de vardır. Dâhilen müshil, haricen ise romatizmal ağrılar için kullanılabilir.

Kullanım Şekli ve Dozu: 100 gram aspir, l litre suda kaynatılır. Günde 3 kez 1 bardak içilir. Aspir yağıda kullanılır.

Yan Etkileri: Bilinen ciddi bir yan etkisi yoktur.

Atkestanesi

Latince Adı: Aesculus hippocastanum

Almanca Adı: Rosskastanie

Diğer İsimleri: Acı kestane, yabani kestane.

Bilinen Bileşimleri: Acı madde, tanen, saponinler, aesculin ve aescın denilen 2 glikozid mevcuttur. Tohumda bunlara ek olarak nişasta, şeker ve yağ da bulunur.

Özellikleri: 15–20 metre uzunluğunda, kalın gövdeli, baharda beyaz çiçekler açan yeşil meyveli bir

ağaçtır. Memleketimizin her tarafında yetiştirilen bitki, Avrupa, Anadolu, Orta ve Güney Asya ülkelerinde yabani olarak bulun-

makta, ayrıca park ve bahçelerde süs bitkisi olarak üretilmektedir. Bitkinin meyveleri olgunlaşınca, yeşil renkli dikenli kabuk yarılır ve içinden bir veya üç adet parlak koyu kahverengi tohum düşer. "Atkestanesi" adı verilen bu meyve çok şifalıdır. Eczacılıkta iltihap giderici ilaçların yapımında kullanılır.

Önerilen Hastalıklar: İltihap kurutucu etkisi vardır. Vücudun tüm organlarında meydana gelen iltihapları kurutur. Kılcal damarların çatlamasını ve kanamasını iyileştirir, iç kanamalarda da etkilidir. Bacaklarda meydana gelen *varisler ve basur* için uygulanabilir. Öksürüğe faydası vardır. Göğsü yumuşatır. Kestaneler parçalanıp kaynatılır ve bal ile tatlandırılıp içilmeye devam edilirse, soğuk algınlığına ve nefes darlığına iyi gelir. Hazımsızlığı önler, kan dolaşımını güçlendirir, atardamar iltihaplarını giderir.

Kullanım Şekli ve Dozu: Sonbaharda yere düşen atkestaneleri, dış kabuklarından arındırılarak ince ince kıyılır ve kurutulur. Kurutulan atkestanesi, kahve değirmeninde un gibi öğütülüp, 3 sabah aç karnına bir çay kaşığı içilir. İkinci bir karışım; 1–2 tatlı kaşığı atkestanesi unu, parçaları ya da ağacın yaprağından bir miktar alınıp, üzerine 1 bardak sıcak su konulur. 15–20 dakika demlendikten sonra tatlandırılır ve günde 3 defa birer bardak içilir. Günde sadece 2 çay bardağı içilirse, **ishali keser. Yemeklerden yarım saat önce birer bardak su ile birer çay kaşığı yutulmaya devam edilirse, kanlı basura fayda verir. Prostat için, kestaneler haşlanır, günde 5 adet yenir. Yan Etkileri: Bilinen ciddi bir yan etkisi yoktur.**

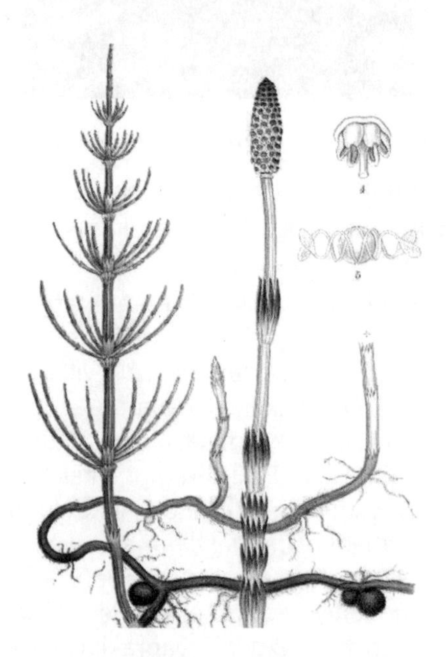

Atkuyruğu Otu

Latince Adı: Equisetum arvense

Almanca Adı: Schachtelhalm

Diğer İsimleri: Kırkilitotu, zemberek otu, çam otu, kırk boğum, tilkikuyruğu ve katırkuyruğu.

Ayçiçeği

Latince Adı: Helianthus annuus

Almanca Adı: Sonnenblume

Diğer İsimleri: Gündöndü, günebakan.

Özellikleri: Son zamanlarda Türkiye'de üretimi artan ayçiçeği, tek yıllık bir yağ bitkisidir. Bitkisel yağ üretiminin yüzde 46'sı ayçiçeğinden karşılanır. Bu bitki ancak kara iklimi kuşağında ve ılıman iklimin yağışlı bölgelerinde yetiştirilir. Kuraklığa dayanır. Derin, rutubetli, organik maddelerce zengin topraklarda iyi yetişir. Asitli topraklar, ayçiçeği için elverişsizdir.

Önerilen Hastalıklar: Hibrit olmayan Ayçiçeğin yağı, damar sertliğini giderir. Kurdeşenin sebep olduğu kaşıntıları giderir. Esansı verem tedavisinde kullanılır. Kolesterol miktarını düşürür. Cinsel arzuları kamçılar. Bedeni ve zihni yorgunluğu giderir. Kalp, sinir hastalıkları ve iktidarsızlığı önler.

Yan Etkileri: Bilinen ciddi bir yan etkisi yoktur.

Bilinen Bileşimleri: Saponin, yüzde 60–70 silistik asit, potasyum tuzları, tanen ve az miktarda alkaloitler içerir.

Özellikleri: Kök sapı uzun ömürlü olan, eğimli arazilerde, bataklık ve sulak yerlerde, dere kenarlarında, hendek kıyılarında, nemli topraklarda yetişen çok yıllık bir bitkidir. Balçıklı toprakta yetişenleri, en şifalı olanlarıdır. İlkbahardan sonbahar başlarına kadar yaşayan bitkinin kökü daimi olduğu için her sene sürer. 40–50 santimetre boyundaki yeşil yaz kuyruğu daha sonra çıkar. Otsu ve çiçeksiz bitkilerdir. Türkiye'de 7 çeşidi üretilmektedir. Mayıs ve Haziran aylarında toplanırken, sapın toprağa yakın bölümünden kesilir ve demetler halinde gölge yerlerde kurumaya bırakılır. Kuruduğunun asıl belirtisi, iğne yaprakların gövdeden kolayca ayrılmasıdır. Atkuyruğu vücudun mineral dengesini bozmadan fazla sıvıların, asitlerin ve öteki zararlı maddelerin atılabilmesini sağlayabilecek bitkilerin en değerlisidir.

Önerilen Hastalıklar: Atkuyruğu kanamalarda, kan kusmalarda, **mesane ve böbrek rahatsızlıklarında, taş ve kum rahatsızlıklarında yeri doldurulamaz şifalı bir bitkidir.** Çok önemli bir böbrek ilacıdır. Kemikleri kuvvetlendirir, kasları güçlü yapar, bol idrar söktürür, ödem giderir. İshali keser, kanı temizler, kanda akyuvar miktarını artırır.

Kullanım şekli ve Dozu: 1 bardak sıcak suya, kurutulmuş ve toz haline getirilmiş bitkiden 1 tatlı kaşığı konur. Bu karışımdan sabah akşam yemeklerden sonra 1 bardak içilir. İkinci karışım; 1 tatlı kaşığı dolusu ince kıyılmış atkuyruğu otu, orta boy bir su bardağı dolusu kaynama derecesindeki sıcak suyla haşlanır. Üstü kapalı olarak 15–20 dakika demlendikten sonra süzülür. Günde 3–4 bardak taze demlenmiş çay, aç karnına veya öğün aralarında soğutulmadan içilir.

Yan etkileri: Otun belirtilen miktarların üzerinde kullanılmaması gerekir. Atkuyruğu otunun bazı türleri zehirlidir. Dikkatli kullanılmalıdır.

Aynı Safa Otu

Latince Adı: Calandula officinalis

Diğer İsimleri: Nergis, nerkiz, tıbbi öküzgözü, şamdan çiçeği, portakal nergisi.

Bilinen Bileşimleri: Calendula-sapogenin, eterli yağ, saponinler, glikozitler, carotinoid, xantophyll, acı maddeler, müsilaj, flavonlar ve organik asitler.

Özellikleri: Bir bahçe çiçeği olan aynı safa çiçeği, bahçelerde ve saksıda süs bitkisi olarak sıkça yetiştirilir. Türkiye'nin pek çok yerinde yetişen otsu bitki, tohumları ile çoğaltılır. Yarım metreye kadar boy atan, bir yıllık dayanıklı bir bitki olan aynı safa, güneşli yerleri, kum ve kil karışımı gevşek toprakları sever. Çiçekçilerin yetiştirdiği bir kültür bitkisidir. Portakal sarısı rengindeki çiçekleri mart ayından başlayıp sonbahar sonlarına kadar açar. Çiçeklerinin sabah saatlerinde kapalı kalmayı sürdürmesi, o gün yağmur yağacağına işarettir. Taze olarak kullanmak gerektiğinde yaprakları ve saplarıyla, güneşin en yakıcı olduğu zamanda toplanır. Sonbahar sonlarına kadar bahçelerden taze olarak toplanabilir.

Önerilen Hastalıklar: **İltihap çözücü, antibakteriyel, yara ve mantar hastalıklarını iyileştirici safra salgılarını arttırıcı özellikleri vardır.** Krampları çözer, lenf sistemini temizler, adet kanamalarını arttırır. Enfeksiyondan kaynaklanan tüm yüzeysel iltihaplanmalara karşı kullanılabilir. Vücuda kuvvet verir, iştah açıcıdır, sindirimi kolaylaştırır. Tansiyonu düşürür. Bütün yaralara, kanamalara, eziklere, yanıklara ve haşlanmalara, güneş yanığına, zor iyileşen yaralara karşı kullanılır. **Kansere ve kanser türü çıbanlara karşı kullanılan bitkilerdendir.**

Kullanım Şekli ve Dozu: Çiçekler ve yerüstü kısımları yaz başından sonbaharın başlarına kadar toplanır, gölge bir yerde titizlikle kurutulur.

İyice kurutulan bitkinin yaprakları, ince ince kıyılarak çiçek yaprakları ile karıştırılır. İhtiyaç hissedildiği zaman 1–2 tatlı kaşığı alınıp 1 bardak kaynar suda 10–15 dakika süreyle demlendirilir. Bu karışımdan günde 3 defa birer bardak içilir. Bitkinin taze sıkılmış öz suyu, deri kanserinde başarıyla kullanılmaktadır.

Aynı Safa Otu yağı*:* **1 litre zeytinyağının içine 20 veya daha fazla çiçek konur, güneşte 3 hafta bekletilir, her gün çalkalanır. Elde edilen bu yağ, içten ve dıştan her türlü rahatsızlıklara masaj yaparak kullanılır. Kanser, yara bere, egzama ve her türlü cilt hastalıklarına iyidir.**

Yan Etkileri: Bilinen ciddi bir yan etkisi yoktur.

Ayrık Otu

Latince Adı: Agropyrum repens

Almanca Adı: Ouecke

Diğer İsimleri: Köpek Çimeni

Bilinen Bileşimleri: Müsilaj, saponin, şeker, triticin, glikovalin, leviloz, potasyum, demir, silisyum, potar, inozit, inulin, tritisin, manit, A ve C vitamini.

Özellikleri: Yapısı itibariyle soğuk ve kurudur. Açıcı ve söktürücü özelliğiyle rahatlatır. Çok yıllık olan bitki, kumlu topraklarda, çayırlarda, meralarda ve yol kenarlarında yetişir. Uzun ömürlü bir bitkidir. Memleketimizde İstanbul, Trakya, Muğla ve Anadolu'da yetişir. 20 kadar çeşidi vardır. 30 ile 100 santimetre boyunda olan bitki mayıs ve temmuz ayları arasında açar. Bitki bu çiçeklerdeki tohumların dökülmesiyle ya da toprağa değen yerlerde gövdelerin yeniden kök atmasıyla çoğalır. İlaç için bitkinin beyaz renkteki kökü kullanılır. Ayrık otu, sonbahar aylarında toprağı kazılarak kökleriyle beraber toplanır. Suyla iyice temizlendikten sonra gölgede ya da güneşte kurutulup torbalara doldurulur.

Önerilen Hastalıklar: Böbrekte ve mesanede olan taşları eritir, rahim tıkanıklıklarını açar. Otun kökü kaynatılıp içilirse, bağırsak ağrılarını dindirir, vücuttaki yapışkan hıltları yok eder. Bol idrar söktürür. İdrar yolları iltihaplarına şifadır. Prostat büyümesini önler. Böbrek yetmezliğine ve sancılara çok fayda verir. Ateşli

hastalıklarda kullanıldığı zaman hastayı rahatlatır. Vücuda kuvvet verir. Kanı ve bedendeki toksit maddeleri temizler. **Bilinmeyen bir özelliğide ruhani rahatsızlılara iyi geldiğidir.**

Kullanım Şekli ve Dozu: 1 bardak ılık suya kurutulup toz haline getirilmiş 1 çay kaşığı ayrık otu, her gün yemeklerden önce karıştırılıp içilir. Acı olduğu için limon ya da naneyle tatlandırılır. Başka bir tarifinde 20 gram ayrık otu, 1 litre suda kaynatılıp, günde 4–5 çay bardağı içilir. Köküyle beraber yaprağı dövülüp, vücuttaki şişler üzerine uygulanırsa şişler inip, ağrıları diner. Haşlanan ot içine bir miktar bal, biraz biber, bir miktar günlük ve bir miktar müri safi katılıp, tekrar kaynatılır. Oluşan karışımla ağızda gargara yapılırsa, diş ağrıları ortadan kaybolur.

Yan Etkileri: Bilinen ciddi bir yan etkisi yoktur.

Badem

Latince Adı: Prunus dulcis

Almanca Adı: Süser mandel

Diğer İsimleri: Bayam, Payam.

Bilinen Bileşimleri: Ayrıca albüminli maddeler, şekerler, emülsin ve E vitamini içerir. Acı badem bu sayılanlara ek olarak hidrosiyanik asit içerdiğinden hafif zehirlidir. Bademin içeriğinde bol miktarda protein, kalsiyum ve demir bulunur.

Özellikleri: Bademin anavatanı Çin ve Orta Asya'dır. Asya ile Avrupa arasındaki İpek yolunda bademin seyyahlar tarafından yendiği bilinmektedir. Seyyahlar bademi bu yol vasıtasıyla Yunanistan, Türkiye ve Orta Doğuya getirilmişlerdir. Türkiye'de Ege ve Akdeniz bölgelerinde ziraatı yapılmaktadır. Mart ve nisan aylarında çiçekler açan bademin, tatlı ve acı olmak üzere iki türlü ağacı vardır. Botanik açıdan kiraz, erik ve şeftali ile aynı familyada yer almaktadır. Çiçek tomurcuklarının kışa dayanıklılığı, şeftali çiçek tomurcuklarından daha azdır. Uzun yıllardır Akdeniz kıyılarında özellikle İspanya ve İtalya'da badem yetiştiriciliği yapılmaktadır. Ülkemizde kış soğuk-

larının fazla olduğu yerlerde ekonomik olarak badem yetiştiriciliği yapılamaz. 10 metreye kadar boylanabilen şeftaliden daha uzun ömürlü olan ağaç, çiçekliyken önce beyaz sonra açık pembe renkli görünür ve sonra yapraklanarak yeşile döner, ilkbaharın sonuna doğru ağaçta üzeri tüylü, yeşil renkli, çağla denilen meyveler görünür. Ağustos-Eylül aylarında taş çekirdek biçimini alan bu

meyvelerin sert kabuğu içinde, bir ucu sivri, öteki ucu yassı ve geniş olan bir tohum meydana gelir. Bu tohuma "badem" ya da "badem içi" adı verilir.

Önerilen Hastalıklar: **Kabızlığı giderir. Hastalıktan sonraki nekahet döneminde organizmayı güçlendirir.** Böbrek mesane ve tenasül yollarındaki iltihapları giderir. Baş ağrısı, karaciğer ve böbrek ağrılarını hafifletir. Sulandırılıp içilirse özellikle çocuklarda müshil etkisi gösterir. Yaraları iyileştirici özellikleri vardır. Güneş yanıklarında rahatlatıcı olur. Yumurtayla karıştırılıp da, basur memelerine sürülecek olursa, ağrı ve yanmaları giderir.

Göğsü ve akciğeri hastalıklardan temizler. Acı badem, karaciğerin, böbreğin, dalağın gözeneklerini açar ve idrar yaptırır. Acılığı ne kadar çoksa, kuvveti de o kadar fazla olur. Bedeni ve zihni yorgunluğu giderir. Hamilelerin zayıf düşmemesini sağlar. B vitaminleri ve proteini ile sinirleri dinlendirir, yenilenmelerini sağlar. Hastalıklar sonrasında nekahet devresini kısaltır. Sütle birlikte tüketilirse mideyi kuvvetlendirir. Bademler ağızda çok iyi çiğnenmelidir.

Badem Yağı: **Günde 1 tatlı kaşığı içilirse, bağırsakları yumuşatır. Böbrek taşlarını yağlandırıp, kayganlık sağlayarak, çabuk ve ağrısız düşmesini sağlar. Cildi yumuşatır, saçların beslenmesini sağlar. Saçların diplerine sürülerek kullanılır. Tatlı badem yağı, eşit miktarda bal veya pekmezle karıştırılıp kabız olan bebeklere 4-5 saat arayla 2 çay kaşığı müshil olarak verilir.**

Yan Etkileri: Acı bademin de bazı tıbbi etkileri bulunmakla birlikte, aşırı kullanımı zehirlenmelere yol açar.

Bahar Otu

Latince Adı: Primula

Diğer İsimleri: Ağda çiçeği, Ayıkulağı, Gelin gülü, Suçiçeği, Tutça, Evvel bahar otu, Felç otu.

Özellikleri: Tarla ve bahçelerde tüm otlardan önce çıkar. Birinci derecede soğuk ve kurudur.

Önerilen Hastalıklar: **Karaciğere faydalıdır, vücut üzerindeki şişlere faydalıdır. Göğsü yumuşatıp, bedeni dengeli tutar. Ağrı kesici özeliği vardır.**

Kullanım Şekli ve Dozu: Taze otun öz suyunu çıkarıp yumurta akıyla tasfiye ettikten sonra içine yeteri kadar şeker katılır. Bu karışım bir müddet kaynatılıp kullanılırsa, karaciğerde olan yaraları iyileştirir. Bahar otunun yaprakları dövülüp, vücuttaki şişlerin üzerine uygulanır. Otun yaprağı salatası gibi yenilir. Çiçeği kaynatılıp içilir.

Barut Ağacı Kabuğu

Latince Adı: Cortex rbamni frangulae

Almanca Adı: Kreuzdornrinde

Bilinen Bileşimleri: Antrasen türevlerinden antranoit içermektedir ve bu madde laksatif etki görmesine neden olur.

Özelikleri: Kışın yapraklarını döken, dikensiz ve 2 ile 6 metre boyuna kadar yetişen bir ağaçtır. Barut ağacının bahçelerde süs bitkisi olarak yetiştirilen türleri de geliştirilmiştir. Tüm Avrupa'da, Batı Asya ve Kuzey Afrika'da yetişen Barut Ağacı, ülkemizde Kuzey ve Orta Anadolu dağlarında yetiştirilir. Ağacın dalları kurutulup kullanılır.

Önerilen Hastalıklar: Geçici kabızlık problemlerinde faydalıdır. Bağırsak lümeninden sıvı absorpsiyonunu azaltarak, daha sıvı bir dışkıya neden olmaktadır. **Mide ve bağırsakların çalışmasını düzene sokar.**

Kullanım Şekli ve Dozu: Demlenerek kullanılır.

Yan Etkileri: Bağırsak hastalıklarında, Apandisit'te ve kaynağı bilinmeyen karın ağrılarında kullanılmamalıdır. Hamile ve emziren anneler, doktor tavsiyesinde kullanmalıdır. 12 yaşın altındaki çocukların kullanması tavsiye edilmez.

Bazek

Birinci derecede soğuk nemli özelliktedir. Özellikle hardalla yenirse, dalağın gözeneklerini açar. Besin değeri az olan bazek, mideye zararlıdır.

Beyaz Hardal

Latince Adı: Sinapis alba

Almanca Adı: Weisser senf

Diğer İsimleri: Devetüyü hardalı, Turp otu.

Bilinen Bileşimleri: Tohum yüzde 3 oranında sabit yağ, yüzde 25 oranında protein ve müsilaj içerir.

Özellikleri: Akdeniz Bölgesi ve çevresinde yetişir. Önemli bir yağ bitkisidir. Bitkinin kullanılan kumsu tohumlarıdır. Tohumlarının yapısı, küremsi 1,5-2,5 milimetre çapında sarı ve pürüzsüzdür. Tohumundan hardal yağı elde edilir. Daha çok fırın yemeklerinde, baharat karışımlarında, etler ve turşularda kullanılır.

Not: Bu bitki KOBİK tarafından bitkisel karışım destek ürün tableti olarak üretilmiştir.

Önerilen Hastalıklar: Hazmı kolaylaştırıp, kabız olmayı önler.

Yan Etkileri: Bilinen yan etkisi yoktur.

Beşparmak Otu

Latince Adı: Potentilla erecta

Almanca Adı: Tormentil

Diğer İsimleri: Gümüş otu, gaz gagası, kaz otu, kurtpençesi, parmak otu.

Bilinen Bileşimleri: Tannik asid, tormentillin glikozidi, tormentil kırmızısı, uçucu yağ, nişasta.

Özellikleri: Yol kenarlarında yetişen, yabani bir bitkidir. 40 ile 70 santimetre boyuna kadar uzayabilen

bitkinin yaprakları, beşparmak şeklindedir. Gümüş renktedir. Yaprakların arasından çıkan uzun saplı çiçekleri, altın sarısı rengindedir.

Önerilen Hastalıklar: Kabız yapıcı, yara iyileştirici, kan dindirici tesirdedir. İshal, ateş, baş ağrısı, zehirli yılan sokması, verem kanamaları, bol adet halinde faydalıdır. Bademcik ve boğaz ağrılarını giderir. Diş ağrılarını dindirip, diş etlerini kuvvetlendirir. Yüz lekelerini giderir ve cildi yumuşatır.

Kullanım Şekli ve Dozu: 4 bardak suya, 50 gram beşparmak otu konularak 10 dakika kaynatılır. Soğuduktan sonra süzülür. Bu karışımdan günde 3 kere yemeklerden önce birer çay bardağı içilir.

Yan Etkileri: Bilinen ciddi bir yan etkisi yoktur.

Biberiye Yaprağı

Latince Adı: Rosmarinus Officinalis

Almanca Adı: Rosmarinblaetter

Diğer İsimleri: Beyaz püren, Biberya, Hasalban, Kuşdili otu.

Bilinen Bileşimleri: Bitkinin bileşiminde, uçucu yağ (borneol başta olmak üzere linalol, kamfen, sineol), tanen, reçine, acı maddeler, bitki asitleri ve kafur bulunur.

Özellikleri: Kış aylarında yapraklarını dökmeyen, 100 santimetreye kadar boylanabilen, soluk mavi renkli çiçeklere sahip, çalı görünümünde çok yıllık bir bitkidir. Mart ve mayıs aylarında çiçekleri açar. Öz yurdu Akdeniz Bölgesi'dir. Tarsus, Adana, İskenderun gibi Güney Anadolu illerinde yetişmektedir. Dünyada doğal olarak Portekiz'de bulunur. Oldukça hoş görünümlü ve hoş

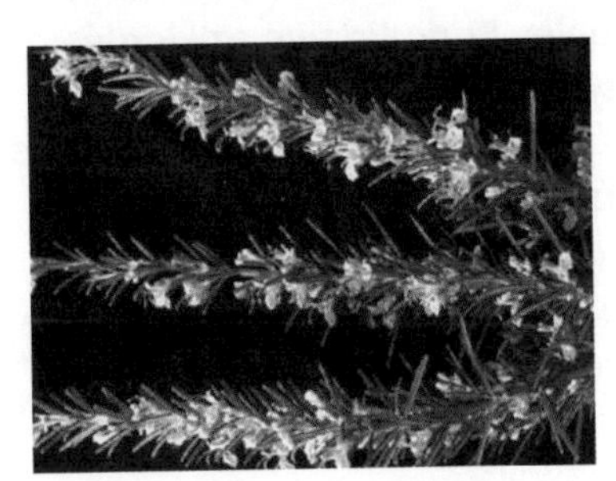

kokulu olan bitkinin yaprakları her zaman yeşildir. Bahçelerde ve saksılarda süs bitkisi olarak da yetiştirilir. Biberiye Avrupa'da geçmişten beri tonik ve uyarıcı olarak kullanılmaktadır. Amerika ve Almanya'da banyo terapisinde, uçucu yağları da aromaterapide kullanılmaktadır.

Önerilen Hastalıklar: Biberiye bitkisi sağlığa çok yararlı olduğu gibi, mükemmel bir güzelleştirici ve beyin süzücüdür, unutkanlığı giderir. Kan dolaşımını hızlandırır, baş ağrısı, sinirsel gerilim gibi şikâyetlerin giderilmesinde faydalıdır. Mide ve bağırsakları uyarır. Özellikle yağlı yiyecekler yenildiğinde sindirime yardımcı olur. Yunanlıların hafızayı kuvvetlendirmek ve konsantrasyonu artırmak amacıyla bilginlerin başlarına biberiye çelenkleri taktığı bilinmektedir. Hazımsızlıktan oluşan gazları söktürür. Mide ve bağırsak sisteminde hissedilen hafif kramplarda etkilidir. Haricen kaslardaki ve eklemlerdeki romatizma tedavisinde destekleyici etki yapar. Et yemeklerinde ve soslarda baharat olarak kullanılır. Kadınlarda aybaşını düzene sokar, gecikmeleri önler, iyi bir adet söktürücüdür. Saç diplerindeki bezleri uyarıp, erken saç dökülmesini önler. Burkulma ve eziklerde iyileştiricidir. Göğsü yumuşatıp, zihni güçlendirir. Böbrek mesane hastalıklarında çok büyük etkisi vardır.

Kullanım Şekli ve Dozu: Demlenerek hazırlanmalıdır. Biberiyenin yaprak ve taze sürgünleri yaz boyunca toplanır. Bitkinin tıbbi etkisi, çiçek açtığı zamanlarda en fazla olur. Yaprak ve ince sürgünler, aşırı sıcak olmayan, çok havadar ve gölge bir yerde kurutulur. Kurutulan yapraklar, 1 litre kaynar suya yarım avuç yaprak veya taze sürgün atılarak 2 saat beklenir, günde 3 defa yemeklerden önce birer fincan içilir.

Yan Etkileri: Tek başına çok yüksek dozlarda alınmamalıdır. Çeşitli yan etkileri bulunmaktadır. Hamilelikte tavsiye edilmez. Uykuyu kaçırdığı için gece yatmadan önce

içilmemelidir. Yüksek tansiyonu olanlar dikkatli kullanmalıdır; çünkü tansiyonu yükseltebilir.

Not: Bu bitki KOBİK tarafından bitkisel karışım destek ürün tableti olarak üretilmiştir.

Bit Otu

Latince Adı: Delphinium staphisagria

Almanca Adı: Stephanskraut.

Diğer İsimleri: Mezevek.

Bilinen Bileşimleri: Tohumlarında uçucu ve sabit yağ ile alkoloidler bulunmaktadır.

Özellikleri: Ekilmemiş tarlalarda yetişen bitkinin gövdesi dik, dallı ve tüylüdür. 70 ile 150 santimetre boyunda yetişebilen bit otu, mayıs

ve haziran ayları arasında mavi çiçekler açar. Çiçekleri gövdenin ucunda, gevşek salkım biçimindedir. Meyveleri tüylü ve az tohumludur. Düğün çiçeğigiller familyasından olan bitki, kuzey yarımkürede yetişir. Tohumlarında delphinine vardır. Oldukça zehirli olan bu ot, Türkiye'de İzmir ve Manisa'da yetişir. Anadolu'da 30 kadar bit otu türü vardır.

Önerilen Hastalıklar: Bit, pire gibi zararlı asalak ufak böcekleri öldürmekte kullanılır.

Kullanım Şekli ve Dozu: Tamamen olgunlaşmış olan tohumları toplanır ve güneşte kurutulur.

Yan Etkileri: Çok zehirli olan bu bitki, doktor kontrolünde kullanılmalıdır.

Boğumlu Sıraca Otu

Latince Adı: Scrophuiaira

Özellikleri: Pis kokulu, çok yıllık otsu bir bitkidir. Sıracagiller familyasındandır.

Önerilen Hastalıkları: Lapası sıraca tedavisinde kullanılır. Göğsü yumuşatır, balgam söktürür, bronşite faydalıdır.

Yan Etkileri: Bilinen ciddi bir yan etkisi yoktur.

Boswellia Serrata

Hint tıbbında kullanılan bitki, antiinflamatuar özellikleriyle bilinir. Romatoit artrit, osteoartrit, burkulmalar gibi sorunlara karşı kullanılır.

Yan Etkileri: Bilinen ciddi bir yan etkisi yoktur.

Fizik, Tıp, Matematik gibi müspet ilimlerin hiçbir şey olmadığını iddia etmek bir cehalet ve taassup; onun dışında her şeyi reddetmek, toyca bir yobazlık; öğrendiği her yeni şeyle yığın yığın bilmediklerini idrak ve kabullenme ise bir ilim zihniyeti ve düşünce istikametidir.

Böğürtlen

Latince Adı: Rubus fruticosus

Almanca Adı: Broombeerblaetter

Diğer İsimleri: Diken çileği, Diken dudu, Diken dutu.

Bilinen Bileşimleri: Böğürtlenin meyvelerinde sabit ve uçucu yağ, meyve şekeri, organik asitler, sitrik asit, C vitamini, pektin ve demir; yapraklarında tanen ve organik asitler bulunur.

Özellikleri: Gülgiller familyasındandır. Orman eteklerinde, yol kenarlarında, bahçe çitlerinde kendiliğinden yetişir. Çok yıllık, dikenli ve çalı görünümünde bir bitkidir. Dikenli gövdeleri, kışın dökülmeyen yaprakları olan bitkinin, yaz aylarında tek tek ya da salkım halinde açan pembe veya beyaz çiçekleri vardır. Yaz sonu ya da sonbahar başında bu çiçekler, kırmızı, siyahımsı karaduta benzeyen meyvelere dönüşür. Yer ve toprak konusunda hiç seçici olmayan böğürtlen, seyrek olarak döktüğü tohumlarıyla; daha çok yere değen dallarının köklenmesiyle veya köklerinin yeniden filizlenmesiyle çoğalır.

Önerilen Hastalıklar: Mide, burun, hemoroit kanamalarında, hazımsızlıkta, kansızlıkta, romatizmada faydalıdır. **Böğürtlen kökü, ayrık otu köküyle beraber kaynatılıp içilmeye devam edilirse, böbrek kumlarını döker.** Kökü kaynatılıp suyu içilecek olsa, kandaki şeker miktarını düşürür. Meyve çekirdekleri bağırsaklara yumuşaklık verir. Yaprakları çay şeklinde içildiğinde ishali keser, mide ve bağırsak kanamalarını durdurur. Gebelerin kullanmasında fayda verir. Böğürtlen ağız yaraları, dişeti kanamaları, bademcik ve boğaz enfeksiyonuna iyi gelir. Böğürtlen meyve olarak çiğken yenildiği gibi reçel, şurup, şekerleme, pasta, likör ve sirke yapımında kullanılır. Saç dökülmelerini önler.

Kullanım Şekli ve Dozu: Yaprakları dâhil çiçek açmadan önce toplanır ve gölgede kurutulur. 1 litre suya, 30 gram yaprak konur. 15 dakika kaynatılıp,1 saat demlenir. 4 kat tülbentten süzülen sıvıdan günde 3–4 bardak içilir.

Yan Etkileri: Bilinen ciddi bir yan etkisi yoktur.

Cat's Claw

Latince Adı: Uncaria tomentosa

Özellikleri: Yağmur ormanlarında yetişen bu bitki, bu bölgenin halkı tarafından ilaç olarak kullanılır.

Peru, İtalya, Avusturya ve Almanya'da yetiştirilmektedir. Bu bölgelerde yapılan araştırmalar sonucunda, bitkinin ekstresinin bağışıklık sistemini güçlendirdiğini ortaya çıkarmıştır.

Önerilen Hastalıklar: Çeşitli enfeksiyonlara ve alerjilere karşı yardımcı bir ekstredir. **Kemoterapi ya da kanser tedavisi sırasında lokositi sık sık düşen kişilerde kullanılabilir.**

Yan Etkileri: Yüksek dozlarda kullanıldığında, geçici ishale sebep olur. Hormon ilaçlarıyla beraber kullanılmamalıdır.

Cranberry

Latince Adı: Vaccinum macrocarpon

Önerilen Hastalıklar: Sistit ve inatçı idrar yolları enfeksiyonlarına karşı son yıllarda yaygın bir şekilde kullanılır. **C vitamini açısından oldukça zengindir.** Vücudun bakterilere karşı dayanıklılığını artırır. İdrar yolları enfeksiyonlarına sık yakalanan kişilerin ve özellikle çocukların cranberryi koruyucu olarak almaları gerekir.

Yan Etkileri: Bilinen bir yan etkisi yoktur. Hamile ve emziren bayanların da kullanması tavsiye edilir.

Centiyane

Latince Adı: Gentiana lutea

Almanca Adı: Gelber enzian

Diğer İsimleri: Centiyana, Büyük kantaron.

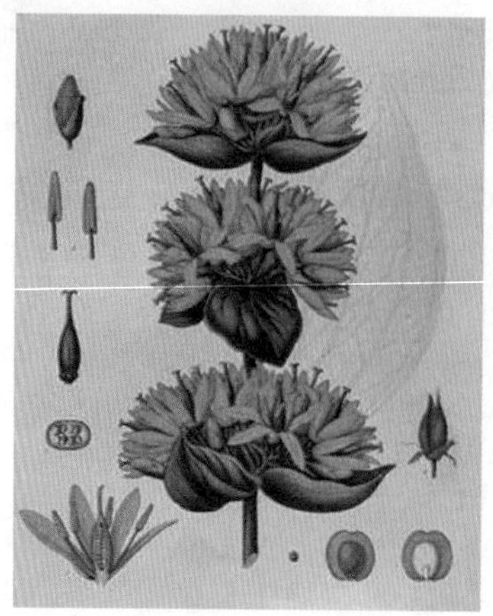

Bilinen Bileşimleri: Centiyan bitkisinin sağlığa yararlı etkili bölümü olan rizomu ile kök saçakları uçucu ve sabit yağ, pektin, tanen ve acı glikozitleri içerir.

Özellikleri: Kuzey Yarımküre'nin ılıman iklim bölgelerindeki dağlık yerler ve güneşli bayırlarda yetişen çok yıllık, dayanıklı bir otsu bitkidir. 1 ile 1,5 metre boyuna kadar uzayan kalın köklü bitki, memleketimizin dağlık bölgelerinde özellikle Uludağ ve Bozdağ'da yetişir. Yaprakları enli, sapsız ve karşılıklı dizilmiş durumdadır. Temmuz - Ağustos aylarında sarı renkte çiçekler centiyanenin, kökleri çok yavaş büyür. Sonbahar ve kış aylarında çıkarılarak temizlenen bitki, dilimlenir ve güneşte serilerek kurutulur.

Önerilen Hastalıklar: **Karaciğer için çok faydası olan bir bitkidir.** Acımsı bir tadı olduğu için sinir uçlarını uyarıp, iştah açar, hazmı kolaylaştırır, mide yanması ve ekşimesini giderir. Alyuvarları artırdığı için kansızlığa ve kalp hastalıklarına karşı şifadır. Bedeni güçlendirici bir toniktir.

Kullanım şekli ve Dozu: Tozlaştırılan köklerden 1 bardak suya 1 çay kaşığının ucuyla konulur. Günde 1–2 defa içilmelidir. Yine kurumuş kök parçalarından bir tatlı kaşığının yarısı, 1 bardak su içine konularak su ısıtılır. 5 dakika süreyle kaynatma sürdürülür. Bu karışım yemeklerden önce ya da midede şişkinlik ve ağrı hissedildiğinde birer bardak içilir. Centiyane kökünün tozu, iltihaplı yaralar üzerine sürülürse iyileştirir.

Yan Etkileri: Hamile kadınlar kullanmaktan sakınmalıdır.

Ciğer Otu

Latince Adı: Pulmonaria officinalis

Almanca Adı: Gefleck lungenkraut.

Diğer İsimleri: Lekeli ciğer otu, Akciğer otu.

Özellikleri: 30 santimetre boyunda, çalılıklar arasında, geniş yapraklı ormanlarda yetişir. Çok yıllık, otsu bir bitkidir. Önceleri kırmızımtırak olan çiçekleri, daha sonra mor renge dönüşür. Gövdesi dik ve tüylüdür, yaprakları sıktır. Çiçek açma zamanı gelince dik yapraklar toplanarak, gölgede kurutulur.

Önerilen Hastalıklar: Göğsü

yumuşatıcı ve kan yapıcı etkisi oldukça fazladır. Akciğere hastalıklarına şifadır. Öksürüğü kesip, balgam söktürür. Aynı otun ishale karşı etkisi de bilinmektedir. Cilt iltihaplarının, egzamanın ve yaraların tedavisinde faydalıdır.

Kullanım Şekli ve Dozu: 2 çorba kaşığı ciğer otu, yarım litre kaynar suyla haşlanıp, 1 saat bekletilir. Yemeklerden sonra günde 3 öğün birer çay bardağı alınır. Ciğer otu lapa yapılarak çıban ve iltihap üzerinde bir süre bekletilir.

Yan Etkileri: Bilinen ciddi bir yan etkisi yoktur.

Civanperçemi

Latince Adı: Achilla millefolium

Almanca Adı: Schafgarbenkraut

Diğer İsimleri: Binbir yaprak otu, Haydut otu, Kandil çiçeği.

Bilinen Bileşimleri: Azulen, limonen, sineol, borneol, pinenler, seskiterenlerden oluşan uçucu yağlar, tanen, acı organik asitler ve yapışkan bitki sıvılarını içerir.

Özellikleri: Civanperçemi hoş kokulu, çok yıllık, otsu bir bitkidir. Mayıs ve eylül aylarında çiçek açar. 40'a yakın türü olan civanperçemi, Türkiye'de Doğu Karadeniz ile Doğu Anadolu bölgelerinde yetişir. İtalya, Almanya ve Balkanlarda da yaygındır. 100 santimetreye kadar uzanabilen dallarının ucunda beyaz çiçekler açar. Sürüngen olduğu için bulunduğu yerde yayılarak çoğalır. Bahçede ve ev balkonunda saksı içinde de yetiştirilir. Güneşli havalarda çevresine aromalı keskin bir koku yayar. Çiçekleri, güneşin en etkili olduğu saatlerde toplamak gerekir çünkü o sıralarda eterli yağları ve şifalı gücü çok fazla olur.

Önerilen Hastalıklar: **Civanperçemi, çok önemli bir kan dindirici maddedir. *Mide, basur burun kanamalarında etkilidir.* Mide ve bağırsak rahatsızlıklarına özellikle kullanılır. Menopoz ve aybaşı ağrıları gibi kadın hastalıklarında tedavi edici özelliktedir. Baş dönmesi, mide bulantısı, göz sancıları**

ve *migren krizlerinde* fayda verir. Düzenli olarak çayı içildiğinde migren şikâyetlerini ortadan tamamen kaldırır. Yara iyi edici bir özelliği de bilhassa basurda vardır.

Basurda fitil halinde kullanılır. Menopozal yakınmalar için oldukça faydalıdır. Soğuk algınlığı nezle grip için en iyi ilaçlardan biridir. Kalp ağrılarına şifa olduğu bilinir. **Varis** için de şifadır. Sistit enfeksiyonlarında antiseptik etkisi yapar.

Kullanım Şekli ve Dozu: Yarım veya bir tatlı kaşığı ince kıyılmış bitki, orta boy bir su bardağı dolusu kaynar suyla haşlanır, 15 dakika demlendikten sonra süzülür. Aksi belirtilmedikçe günde 3 su bardağı çay aç karnına veya öğün aralarında içilir. Başka bir tarifinde, 30 gram kadar civanperçemi 1 litre suda 20 dakika kaynatılır ve süzülür. Günde üç öğün yemeklerden sonra birer kahve fincanı içilir. Bu çayın güneş görmeyen yerde bekletilmesi gerekir. Aksi takdirde kararır ve bozulur. 15 gram ince kıyılmış sap veya çiçek 1/5 litre kaynar suyla haşlanır, soğuyunca süzülür ve yemeklerden önce birer çorba kaşığı alınır. Sağlıklı olmak için her gün 1 bardak taze demlenmiş civanperçemi çayını içmeyi ihmal etmemelidir.

Yan Etkileri: Hastalıklarda çok etkili olan civanperçemi, zararsız bir bitkidir. Birçok derde devadır. Hiçbir yan tesiri yoktur.

Çam Ağacı

Latince Adı: Gemmae pini

Almanca Adı: Latsche

Özellikleri: Çam ağacı yaz, kış yapraklarını dökmeyen bir ağaçtır. İlkbaharda oluşan genç tomurcuklar kesilerek alınır. Daha sonra gölgelik bir yerde kurutulur. Kozalakları ilk yıl kapalıdır. İkinci yıl açılıp, kurur ve ağacın dibine düşer. İlaç yapımında, tomurcuğu, palamudu, kozalağı, filizleri ve çırası kullanılır. Çam ağacının tohumu, sıcak ve yaştır. Erdirme, yumuşatma, çözme ve suyun içinde bekletilmesiyle kaybolan yakma özelliği vardır. Çam ağaçları havayı temizler, bu nedenle çam havası veremli hastalara çok iyi gelir. Sindirimi oldukça güç olmasına rağmen besin değeri çok yüksektir.

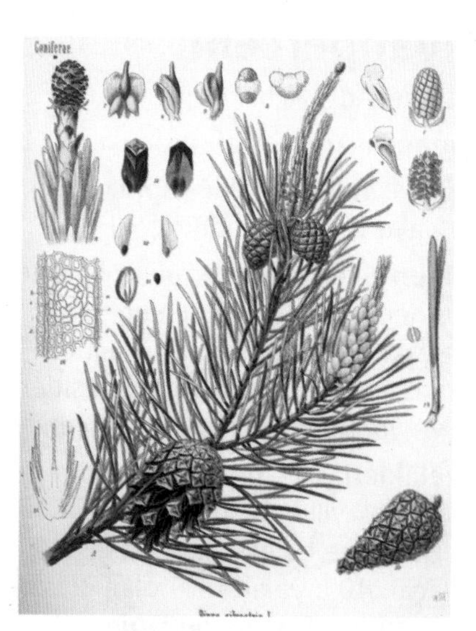

Önerilen Hastalıklar: **Balgam söktürür, göğsü yumuşatır ve müzmin öksürüğü keser. Vücuda kuvvet verir. Akciğer salgılarını temizler ve meniyi artırır. Bronşit, nezle sinüzit, grip ve astımda çok faydalıdır.**

Çam yağı: **Saç çıkarmak için sarımsak yağıyla birlikte kullanılır.**

Kullanım Şekli ve Dozu: 1 bardak sıcak suya, 1 tatlı kaşığı konur. Sabah ve akşamları içilir. Çam filizleri kaynatılıp, bal ile tatlandırılarak sıcak sıcak içilmeye devam edilmelidir. Çam kabuğu sirkeyle kaynatılıp, gargara yapılırsa diş ağrısına şifadır. 1 fincan zeytinyağı, 60 gram çam sakızı ve 35 gram balmumu ile hafif ateşte eritilerek elde edilen merhem, yaraların üzerine sürülürse kısa zamanda tedavi eder.

Yan Etkileri: Bilinen ciddi bir yan etkisi yoktur.

Çarkıfelek

Latince Adı: Passion flower

Almanca Adı: Passiflora

Diğer İsimleri: Fırıldak çiçeği, Saat çiçeği.

Bilinen Bileşimleri: Çarkıfelek bitkisi, harmin, harmol, harman ve passiflora adı verilen alkaloitleri; flavon, glisosit ve sterol adlı diğer maddeleri içerir.

Özellikleri: Amerika'da yetişir. Dünyada 400 çeşidi vardır. Türkiye'de bazı bölgelerde süs bitkisi olarak yetiştirilmektedir. Gölgeli ve nemli duvar diplerini sever. Yazları açan tekerlek biçimindeki gösterişli çiçekleri, erguvani, pembe ya da kırmızı renkte ve iridir. Bitki, tohumuyla ya da gövde çelikleriyle çoğaltılır. Bazı türlerinin meyveleri çiğ olarak yenebildiği gibi, içki ve şerbet yapımında da yararlanılır.

Önerilen Hastalıklar: Uykusuzluğa karşı yardımcı olmak amacıyla kullanılan bir bitkidir. Sinirleri yatıştırıcı etkisi de vardır. Kişinin yaşadığı gerginlik ve endişelilik hallerini giderir. Parkinson hastalığı ve isteri gibi durumlarda sinirsel nöbetleri gidericidir. Zona hastalığı gibi sinir ağrılarında da yatıştırıcıdır.

Kullanım Şekli ve Dozu: Çay, sıvı tentür, şurup veya katı ekstre halinde kullanılabilir.1 tatlı kaşığı kuru yaprak, üzerine 1 bardak kaynar su dökülerek 15 dakika süreyle demlendirilir. Uykusuzluğu gidermek için, akşamları yatmadan önce bu karışımdan bir bardak, rahatlama sağlanması ve diğer şikâyetlerin giderilmesi için istendiği zaman alınmak üzere, günde iki bardak içilir.

Yan Etkileri: Bilinen ciddi bir yan etkisi yoktur.

Çay

Latince Adı: Echinacea purpurea

Almanca Adı: Tee

Bilinen Bileşimleri: Çay yapraklarında kafein, tein, teofillin, teobromin alkolitleri, tanen, uçucu yağ ve az da olsa B vitamini bulunur. İnsanda tutkunluk dere-

cesinde çay içme isteği yaratan, çayın içerdiği kafein ve tein adlı maddelerdir.

Özellikleri: Anayurdu Çin ve Güneydoğu Asya olan çay,

günümüzde tropikal ve astropikal iklimi olan birçok yerde, değişik kültür formlarıyla yetiştirilmektedir. Ülkemizde de Doğu Karadeniz Bölgesi'nde, Rize ve çevresinde çay üretimi başarıyla sürdürülmektedir.

Çay yapraklarının fermantasyondan sonra kavrulması sonucu siyah çay, daha önce kavrulması sonucu ise yeşil çay elde edilir.

KOBİK yeşil çay içilmesini önermektedir. Yeşil çay, bağışıklık sistemini güçlendirir. Şekersiz içtiğimizde, sıcak havalara dayanmamızı sağlar. Yeşil çaydaki etkin madde kateşini tam alabilmek için çayı tablet olarakta alabilirsiniz.

Antibakteriyel ve antiinflamatuar etkilerinin bulunduğu tespit edilmiştir. Çay bitkisi yılda ortalama 1.500 milimetrelik düzenli yağış alan iklime gereksinim duyar. Doğrudan güneş gören asitli, derin, süzek ve özellikle kireçsiz toprakları sever. Tohumuyla ya da gövde çelikleriyle çoğaltılır. Dünyada en çok tüketilen içeceklerden biri olan çay, bitkinin yapraklarının elle toplanıldıktan sonra çeşitli işlemler sonucu mayalanmadan kavrulması, soldurulması, kıvrılması ve kurutulması sonucu elde edilen ürünün demlendirilmesiyle hazırlanır. Kara ve Yeşil Çay adları verilen, iki önemli türü vardır. Karaçay daha çok sevilerek tüketilir.

Önerilen Hastalıkları: Aşırı miktarda içilmemek kaydıyla bedeni ve zihni yorgunluğu giderir, sinirleri uyarır. Mide tembelliğini giderir. İdrar söktürür. İshal ve dizanteriyi keser. Damar kireçlenmesini önler. **Damar sertliği, kalp yetersizliği, kan kanseri, guatr, nefrit, kolera ve bağırsak hastalıkların da koruyucu ve tedavi edicidir.**

Kullanım Şekli ve Dozu:

Yapraklarının demlenmesi sonucu içilir. Piyasada satılan **radyosyonsuz** çaylardan alınır. 1-1,5 litre kadar su kaynatılır. Demliğe konan 3–4 tatlı kaşığı çay üzerine bir miktar kaynar su dökülür. Geri

kalan suyun çaydanlıkta ve kısık ateşin üzerinde kaynatılmasına devam edilirken demlik de çaydanlığın üzerinde durur, işlem 20 dakika sürdürülürken demlikteki

çay demlenmiş olur. Böylece demlenen çaydan fincanlara uygun miktarda konur ve üzeri çaydanlıktaki sıcak suyla tamamlanır. Bu şekilde hazırlanmış olan çay, kişinin seçimine bağlı miktarda içilir. Bazen 8–12 haftalık kürler şeklinde kullanılır. İki hafta ara verilip tekrar aynı süre yeni bir kür yapılabilir. Soğuk algınlığı belirtileri fark edildiğinde küre hemen başlanması, geçilecek enfeksiyonun şiddetini düşürecektir.

Yan Etkileri: **Haddinden fazla içilecek olursa çarpıntı, göğüs anjini, sinir bozukluğu, baş ağrısı, sıkıntı, mide bulantısı, el titremesi ve uykusuzluğa sebep verir. Şişmanlar, kalp, sinir, mide ve karaciğer hastaları, romatizma ve nikristen şikâyet edenler, böbreklerinde kum veya taş olanlar, kabızlık ve yüksek tansiyondan yakınanlar, üremi veya albüminüri olanlar, mümkün olduğu kadar az çay içmelidirler. Hamile ve emziren kadınlar tarafından hekim tavsiyesi olmadan kullanılmamalıdır.** ***Demir eksikliğine sebep olur. Bağışıklık sistemi baskılayıcı ilaçlarla beraber kullanılmaz.***

Not: Bu bitki KOBİK tarafından bitkisel karışım destek ürün tableti olarak üretilmiştir.

Çemen Otu

Latince Adı: Trigomella foenum

Almanca Adı: Bockshornklee

Diğer İsimleri: Boy otu, Buy otu.

Bilinen Bileşimleri: Çok keskin kokulu olan çemen otu tohumları, yüzde 30'a varan oranda yapışkan bitki sıvısı, uçucu ve sabit yağlar, trigonellin, kolin, kumarin adlı maddeleri içerir. Yüzde 25 protein, flavon apigenin, flavonol, luteolin (glikozitleri) ve yamogenin başına furostanol glikozitleri drogun acılığını verir.

Özellikleri: Güney Avrupa ve Akdeniz havzasında yetişir. 60 ile 100 santimetreye kadar uzayabilen çemen otunun olgun tohumları, tedavi için kullanılır. Bitkinin tohumu 3-5 milimetre

uzunlukta, kırmızı veya esmer renkli, kokusuz ve hoş olmayan tattadır. Bol güneşli yerleri, suyu iyi akıntılı, bitek ve alkalik toprakları seven çemen otu, bazı ülkelerde baharat olarak kullanılır. Bizdeki başlıca kullanım alanı, pastırma imalatıdır. Bazı yerlerde çemen otunun yaprakları salatalara eklenip çiğ olarak yendiği gibi, haşlanarak sebze olarak da tüketilir.

Önerilen Hastalıklar: **Çemen otu, besleyici, lezzet düzeltici, balgam söktürücü, süt artırıcı özelliktedir. Diyabet, dizanteri, diyare, kronik öksürük, karaciğer, dalak büyümesi, iştahsızlıktan oluşan hazımsızlık ve gastrit gibi hastalıklara karşı etkilidir. Çemen otu, sıcaklık bakımından ikinci, kuruluk bakımından birinci derecededir. Öksürüğü hafifletir ve göğsü yumuşatır. Boğaz ağrılarını hafifletir. Cinsel gücü artırıcı etkisi vardır. Süt veren annelerde, sütü artırır. Hastalık sonralarında bedeni güçlendirir. Kadınların adet dönemlerini rahat atlatmalarını sağlar. Tümörler ve akciğer hastalıklarına faydalıdır. Peygamber Efendimizden (sav) zikredildiğinde göre, Mekke'de Sa'd İbn-i Ebi Vakkas'ı ziyaret etmiş ve: "Ona doktor çağırın" demişti. Haris İbn-i Kelede çağrıldı, Sad'e baktı ve: "Önemli bir şeyi yok, ona çemen verin" dedi. Kasım İbn-i Abdurrahman'dan zikredildiğine göre Kasım şöyle demiştir: "Peygamber Efendimiz buyurdu ki: 'Boy otuyla tedavi olunuz.'"**

Kullanım Şekli ve Dozu: Sonbaharda olgunlaştıkları zaman toplanan çemen otu tohumlarından 1,5 tatlı kaşığı 1 bardak sıcak suya konulup 10 dakika süreyle kaynatılır. Elde edilen çaydan günde 3 kez birer bardak içilir. Tohumları ezilen çemen otu toz haline getirilir. Biraz suyla karıştırılıp, lapa yapılır. Hazırlanan karışım, yara **çıbanlara** dıştan sürülür. Suyla haşlanıp içildiği zaman boğazı yumuşatır. Haşlama suyuyla saçlar yıkanırsa dalgalı ve kıvırcık hale gelir. Saçtaki kepeklenmeyi önler. Kadınlar kaynatılan çemen otu suyuna otururlarsa, rahim ağrısına karşı fayda görür. Öğütülmüş tohumu mutfakta baharat karışımı olarak, turşularında, çorbalarda, salatalar, güveçler, soslar ve etlerde kullanılır.

Yan Etkileri: Bilinen ciddi bir yan etkisi yoktur.

Çilek Otu

Latince Adı: Fragaria vesca

Almanca Adı: Erdbeere

Özellikleri: Kökü birinci derecede sıcak ve kuru, yaprakları ise soğuk ve nemlidir. Çiçekleri beyaz olan bitki gülgillerdendir. Yemişi pembe renkli ve kokuludur.

Önerilen Hastalıklar: Mideye olumlu yönde etkisi bulunur. Ağrı kesici özelliği vardır. Kalbi güçlendirip,

idrarı söker. Karaciğeri temizleyip, kanı artırır. **Göz hastalıklarında çok faydalıdır.** Vücudu kuvvetlendirip, hasta olmayı önler. Böbrek ve mesane hastalıklarının iyileşmesine yardımcı olur. Yüksek tansi-

yonu düşürür, bağırsak kurtlarını döker, sinirleri sakinleştirir, ateşi düşürür. Cilde tazelik ve güzellik verir. Damar sertliği, mafsal iltihabı, romatizma ve nikriste faydalıdır. **Şeker hastaları da güvenle içebilir.**

Kullanım Şekli ve Dozu: Çilek otu damıtılıp, 3 gün boyunca her sabah bir fincan içilirse, safra kaynaşmasını engeller. Dalaktaki tıkanıklıkları açıp, karaciğerdeki şişleri şok eder. Aynı suyla ağız ve boğaz gargarası yapılırsa çok faydalı olur. Bir bez parçasını çilek otu suyuyla ıslatıp göz şişleri üzerine uygulanırsa, şişler yatıştırır. **Çilek otu ile böğürtlen yemişini beraber kaynatıp elde edilen özsuları göze çekilirse, görme gücünü artırır.**

Yan Etkileri: Midesi zayıf olanlar suyunu içmelidir. Dikkatli kullanılmalıdır, alerji yapabilir.

Çobançantası

Latince Adı: Capsella bursa pastoris

Almanca Adı: Hirtentaschel

Diğer İsimleri: Cıngıldakotu, Çoban kesesi, Çoban torbası, Kuşkuşotu.

Bilinen Bileşimleri: Çobançantası bitkisinin toprak üstü kesimleri tanen, reçine, uçucu yağlar, saponin, flavonitler, diosmin, tiramin ve potasyum içerir.

Özellikleri: Akdeniz havzasında yetişen çobançantası, tüm dünyaya yayılmıştır. Boyu 50 santimetreye kadar uzayabilen bitki, çok yaygın yabani bir ayrık otudur. Yol kenarlarında, kırlarda, çayırlarda ve çöplüklerde de yetişir. Beyaz çiçekleri olan çobançantası, 1 ya da 2 yıllık otsu bir bitkidir. Yaprakları uzundur, yazın toplanır ve gölgede kurutulur. Gövde boyunca dizilen ve bitkinin tohumunu taşıyan, yürek biçimli, yassı, yeşil renkli meyveleri vardır. Bitki, bu meyvelerinden döktüğü tohumlarıyla çoğalır. Çiğ olarak ya da ıspanak gibi pişirilerek yenir.

Önerilen Hastalıklar: Böbrek sorunu nedeniyle kişinin bedeni sıvı tutuyorsa, çobançantası hafif bir şekilde idrar söktürür. Yara, burun, diş ve dişeti kanamalarına karşı iyileştirici ve kanı kesici etkileri vardır. Kadınların aybaşı dönemlerinde aşırı kan gelişini önler. Cildin erken yaşlanmasını önler. Vücuttaki her türlü iç ve dış kana-

malarında, varis ve hemoroite çok faydalıdır. Ağrılara iyi gelir. **Kas erimesine iyi gelir.** Emzikli annelerin göğüs sertleşmesi ve ağrısında, taze çobançantası kaynatılır, göğüsler buharına tutulur.

Kullanım Şekli ve Dozu: 1 litre sıcak suya 20 gram çobançantası konur. 20 dakika kadar kaynatıldıktan sonra süzülür. Günde 2 veya 4 fincan içilir.

Yan Etkileri: Bilinen ciddi bir yan etkisi yoktur.

Çobandeğneği

Latince Adı: Polygonum baldschuanium

Özellikleri: Son derece hızlı ve gür büyüyen bir sarmaşıktır. Yaprakları kalp şekline, salkımlar halinde açar, çiçekleri ise beyaz renktedir. Yılda 5–6 metreye kadar uzayabilir. Besince zengin, ağır, su tutan toprakları sever. Kumlu topraklarda nispeten daha yavaş gelişir. Fazla güneşten hoşlanmaz. Yetişkin hale gelinceye kadar bol su ister.

Çördük Otu

Latince Adı: Hyssopus officinalis

Almanca Adı: Echinophora

Özellikleri: Asıl yetiştiği yer küçük Asya olan çördük otu, 100 santimetreye kadar yükselebilir. Kuvvetli bir kazık kökü bulunur. Sapların üzerinde yaprakları dökülmüş, mat kahverengi kabuk bulunur. Altay dağlarından Karadeniz'e kadar uzanan alanda çok yaygındır. Güney Alplere kadar Akdeniz Bölgesi'nde de yetişir. Bugün Orta Avrupa, Rusya, Çekoslavakya, Yugoslavya, İtalya, Güney Fransa ve İspanya gibi ülkelerde kültürü yapılmaktadır.

Önerilen Hastalıklar: Çördük otunun uyarıcı ve gaz söktürücü özelliği vardır. Mide için kullanıldığı gibi parfümeri sanayinde de tüketilmektedir.

Yan Etkileri: Bilinen ciddi bir yan etkisi yoktur.

Çörek Otu

Latince Adı: Nigella sativa

Almanca Adı: Schwarzkümmel

Diğer İsimleri: Cöcce, Cöccem,

Cüccam, Cüccüm, Cütcan, Çöreotu, Karaca occanı, Karaca otu, Kara çörek, Otçam.

Bilinen Bileşimleri: **Yüzde 30–45 oranında sabit yağ, uçucu yağ, acı madde ve saponin içermektedir. B1, B2 ve B6 vitaminlerini içerir. Çörek otunun tohumunda takriben yüzde 38 oranında karbonhidrat, yüzde 21 oranında da albumin bulunur.**

Özellikleri: Afyon, Burdur ve Isparta'da yetişen çörek otunun tohumu 1,5-2 milimetre uzunlukta, siyah renkli ve acımsı lezzetlidir. Çörek otunun kokusu son derece keskindir. Türkiye'de

baharat olarak kullanımı oldukça yaygındır. Sıcak ve üçüncü derecede kurudur.

Önerilen Hastalıklar: **Peygamberimiz 14 asır önce çörek otu hakkında şöyle buyurmuştur: "Çörek otuna devam ediniz, zira çörek otunda ölümden başka her derde çare vardır." Çörek otu çok çeşitli hastalıklara devadır. İdrar ve süt artırıcı, iştah açıcı ve adet düzenleyici etkileri vardır. Mutfakta ve gıda sanayinde tüm olarak unlu ürünleri süslemek ve onlara lezzet vermek için kullanılır. Çörek otundan üretilen yağ, gıda amaçlı kullanılmaz. Çörekotunun çok az olarak üretilen yağı, saçkıran hastalığına, siğillere ve bene faydalıdır. Ateşli olmayan tüm hastalıklarda, çörek otunun faydası vardır. Mideyi rahatlatıcı bir özelliğe, mikrop, virüs ve mantarlara karşı da öldürücü etkiye sahiptir. Kan şekerini düşürür, şişkinliği giderir. Yaraların çabuk iyileşmesini ve hücrelerin yenilenmesini hızlandırır. İdrar söktürücü özelliğiyle safraya iyi gelir. Damar hastalıklarını ve alerjiyi önler. Hormon sistemini ve ruh halini sağlamlaştırır. Hemoroite iyi gelir.**

Çörekotu Yağı*:* Günde 3 defa, 1 fincan suya 4–5 damla damlatılarak içilirse, anne sütünü artırır. Yemeklere lezzet verir. Sinüzit tedavisi için sabahları ve akşamları burna 1–2 damla damlatılır. Hemoroitte haricen sürülerek kullanılır.

Kullanım Şekli ve Dozu: Çörek otu dövülür, balla yoğrulur. Daha sonra da sıcak suyla birlikte içilirse, böbreklerde ve mesanede oluşan taşları eritir. İçmeye günlerce devam edildiği takdirde, idrarı, adet kanını ve sütü çoğaltır. Dövülüp, bir beze bağlanıp ve sürekli koklanırsa, nezleyi giderir. Suyla birlikte bir miktar içilirse, astıma ve nefes darlığına iyi gelir. Sirkeyle haşlanan çörek otuyla gargara yapılırsa, diş ağrısına fayda verir. Çörekotu kavrulur, taze olarak dövülür, sonra zeytinyağında bekletilir ve bu karışımdan buruna üç veya dört

damla damlatılırsa, sık sık hapşırtan nezle ve gribe iyi gelir. Sirkeyle birlikte dövülerek oluşan karışım, ciltte beliren siyah noktacıkları ve baştaki yoğun kepeklenmeyi tedavi eder. Kuduz köpek ısıran bir kimseye, sudan korkmaya başlamadan önce, taze olarak dövülen çörek otundan her gün 2 dirhem soğuk suyla birlikte verilirse şifa bulur. Çörek otu vücuda sürüldüğü zaman zehirli hayvanları vücuttan kovar. Haftada bir kere 1 tatlı kaşığı kabukları çıkarılmış çörekotu yemek, sağlık açısından çok faydalıdır.

Yan Etkileri: Çok fazla ve hastalık olmadan kullanmanın zararlı olduğunu iddia edenler olduğu için, uzman kontrolünde kullanılması gerekir.

Not: Bu bitki KOBİK tarafından bitkisel karışım destek ürün tableti olarak üretilmiştir.

Çöven Otu

Latince Adı: Gypsophula

Almanca Adı: Seinfenkrautwurzel

Diğer İsimleri: Çegen, dişi çöven, tarlacı çöveni, sabun otu.

Bilinen Bileşimleri: Yüzde 15–20 oranında saponin glukoziti taşır, pentasiklik bir triterpen olan gipsogenin ve şeker olarak da galaktoz, ksiloz, arabinoz, fukoz ve ramnoz içerir.

Özellikleri: Orta ve Doğu Anadolu'da yetişen bitki, haziran ve temmuz aylarında beyaz çiçekler açar. Gypsophila arrostii'nin kökleri kullanılır. Bu kökler kirli beyaz renkli, boyuna derin çizgili parçalar halinde, hafif kokulu ve acımsı lezzettedir. Kökü ve dalları sabun katılmış gibi suyu köpürtür. Vadilerde, dere ve çay kenarlarında yetişir. Sonbahar ya da ilkbaharın ilk günlerinde bitkinin kökleri çıkarılır ve güneşte kurutulur. Köklerin dövülmesinden ise çöven elde edilir. Çöven otu Türkiye'de tahin helvası yapımında kullanılır.

Önerilen Hastalıklar: İdrar söktürücü olarak kullanılır. **Öksürük kesici ve göğüs yumuşatıcı ilaçların yapımında kullanılır.** Kusturucu ve balgam sökücü özel-

liği de vardır. Ateş düşürücü ve zayıflatıcı etkisi vardır. Kanı temizleyerek, ciltteki sivilcelerin geçmesini sağlar.

Kullanım Şekli ve Dozu: 1 litre suya 15 gram çöven otu kökü parçalanarak konur, 2 dakika kaynatılıp,

beklemeden süzülür. Öğle ve akşam yemeklerinde sadece birer çay bardağı içilir, fazlası zarardır. Bu karışım böbrek ve karaciğer rahatsızlıklarını gidermeye yarar. Nefes darlığına iyi gelir.

Yan Etkileri: Doktor kontrolünde kullanılmalıdır.

Çuha Çiçeği

Latince Adı: Primula officinalis

Almanca Adı: Schlüsselblume

Diğer İsimleri: Çoban çiçeği.

Bilinen Bileşimleri: Çuhaçiçeği yüzde 10'a kadar varan oranda saponin ile ayrıca glikozitler, uçucu yağ ve flavonitleri içerir.

Özellikleri: Bahar aylarında yaylalarda, ormanlarda ve çalılıklar arasında yetişen, sarımsı çiçekler açan, çok yıllık otsu bir bitkidir. Ülkemizde genellikle Doğu Anadolu'nun dağlık kesimlerindeki nemli orman ve çayırlarda yetişir. 15–25 santimetre kadar boylanabilen bitkinin, koyu kahverengi minik tohumlarını taşıyan meyvesi yumurta biçimli bir kapsül halindedir. Güneşli ya da yarı gölge yerleri, kireçli ve nemli topraklan seven çuha çiçeği, tohumlarıyla ya da büyük bitkilerin rizomlarının bölünüp ayrı yere dikilmesiyle çoğaltılır. Yapraklan salatalara katılarak ya da et yemeklerinde dolma içi olarak tüketilir. Çuhaçiçeğinin yapraklarını ipekböcekleri pek sever, çiçeklerinin nektarını ise bal arıları yeğlerler. Güzel kokusu vardır.

Önerilen Hastalıklar: **Özellikle stresle ilgili gerginliklerde spazm çözücü, yatıştırıcı ve rahatlatıcıdır. Sinirsel kökenli baş ağrılarına ve migrene karşı oldukça etkilidir.** Uykusuzluğu giderir. Çiçeğin kökü, göğsü yumuşatır. Terletici etkisi vardır, bronşit, soğuk algınlığı, öksürüğe karşı iyileştiricidir. İdrar söktürücü ve gaz söktürücüdür. Müshil etkisi gösterir. Çiçeğin taze yaprakları, çıban tedavisinde etkilidir. Taze yapraklarından şurup yapılıp içilirse böbrek hastaları için faydalıdır.

Kullanım Şekli ve Dozu: Parçalanan kökten 1 tatlı kaşığı alınıp, 1 bar-

dak suda kaynatılır. Sonra ateş kısılarak, 5 dakika daha ısıtma sürdürülüp bir karışım hazırlanır. Bu karışımdan günde 3 kez birer bardak içilir.

Yan Etkileri: Bilinen ciddi bir yan etkisi yoktur.

Dalak Otu

Latince Adı: Teucrium chamaedrys

Almanca Adı: Milzfarn

Diğer İsimleri: Kurtluca, Duvar sedefi.

Özellikleri: Sıcak bölgelerde yetişen 10 ile 30 santimetre boyunda çok senelik, otsu bir bitkidir. Haziran ve eylül ayları arasında pembe veya beyazımsı açan çiçekleri güzel kokuludur. Daha çok kurak çayırlarda rastlanır. Yapraklarının üstü parlak, altı donuk yeşil kadife rengindedir. Tadı acıdır. Bitkinin kullanılan kısmı, toprak üstü kısımları, yani çiçekli bitkidir. Sıcaklık ve kuruluğu birinci derecededir.

Önerilen Hastalıklar: Dalaktaki tıkanıklıklar açılır, böbrekte ve mesanede olan taşları eritir, idrarı söker. Göğüs hastalıklarında da faydalıdır. Öksürüğü gidericidir. Vücuttaki şişler konusunda önemli bir etkisi vardır. İştah açıcı, uyarıcı, yaraları iyi edici ve ateş düşürücü olarak kullanılır.

Kullanım Şekli ve Dozu: Dalak otunun tohumu kurutulup, toz haline getirilir. Daha sonra 40 gün süreyle bir dirhem kullanılır. Aynı karışımın suyu da içilir. Kaynatılan sudan vücuttaki şişlere ve göz şişlerine uygulanır. Bitki, su ve bir miktar süt ile kaynatılıp karaciğer şişlerine lapa olarak uygulanırsa şifa verir.

Yan Etkileri: Bilinen ciddi bir yan etkisi yoktur.

Darı

Soğukluğu birinci derecede, kuruluğu ikinci derecenin başlangıcıyla, üçüncü derecenin sonu arasında olan darının, besleyici özelliği azdır. Buğdaygillerden bir bitkidir. Kumsal topraklardan hoşlanan, kurağa dayanıklı, ilkbaharda ekilen yazlık bir bitkidir. Tür ve çeşitleri 300'e yakındır. Yeryüzünde buğday ve pirinçten sonra en çok kul-

lanılan bir besin maddesidir. Unundan ekmek yapıldığı gibi, çok nişastalı olması bakımından ispirto çıkarılmasında ve mayalandırılması ile de boza yapılmasında kullanılır. Hazmı oldukça zordur. Kuşlara yem olarak verildiği gibi, özellikle Kuzey Afrika ülkelerinde en önemli besin maddesi olarak kullanılır.

Yan Etkileri: Bilinen ciddi bir yan etkisi yoktur.

Defne Yaprağı

Latince Adı: Folium nobili

Almanca Adı: Lorbeerblatt

Diğer İsimleri: Har, nehtel, tehnel.

Bilinen Bileşimleri: Tane acı madde ve uçucu yağ içerir. Uçucu yağ içinde yüzde 35–50 oranında sineol bulunur.

Özellikleri: Anayurdu Akdeniz havzası olan ve günümüzde ılıman yerlerde yaygın olarak yetişen, kışın yaprağını dökmeyen ağaç ya da ağaççıktır. Ülkemizin kıyı bölgelerinde doğal olarak yetişmekte, ayrıca süs bitkisi olarak park ve bahçeleri süslemektedir. Yaprakları 5–10 santimetre uzunlukta, derimsi, kısa saplı, sarımsı yeşil renkli, özel kokulu ve lezzetli bir bitkidir. Dünyanın pek çok bölgesinde yaygın olarak yetiştirilir. Kışın yapraklarını dökmez. Bazı yemeklere koku ve çeşni katar, ayrıca veteriner hekimlikte ilaç yapımında kullanılır. Defne, ülkemizin tarımda önemli dışsatım ürünlerinden biridir. Meyvesinden defne yağı elde edilir, ayrıca olgun meyveleri saç dökülmesini engelleyici sabunların yapılmasında kullanılır. Et ve balık yemeklerinde çok kullanılan bir baharattır, bazı likörlerin terkibine girer.

Önerilen Hastalıklar: Sindirimi kolaylaştırır, iştah açıcıdır. Terletici ve antiseptik etkileri vardır. Kan dolaşımını düzenler. Ateş düşürür, romatizma için de şifadır, yaprakları ağızda çiğnenirse ağız kokusunu giderir.

Defne Tohumu Yağı*:* Masaj yapımında kullanılır, ağrılarını dindirir. Ciltteki lekelerin üzerine sürülürse yok eder. Sabunu saçı ve cildi besler.

Not: Bu bitki KOBİK tarafından bitkisel karışım destek ürün tableti olarak üretilmiştir.

Kullanım Şekli ve Dozu: Parçalanmış kuru yapraklarından 1–2 tatlı kaşığının üzerine 4 bardak kaynar su dökülüp, 10–15 dakika süreyle demlendirilerek hazırlanan karışımdan günde 1–2 kez ve 1–2 yemek kaşığı alınabilir. 100 gram Defne yaprağı, 1 litre suda kaynatılarak günde 2–3 bardak içilirse, nezle ve gribe, her türlü soğuk algınlığı ağrılarına karşı faydası görülür.

Yan Etkileri: Fazla içilmesi durumunda kusturucu olur. Gebelik durumunda defne alınmamalıdır. Akdeniz defnesi dışındaki diğer defne türleri zehirlidir.

Deniz Üzümü

Latince Adı: Ephedra campylodica

Özellikleri: Ülkemizin her yerinde özellikle Karadeniz sahillerinde yetişir. 1–2 metre yüksekliğinde, ince gövdeli, uzun ömürlü, çalı görünümünde, sarı ve kırmızı renkte meyveleri olan bir bitkidir. Yaprakları terlemeyi azaltmak adına çok küçülmüş ve pul şeklini almıştır. Meyveleri ekim ayında olgunlaşır.

Önerilen Hastalıklar: Kan basıncını artırır, düşük tansiyon için çok faydalıdır. Astım, bronşit, saman nezlesi ve sinüziti iyileştirici özelliği vardır. Romatizma ağrılarını dindirir.

Kullanım Şekli ve Dozu: Dalları su ile kaynatılarak, meyveleri de yenilerek kullanılır. Sabah ve akşam, yemeklerden önce birer çay kaşığı bir bardak suda karıştırılarak içilir. Beş dakika kaynatılmasında da bir mahsur yoktur. Yaprak ve meyveleri ıhlamurla kaynatılarak içilmeye devam edilirse, terletir ve ateş düşürür.

Yan Etkileri: Hiçbir yan tesiri olmamasına rağmen az kullanılmalıdır.

Dereotu

Latince Adı: Anethum graveolens

Almanca Adı: Dill

Diğer İsimleri: Durak otu, tarhana otu, Tere otu.

Bilinen Bileşimleri: Karvon, limonen adlı maddeler bulunan yüzde 4 oranındaki uçucu yağ ile ayrıca pektin, reçine ve bazı mineralleri içerir.

Özellikleri: Maydanozgiller familyasındandır. 60 santimetreye kadar boylanabilen, tüysüz, bir yıllık, otsu bir bitkidir. Hoş kokulu, iplik gibi ince yapılı ve tüylü olan yeşil ya da mavi-yeşil yaprakları; yaz ortalarında şemsiyeye benzer salkımlar oluşturarak açan sarımsı renkli, hoş kokulu minik çiçekleri vardır. Bitki, tohumlarıyla çoğalır. Akdeniz Bölgesi'nde, Güney Rusya'da doğal olarak yetişmekte-

dir. Dereotu tohumları aynen ya da ezilip baharat olarak bazı yemek ve besinlere katılır. Bitkinin yaprakları, çeşni vermesi için, yemek ve salatalara konur.

Önerilen Hastalıklar: Kusmayı engeller, sinirleri yatıştırır ve bedeni rahatlatır. Mide kasları üzerinde kasılmaları çözücü etkisi bulunmaktadır. Özellikle küçük çocuklarda gaz söktürücü etkisi önemlidir. Gaza bağlı olarak mide ve bağırsaklarda oluşan krampları hafifletir. Hıçkırığı kesici bir etkisi vardır. **Emzikli annelerde süt gelişini artırır. Son zamanlara yapılan bazı araştırmalarda dereotunun da antioksidan etkisinin olduğu tespit edilmiştir.** Taze yaprakları yemeklere koku ve tat vermek için kullanılır. Dereotu nefesin kötü kokusunu temizler. Bunun için tohumları ağızda çiğnenir.

Kullanım Şekli ve Dozu: Tohumları iyice olgunlaşmadan önce bitki kesilip çok sıkı olmayan demetler halinde bağlanarak kurutulur. Tohumları iyice olgunlaşıp, renkleri esmer kahverengine dönüşünce, yere temiz bez ya da kâğıt serilip üzerinde demetler dövülerek tohumlarını dökmesi sağlanır. Bu tohumlardan 1–2 tatlı kaşığı alınarak hafifçe ezilip üzerine 1 bardak kaynar su dökülür ve 10–15 dakika süreyle demlendirilir. Yemeklerden önce bu karışımdan birer bardak içilir.

Yan Etkileri: Günlük kullanım dozajlarında herhangi bir yan etkisinin görülmediği bilinmektedir

Deve Dikeni

Latince Adı: Silybum marianum

Almanca Adı: Mariendistel

Diğer İsimleri: Akkız, Deve kengeri, Kengel, Meryemana dikeni, Sütlü kengel, Uslu kenger, Şevkül Meryem.

Bilinen Bileşimleri: Karaciğeri koruyucu etken maddeler kompleksi, üç flavonolignan'dan oluşan Silymarin. Acı maddeler, taxifolin, ouercetrin, sabit yağ, albümin, müsilaj.

Özellikleri: İkinci derecede sıcak ve kurudur. Akdeniz, Karadeniz, Ege ve Marmara Bölgeleri'nde yetişir. 150 santimetreye kadar uzar. Genellikle güneşli yol kıyılarında ve tarlaların aralarında yetişir. Yaprakları soluk yeşil renkli, beyaz

damarlı ve dikenlidir. Sapın ucunda enginarı andıran mor çiçekleri vardır. Meyveleri 5 ile 7 milimetre uzunluğundadır. Ağustos-eylül aylarında olgunlaşan meyveler toplanır ve açık havada iyice kurutulur.

Önerilen Hastalıklar: **Kuvvetli bir antioksidan etkisi olan bitki karaciğer koruyucu özelliğe sahiptir. Deve dikeni ekstreleri, bugün üzerinde en çok çalışma yapılan ve etkisi belirlenmiş bitkilerden biridir.** ***Bu bitkinin en önemli özelliği karaciğer yağlanması, Siroz, çeşitli kimyasal toksinlere bağlı karaciğer hasarları, sarılık gibi***

karaciğerle ilgili tüm sağlık sorunlarına karşı yararları olmasıdır. Alkol alan insanların karaciğerin korur. **Bitkisel ilaçların en önde gelenedir. Karaciğeri zararlı ve zehirli maddelerden büyük bir başarıyla temizler. Balgamı çıkartır, kanı artırır ve göğsü yumuşatır. Hanımların gecikmiş adetlerini söker.**

Kullanım Şekli ve Dozu: Bir tatlı kaşığı dolusu deve dikeni tohumu, havanda hafifçe ezilir. Orta boy bir su bardağı dolusu kaynar derecede sıcak suyla haşlanır, 10–15 dakika demlendirildikten sonra süzülür. Taze demlenmiş çay sıcakken ve yudumlanarak, sabahları aç karnına, öğlen yemeğinden yarım saat önce ve yatmadan yarım saat önce birer bardak içilir. Deve dikeni tohumu, naneyle karıştırılarak da demlenebilir. Böylece, yalnızca yeni bir lezzet oluşturmakla kalınmayıp, çayın iyileştirici gücü de arttırılmış olur.

Yan Etkileri: Kullanılmaya başlandığı günlerde çok az sayıda kullanıcıda ishal oluşturduğu kaydedilmiştir, bu durum geçicidir. Hamileler ve emzirme dönemindeki kadınlar içinde güvenli kabul edilir. Herhangi bir ilaçla etkileşimi bulunmamaktadır. Deve dikeninden yapılan haplar çok faydalıdır.

Not: Bu bitki KOBİK tarafından bitkisel karışım destek ürün tableti olarak üretilmiştir.

Diken otu

Latince Adı: Smilax officinalis

Diğer İsimleri: Diken gözü, diken ucu, gıcır dikeni.

Özellikleri: Sıcaklık ve kuruluğu birinci derecededir. Filizleri sebze olarak toplanır.

Önerilen Hastalıklar: Bünyeyi kuvvetlendirici etkisi vardır. Ağrı kesici özelliği vardır. Böbrek ve mesanede olan taşları eritip, idrar yolundan atılmasını sağlar. Erkeklik hormonunu artırır, terleticidir.

Kullanım Şekli ve Dozu: **Kökleri çay gibi demlenerek kullanılır. Yakı edilen ot, iğne ve diken batmış yaraların üzerine uygulanırsa dışarı çıkartıp, yaraları iyileştirir.**

Haşlamasından yapılan şerbet, idrarı söker. Maydanoz ve kereviz ile birlikte damıtılıp içilirşe bünyeyi kuvvetlendirir. Çiçeği ezilip, penis ve testisler üzerindeki şişler üzerine sürülürse, sıkıntılardan kurtarır. Ot tazeyken özsuyu çıkarılır. Saflaştırdıktan sonra bir miktar şekerle kaynatılıp kıvama getirilir. Kullanılan karışım yukarıda sayılan tüm hastalıklarda şifa verir.

Dişbudak Otu

Latince Adı: Fraxinus ornus

Almanca Adı: Manna

Diğer İsimleri: Kudret Helvası

Özellikleri: 30 metreye kadar yükselebilen, sert, keresteli ve dayanıklı bir ağaçtır. Karadeniz ormanlarında tek tek, Adapazarı ve İzmit bölgelerinde, rutubetli yer ve ormanlarda toplu olarak görülmektedir. Doğu, Güneydoğu ve Trakya'daki ormanlarda da bulunur.

Önerilen Hastalıklar: İdrar yollarında etkisi çok fazladır. İdrar söktürerek, vücutta biriken zararlı maddelerin atılmasını sağlar. Romatizma ve nikris ağrılarını hafifletir, ateş düşürür.

Kullanım Şekli ve Dozu: İlkbahar ve yaz aylarında kabuğu ve yaprakları toplanıp kurutulur. Toz haline getirilen dişbudak otu, bir bardak suya 1 tatlı kaşığı karıştırıldıktan sonra, kahvaltıda ve akşam yemeğinde birer bardak içilir.

Yan Etkileri: Bilinen ciddi bir yan etkisi yoktur.

Diş Otu

Latince Adı: Ammi visnaga

Almanca Adı: Khella

Diğer İsimleri: Daraklı ot, Hıltan, Hırhır, Hoşni, Kürdan otu, Kılır.

Bilinen Bileşimleri: Sabit yağ, rezin, visnagin ve kellin içerir.

Özellikleri: Ortadoğu ülkelerinde yetişir. Maydanozgillerdendir. Meyve sapları kürdan olarak kullanıldığından bu isim verilmiştir. 40 ile 100 santimetre yükseklikte, beyaz çiçekli, bir yıllık, otsu bir

bitkidir. Kurutulmuş meyvelerinden faydalanılır. Birinci derecede sıcak ve kurudur.

Önerilen Hastalıklar: Bağırsak parazitlerine karşı kullanılır, gaz söktürücü etkisi vardır.

Mide spazmlarında oldukça etkilidir, iştahı açar. Vitiligoda kullanılır, idrar artırıcı ve ateş düşürücüdür. Öksürüğü keser, kalp çarpıntısına faydalıdır. Kanlı dışkılamaya yararlıdır. Hanımların gecikmiş olan adetleri açılır, böbrek ve mesanede olan taşlar erir.

Kullanım Şekli ve Dozu: Yaprağını kökü kaynatılıp içilir. Otun yapraklarının aç karnına tuz ile yenmesi çok faydalıdır, panzehir etkisi verir. **Su ile kaynatılıp ağızda gargara edilirse, diş ağrılarını giderir.**

Yan Etkileri: Bilinen ciddi bir yan etkisi yoktur.

Dong Quai

Latince Adı: Angelica sinensis

Özellikleri: Çin tıbbında önemli bir yeri olan Dong Quai, Asya'da yetişir. Kök ekstreleri östrojene benzeyen, fitoöstrojen maddelerden ihtiva eder.

Önerilen Hastalıklar: Bayanların menopoz dönemi sıkıntılarına karşı kullanılır. Cildi güneş ışığına karşı duyarlı hale getirebilen maddeler içerir.

Yan Etkileri: Güneşlenme sırasında kullanımından kaçınılmalıdır. Hamile ve emziren kadınlar kullanmamalıdır. Hormon ilaçlarıyla beraber, sadece doktor kontrolünde kullanılabilir.

Duvar Sarmaşığı

Latince Adı: Hedera helix

Almanca Adı: Efeu

Diğer İsimleri: Leblab-ül-arz.

Bilinen Bileşimler: İçinde bol miktarda hederin bulunur. Bu nedenle zehirlidir.

Özellikleri: Eylül, ekim aylarında yeşil çiçekler açan bitki, 50 metreye kadar uzayabilir. Her zaman yaprakları olan, tırmanıcı bir bitkidir. Bezelye tanesi kadar mor meyveleri vardır.

Önerilen Hastalıklar: Öksürük ve bronşite faydalıdır. Kabızlığı giderir, safra taşını döker. Solunum yolları spazmını giderir. Romatizmaya etkilidir.

Kullanım Şekli ve Dozu: Kurutulmuş yaprak ve meyveleri kullanılır. 1 litre sıcak suya ufalanmış yapraktan 1 fincan konularak içilir.

Yan Etkileri: Ev ilaçlarında kullanılmamalıdır. Çok zehirli bir bitki olduğu için çok dikkatli olunmalıdır.

Dulavrat Otu

Latince Adı: Lappa officinalis

Almanca Adı: Klette

Diğer İsimleri: Dul karı gömleği, Hanım yaması, Pıtrak dikeni.

Bilinen Bileşimleri: Dulavrat otunun kök gövdesi ve yaprakları inülin, uçucu yağ, tanen, acı glikozitler, mikrop kırıcı bazı maddeler ile alkaloitleri içerir.

Özellikleri: Ülkemizde Doğu ve Kuzey Anadolu Bölgeleri'ndeki kırsal kesimde ve yol kenarlarında yetişen çok yıllık dayanıklı otsu bitkidir. Boyu ortalama 1 metreye kadar ulaşır. Gölgelik ve nemli yerleri seven Dulavrat Otu'nun, kırmızımsı çiçekleri ve büyük yaprakları vardır. Şifa için kökü ve yaprakları kullanılır. Bitkinin yaprakları, Doğu Anadolu Bölgemizde sebze olarak yenir. Sonbaharda ve ilkbahar aylarında kökler topraktan dikkatlice temizlenir. Uzunlamasına dilimlenerek, gölgede kurutulur.

Önerilen Hastalıklar: **Uzun süre kullanıldığında sedef hastalığına şifadır.** Egzamanın tedavisinde ve karaciğer hastalıklarında kullanılır. Hücrelerin büyümesini hızlandırır, kanı temizler. İdrar söktürücü ve müshil etkisi vardır. Terleticidir, gut hastalığına karşı olumlu etkisi görülür. Sindirim ve safra salgılarını artırarak sindirimi kolaylaştırır. Mide iltihaplarını iyileştirir.

Böbreklerden kum ve taş düşürür. Dulavrat otu ayrıca deri sorunlarının tedavisinde etkili olur. Yağlı ve akneli ciltlere iyi gelir. Saçlardaki kepeği keser. Kuru ve pullu tüm deri hastalıklarına karşı başarıyla kullanılabilecek çok değerli bir ilaçtır.

Kullanım Şekli ve Dozu: 1 tatlı kaşığı kurumuş kök, 1 bardak suda kaynama noktasına getirilip, ateş kısılır. Isıtma 10–15 dakika daha sürdürülerek hazırlanan karışımdan günde üç kez birer bardak içilir. İkinci bir karışım; 1 litre suya 40 gram kök kıyılıp 10 dakika kaynatılır. Yarım saat kadar demlenerek süzülür. Yemeklerden önce günde 3–5 çay bardağı içilir.

Yan Etkileri: Uzun süre kullanılmamalı ve çok zehirli olan güzelavratotu ile kesinlikle karıştırılmamalıdır.

Ebegümeci

Latince Adı: Malva vulgaris

Almanca Adı: Wilde malve

Diğer İsimleri: Ebe gömeci, Kazan karası.

Bilinen Bileşimleri: Ebegümecinin yaprakları büyük oranda yapışkan bitki sıvısı, ayrıca glikoz, pektin, yağ esansları ile az miktarda tanen içerir.

Özellikleri: Ebegümecigiller familyasında yer alan aynı cinsten 1500 kadar tür bitkinin genel adı ebegümecidir. Dünyanın hemen hemen her yerinde yaygın olan ebegümeci türleri, tüm iklim koşullarına ve her toprağa uyum göstermiş, iki ya da çok yıllık otsu bitkilerdir. İnsanların yaşadıkları yerlerin çok yakınlarında yetişir. Ülkemizde 8 ebegümeci türü yetişmektedir. Bunların çiçek ve yaprakları bir ayrım yapılmaksızın ebegümeci olarak kullanılmaktadır. Ebegümecinin tüm türleri, yapraklarında çiçeklerinde ve saplarında bir sümüksel madde içerir. Yaprak ve sapları hafif kokulu ve yavan lezzetlidir. Bazı yerlerde sebze olarak yenilir. Eflatun ya da açık pembe renklerinde çiçekler açarlar. Bu bitkinin şifa vermesi için elinden geldiğince taze olarak kullanılması gerekir. Haziran ayından eylüle kadar çiçekleri, yaprakları ve sapları toplanabilir. Ebegümecinin yuvarlak meyveleri de bulunur. Bitki döktüğü tohumlarıyla çoğalır.

Önerilen Hastalıklar: Gastrit ve mide ülserinde iyileştirici olan ebegümeci otu, özellikle mukoza iltihaplarında başarıyla kullanılır. Üst solunum yolları nezlesiyle, bronşitte göğsü yumuşatıcı; balgam söktürücü ve öksürüğü kesicidir. Gırtlak ve bademcik iltihabı ve ağız kuruluğunda da başarıyla kullanılabilir. Bu şikâyetler için ebegümeci çayından sıkça gargara yapılmalıdır. Nefes darlığına yol açan akciğer amfizemi ebegümeci çayıyla iyileştirilebilir. Ebegümeci dıştan, kırıklardan veya damar iltihaplarından kaynaklanan yaralarda, çıbanlarda, şiş ayak ve ellerde kullanılır. Kaşınan ve yanan deri alerjilerinde yapılan ebegümeci çayı yıkamaları çok rahatlatıcıdır.

Kullanım Şekli ve Dozu: Bitkinin sümüksel özelliğinin yitirmemesi için, geceden soğuk suya koyularak da demlendirilir. Günde 2 veya 3 bardak ılıklaştırıp, içilme-

lidir. Bu durumda, günde en az 3 bardak çay içilmeli ve süzüldükten sonra geriye kalan yapraklar iyice ısıtılarak bronşların ve akciğerin üstüne geceleyin kompres olarak uygulanmalıdır. Kaşınan ve yanan yüz alerjilerinde de, yüzü ılık ebegümeci çayıyla yıkamak rahatlatıcıdır. Yalnızca soğuk suda demlendirilerek hazırlamak çok faydalıdır. Kurutulmuş yarım tatlı kaşığı bitki, orta boy bir su bardağı dolusu soğuk suya akşamdan eklenir, sabahleyin süzülür ve ılıklaştırılır. Çay süzüldükten sonra artan posalar, biraz suyun içinde ısıtılır, arpa unu ile lapa haline getirilip bir bezin üstüne yayılarak, sıcak sıcak kompres yapılır. Kompresin sıcaklığını yitirmemesi gerekir.

Yan Etkileri: Çok faydalı bir bitkidir. Bilinen bir yan etkisi yoktur.

Eğir otu

Latince Adı: Acorus calamus

Almanca Adı: Kalmus

Diğer İsimleri: Azak eyeri, Hint kamışı, Saz kamışı, Hazanbel.

Özellikleri: Akarsu kıyılarında ve bataklıklarda yetişen bitki, yılanyastığıgiller familyasındandır. 60–70 santimetre boyuna kadar uzayabilen çok yıllık bir su bitkisidir. Meyveleri yeşilimsi, çiçekleri ise siyahımsı erguvanidir. Tedavi için kökleri kullanılır.

Önerilen Hastalıklar: Mide ekşimesini giderir, bağırsak gazlarını yok eder. İştah açıcı özelliği vardır. **Sarılık tedavisinde ve gut hastalığında kullanılır.**

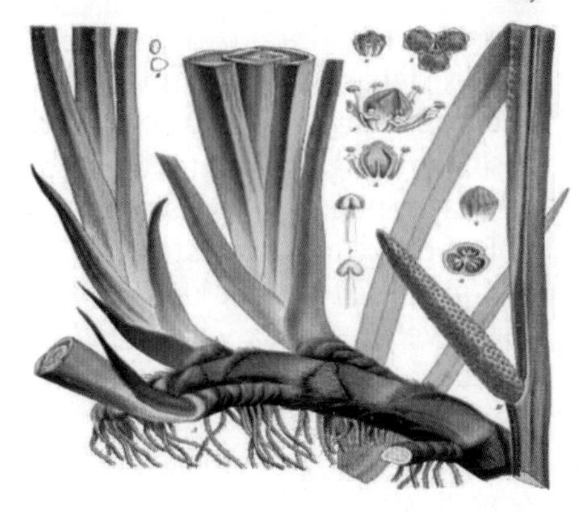

Yatıştırıcı bir rolü vardır. Diş etlerini kuvvetlendirir, ter söktürür, ateşi düşürüp, ağrılara iyi gelir.

Yan Etkileri: Bilinen ciddi bir yan etkisi yoktur.

Enginar

Latince Adı: Cynara scolymus

Almanca Adı: Artischocke

Diğer İsimleri: Cynara, Artichaut cynaria scolymus.

Bilinen Bileşimleri: **Çok iyi bir besindir. Terkibinde cynarine vardır.**

Özellikleri: Akdeniz ülkelerinde yetiştirilir. Kökü yıllarca yaşayıp, her ilkbaharda yeniden süren dikenli bir bitki ve bunun sebze

olarak yenen iri topuz biçimindeki yeşil çiçeğidir. Killi, kumlu ve rutubetli topraklarda yetişir. Çok iyi bir besindir. İçeriğindeki luteolin maddesi sayesinde kötü kolesterol LDE'yi düşürür. İyi kolesterol HDL'yi yükselterek de kalbi korur. Zehirli ve yorgunluk veren maddeleri idrarla dışarı atar. Beyin yorgunluğunu çabucak geçirir. Bedeni ve ruhi yorgunluk, sinir zafiyeti, sürmenaj olanları süratle iyiliğe kavuşturur. Kalp adelelerini kuvvetlendirir, kalbin kuvvetli ve sıhhatli olmasını sağlar. Enginar, karaciğerin en iyi dostudur. Süratle karaciğerin kendi kendini tamir

Not: Bu bitki KOBİK tarafından bitkisel karışım destek ürün tableti olarak üretilmiştir.

etmesini, kuvvetlenmesini ve ifrazatının artmasını sağlar. Siroz ve sarılıkta faydalıdır. Böbrekleri çalıştırarak, kum ve taş döker. Mafsallarda ürat birikmesini önler ve romatizmaya faydalıdır. Şeker hastalarına çok fayda verir. Enginarda tabii olarak insülin yerini tutan madde vardır. Bunundla kan şekerini düşürür.

Önerilen Hastalıklar: İçeriğindeki luteolin maddesi sayesinde kötü kolesterol LDL'yi düşürülmesine yardımcı olarak İyi kolesterol HDL'yi yükselterek kalbin korunmasına yardımcı olur. Zehirli ve yorgunluk veren maddeleri idrarla dışarı atılmasına yardımcı olur. Beyin yorgunluğunu çabucak geçirir. Bedeni ve ruhi yorgunluk, sinir zafiyeti, sürmenaj olanları süratle iyiliğe kavuşmasına yardımcı olarak kullanılabilir.

Kalp adelelerinin kuvvetlendirilmesinde, kalbin kuvvetli ve sıhhatli olmasına yardımcı olan bir gıda takviyesidir. Karaciğerin en iyi dostudur. Süratle karaciğerin kendi kendini tamir etmesini, kuvvetlenmesini ve ifrazatının artmasına yardımcı olur. Hepatit B ve Hepatit C rahatsızlıklarında ALT ve AST'nin düzenlemesinde tıbbi tedaviye destek olarak gıda takviyesi olarak kullanılabilir. Böbrekleri çalıştırarak, kum ve taş dökülmesinde tıbbi tedaviye desteklemek amacıyla gıda takviyesi olarak kullanılabilir. Mafsallarda ürat birikmesini önlemeye yardımcı olarak romatizmal semptomların azaltılmasında gıda takviyesi olarak kullanılabilir. Diabet semptomlarının azaltılmasına yardımcı bir gıda takviyesidir. Enginarda tabii olarak insülin yerini tutan madde vardır. Bununla kan şekerini düşürülmesine yardımcı olur. Enginar mide ve bilhassa bağırsakları dezenfekte ederek ishalleri durdurulmasın-

da yardımcı olarak kullanılabilir. Şeker miktarını ayarladığı için şeker hastaları için çok faydalıdır. Bedensel ve ruhsal bitkinliği giderir. Vücuda dinçlik verir. Sinirleri güçlendirir. Cilt sorunu yaşayanların enginar tüketmeleri gerekir. Damar sertliği ve kalp hastalıklarını önler. Sarılıkta faydalıdır. Rahim ağzı kanserini önleyici olarakda kullanılmaktadır. Enginar sadece dış yapraklarının altındaki meyvesi için kullanılmaz, sapı, iç yaprakları da kurutulduktan sonra toz halinde drog yapılarak ve kür halinde haşlama şekliyle karaciğer, kan yağlarını tanzimlenmesinde, sindirim sistemi ve safra kesesi (asit salgılanmasını sağlayarak) rahatsızlıklarında kulanılmaktadır.

Yan Etkileri: Emzikli kadınlar, böbreklerinde veya mesanelerinde iltihap olanlar çok yememelidir.

Fesleğen

Latince Adı: Ocimum basilicum

Almanca Adı: Basilienkraut

Diğer İsimleri: Reyhan otu, fesliğen, rahan.

Bilinen Bileşimleri: Yüzde 0,2–0,4 oranında uçucu yağ taşımaktadır.

Uçucu yağ içinde estrafol, ögenol, sineol bulunur.

Özellikleri: 20 ile 40 santimetreye kadar yükselen bitki, beyaz ve pembe çiçekleri olan, özel kokulu bir yıllık otsu bir bitkidir. Hindistan, Afganistan ve Pakistan'da yetişir fakat bugün bütün Akdeniz ülkelerinde ve ülkemizde yetiştirilmektedir. Ülkemizde en çok Güney Anadolu'da yetiştirilir. Akdeniz mutfağının vazgeçilmez baharatlarından biridir. Taze veya kurutulmuş yaprakları baharat olarak yemeklere lezzet vermek için kullanılır. Antalya yöresinde zeytinyağı dolmaları, incir pestilini kokulandırmada kullanılır.

Öneriler Hastalıklar: Öksürüğü kesip, hazımsızlığı giderir. İdrar artırıcı ve gaz söktürücü etkilere sahiptir. **Fesleğenin canlandırıcı bir etkisi vardır. Fesleğeni çok tüketen insanlar daha az hasta olduklarını ifade ederler.** Zafiyeti giderir, baş dönmesini durdurur. Arı sokmasında faydalıdır. Fesleğenin kokusu; sivrisinek ve tahtakurusu gibi haşaratı kaçırır. Karın ağrısını dindirir, kalbi kuvvetlendirir ve melankolik hastalıklara faydalıdır.

Müslim'in Sahih'inde Peygamber Efendimiz'den(sav) şöyle dediği

rivayet edilir: "Kendisine fesleğen sunulan onu geri çevirmesin, zira fesleğenin yükü hafif, kokusu güzeldir."

Yan Etkileri: Özelikle hamilelikte tek başına ve yüksek miktarda kullanılmaması gerekmektedir.

Fıstık Çamı

Latince Adı: Pinus pinea

Almanca Adı: Nuss-kiefer

Diğer İsimleri: Küna, Künar, Küner.

Bilinen Bileşimleri: Yüzde 46 oranında sabit yağ, protein ve selülöz içerir.

Özellikleri: Akdeniz ülkelerinin tamamında yetişir. 1,5 santimetre uzunluğundaki fıstık çamı, iğ biçiminde, süt beyazı renkli ve yağlımsı tattadır. Ülkemizde en çok Ayvalık, Aydın ve Muğla'da yetişir.

Kullanım Şekli ve Dozu: Balla ezildiğinde elde edilen macun, kuvvet verici olarak kullanılır. Zeytinyağlı yemeklere ve iç pilava katılır.

Yan Etkileri: Bilinen ciddi bir yan etkisi yoktur.

Not: Bu bitki KOBİK tarafından bitkisel karışım destek ürün tableti olarak üretilmiştir.

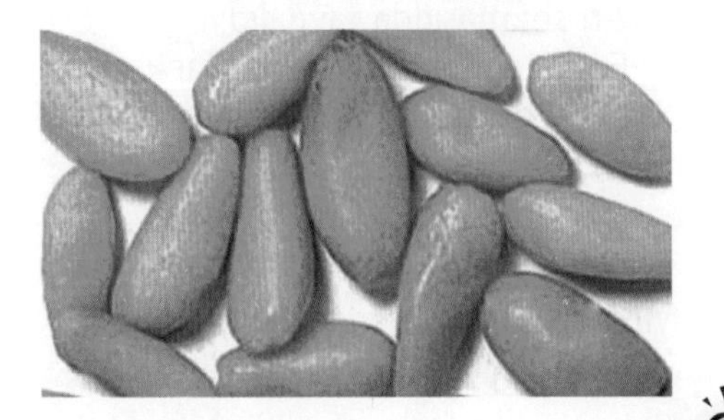

Funda Yaprağı (Piren)

Latince Adı: Erica arborea

Almanca Adı: Heidekraut

Diğer İsimleri: Piren, Süpürgeotu, süpürgeçalısı.

Özellikleri: 1 metre boyuna kadar

yükselebilen bitki, işlenmemiş topraklarda ve sahil bölgelerinde yetişir. Çalı görünümünde olup, kışın yapraklarını dökmez. İlkbaharda açan pembe çiçekleri ağustos ayında toplanıp, kurutulur.

Önerilen Hastalıklar: Anne sütünü artırıp, böbrek, kum ve taşların düşürülmesine yardımcı olur. Ödeme çok etkilidir. Kanı temizler. İshali keser, idrar söktürür. Böbrek kum ve taşlarının düşürülmesine yardımcı olur. Nikriste de faydalıdır. Lapası, ağrıları keser. Zeytinyağı ile hazırlanan merhemi, çıban ve egzamada faydalıdır. Fazla kilosu olanlarda kilo düşürücü, ideal kilolularda mevcut kilonun korunması için bitkisel destek olarak önerilir. Vücuttaki depo yağlarının kullanımını hızlandırarak enerjiye dönüşmesine ve yemeklerden sonra vücudun depoladığı yağ oranının minimum seviyede kalmasına destek olur. Fitoterapide (bitkilerle tedavi) doğal bir

antibiyotik olarak da kabul edilir. Kadınlarda ve özellikle rahim akıntısı ile idrar yolları enfeksiyonlarında kullanılmaktadır.

Kullanım Şekli ve Dozu: 1 litre suya, 1 çay bardağı funda konulup, 10 dakika kaynatılır. 20 dakika demlenen çaydan günde 3 çay bardağı içilir. Funda yaprağı, kekik, ısırgan ve zeytin yaprağı ile kaynatılıp bal ile tatlandırılıp içilmeye devam edilmelidir. **Funda yaprağı ve çam yaprağıyla beraber kaynatılıp içilmeye devam edilirse insanı zayıflatır. Tablet halinde kullanılması önerilir.**

Yan Etkileri: Bilinen ciddi bir yan etkisi yoktur.

Not: Bu bitki KOBİK tarafından bitkisel karışım destek ürün tableti olarak üretilmiştir.

Gece Çuha Çiçeği

Latince Adı: Primula obcanica

Almanca Adı: Gift schlüsselblume

Önerilen Hastalıklar: Gece çuha çiçeği yağı, omega yağ asitlerinin zengin kaynağıdır. **Omega yağ asitleri, öncelikle adet öncesi gerginlik belirtilerinde ve egzamada kullanılır.** Ciltteki kızarıklıkları ve kaşıntıları engeller. Eklemlerde oluşan ağrılara ve şişmelere karşı kullanılması öneril-miştir. Kolesterol düşürücü etkisi vardır. Önceki gece aşırı alkol tüketip, ertesi sabah sersemlik ve baş ağrısıyla uyanma halini önler. Ancak bu durumda etkili olabilmesi için, içki içmeden önce yaklaşık 1000 miligram alınması gerekmektedir.

Yan Etkileri: Gece çuha çiçeği yağı kullanıcıların yüzde 2'si mide bulantısından şikâyet etmiştir. Bu durumdan sakınmak için, yağın yemeklerden sonra alınması gerekir. Hamile ve emziren kadınların, doktor tavsiyesi olmadan kullanması önerilmez. Epilepsi ilaçlarıyla beraber kullanılmamalıdır.

Geleboru

Latince Adı: Viburnum opulus

Almanca Adı: Wasser schneball

Diğer İsimleri: Kartopu

Özellikleri: Orta Anadolu'da yetişen, 2-3 metre boyunda, sulak yerleri seven bir ağaçtır. Kırmızı küre şeklinde meyveleri olan ağacın çiçekleri, Mayıs ve Temmuz ayları arasında açar.

Önerilen Hastalıklar: Hanımlara rahim spazmını giderir, hamileliği kolaylaştırır. Adet hallerinin ağrısız olmasını sağlar. Vakitsiz bebek doğumlarını ve düşükleri önler. **İdrar söktürerek üreyi düşürür,** iştah açıcıdır, hazmı kolaylaştırır, sinirleri kuvvetlendirir.

Kullanım Şekli ve Dozu: Meyveleri yemiş olarak yenilir. Ağacın gövde kabukları ve yapraklarından, suda kaynatmak suretiyle faydalanılır. 1

litre suya, 1 çay bardağı dolusu geleboru otu konur, 10 dakika kaynatılır. 1 saat demlenmeye bırakılan ottan, günde 2-3 bardak içilir.

Yan Etkileri: Bilinen ciddi bir yan etkisi yoktur.

Gelincik

Latince Adı: Papaver rhoeas

Almanca Adı: Klatschmohn

Diğer İsimleri: Poppy ve coquelicot.

Özellikleri: Yazın kırlarda ve ekilmemiş topraklarda kendi başına yetişen çiçekli bir bitkidir. Çiçek rengi kırmızıdır, Türkiye'de her bölgede yetişen bitkinin kokusu kötü, tadı da acıdır. Yaz aylarında

toplanıp, gölgede temiz bir kâğıt üzerine serilerek kurutulur. Gelincik kapsülleri ise çiçekler düşer düşmez, yeşil ve tohumları içinde iken toplanır, hava almayan kavanozlara korunur.

Önerilen Hastalıklar: Öksürük, bronşit, astım gibi solunum yolları rahatsızlıklarında fayda verir. Balgam söktürücüdür, kan tükürmeyi keser, yaşlılara ve çocuklara uyku verir, sinir rahatsızlıkları, kalp çarpıntılarında faydalıdır.

Kullanım Şekli ve Dozu: 1 çay bardağı sıcak suya, ufalanmış halde olan gelincikten bir çay kaşığı konur. Sabah ve akşam birer bardak içilir. İkinci bir karışım; kaynamakta olan 1 litre suyun içine bir tutam kırmızı çiçek ya da 7 kapsül konur ve demlenmeye bırakılır. Yatmadan önce 1 fincan içilir. Yeşil yaprakları preslenip suyu çıkarılarak bal ile şerbet yapılıp içilirse böbreklerdeki taş ve kumları döker.

Yan Etkileri: Fazla kullanılması sakıncalıdır.

Gentian

Latince Adı: Gentiana lutea

Diğer İsimleri: Büyük kantaron, cintiyane, Çityane, yılanotu

Özellikleri: Yüzün üzerinde türü olan bu bitkinin Avrupa'da 30 kadar, Türkiye'de ise 10'un üzerinde türü yetişmektedir. Yavaş büyürler ve 60 yıl kadar yaşarlar. Avrupada birçok ülkede koruma altına alınmıştır. 100 -120 santimetre yükseklikte, otsu bir bitkidir. Bitki kökleri hoş baharat kokulu, önce tatlımsı, sonra acı lezzettedir. Tadı uzun süre ağızda kalır. Taze kökler, keskin ve hoş olmayan bir kokuya sahiptir.

Önerilen Hastalıklar: Sindirim sistemini uyararak ifrazati arttirir ve iştah açar. Mide yanma ve ağrılarına iyi gelir. Safra söktürücüdür. İltihapli yaralarda haricen kullanılır. Ateş düşürücü özelliğe sahiptir. Bağırsak parazitlerine karşı yarar-

lıdır. Akyuvarları artırır. Genellikle ülser ve gastrit gibi sorunlar için kullanılan bitkinin kökleri kullanılır. Hazımsızlık problemlerine faydalıdır. Ekstre, çay, tentür gibi kullanım şekilleri vardır.

Kullanım Şekli: Yaşlı bitkinin kökleri bahar veya sonbaharda kazılıp çıkarılır. Temizlendikten sonra çabuk kurumasi için boylamasına dilimlenerek ipe asılıp kurutulur. İyi havadar, gölge yerlerde kurutulur. Temiz ve havadar, kuru yerlerde saklanır. İnce kıyılmış 1/2 çay kaşığı kök, 150 ml suda 10 saat bekletilerek demlenilir, süzülür. Yine ince kıyılmış 1/2 çay kaşığı kök, 150 ml kaynar suda haşlanır, 20 dakika bekletilip süzülür.

Yan Etkileri: Kan basıncı yüksek olanlar, mide kanamasına eğilimliler, sürekli burun kanaması olanlar, hamileler, midesi yüksek asitliler kullanmamalıdır.

Ginkgo Biloba

Latince Adı: Ginkgo Biloba

Almanca Adı: Ginkgo

Diğer İsimleri: Beyin ağacı, mabed ağacı.

Özellikleri: Çin'de 190 milyon yıldır varlığını sürdüren bir ağaçtır.

Önerilen Hastalıklar: Yapraklarından elde edilen ekstre, içerdiği etken maddeler nedeniyle, hafıza ve konsantrasyon sorunlarını gidermeye yardımcı olur. **Alzheimer hastalığının başlangıcında kullanılırsa, hastalığın ilerlemesini yavaşlatır. Beyindeki kan**

akımını artırır.

Yan Etkileri: Çok fazla bir yan etkisi yoktur. Kullananların az bir kısmında mide rahatsızlıkları ve baş ağrıları görülür. Hamile ve emzikli kadınların doktor kontrolünde kullanması gerekir.

Ginseng

Latince Adı: Panax ginseng

Almanca Adı: Ginseng

Diğer İsimleri: Kore ginsengi, Amerika ginsengi.

Bilinen Bileşimleri: Panaksosit adı verilen glikositleri, saponin ile B ve D grubu vitaminleri içerir.

Özellikleri: Ginseng, Yunanca'da tedavi anlamındadır. Uzakdoğu'da yüzyıllardır kullanılan bir bitkidir. Kuzeydoğu Çin'de, Kore'de ve Rusya'da yetişmektedir. Ginseng türleri 30-45 santimetre arasında

boylanabilir. Kenarları düzgün oval biçimli yaprakçıkları, yaz sonuna doğru açan sarı ya da pembe renkli küçük çiçekleri vardır. Daha sonra bu çiçekler, içlerinde tohumu taşıyan parlak kırmızı renkli bileşik meyvelere dönüşür. Bitkinin iğ biçiminde, etli ve sarıdan açık kahverengine kadar değişen renkte kökleri olur. Orman altı gölgelik yerleri; serin ve humuslu toprakları seven ginseng türleri, tohumuyla çoğaltılır, önemli ürünü olan kökü 3 ya da 9 yıl sonra alınır. Bu kökler ilaç yapımında kullanılır. Ginseng tıbbi bitkiler

arasında en çok bilineni ve kullanılanıdır. Özellikle Çin ve Hint tıbbında çok kullanılır. Beyaz ginseng, işlenmemiş bitki kökünün beyazlatılmış ve kurutulmuş halidir. Kırmızı ginseng ise beyaz ginseng haline getirilmiş, taze bitki kökünün kurutulmadan önce buharda bekletilmesiyle hazırlanır.

Önerilen Hastalıklar: Ginseng fiziksel dayanıklılık ve performansı artırır, yorgunluğu, halsizliği azaltır ve kişinin strese uyum sağlamasını kolaylaştırıp, fiziksel yönden zirveye taşır. Cinsel yetersizliğe karşı kullanılır. Merkezi sinir sistemini güçlendirir. Düşük tansiyonu normal düzeye çıkarır. İştah açıcı ve sindirimi kolaylaştırıcıdır. Amerikan ginsengi, kadınlarda adet problemleri ve gerginliği gidermede yardımcı olur. Şeker hastaları rahatlıkla kullanmalıdır. Ginsengin hangi türünün, ne şekilde kullanılacağının bilinmesi çok önemlidir. Kore ginsengi (kırmızı ginseng), özellikle erkeklerde cinsel açıdan canlandırıcı, afrodizyak ve ısıtıcı etki yaparken, Sibirya ginsengi daha çok strese karşı dayanıklılığı artırır ve beyin yorgunluğunu giderir. Yaşlılık septomlarında destekleyicidir.

Kullanım Şekli ve Dozu: Ginsengin kökü günde birkaç kez çiğnenir ya da 1/2 tatlı kaşığı ginseng kökü tozu 1 bardak suya konulup kaynama noktasına kadar ısıtılır. Sonra ateş kısılarak 10 dakika süreyle ısıtma işlemi sürdürülür. Hazırlanan karışımdan günde 3 kez, birer bardak içilir.

Yan Etkileri: Tek başına yüksek miktarlarda özellikle doktor kontrolü altında bir tedavideyseniz doktorunuza danışmadan kullanmayınız. Hamilelere ve emziren annelere tavsiye edilmez. Ginseng uyarıcı etkisiyle bilinir, bu nedenle kalp hastalarının ve kronik yüksek tansiyon hastalarının hekim gözetiminde kullanılması tavsiye edilir.

Ginsengin kalp ilaçlarıyla beraber kullanılması tavsiye edilmez.

KOBİK Gınseng bulamayanlar ülkemizdeki Adamotu ve Yerelması gibi muadillerini önerir.

Gotu Kola

Latince Adı: Centella asiatica

Özellikleri: Hint tıbbında çok yaygın olarak kullanılır. 19. yüzyıldan bu yana Avrupa'da kullanılmıştır.

Önerilen Hastalıklar: Yara iyileştirici

etkisi cilt sorunlarına ortadan kaldırır. Toplardamarlar üzerindeki olumlu etkisi sayesinde varis ve selülit gibi sorunları gidermede kullanılır. Hemoroit hastalarına da önerilir.

Guarana

Güney Amerika'da yetişen Guarana, kafein açısından oldukça zengindir. Zihni uyarıcı bir etkisi vardır. Uzun süre alındığında, uykusuzluk, çarpıntı gibi sorunlara yol açabilir.

Gül

Latince Adı: Rosa damascana

Almanca Adı: Rose

Diğer İsimleri: Rose, Rosier.

Bilinen Bileşimleri: Terkibinde geranioi, rodinoi, eugenoi, citronei ve feniletilalkol vardır.

Özellikleri: Dünyanın her tarafında yetişen bu bitkinin yüzlerce çeşidi vardır. Park ve bahçelerde süs bitkisi olarak da yetiştirilir. Mayıs haziran aylarında çeşitli renklerde çiçekler açar. En çok kullanılan katmerli kırmızı güldür. Güller tomurcuk halindeyken, güneş doğmadan önce toplanır. Gölgede ve dikkatli kurutulması gerekir. Hekimlikte çiçeklerinin renkli yaprakları kullanılır. Krem ve parfümeri sanayinde de kullanılır.

Önerilen Hastalıklar: Antiseptik olarak kullanılır, ishali keser. Boğaz ve bademcik iltihaplarını giderir. Göz kanlanmaları ve göz nezlelerinde faydalıdır. Kanı temizleyici özelliği vardır. Bağırsakların düzenli çalışmasını sağlar. Gül reçeli mideye kuvvet verir. Beyni hem soğutur, hem hafifletir. Safradan ve kandan olan baş ağrısına ve sarhoşluk haline faydalıdır. Gül goncası(Gülburnu) kurusu her derde devadır.

Gül Yağı: Kuru tabiatlıdır. Kabız yapıcı etkisi vardır. Sıcaktan olan baş ağrılarına etkilidir.

Gül Suyu: Cilt temizleme ve detoks

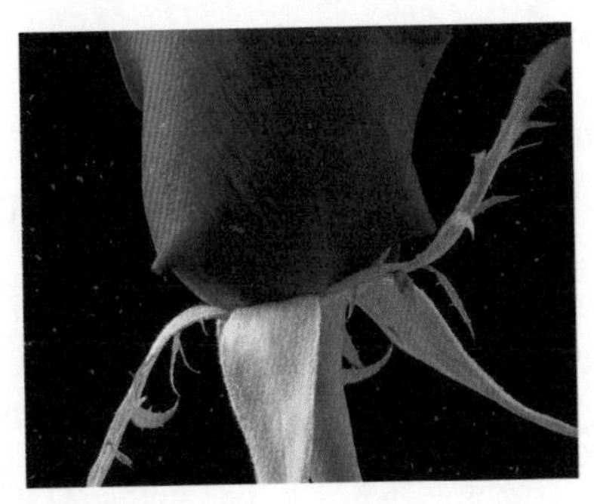

olarak arınmalarda kullanılır.

Kullanım Şekli ve Dozu: Kullanılacağı zaman kaynar su ile demlenir. Bu çaydan gargara yapılırsa, bademcik rahatsızlıklarına şifa verir. Gül çiçekleri ve yaprağı kaynatılıp bal ile tatlandırılarak içilirse, kanı temizler ve kalbi ferahlatır. İltihaplı romatizmada, 1 bardak kaynar suya 5 gram kuru gül konur, 10 dakika demlenir, günde 2-3 bardak içilir.

Yan Etkileri: Bilinen ciddi bir yan etkisi yoktur.

Not: Bu bitki KOBİK tarafından bitkisel karışım destek ürün tableti olarak üretilmiştir.

Güvey Feneri

Latince Adı: Physalis alkelkengi

Almanca Adı: Judenkirsche

Diğer İsimleri: Gelinfeneri, Fener çiçeği, Gelinotu, Aşk elması, Kış kirazı.

Özellikleri: Gölgelikli çalılıklar, kireçli topraklar ve seyrek ormanlarda yetişen çok yıllık bitkinin, çiçekleri pembe beyazdır. Meyveleri kiraza benzer. Sonbaharda olgunlaştıktan sonra toplanıp gölgede kurutulur. Meyveleri yenmez, fakat ilaç olarak kullanılır. Terkibinde C vitamini vardır. Lezzeti acımtıraktır.

Önerilen Hastalıklar: **İdrar ve ter söktürür. Karında toplanan suyu boşaltır. Böbrek taşlarının düşürülmesine yardımcı olur. Karaciğer şişliğini giderir. Sarılıkta da faydalıdır.**

Kullanım Şekli ve Dozu: Bitkinin 50 gram kurtulmuş meyvesi veya 1 çay bardağı kuru yaprağı, 1 litre suya ufalanır, 30 dakika kaynatılır. Bu çay 2 saat demlenir. Günde 2-3 çay bardağı içilmesi çok faydalıdır.

Yan Etkileri: Bilinen ciddi bir yan etkisi yoktur.

Güyegü Otu

İshali kesip, yemeğin kolayca hazmedilmesini sağlar. Mideyi ve bağırsakları yoğun balgamdan temizler.

Haşhaş

Latince Adı: Papaver somniferim

Almanca Adı: Schlafmohn

Diğer İsimleri: Afyon Çiçeği

Bilinen Bileşimleri: Morfin, kodein, tebain, noskapin, narsein, papaverin.

Özellikleri: Soluk sarı renkli, 4-5 santimetre çapında, fıçı biçiminde,

tepesinde 10-20 ışınlı bir tablo bulunan kapsülden oluşur. Soğuk kuru özelliktedir. Hindistan, Rusya ve Türkiye'de birçok çeşidi vardır. Çok tohumludur. Çeşitli pidelere, ekmeklere, keklere veya salatalara kullanılır.

Önerilen Hastalıklar: Hafif ağrı kesici ve uyutucu etkisi bulunması nedeniyle, gargara yapılması halinde **diş ağrılarını dindirir.** Uyutucudur. Nezleye çok faydalıdır, soğuktan olan öksürüğü sakinleştirir.

Haşhaş Yağı*:* Yemek yağı olarak kullanılmasının yanı sıra saçların uzamasını sağlar. Uyuşturucu ve uyku vericidir.

> **Not: Bu bitki KOBİK tarafından bitkisel karışım destek ürün tableti olarak üretilmiştir.**

Hatmi Çiçeği

Latince Adı: Althaea officinalis

Almanca Adı: Eibisch

Diğer İsimleri: Gülhatmi, Şifalı kök, Tıbbi kök.

Özellikleri: Çeşitli renklerde çiçekleri olan, yaprakları geniş ve yuvarlak olan bitki, bahçelerde ve yola kenarlarında kendi kendine yetişir.Yaprakları tüylüdür. Yaz aylarında açan çiçekleri, sonbaharda ise kökleri toplanıp kurutulur. Topraktan çıkarılan köklerin dış kabuğu soyulur, parçalanarak güneşte kurutulur. Hatmi türleri tohumlarıyla, gövde çelikleriyle ya da bitkinin tabanının bölünmesiyle çoğaltılır.

Önerilen Hastalıklar: **Göğsü yumuşatır, balgamı söktürür,**

vücuda rahatlık verir. Nezle ve öksürükle ilgili şikâyetleri giderir. İdrar yolları iltihabını giderir ve idrar söktürücüdür. Köklerin ve yapraklarının kaynamış suyu, baş ağrısına, hayız sökmesine, meni artmasına, felce ve birçok hastalıklara fayda eder.

Kullanım Şekli ve Dozu: 1 su bardağı sıcak suya, 1 tatlı kaşığı toz halde bulunan kök konur. Bu karışımdan günde 2 veya 4 bardak içilir.

Yan Etkileri: Bilinen ciddi bir yan etkisi yoktur. Mide ve bağırsak iltihaplarına şifadır.

Havlıcan

Latince Adı: Alpina officinarum

Almanca Adı: Galgant

Bilinen Bileşimleri: Uçucu yağ alpinen, sineol, linalol ve seskiterpenler galangol, galangin içerir.

Özellikleri: Doğu Asya'da yetişen, zencefil cinsinden, ıtırlı, otsu bir bitkidir. Tedavi için kökleri kullanılır. Güzel görünüşü nedeniyle süs bitkisi olarak da kullanılır. Eski çağlardan beri ilaç ve baharat olarak kullanılır.

Önerilen Hastalıklar: Kuvvet verici, gaz söktürücü, hazmı kolaylaştırıcı etkisi vardır. Ağız kokusunu giderir. Kurutulmuş kökleri, hamur

işlerinde, kökü ise meşrubatlarda, dondurma, şekerleme ve çikolata çeşitlerinde kullanılır. Mantar hastalıklarına karşı kullanılır. Vücuda kuvvet verir, soğuk algınlığı için şifadır. Bronşite iyi gelir, ağız kokusunu güzelleştirir, baş ağrısını ve baş dönmelerini dindirir.

Havlıcan Yağı: Bilumum ağrılarda masaj olarak kullanılır, ağrıları dindirir.

Kullanım Şekli ve Dozu: Kaynatılarak suyu alınır. Ihlamur ile kaynatılıp, bal ile tatlandırılarak içilmeye devam edilirse balgam söktürülür, tükürük salgısına artırır.

Yan Etkileri: Bilinen ciddi bir yan etkisi yoktur.

Hayıt

Latince Adı: Vitex agnus castus

Almanca Adı: Mönchspfeffer

Diğer İsimleri: Ayıt, Petit poivre, Beş parmak ağacı.

Bilinen Bileşimleri: Dalları ve yapraklarında, uçucu ve sabit yağ, tanen, sineol, şekerler, kristalize maddeler ve bir glikozit vardır.

Özellikleri: Akdeniz, Ege, Batı ve Güney Anadolu'da yetişen, yaz aylarında mor renkli çiçekler açan, 1-3 metre yüksekliğinde olan bir ağaçtır. Küçük ve acımsı meyveleri vardır. Sıcaklık ve kuruluğu üçüncü derecededir. Yaprakları meyve ve çiçekleri güneşe kurutularak saklanır.

Önerilen Hastalıklar: Açıcı ve söktürücü özeliği vardır. Kadınların adet kanamalarını düzeltir. Hazımsızlığa faydalıdır, mide ve bağırsak gazlarını giderir. Karın ağrısını ve ishali keser. Karaciğer ve dalak tıkanıklıklarını giderir, kalp çarpıntısına, baş dönmesine, uykusuzluğa faydalıdır. Ayak şişlerini indirir. Akrep ve arı sokmalarına fayda verir.

Kullanım Şekli ve Dozu: Hayıt otunun yaprağı ve çiçeği birlikte dövülüp, lapa yapılır. Bu lapa,

zehirli hayvanın sokmuş olduğu yere uygulanırsa, zehrin etkisini yok eder. Aynı karışım, vücudun dışındaki şişler üzerine uygulanırsa, şişleri indirir. 1 su bardağı kaynar suya, 1 tatlı kaşığı hayıt otu konur, 15 dakika sonra süzülür.

Günde 1 veya 3 bardak bu çaydan içilir. Çörekotu ile beraber kaynatılıp, tatlandırılarak içilmeye devam edilirse, anne sütünü artırır.

Yan Etkileri: Kanserli hastaların kullanmamaları gerekir.

Hazanbel

Latince Adı: Acorus calamus

Diğer İsimleri: Eğir otu

Özellikleri: Bataklıklarda, dere boylarında yetişen, çok yıllık, otsu bir bitkidir. Yabani olan bitkinin meyveleri yeşilimsi, çiçekleri

siyahımsı erguvani renktedir. Bahar aylarında bitki kökleri topraktan sökülerek temizlenir ve kurutulur.

Önerilen Hastalıklar: Terletici etkisiyle, vücuttaki suyu dışarı atar. **Akciğer kanserine iyi geldiği görülmüştür.** Nezleye iyi gelir, prostatı tedavi eder, güçlü ishal yapar. Sinirleri yatıştırıcı etkisi de olan bitki, karaciğer, safra kesesi, dalak ve pankreasa etkilidir. Dişetlerini kuvvetlendirir.

Kullanım Şekli ve Dozu: 1 bardak sıcak suya, dövülmüş bir kahve kaşığı kök konur. 20 dakika sonra süzülür. Yemekler üzerine günde 2-3 bardak içilir. 2 hafta kullanımdan sonra 1 hafta ara verilir. Atkuyruğu otuyla birlikte içilmeye devam edilirse, kemik erimesine ve kemik zafiyetine iyi gelir.

Yan Etkileri: Bilinen ciddi bir yan etkisi yoktur.

Hodan

Latince Adı: Borago officinalis

Almanca Adı: Borretsch

Diğer İsimleri: Hıyar otu, Sığır dili.

Özellikleri: İstanbul, Kuzey ve Batı Anadolu bölgelerimizde yetişen bitki; kumlu, hafif toprakları ve bol güneşli yerleri sever. Yaprakları gri yeşil, kabarık dokulu, sert beyaz tüylüdür. Yıldız şeklinde, çok açık mavi eflatun renkli çiçek salkımları vardır. Tohumlarıyla çoğalır. Tıbbi bitki olarak ziraatı yapıldığı gibi, bazı yerlerde süs bitkisi olarak da yetiştirilir. Mineral tuzlar yönünden çok zengindir. Toplanan yapraklar ve çiçekler gölgede kurutulur.

Önerilen Hastalıklar: Cesareti artıran bitki, soğuk algınlığı ve gribe karşı etkilidir. Solunum yolları hastalıklarına iyi gelir. Ateş düşürücü etkisi olan bitki,

öksürüğü keser, balgam söktürür. Emzikli annelerin süt gelişini artırır, kanı temizler. Stres karşı bünyede direnç sağlar.

Kullanım Şekli ve Dozu: 1 bardak kaynar suyun üzerine 2 tatlı kaşığı kurutulmuş hodan konur. 15 dakika kadar demlendirilir ve günde 3 defa birer bardak içilir.

Yan Etkileri: Bilinen ciddi bir yan etkisi yoktur.

Ihlamur

Latince Adı: Tilia tementosa

Almanca Adı: Lindenblueten

Özellikleri: Ülkemizde Kuzey Anadolu Dağları'nda bolca yetişir. Hızla büyüyen ve 20-25 metreye kadar boylanabilen ıhlamur ağaçlarının gövde çapı 1,5 metre bile olabilir. Önce düz olan gövde kabuğu, ağaç yaşlandıkça çatlar. Üzeri koyu yeşil, yaprakları uzun

saplı, yürek biçimli, kenarları düz ve almaşık dizilidir. Yaprağın gri ya da gümüş rengindeki alt yüzünde tüyler bulunur. Haziran-ağustos ayları arasında açan sarımsı renkli özel, hoş kokulu çiçekler bir arada yaprakların orta damarına bağlı ve sarkık durumda olur. Ağacın tek tohumlu meyvesi minik, yuvarlak ve kurudur. Ihlamur ağacı, tohumuyla, gövde çelikleriyle ya da filizlenen köklerinin ayrılı dikilmesiyle çoğaltılır. Küçük yapraklı ıhlamur ve büyük yapraklı ıhlamur olmak üzere iki çeşidi vardır. Bu iki cinsin çiçekleri de kullanılmaktadır. Ihlamur ağacı kışın yapraklarını döker. Yaz aylarında açan güzel kokulu çiçekleri, gölgede kurutulur. Yalnız çiçekleriyle kurutulan ıhlamur birinci kalite, çiçek yaprağı ile birlikte bulunan ıhlamur ikinci kalite olarak değerlendirilir.

Önerilen Hastalıklar: **Ihlamurun genel olarak rahatlatıcı bir etkisi vardır. Öksürük kesici, balgam sökücü, terlemeyi giderici ve idrar artırıcı özellikleri bulunmaktadır. Şekersiz ıhlamurun iştah kesici özelliği vardır. Kanı temizler, damar sertliğini önler. Kansızlığı giderir, vücudun direncini artırır. Vücuttaki zehirleri dışarı atar, böbrekleri ve mesaneyi temizler, saç dökülmesini önler. Yatmadan önce bir bardak ıhlamur çayı içmek, rahat bir gece geçirmeyi sağlar. Sinir sistemindeki gerginliği azaltır.**

Kullanım Şekli ve Dozu: Bir avuç dolusu ıhlamur çiçeği yıkanarak, 1 litre suya atılır. Kaynamaya başlar başlamaz ateşten çekilir. Bu çaydan süzülerek günde 3-4 fincan içilir. Alışkanlık yapmasını engellemek için etkisini kaybetmemesi amacıyla sağlıklı zamanlarda kullanılmaması tavsiye edilir. Ihlamur çayı içine kuşburnu konmamalıdır çünkü kuşburnu balgamı söktürmeyerek,

iyi sonuç alınmasını önler.

Yan Etkileri: Bilinen ciddi bir yan etkisi yoktur.

Isırgan Otu

Latince Adı: Urtica dioica

Almanca Adı: Brennesselblatter

Diğer İsimleri: Dolayan diken, Gidişken otu, Isırgan otu.

Bilinen Bileşimleri: Isırgan bitkisinin tüm yüzeyini saran ve değdiği anda insan tenini yakan ısırıcı tüylerinde formik asit; bitkinin tamamında ise histamin, klorofil, asetilkolin, demir ve C vitamini bulunur. Toprak üstü kısımları kalsiyum, potasyum ve silisik asit

tuzları içerir. Kökleri serbest glikozidik, B-sitosterol ve skopoletin taşır.

Özellikleri: Yakıcı tüyleriyle bilinen ısırgan otu, 50-150 santimetre yüksekliğine kadar uzayabilir. Yaprak kenarları dişli, tek veya çok yıllık bitkilerdir. Yapraklar insan derisiyle temas edince, kızarıklık ve yanma hissi uyandırır. Toprak üstü kısımları ve kökleri kullanılır. Isırgan otu türleri dünya genelinde yaygındır. Yabani olarak ılıman bölgelerde yetişmektedir. Her türlü ısırgan otu Türkiye'de yetişir. Yunanlı hekim Dioskurides, ısırgan otu hakkında şu ifadelere yer vermişti: "Taze toplanmış yaprakları yaraların mikrop kapmasını ve burun kanamalarını önlemekte, mirrayla birlikte hazırlanan yemeği ise menstürasyon kanamaları için kullanılır." Isırgandan yapılan yemeğin yılda en az bir kere yenmesi gerekir. Batı ve Güney Anadolu'da, ısırgan otunun genç yapraklarından yemek ve börek yapılır. Aydın yöresinde, tek başına veya yumurtayla yağda kavrulduktan sonra üzerine yoğurt dökülerek yemeği yapılır. Sağlık açısından yıl boyunca her gün bir bardak ısırgan otu çayı içilmesinde çok fayda vardır.

Önerilen Hastalıklar: Vücuttaki fazla ödem ve iltihabın giderilmesine yardımcı olur. Demir eksikliği ve kansızlığın giderilmesinde etkilidir.Anne sütünü artırmaya yardımcı özelliği klinik deneylerle ispat edilmiştir. Vücuttaki salgı bezlerinin faaliyetini artırmaya yardımcıdır. Dahilen idrar yolları iltihaplarına, haricen ise romatizmaya karşı etkilidir. Kanı temizleyici ve iştah artırıcı etkisi vardır. Müshil, adet söktürücü, kurt ve ateş düşürücü etkileri dolayısıyla kullanılmıştır. Son dönemde özellikle kansere karşı korunmada adı sıkça geçmektedir. Ama henüz onaylanmış bir durumu yoktur. Çünkü ısırgan bütün hücreleri beslemektedir. Nefes yollarını açar, sebebi teşhis edilemeyen şiddetli baş ağrıları için şifadır. Böbrek

kumlarını döker, şeker hastalığına iyi gelir. Kansızlığa karşı en etkili ilaçtır. Sedef hastalığında, ısırgan yaprakları haşlanır, hastalıklı cildin üzerine konur. Canlı bitkinin sapı yere yakın bölümünden kesilerek romatizma, gut, siyatik ve lumbago ağrılarına karşı doğrudan ağrılı bölgelere sürülerek kullanılır.

Bitkinin yakıcı tüylerinin deriyi tahriş etmesiyle, uzun süreli rahatlatıcı bir sıcaklık meydana gelir ve ağrılar diner. Siyatikte; ayak ekleminden başlamak üzere, dıştan kalçaya kadar, oradan da bacağın iç tarafından topuğa kadar yavaşça sürülür. Bu durum iki kere daha tekrar edilir ve son olarak, kalçadan başlayarak aşağı doğru inilir. Isırgan kansere yakalanmadan önce çok faydalı olup bağışıklık sistemini kuvvetlendirir.

Akciğer kanserinde kereviz, maydanoz ve ebegümeci ile birlikte haşlanarak çay gibi içilmesi önleyici etki yaptığı tespit edilmiştir. Vücuttaki fazla ödem ve iltihabın giderilmesine yardımcı olur. Demir eksikliği ve kansızlığın giderilmesinde faydalıdır. Anne sütünü arttırmaya yardımcı özelliği klinik deneylerle ispat edilmiştir. Vücuttaki salgı bezlerinin faaliyetini arttırır.

İçinde en etkin maddeler bulunmaktadır. Bu özelliği itibariyle şeker hastalığından romatizmaya ve kanserin bütün türevlerinde kullanım alanı bulmaktadır.

Isırgan Otu Yağı: Romatizma ağrılarını dindirici ve saç dökülmesinde faydalıdır.

IsırganTohumu: 1 kg bala 100 gr ısırgan tohumu karıştırılır. Bağışıklık sistemini kuvvetlendirmek için kullanılabilir. Kanser riskini azaltır.

Kullanım Şekli ve Dozu: Yarım tatlı kaşığı kurutulmuş ince kıyılmış yaprak, orta boy bir su bardağı dolusu kaynar derecede sıcak suyla haşlanır ve yarım dakika demlendikten sonra süzülür. Günde 2-4 bardak taze demlenmiş çay içilir. İştahsızlığa karşı 1-2 yemek kaşığı dolusu bitki, yarım çay bardağı suya eklenerek yemekten yarım saat önce alınır.

Yan Etkileri: Kanser olmadan bir kişinin ısırganı kullanması gerekir. Bitki hormon ihtiva etmesi sebebiyle, kanser hücrelerini besler, yayılmayı çoğaltabilir. Kansere karşı koruyucu özelliği sebebiyle halk arasında kür olarak uygulanmaktadır. Tek başına kansere karşı etkili değildir.

Not: Bu bitki KOBİK tarafından bitkisel karışım destek ürün tableti olarak üretilmiştir.

Itır

Latince Adı: Geranium rober tianum

Almanca Adı: Pelargonie

Diğer İsimleri: Çoban iğnesi, kokulu sardunya, turnagagası

Özellikleri: Yaprakları güzel kokulu, çiçekleri türlü renklerde olan bir

süs bitkisidir. Yeşil kısımları tüylü ve oyalı olan bitki, kumlu topraklarda yetişir. Çoğunun çiçekleri pembe veya beyaz renktedir. Losyon yapımında kullanılır.

Önerilen Hastalıklar: Cildi güzelleştirir. İshali keser, mide ve bağırsak gazlarını söktürür. Boğaz ağrılarına şifadır.

Yan Etkileri: Bilinen ciddi bir yan etkisi yoktur.

İğde

Latince Adı: Elaeagnus angustifolia

Özellikleri: Akdeniz'de yetişen bitki, bağ ve bahçe kenarlarında çit bitkisi olarak kullanılır. 7-8 metre kadar büyüyebilen bitki baygın kokuludur. Anadolu'da bağ ve bahçelerde tatlı meyvelerinden dolayı meyve ağacı olarak yetiştirilmektedir. Ağacının sürgünleri

çoğunlukla dikenlidir. Yapraklar dar, şerit halinde ve tam kenarlıdır. Haziran ayında açan çiçekler, kısa salkımlar halinde sürgünlerin aşağı kısımlarında kümeler halinde yer alır. Meyveleri zeytin meyvesi büyüklüğünde ve sarımsı kahverenginde olup yenilir.

Önerilen Hastalıklar: Bağırsak bozukluklarını ve ağız pasını gidermek için kullanılır.

İsteksiz kadınlarda kurutulmuş iğde çiçekleri günde 30 adet kuru incir içine konarak yenirse şifa olur. Denenmiştir.

İğde kokusu cinsel içgüdüleri tetikler. İğde çiçek açma zamanı doğan çocuk gürbüz olur denmiştir. Denenmiştir.

Yan Etkileri: Bilinen ciddi bir yan etkisi yoktur.

İnci çiçeği

Latince Adı: Convallaria majalis

Almanca Adı: Maiglöckchen

Diğer İsimleri: Mayıs çanı, müge.

Özellikleri: Dağlarda yetişen bitki, zambakgillerdendir. Beyaz çiçekleri sıcak ve kurudur. Süs bitkisi olarak kullanılan bitkinin boyu 20 santimetreye kadar uzayabilir. Meyvesi salkım şeklinde, yemişleri küçük ve kırmızıdır. Güzel kokuludur.

Önerilen Hastalıklar: **Kalbe ve beyne kuvvet verir. Sağlığa yararlı bitkiler arasında kalbimiz için en değerli şifa verici etkiyi inci çiçeği**

yapar. Vücudun tümünü güçlendirir. Bedenin sıcaklığını ve nemliliğini artırır. Baş dönmesini engeller. Sara ve felç hastalıklarına iyi gelir. Vücuttaki şişliği indirir. Otun çiçeği zambak yağıyla güneşte terbiye edip bu yağı sinir ağrılarına ve sızılarına sürseler son derece faydalıdır.

Yan Etkileri: Bilinen ciddi bir yan etkisi yoktur. Yinede kalp hastalarının doktor kontrolünde kullanması gerekir.

İt üzümü

Latince Adı: Solanum dulcamara

Diğer İsimleri: Köpeküzümü, Köpekmemesi, Yandıran.

Özellikleri: Patlıcangillerdendir. Ormanlarda yetişen bitkinin çiçekleri beyaz, meyveleri parlak siyahtır. Yapısı soğuk ve kurudur.

Önerilen Hastalıklar: **Ağrı kesici etkisi vardır. Romatizma ve mafsal ağrıları keser.** Aybaşı düzensizliğini ve rahim hastalıklarını giderir. Uykuyu düzenler, idrar söktürücüdür.

Kullanım Şekli ve Dozu: İt üzümü otu bal suyu ile kaynatıp içilirse, uykusuzluğa etki eder. Ot kaynatılıp ağızda gargara edilirse, diş ağrılarını dindirir. Yine bu otun kök kabuğunun öz suyu alınıp, bir miktar bal ile karıştırılır ve lapa haline getirilir. Bu karışım, göz şişlerine uygulanırsa şişleri indirir.

Yan Etkileri: Bir uzman tavsiyesi olmadan ev ilaçlarında kullanılmaması gerekir. Tıbbi tedavide sık kullanılan ve fazla alındığı zaman öldürücü bir zehir olan atropin maddesi içerir. Bu nedenle dikkatli kullanılması gerekir.

Kâfur

Latince Adı: Cinnamomum camphora

Almanca Adı: Kampfer

Özellikleri: Üçüncü derecede sıcak ve kuru olan bitki, bahçelerde ve dağlarda yetişir. Tıpta kullanılan kâfur, cinnamomum camphora ağacının odunu su buharıyla distile edilerek elde edilir. Kâfur, renksiz şeffaf, billûrî yapılı gevrek parçalardır. Kokusu keskin, lezzeti sonradan serinlik veren acı ve yakıcıdır. 204 santigrat derecede kaynar. Oda sıcaklığında uçar ve suda çok az erir. Zehirlere karşı panzehir etkisi vardır.

Önerilen Hastalıklar: Kasıcı ve sıkıcı özelliğe sahip olan kâfur, mideye

faydalıdır. Ateşli hastalıklara fayda eder, öksürüğü yatıştırır. İdrarı söküp, geciken adet kanamasını başlatır. Kan dolaşımını kuvvetlendirir, beyin ve sinirleri uyarır. Bronşların ifrazatını artırır, akciğer hastalıklarına faydalıdır. Kokusu beynin ısısını giderir. Baş ağrılarına faydalıdır. Mideye, karaciğere kâfurdan hazırlanmış yakı yakılırsa, sıcaklığı ortadan kaldırıp, çiftleşme arzusunu keser.

Kullanım Şekli ve Dozu: Şişe içine konulan zambak yağı, güneşte terbiye edilip, hazırlanan merhem saç dökülmesine fayda verir.

Kafur, romatizma ve Mayasıl ağrıları için 1 litre beyaz ispirtoya 50 gr Kafur koyularak erilitir. 3 hafta ağrıyan yere haricen sürülür. Streçle kapatılır.

Yan Etkileri: Bilinen ciddi bir yan etkisi yoktur.

Kahve

Latince Adı: Coffea arabica

Almanca Adı: Kaffee

Diğer İsimleri: Dağ kahvesi, Arap kahvesi.

Özellikleri: Vatanı Afrika olan fakat Asya ve Amerika'nın tropik bölgelerinde yetiştirilen, 20 kadar çeşidi olan bir ağaçtır. 7-8 metre boyuna kadar ulaşabilen ağacın meyvesi kiraza benzer. İçinde ince iki çekirdek bulunur. Her çekirdeğin içinde aynı şekilde bir kahve tanesi vardır. Kahvenin kokusu kavrulduktan sonra ortaya çıkar. Toz haline getirilerek kullanılır.

Önerilen Hastalıklar: Kan dolaşımını sağlar. Kanı beyne çekerek beyni uyarır, zihni açar, düşünmeyi kolaylaştırır. Uyuşturucu maddelerle zehirlenmelerde faydalıdır. Boğmaca öksürüğünü keser. Nikris ağrılarını teskin eder. Solunumu

hızlandırır, böbrek damarlarını genişleterek idrarı çoğaltır.

Yan Etkileri: Yüksek tansiyonlu hastaların içmemesi önerilir. Günde 1-2 fincandan fazla içilirse uykusuzluk, sinir bozukluğu ve çarpıntı yapar.

Kakao

Latince Adı: Theobrama cacao

Almanca Adı: Kakaobaum

Bilinen Bileşenleri: Teobromin, kafein, kakao, sabit yağ, karbonhidrat ve protein.

Özellikleri: Anavatanı tropik Amerika ve Batı Afrika'dır. 4 ile 10 metre boyuna kadar ulaşabilen kakao ağacının, yaprakları derimsidir. Çiçek ve meyveler ana gövde üzerinde bulunur. Çiçekleri her mevsimde açar. Meyvelerinin içinde kestane büyüklüğünde tohumları vardır. Beyaz ve açık mor renkteki ve badem şeklindeki tohumları kakao tanelerini teşkil eder. Meyveler ve içinden çıkarılan kakao tohumları ya hemen veya bir süre sonra fermantasyona terk edildikten sonra kurutulur. Fermantasyon sonucu acı lezzeti

kaybolur. Aromatik bir koku meydana gelir. Bol kalorili bir besindir. Kafeinden dolayı kahvede olduğu gibi yatıştırıcı ve uyarıcı etkisi vardır. Kakao yağı çıkarılmadan çikolata imalinde kullanılır. Kakao yağı şeker yapımında olduğu gibi pomatlarda da kullanılır. Kakao kahve gibi ayrıca süt ilavesi ile de içilebilir.

Önerilen Hastalıklar: Az miktarı kalbi kuvvetlendirir, sindirimi kolaylaştırır, idrar söktürür. Uyarıcı, iştah açıcı ve kuvvet vericidir. Vücuttaki zehirlerin dışarı atılmasını sağlar. Böbrek iltihaplarını yok eder.

Yan Etkileri: Fazla tüketmek zararlıdır, çarpıntı yapar.

Kakula Meyvesi

Latince Adı: Eletteria cardamomum

Almanca Adı: Kardamon

Diğer İsimleri: Hemame, Malabar kahvesi.

Bilinen Bileşimleri: Kakule tohumları yüzde 4'e varan oranda uçucu yağ ile terpinilasetat, sineol, limonen, sabinen ve pinen adlı maddeleri içerir.

Özellikleri: Zencefilgiller familyasındandır. Güney Hindistan ile Asya'nın sıcak ve bataklık orman alanlarında yabani olarak yetişen, çok yıllık duyarlı otsu bitkidir. İklim uygun olmadığından ülkemizde yetişmeyen kakule, 3 ile 5 metreye kadar boylanabilir.

Meyvesi 6-18 milimetre uzunluğunda, 10 milimetre genişliğinde üzeri boyuna çizgili, soluk sarı veya soluk yeşil renkli üç gözlü bir kapsül şeklindedir. Mızrak biçimli iri yapraklarının üzeri koyu yeşil olup, yapraklarının altı daha açık yeşil ve ipeksi görünüşlüdür. Tohumları kuvvetli hoş kokulu ve baharlı lezzettedir.

Kakule bitkisi yüksek nemlilik oranı bulunan ve kısmen gölgelik tropik iklimi olan yerleri, bitek ve sulak

toprağı sever. Döktüğü tohumlarla çoğalır ya da köklerinin bölünmesiyle çoğaltılır. Bu tohumlar hoş kokuları nedeniyle, öğütülmeden aynen ya da öğütülüp toz haline getirilerek bazı yemek, ekmek, kurabiye, bisküvi, turşu, likör ve şaraplara katılır. Yakındoğu ülkelerinde kahveye eklenip "kakule kahvesi" yapılarak içilir. Tohumları parfüm endüstrisinde de kullanılır.

Önerilen Hastalıklar: Safra ve mide salgısını artırıcı etkisinin bulunduğu görülmektedir. İştah açıcı özelliği vardır. Baş ağrısına iyi gelir, tükürük akışını hızlandırır.

Sıcak ve yumuşatıcı özelliklere sahip olan Kakule, hazmı kolaylaştırıcı bir özelliktedir. Bulantıya çok faydalıdır. Soğuktan oluşan hastalıklara günde bir dirhem kakule sirkengebinle beraber içilirse hastalık üç günde iyileşir

Yan Etkileri: Bilinen ciddi bir yan etkisi yoktur.

Kapari

Latince Adı: Capparis spinoza

Almanca Adı: Kaper

Diğer İsimleri: Kedi tırnağı, Hint hıyarı, Gebere, Keper, İt hıyarı, İt kavunu.

Bilinen Bileşimleri: Protein, vitamin, mineraller, rutin ve hardal yağı glikosidi.

Özellikleri: **Türkiye'de fazla tanınmamasına rağmen Avrupa'da gözde olan bitkinin ilk tohumları Türkiye'den önce İtalya'ya sonra İspanya'ya götürülmüştür. İspanya bugün bu bitkiden milyarlarca dolar gelir elde etmektedir. Avrupa'da enstitüleri kurulan bitkinin, çiçek tohumları açmadan önce toplanmakta ve ilaç üretimde kullanılmaktadır.**

Oldukça pahalı olan Kapari, kıraç bölgelerde yetişir. Yurdumuzda Akdeniz ikliminin hâkim olduğu Batı Anadolu illeri başta olmak üzere, Orta Anadolu'da Tokat ve civarında, Doğu Karadeniz ve Güneydoğu illerinde doğal olarak yetişen kapari, çalımsı yapıda, dik ve yatık olarak büyüyen dikenli bir bitkidir. Su sevmeyen arsız bir bitki Kapari'nin en kalitelisi Türkiye'de yetişir. Bir Akdeniz

bitkisi olan ot, Erzurum gibi çok soğuk bölgeler hariç her yerde yetişiyor. Özellikle Güneydoğu Anadolu Bölgesi'nde barajlar kapsamı dışında kalan bölgeler kapari yetiştirmek için çok ideal.

Çiçek tomurcuklarında bol miktarda vitamin ve protein bulunduran Kapari kelimenin tam anlamıyla bir enerji deposudur. Gıda, kozmetik, boya ve ilaç sanayinde kullanılır. Konserve olarak hazırlanan Kapari, turşu, salata, pizza üstü, balık ve av etleri yanında etken madde oranı azalmakla beraber garnitür olarak da tüketilir.

Önerilen Hastalıklar: Kuvvetli bir idrar söktürücü olan Kapari, kabızlığı giderir. Bağırsak ve mide rahatsızlıklarının tedavisinde kullanılır. Cinsel gücü arttırıcı yönüyle tanınır.

Peygamber Efendimizin(sav), Kapari bitkisi ile ilgili Hadisi şerifi: "İbni Abbas (r.a.) demiştir ki: 'Benzi sararmış olarak Peygamber Aleyhisselamın yanına varmıştım, 'Ey İbni Abbas bu ne haldir?' diye sordu. Bende, 'Basur hastalığı var dedim.' 'Küçük yaşta olmana rağmen öyle mi? Gebere otunun çiçek tomurcuğunu alıp iyice döversin, sonra sulandırıp içersin' buyurdu. Ben de aynen yaptım iyileştim."

Ağrı kesici etkisi vardır. Romatizma, felç, gut hastalıklarına şifadır. Kanın temizlenmesinde önemli rol üstlenir, kansızlık gidericidir.

Yan Etkileri: Bilinen ciddi bir yan etkisi yoktur.

Not: Bu bitki KOBİK tarafından bitkisel karışım destek ürün tableti olarak üretilmiştir.

Kara Ardıç

Latince Adı: Juniperus sabina

Almanca Adı: Sadebaum

Diğer İsimleri: Kokar ardıç, Zehirli ardıç.

Önerilen Hastalıklar: Göğüs hastalıklarına ve öksürüğe fayda verir. **Hanımların adet görmelerini sağlar. Böbrek ve mesanede olan taşları düşürür.** Ağrı kesici özelliği vardır. Ağacın yaprağı ve

yemişi panzehir niteliğini taşır.

Kullanım Şekli ve Dozu: Ağacın yaprağı ve tohumu kaynatılıp içilir.

Yan Etkileri: Bilinen ciddi bir yan etkisi olmamasına rağmen, fazla tüketilmemelidir.

Karabaş Otu

Latince Adı: Lavandula stoechas

Diğer İsimleri: Yalancı lavanta çiçeği

Özellikleri: Boyu yarım metreye kadar yükselen karabaş otu, çok yıllık, odunsu bir bitkidir. Çalı görünümündeki otun makbulünün yaprakları çok yeşildir. Bahar aylarında mor çiçekler açar. Tadı acı ve yakıcı olan bitki, ezildiği zaman çok kuvvetli ve hoş olmayan bir koku çıkarır. Kıymetli bir ottur.

Önerilen Hastalıklar: Damar sertliğinde faydalı olan ot, kalbe ve sinirlere kuvvet verir. Beyin hastalıklarında etkili bir ottur. Vücuttaki uyuşukluğu giderip, zindelik verir. Mide ve bağırsaktaki spazmlara faydalı olmasının yanı sıra balgam söktürür. Egzama yaralarını iyileştirici etkisi vardır.

Kullanım Şekli ve Dozu: Bir bardak sıcak suya bir tatlı kaşığı karabaş otu konur. 10 dakika demlendikten sonra süzülüp günde 1 bardak içilir.

Yan Etkileri: Bilinen ciddi bir yan etkisi yoktur.

> **Not: Bu bitki KOBİK tarafından bitkisel karışım destek ürün tableti olarak üretilmiştir.**

Karabiber

Latince Adı: Piper nigrum

Almanca Adı: Schwarzer pfeffer

Diğer İsimleri: Dar-i fülfül, Black pepper, Poivre noire, Piper nigrum.

Bilinen Bileşenleri: Uçucu yağ ve bir alkolit olan piperin içerir.

Özellikleri: Yaprak dökmeyen tırmanıcı bir bitkidir. Yaklaşık 5 metreye kadar uzayabilen bitki, odunsu ve çok yıllıktır. Yaprakları yürek biçiminde ve damarlıdır. Çiçekleri sarkıktır, meyveleri küçük ve sapsızdır. Meyveleri olgunlaşmadan evvel toplanıp, kurutulur. Hindistan'da yabani olarak yetişen bitkinin, birçok sıcak ülkede kültürü yapılır.

Önerilen Hastalıklar: Ateş düşürücü etkisi önemlidir. İştah açıp, hazmı kolaylaştırır. Mide ve bağırsaklardaki mikropları öldürür. Gazı söktürüp, gaz birikmesine engel olur. İdrar söktürür, enerji verir. Cinsi istekleri kamçılar, sinirleri kuvvetlendirir. Baharat olarak birçok et yemeğinde dolma

harçlarında, çorbalarda, hamur işlerinde, salça ve soslarda tane ya da toz olarak kullanılır.

Yan Etkileri: Damar sertliği, yüksek tansiyon, egzama, üremi, bağırsak iltihabı ve romatizmadan şikayet edenler, mümkün olduğu kadar az kullanmalıdır. Midesi rahatsız olanlara dokunur.

Karga Düveleği

Latince Adı: Ecballium elaterium

Diğer İsimleri: Eşek hıyarı, Acı kavun, Acı düvelek, Yabani hıyar.

Özellikleri: Çiçekli bitkiler familyasındandır. Avrupalı hekimlerin nazarında son derece yararlı bir ottur. Bitkinin taze meyvesi sıkıldığında, içindeki tohumları yapışkan ve zehirli bir sıvı ile dışarı fışkırtır.

Önerilen Hastalıklar: Bağırsakları yumuşatır. Karaciğer ve dalaktaki tıkanmaları açar. Safra ve kanın kaynaşmasını engeller. **Sinüzite olumlu etkileri vardır.**

Kullanım Şekli ve Dozu: Taze otların kökü mermer havanda dövülür. Mengenede sıkıştırılıp, ezilir. Çıkarılan sıvı, çini tabaklar içine konularak, soğuk bir yere 2 gün bekletilir. İki gün bekletildikten sonra tabağın üzerindeki su akıtılırsa, dibindeki beyaz hülasaya ulaşılır. Avrupalı hekimler bu hülasayı "Fekula" adını vermiştir.

Yan Etkileri: Uzman kontrolünde kullanılmalıdır.

Karahindiba

Latince Adı: Taraxacum officinalis

Almanca Adı: Löwenzahn

Diğer İsimleri: Aslan dişi, Radika, Güneyik, Karakavuk, Acıgıcı, Acıgünek.

Bilinen Bileşimleri: Yapraklarında bol miktarda C vitamini vardır.

Özellikleri: Karahindiba; sarı çiçekli, 10-50 santimetre boylarına kadar uzayabilen, çok yıllık, otsu bir bitkidir. Çiçeği koparılınca bitkinin özsuyu olan beyaz bir süt akar. Genelde nisan ve mayıs aylarında bahçelerde, yol kenarlarında, tarla kıyılarında, çayır ve çimenlerde yetişir. Çok ıslak yerleri sevmez. Tüm Avrupa, Kuzey Amerika ve Asya olmak üzere dünyanın

hemen her yerinde görülen bitkinin, Türkiye'de 49 çeşidi bulunur. En çok Ege ve Marmara Bölgelerinde yaygın olarak görülen karahindibaya, Anadolu'nun diğer bölgelerinde de sık rastlanır. Çiçekleri ilkbahardan sonbaharın ortasına kadar açar. Yaprakları parçalı ve tüylüdür. İlkbaharda toplanır, kökleri ise sonbahar aylarında topraktan çıkarılır. Kanada'da bira,

Fransa'da çorba olarak tüketilen bu bitki, yurdumuzda, Ege ve Akdeniz bölgelerinde sebze olarak kullanılıyor.

Önerilen Hastalıklar: **Kan temizleyici etkisi sayesinde romatizmada yardımcı olur. Güçsüz, bitkin kişilere güç kazandırır. Uykusuzluğa karşı olumlu etkisi vardır. Göz iltihaplarında ve hastalıklarında güçlendirici olarak kullanılır. İştah açıcı olan bitki, metabolizmayı uyarır. Güçlü bir idrar söktürücüdür. Karaciğer salgılarını artırması nedeniyle karaciğer yetersizliğinden meydana gelen cilt bozuklukları, egzama ve deri hastalıklarına da iyi gelir. Çiçek saplarından şeker hastalığına karşı kullanılır. Uzun yıllar bayanlar tarafından yaprakları ve kökleri kaynatılıp, suyu kozmetik olarak kullanılmıştır. Deri hastalıklarının tedavisinde de yararlanılan bu su, cilde parlaklık vermesinden dolayı günümüzde de bitki bilimcilerin vazgeçemediği reçetelerden biridir. Karahindibada tüm zehirlere karşı faydalı bir panzehir özelliği vardır. Peygamber Efendimiz(sav) Hindiba konusunda şöyle buyurmuştur: "Bir kimse güneyiği yer de arkasından uykuya yatarsa, o adama ne zehir ne de sihir işlemez."**

Kullanım Şekli ve Dozu: Bir bardak sıcak suya 1-2 çay kaşığı kök konur. Öğle ve akşam yemeklerinde birer bardak içilir. Tadı hafif acımsı; fakat rahatsız edici değildir.

Yan Etkileri: Bilinen ciddi bir yan etkisi yoktur.

Karanfil

Latince Adı: Eugenia caryophyllata

Almanca Adı: Nelken

Özellikleri: 20 metreye kadar uzayabilen ve kış aylarında yapraklarını dökmeyen bir ağaçtır. Karanfil, siyahımtırak renkli çivi biçiminde bir çiçek tomurcuğudur. Molük Adalarında yetişir, Tanzanya, Madagaskar ve Brezilya gibi tropikal iklim bölgelerinde de kültürü yapılır. Baharlı lezzeti nedeniyle baharat olarak kullanılır. Çeşitli çay karışımlarına eklenir. Antiseptik, antibakteriyel, antifungal, antiviral, spazm çözücü

anestezik etkileri bulunmaktadır. Karanfil koku verici özelliği nedeniyle şerbetlerde, meyve likörlerinde, tatlılarda ve kompostolarda kullanılır. Genellikle güneş ışığı almayan yerlerde yetişir. İkinci derecede sıcak ve kuru tabiatlıdır. Kokusu soğuk, zayıf ve beyine faydalıdır.

Önerilen Hastalıklar: **Ağrı kesici ve dezenfekte edici özelliği vardır. Kronik iltihaplı akıntılarda kullanılır. Mide zayıflığından kaynaklanan ishali keser. Karaciğer hastalıklarına iyi gelir. Beyine büyük güç verir. Beş duyuyu ve hafızayı güçlendirir. Kalbi uyarır.**

Karanfil Yağı: Ağrı noktaları üzerine masaj yapılarak giderilir. Mide ağrılarında 5'er damla suyla içilir. Ağız ve mide kokularını giderir, sinirleri uyuşturur. Karanfil yağının cilde sürülmesi sakıncalıdır.

Yan Etkileri: Bilinen ciddi bir yan etkisi yoktur.

Not: Bu bitki KOBİK tarafından bitkisel karışım destek ürün tableti olarak üretilmiştir.

Kaşni (Galbanum)

Karaciğerin ve dalağın gözeneklerini açar. Suyunu sıkıp içmek, gözeneklerin tıkanmasından meydana gelen sarılığa çok faydalıdır. Maydanozgiller familyasındandır. Keskin bir kokusu vardır. Tadı acıdır. Ağrı kesici özelliği vardır. Ayrıca spazmları önler.

Kavak

Latince Adı: Populus nigra

Almanca Adı: Pappel

Özelilkleri: Sulak yerleri seven, Türkiye'de her bölgede yetişen bir ağaçtır.

Önerilen Hastalıklar: Bronşit ve tüberküloza etkilidir. **Vücutta biriken ürik da asidi atarak romatizmaya fayda sağlar.** İdrar ve balgam söktürür. Çeşitli cilt hastalıklarını ortadan kaldırır.

Kullanım Şekli ve Dozu: Tomurcukları ilkbahar ve sonbaharda toplanarak, kurutulur. Ufalanmış tomurcuklardan bir bardak suya, bir tatlı kaşığı konulup 5 dakika kaynatılır. 10 dakika demlenen çaydan, günde 2-3 bardak içilir. Bu tozla yapılan merhem, basur memelerinin lokal tedavisinde kullanılır. Kavak ağacının kabukları 10 dakika kaynatılıp, aynı suyla baş

yıkanırsa saç kepeklenmesine iyi gelir.

Yan Etkileri: Bilinen ciddi bir yan etkisi yoktur.

Kava Kava

Latince Adı: Piper methysticum

Almanca Adı: Kawa Kawa

Özellikleri: Pasifik Adaları'nda yetişen bitki, bu bölgenin kültüründe önemli bir yere sahiptir.

Önerilen Hastalıklar: En büyük özelliği, sinirsel gerginliklere bağlı spazmları ve ağrıları gidermesidir. **Anksiyete, panik atak, endişe, stres, gerginlik, sinirlilik gibi durumlara karşı etkilidir. Ayrıca uyku yardımcısı olarak da kullanılmaktadır.**

Yan Etkileri: Karaciğer fonksiyonlarında bozukluk olan kişiler bu bitkiyi kullanmamalıdır. Hamilelik ve emzirme dönemlerinde kullanımı sakıncalıdır. Kava Kava sakinleştiricilerle, alkolle veya uyku ilaçlarıyla beraber kullanılmaz.

Kaya Kekiği

Latince Adı: Satureja thymbra

Diğer İsimleri: Zater

Önerilen Hastalıklar: **Cinsel gücü artırır. Zihin yorgunluğunu giderip, ruhen ve bedenen canlılık verir. Açıcı ve söktürücü özelliği vardır. Göğüs hastalıklarına oldukça faydalıdır. Mideyi, güçlendirip, bedenin içinde olan tıkanıklıkları yoğun ve yapışkan**

hıltları açıp, karaciğer ve dalağı normale döndürür. Gecikmiş olan adeti başlatır. Gebe kalmaya yardımcı olur.

Kullanım Şekli ve Dozu: Kekik gibi toz halinde yemeklerin üzerine serpilir. Su ile kaynatılıp içilirse yukarıda sayılan hastalıklara şifa verir.

Yan Etkileri: Bilinen ciddi bir yan etkisi yoktur.

Not: Bu bitki KOBİK tarafından bitkisel karışım destek ürün tableti olarak üretilmiştir.

Kaya Tuzu

Kayalardan elde edilen bir tuzdur. Dövülerek tüketilmelidir. İştah açıcı özeliği vardır. Tuz beyazladıkça değeri artar.

Kayın Ağacı Yaprağı

Latince Adı: Betula pendular roth

Özellikleri: Avrupa'dan Kuzey Akdeniz'e ve Sibirya'dan Asya'nın ılıman bölgelerine kadar birçok yerde yetişen ağaç, 30 metreye kadar uzayabilir.

Önerilen Hastalıklar: **İdrar artırıcı ve ateş düşürücü özelliği bulunmaktadır. Akciğerler için antiseptik görevi görür. Müzmin bronşit tedavisinde kullanılır.**

Kullanım Şekli ve Dozu: 1 bardak sıcak suya ufalanmış halde bulunan kayın ağacı yaprağından 1 tatlı kaşığı konur, günde 2-3 çay bardağı içilir.

Yan Etkileri: Bilinen ciddi bir yan etkisi yoktur.

Keçiboynuzu

Latince Adı: Ceratonia slikűua

Almanca Adı: Johannisbrot

Diğer İsimleri: Harnup

Bilinen Bileşimleri: Yağ, sakkaroz, glikoz, selüloz ve azotlu bileşikler.

Özellikleri: Baklagiller familyasından olup, Akdeniz ve Güneydoğu Bölgeleri'nde, Toros Dağları'nın eteklerinde yetişir.10 metre kadar yükselebilen ve kışın yaprak dökmeyen bir ağaçtır. Boynuz şeklinde meyveleri olduğu için ismini buradan almıştır. Meyvelerin içinde çekirdekler sıralanmıştır. Keçiboynuzu meyvesi 10-20 santimetre boyunda, yassı, etli, açılmayan ve koyu renklidir. Çiğ yendiği gibi reçel ve likör de yapılır.

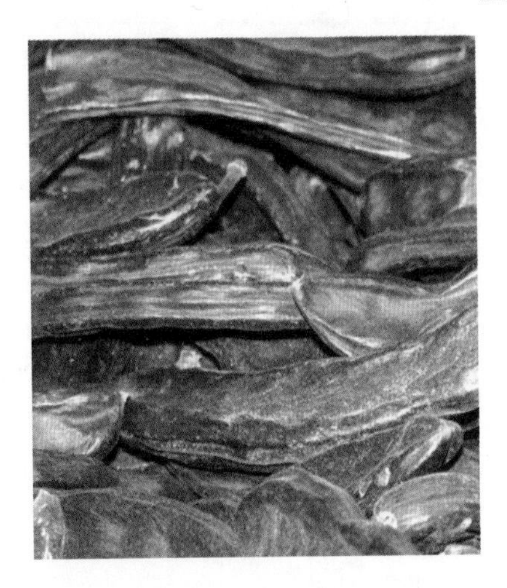

Önerilen Hastalıklar: Mide ve bağırsak hastalıklarında faydalıdır.

Akciğer rahatsızlıklarında ödem oluşumunu önleyerek akciğer kanserinin oluşmamasına yardımcı olur. Göğsü yumuşatır, balgam söker ve bronşları boşaltır, ishali keser. Sigara tiryakileri için faydalıdır. Kilo vermek için etkili bir gıdadır. Pekmezle birlikte yenirse, idrar söktürür. Unutkanlığı en az seviyeye indirir. Devamlı yendiğinde basura iyi gelir.

Cinsi gücü artırıcı özelliği vardır. Yiyerek veya kür halinde kullanılarak keçiboynuzu içerisinde bulundurduğu farklı miktarlardaki tabii şeker itibariyle spermlerin canlandırılması ve sayısının arttırılmasına tesir eder.

Kullanım Şekli ve Dozu: Toz haline getirilen çekirdekler, bir bardak sıcak suya veya süte konur. Günde 2 veya 4 bardak içilir.

Yan Etkileri: Bilinen ciddi bir yan etkisi yoktur.

Kedi Otu Kökü

Latince Adı: Valeriana officinalis

Almanca Adı: Baldrianwurzel

Özellikleri: Doğu Anadolu Bölgesi'nde daha çok bulunan bitki, doğal olarak nemli ormanlarda, hendeklerde, dere yataklarında yetişir. 1,5 metreye kadar uzayabilen beyaz çiçekli, çok yıllık otsu bir bitkidir. Yumruları yaklaşık 5 santimetre uzunluğunda ve 2-3 santimetre çapındadır. Bitkinin üstü esmer bir kabukla kaplıdır. Bitkinin kokusunu kediler çok sever.

Önerilen Hastalıklar: Uykusuzluğu giderici, rahatlatıcı, sakinleştirici etkisi vardır. Uyku düzensizliklerine karşı kullanılır. Gerginliğin yol açtığı kas spazmlarını giderir.

Yan Etkileri: Bilinen ciddi bir yan etkisi yoktur. Hayvanlarda yapılan deneylerde çok yüksek dozlarda bile yan etkisi görülmemiştir. Kötü kokusu az da olsa mide şikâyetlerine yol açabilir. Reçeteli uyku

ilaçlarının veya sakinleştiricilerin kediotuyla birlikte alınmaması gerekir.

Kekik

Latince Adı: Thymus

Almanca Adı: Thymian

Diğer İsimleri: Kabuk, Keklik otu, Catır, Sater.

Bilinen Bileşimleri: Fenolik madde, flavonit bileşikler, ursolik, oleanolik asit, triterpenik maddeler içermektedir.

Özellikleri: Avrupa'da yaygın olan kekiğin, Türkiye'de 39 türü doğal olarak yetişmektedir. Çok yıllık otsu olan bitkiler, küçük çalılar halinde yetişir. Taç yaprakları mor, pembe ve beyaz renklidir. Çiçekli toprak üstü kısımları kullanılır. Türkiye'de origanum, thymbra, coridothymus kekik cinslerinin ticareti yapılır.

Önerilen Hastalıklar: **Hazmı kolaylaştırıcı, iştah açıcı özelliği vardır. Solunum yolları enfeksiyonlarında, soğuk algınlığında kuru ve balgamlı öksürüklerde kullanılmaktadır. Hastalıklardan sonra direnme gücünü artırır. Bedeni ve hafızayı kuvvetlendirir. İltihaplanmaları en aza indirir. Böbrek ve mesanelerdeki mikropları öldürür, cinsel gücü artırır. Yemeklerin bozulmasını önler, kolesterolü düşürür. Uyuz hastalığında taze kekik yapraklarıyla rahatsız olan yerler ovulur.**

Kullanım Şekli ve Dozu: 20 gram kekik, 1 litre suda haşlanır. Sabah akşam birer çay bardağı içilir.

Yan Etkileri: Kekik çayını hamilelerin ve guatrı olanların kullanmaması tavsiye edilir.

Not: Bu bitki KOBİK tarafından bitkisel karışım destek ürün tableti olarak üretilmiştir.

Kendene

Sıcaklığı üçüncü derecede ve kuruluğu ikinci derecededir. Hazmı geç olduğundan mideye zararlıdır. Kanı tutar ve yoğun gazları giderir.

Kenevir

Latince Adı: Cannabis sativa

Almanca Adı: İndianahanf

Diğer İsimleri: Kendir, Kentir, Esrar otu.

Özellikleri: Anavatanı Hindistan olan bitki, memleketimizin bazı bölgelerinde de yetiştirilmektedir. Kendirgiller familyasından olan bitkinin, gövdesi dik, içi boş, yüzeyi tırtıklıdır. İkinci derecede sıcak ve kurudur. Bir yıllık bitkinin yaprakları çok parçalı, meyvesi 3-5 milimetre boyundadır. Tohumlar olgunlaşınca, ağustos ya da eylül aylarında toplanır. Dal uçlarında reçine ve uçucu bir yağ vardır. Meyveleri yağ bakımından oldukça zengindir. Tohumlarından çıkarılan yağ sabun sanayinde kullanılır.

Önerilen Hastalıklar: Yapraklarının suda haşlaması müzmin romatizma ağrılarını keser. İdrar yolları iltihabında, mide ve bağırsak hastalıklarında faydalıdır. **Balgamı söktürüp, iltihaplı salgı bezlerini yumuşatır. Merkezi sinir sisteminde etkili bir bitkidir. Yaş yaprağının suyu, soğuktan ağrıyan kulağa damlatılırsa ağrıyı çabucak keser.**

Kullanım Şekli ve Dozu: Bir bardak sıcak süte, ezilmiş tohumlardan bir tatlı kaşığı konur. 5 dakika kaynatılıp, 10 dakika demlenir, süzülür. Bu karışıma istenirse bal katılıp, gargara yapılarak içilir. Kereviz tohumu ile beraber kaynatılıp, balla tatlandırılarak macun yapılıp yemeye devam edilirse prostatta fayda verir.

Yan Etkileri: Normalinden fazla tüketmek, bedeni kuvvetten düşürür

Keten Tohumu

Latince Adı: Linum usitatissimum

Almanca Adı: Leinsamen

Diğer İsimleri: Cmit, Cinit, Ezgin, Güdün, Segrek, Zarek.

Bilinen Bileşimleri: Yüzde 3-6 müsilaj, yüzde 30-45 sabit yağ, yüzde 25 protein, yüzde 0,1-1,5 siyanogenetik glikozitler ve iridoit içerir. Tohum kabuğunun epidermasında müsilaj bulunmaktadır.

Özellikleri: 50-60 santimetre yükseklikte olan bitki, bir yıllık, mavi çiçekli, otsu, ince gövdeli bir bitkidir. Kullanılan kısmı, olgun tohumları ve bu tohumlardan elde edilen yağıdır. Hindistan, Mısır,

Brezilya, Kanada ve Avrupa'da lifleri, tohumu ve yağı için kültürü yapılmaktadır. Türkiye'de, Batı, Kuzey ve İç Anadolu Bölgeleri'nde tarımı yapılır. Boyacılıkta kullanılır.

Lifleri tekstil sanayinde önemlidir.

Önerilen Hastalıklar: **Müshil etkisi gösterir, sindirim sistemi tahrişlerinde, gastritin kısa süreli tedavisinde yardımcı olur. Kronik öksürük ve bronşitte, haricen ise ağrılı cilt iltihaplarında kullanılır. İdrar artırıcı özelliği de vardır.**

Kullanım Şekli ve Dozu: Öksürüğe, nezleye, üşütmeye karşı 1 çorba kaşığı keten tohumu 3 fincan suda 10 dakika kaynatılır, 3-5 dakika bekletilip süzüldükten sonra içilir. Bu çayın buharı burundan teneffüs edilir.

Yan Etkileri: Fazla kullanılması sakıncalıdır.

Not: Bu bitki KOBİK tarafından bitkisel karışım destek ürün tableti olarak üretilmiştir.

Kılıç otu

Latince Adı: Hypericum perforatum

Diğer İsimleri: Sarıkantaron, Koyun kıran, Kuzu kıran, Yara otu, Bira çiçeği,

Bilinen Bileşimleri: Pinen, cadinen, tanen, reçine, zamk, acı maddeler ve boya.

Özellikleri: Mayıs ve eylül ayları arasında sarı renkli çiçekler açan, 30-100 santimetre boyunda, çok yıllık, otsu bir bitkidir. Yaprakları sapsızdır. Çiçekleri dallarının ucundadır. Üst bölümlerinde yoğun bir şekilde dallara ayrılan bitkinin yaprakları üzerinde bulunan belirgin kırmızı benekler, yağ özütünün elde edilmesinde kullanılır. Kuru ve bol güneşli yerleri sever. Sıcaklık ve kurulukta ikinci dereceye ulaşır.

Önerilen Hastalıklar: Böbrek ve mesanede olan taşlar erir. Zehirli hayvanın soktuğu bölgeye lapa yapılıp sürülse, zehrini yok eder. İdrar söktürür, terletir ve hanımların adetini açar. İnsan bedenine canlılık verir. Baş ağrılarına fayda edip kanı ıslah eder. Ağrı kesici etkisi vardır. **Uykuyu düzenleyici etkisinin yanında, antidepresan ilaçların çoğunda bulunan uykuya aşırı meyil şeklinde bir yan etkinin bulunmaması ise önemli bir avantajdır. Bu özelliğiyle günlük yaşamın bozulmadan sürdürülmesine olanak tanır. Sinirlilik, sindirim bozukluğu, yara iyileşmesi, yanıklar, kas gerginliği, bel ağrısı, gut gibi birbirleriyle ilgisiz gibi görünebilen birçok rahatsızlıklarda**

kullanılır.

Kullanım Şekli ve Dozu: Otun tohumu dövülüp, kaynatılır. Aynı otun çiçeği toplanıp, susam yağıyla güneşte terbiye edilirse, ağrı ve sızıların üstüne sürüldüğünde şifa verir. Depresyon tedavisinde etki göstermesi için 2-3 hafta boyunca sürekli kullanılması gerekir.

Yan Etkileri: Doktor kontrolünde kullanılması uygundur.

Kınakına

Latince Adı: Cinchona

Almanca Adı: Chinarinde

Bilinen Bileşimleri: Kinin, Kinidin, kinşonin, kinşonidin, sinşol ve kupreol.

Özellikleri: Cava, Güney Hindistan, Kolombiya, Seylan, Guatemala, Kamerun ve Kongo gibi tropikal ülkelerde yetiştirilen 10-15 metre

yüksekliğinde bir ağaçtır. Kabuğundan çıkarılan ve oldukça acı olan kinin, ilaç olarak kullanılır.

Önerilen Hastalıklar: Çok iyi derecede kan yapar, iştah açıp, vücuda kuvvet verir. Yorgunluğu

gideren bitki, şeker hastalığında nöbet gelmesinde ve veremde çok fayda verir. Özellikle zayıf kimseler için tavsiye edilir. Tansiyonu düşürücü etkisi vardır.

Kullanım Şekli ve Dozu: Kök ve gövde kabukları toz haline getirilir. Bir bardak tatlı meyve suyuna, yarım çay kaşığı Kınakına tozu konulur. Yemeklerin üzerine günde 1-2 defa içilir. Bunun için soğuk bal şerbetinin içine katılıp içilmeye devam etmelidir. 15-20 gün kullanılan Kınakına otuna bir süre ara verilmelidir.

Yan Etkileri: Kınakına uzun süreli içilmemelidir.

Kırmızıbiber

Latince Adı: Capsicum annum

Almanca Adı: Spanischer pfeffer

Diğer İsimleri: Hint biberi, İsot, Macar biberi, Türk biberi.

Bilinen Bileşimleri: Kapsaisinoitler ve uçucu yağ içerir.

Özellikleri: Ülkemizde Kahramanmaraş, Kayseri ve Bursa'da yetiştirilir. Yurt dışında ise Güney Amerika'nın tropik bölgelerinde bol miktarda görülür. Bitkinin kullanılan kısımları

meyveleridir. Yakıcı tadıyla bilinen bitki, sağlık alanında da güçlü etkilere sahiptir. Pastırma üzerine baharat olarak kullanılır. Ayrıca etlerde, sebzelerde, çorbalar ve turşularda karışık baharatlar salça ve soslarda da çok kullanılır.

Önerilen Hastalıklar: Kan toplayıcı etkisinden dolayı haricen romatizma, lumbago, burkulma tedavisinde kullanılır. Sindirimi uyarıcı ve hazımsızlığa karşı etkisi de bilinir. Ayrıca kırmızıbiberin kolesterol düşürücü, mide asidini düzenleyici ve mikrop öldürücü özellikleri de vardır. Kanseri önleyici etkisi görülür.

Yan Etkileri: Bilinen ciddi bir yan etkisi yoktur.

Kızılcık

Latince Adı: Cornus mas

Bilinen Bileşimleri: Şeker, müsilajlı maddeler ve tanen.

Özellikleri: Kızılcıkgiller familyasından olan bitkinin çoğunluğu çalı veya ağaç halindedir. Odunsu ve

bir kaçı da otsu karakterde olan bitki, kuru ve taşlık yamaçlarda, seyrek ormanlarda yetişir. Yaprakları sade, uzun veya kısa saplı, genellikle çatallı ve tüylüdür. Çiçekleri ise salkım veya şemsiye şeklindedir. 40 kadar türü vardır. Yurdumuzda yetişen türü sarı çiçekli kızılcıktır. Meyveleri kırmızı, lezzeti buruktur. Bol miktarda C vitamini bulunan meyveleri yenir veya şurubu yapılır.

Önerilen Hastalıklar: Meyveleri ishali keser, kabızlık yapar. Kabukları ateş düşürür, ağız paslanmasını giderir. Şurubu,

vücuda kuvvet verir.

Kullanım Şekli ve Dozu: Yaprakları dövülüp, yara üzerine konursa yarayı iyi eder.Ağaç kabuklarının suyundan bir miktar içildiğinde ateş düşürülür. Tarhanası kullanılır.

Yan Etkileri: Bilinen ciddi bir yan etkisi yoktur.

Kimyon Meyvesi

Latince Adı: Carum carvi

Almanca Adı: Kreuzkümmel

Özellikleri: Yurt dışında Avrupa, Sibirya, Himalayalar, Kafkasya, Moğolistan ve Fas'ta yetişen bitki, ülkemizde Doğu Anadolu'nun sulak çayırlarında ve Eskişehir, Sivrihisar, Polatlı ile Konya'da yetişir.30 ile 100 metreye kadar uzayan bitkinin, beyaz ve pembe çiçekleri vardır. Çok yıllık, otsu bir bitkidir. Kuvvetli kokulu ve baharlı

lezzettedir. Tüm Akdeniz ülkelerinde kültürü yapılmaktadır. Türkiye'nin dış satım ürünlerindendir.

Önerilen Hastalıklar: Hazımsızlıkla ilgili şikayetleri giderir. Karın bölgesinde hissedilen gazları ortadan kaldırır. ***Anne sütün artırır. Sarı kantaronla beraber kullanıldığında depresyonu giderici, ruhu rahatlatıcı etkisi vardır.***

Kullanım şekli: Hergün 1/4 et suyu, 5'er tane kimyon, 5 gram sarı kantaron demlenir ve içilir. 3 hafta devam edilir.

Çok kullanılan baharatlardandır, köftelere, bazı et yemeklerine ve salatalara serpilir. **Kimyon Yağı:** Kimyon görevini yapar ve mide ağrılarını dindirir. Dıştan masaj yaparak kullanılırsa adale ağrılarına faydalıdır.

Yan Etkileri: Bilinen ciddi bir yan etkisi yoktur.

Not: Bu bitki KOBİK tarafından bitkisel karışım destek ürün tableti olarak üretilmiştir.

Kiraz Sapı

Latince Adı: Prunus avium

Almanca Adı: Sauerkirschenstiele

Özellikleri: Ana yurdu Asya olan kiraz, 30 metreye kadar uzayabilen, beyaz veya pembe çiçekli bir bitkidir. Yapraklanmadan önce çiçek açar. Ülkemizde sevilen ve bol tüketilen bir meyvenin sapı olduğu için geleneksel kullanımı yaygındır.

Önerilen Hastalıklar: **Kiraz sapları kurutulup kavanozda saklanırsa, ödeme karşı güvenle kullanılır. Mısır püskülü, saplarıyla beraber maydanoz ve kiraz sapı karışımından elde edilen çay, zayıflamaya yardımcı olur, ödem sorununu giderir.**

Yan Etkileri: Bilinen ciddi bir yan etkisi yoktur.

Kişniş

Latince Adı: Coriandrum sativum

Almanca Adı: Koriandersaat

Diğer İsimleri: Aşotu, Kizni, Kişnit, Yumurcak, Kara kimyon.

Bilinen Bileşimleri: Yüzde 1 oranında uçucu yağ (yüzde 60-70 linalol), yüzde 20 monoterpen hidrokarbon, kafur, geraniol ve

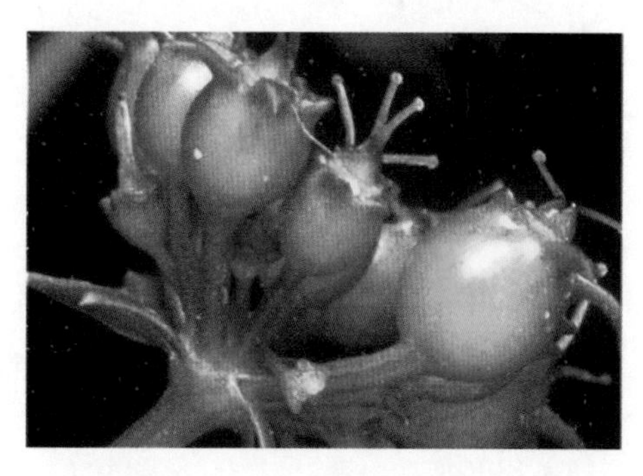

geranil asetat, sabit yağ ve tanen içerir.

Özellikleri: Dünyada Avrupa, Afrika ve Asya'da doğal olarak yetişir. Anadolu'da yabani olarak sık rastlandığı gibi meyveleri için ekimi bilhassa Konya ve Burdur yörelerinde yapılmaktadır. Baharlı bir lezzeti olduğu için daha çok baharat olarak kullanılan bitki, boyu 20 ile 60 santimetreye kadar uzayabilen canlı, tüysüz, bir yıllık, otsu bir bitkidir. Yaprakları parçalı, çiçekleri beyaz veya pembe renklidir. Kullanılan kısmı meyvelerdir. Meyvelerinin çeşnisi aromatik, yumuşak ve hafiftir. Yaprakları Doğu Anadolu'da Erzurum, Kars yemeklere koku vermek için kullanılmaktadır. Fırın yemeklerinde ve etlerde, şekerlemelerde, içeceklerde, çeşni karışımlarda, şuruplarda, likörlerde çiçekler ve dondurmalarda kullanılır. Meyveleri şekere bulanarak kişniş şekeri yapılır.

Önerilen Hastalıklar: **Bağırsak gazlarını giderir, iştah açar ve hazmı kolaylaştırır. Sinirsel baş ağrılarını keser. Haricen romatizma ağrılarına karşı kullanılan preparatların içeriğinde yer alır.**

Cinsel arzuyu kamçılar. Aybaşı kanamasını düzenler. Doğumu kolaylaştırır. Sürmenajda faydalı olduğu görülmüştür. Anne sütünü artırır.

Ağız yaralarını iyi eder, behçet hastalığına suyu-kendisi ve kuru tozu şifadır.

Kişniş yağı: Ağız yaraları, halk dilinde aft ve Behçet hastalığı için kullanılır. Suya günde 10-12 damla damlatılarak içilir.

Kullanım Şekli ve Dozu: 40 gram kişniş tohumu hafif ezilerek, 1 litre suda kaynatılır. Elde edilen karışımdan yemeklerden önce birer fincan içilir.

Yan Etkileri: Fazla miktarda yenirse, zararı görülür.

Not: Bu bitki KOBİK tarafından bitkisel karışım destek ürün tableti olarak üretilmiştir.

Kombu Çayı

Latince Adı: Kombucha

Özellikleri: Bir mantarın mayalanmasıyla, yaklaşık bir haftalık süre içinde oluşur. Çayın oluşması için su, şeker, yeşil veya siyah çay, biraz elma sirkesi veya önceden yapılmış bir miktar kombu çayı gerekir. Bu çay bir kez oluştuğunda, yavru mantarlardan sürekli olarak üretilebilir. Çok değerli ve sağlığı destekleyici bir besin kaynağıdır.

Önerilen Hastalıklar: Enerji verir, bedeni toksinlerden temizler, yaşlanmayı yavaşlatır. Vücut için çok önemli bir besin kaynağıdır.

Kullanım Şekli ve Dozu: Hazırlanmış olan çaydan, sabah akşam, soğuk veya ılık olarak birer bardak içilir.

Yan Etkileri: Sıcak iklimlerde evde hazırlanan çay, hijyen kurallarına dikkat edilmeden yapılmışsa, sağlıklı olmayabilir. Bazı kişilerin bu çaya alerjisi de olabilir. Dikkatli kullanılmalıdır. Mide ülserinde ve asit problemlerinde kullanılması uygun değildir.

Koyun Otu

Latince Adı: Agrimonia Eupatoria

Almanca Adı: Odermennig

Diğer İsimleri: Kızıl yaprak, Kasık otu, Fıtık otu.

Özellikleri: Aslanpençesi ailesinden olan bitkinin boyu, 80 santimetreye kadar uzar. Orman kıyılarında, harabelerde, çimenliklerde, güneşli ve kuru bölgelerde yetişir. Küçük sarı çiçekleri uzun bir salkımı andırır. Çiçekleri yaz aylarında toplanır. Bitkinin tümü yumuşak tüylerle kaplıdır. Koyun otu en başta gelen şifalı bitkilerimizdendir.

Önerilen Hastalıklar: Bitkinin yaprakları, kansızlıkta ve yaralanmalarda büyük başarı ile kullanılır. Romatizma, lumbago, sindirim zorlukları, siroz ve dalak hastalıklarında etkilidir. Boğaz, ağız boşluğu ve yutak iltihaplarına karşı büyük bir iyileştirme gücüne sahiptir. Mesleği gereği çok konuşmak veya şarkı söylemek durumunda olan kişiler, bir önlem olarak her gün koyun otu

bitki çayı ile gargara yapmalıdırlar. Varis ve baldır çıbanlarında, koyun otu merhemi özellikle önerilir. Ateş düşürücü etkisi vardır. Daraltıcı, toplayıcı iki önemli özelliği vardır.

Kullanım Şekli ve Dozu: Herkes yılda en az 1 veya 2 kere koyun otu banyo katkısıyla banyo yapmalıdır. Karaciğer rahatsızlıklarında, 100 gram koyun otu, 100 gram yoğurt otu ve 100 gram hindiba karışımı ile elde edilen çay kullanılır. Sabah aç karnına 1 bardak, gün boyunca toplam 2 bardak içilmelidir. Merhemi için; iki avuç dolusu ince kıyılmış koyun otu yaprağı, çiçek ve sap, iyice kızdırılan 250 gram içyağı veya bitkisel margarinle 1 dakika kadar karıştırılarak bekletilir. Daha sonra kapağı kapatılarak serin bir yere alınır. Ertesi gün tekrar ısıtılıp, bir tülbentten geçirilerek süzülür. Buzdolabında saklanmalıdır.

Yan Etkileri: Bilinen bir yan etkisi yoktur.

Köpek Dili

Latince Adı: Cinoglossum officinalis

Almanca Adı: Hundszunge

Diğer İsimleri: Köpek dili otu.

Bilinen Bileşimleri: Siniglosin içerir.

Özellikleri: Yapısı ikinci derecede soğuk ve kurudur. Hodangiller familyasındandır. Kırmızımsı ya da morumsu çiçekli, iki yıllık, otsu bir bitkidir. Çiçekli dallarından ve köklerinden infüzyon yoluyla faydalanılır.

Önerilen Hastalıklar: Peklik yapar, lapa olarak kullanılırsa yaraları iyileştirir. Sinirleri yatıştırıcı rol oynar. Karaciğer hararetlerine iyi gelir. Balgamı söktürür.

Kullanım Şekli ve Dozu: Otun kökü bal suyuyla kaynatılıp, sabahları aç karnına ve geceleri yatmadan önce içilir. Salata ya da ıspanak gibi de yenilebilir.

Yan Etkileri: Bilinen ciddi bir yan etkisi yoktur.

Kudret Narı

Latince Adı: Momordica charantia

Almanca Adı: Balsamgurken

Özellikleri: Kabakgiller familyasından olan bitki, tırmanıcı, ince gövdeli, bir yıllık bir bitkidir. Meyvesi olgunlaşınca, birbirinden ayrılır. 10-15 santimetre boyunda iki uçta incelmiş şekilde meyveleri vardır. Üzerinde turuncu ve sarı renkte kabarcıklar vardır.

Önerilen Hastalıklar: Mide ülserini tedavi eder. Egzama ve diğer cilt hastalıklarında faydalıdır. Yaraların çabuk kapanmasını sağlar. Asya'da mide problemleri ve kan şekerinin kontrolü için yaygın olarak kullanılan bir bitkidir. Karaciğeri destekler, egzama ve sedefe fayda verir. Bağırsak tembelliğini giderir, hücreleri yeniler.

Kullanım Şekli ve Dozu: Olgunlaşarak kavuniçi rengi alan meyve, tabakta ezilir, bir miktar balla karıştırılıp, sabahları aç karnına 1 çorba kaşığı yenilir. Bu şekilde en az 41 gün kullanılır.

Taze meyve bulunmayan mevsimde ise, halis zeytinyağı içinde 6 ay bekletilen Kudret Narı her sabah bir çorba kaşığı süzme balla karıştırılarak aç karna yenilir.

Yan Etkileri: Bilinen ciddi bir yan etkisi yoktur.

Kurtpençesi

Latince Adı: Polygonun bistora

Almanca Adı: Barlapp

Diğer İsimleri: Kurttırnağı, Yılan kökü, Çıyancık, Çıyan otu.

Özellikleri: Doğu Karadeniz Bölgesi'nde daha çok yetişen bitki, 20 ile 50 santimetreye kadar uzayabilen, çok yıllık, köklü ve otsu bir bitkidir.

Önerilen Hastalıklar: Antiseptik özelliği vardır. Karaciğer hastalıklarında özellikle de sirozda diğer tedavilerle beraber uygulandığında yararlıdır. Kronik kabızlık, hemoroit, gut, romatizma, böbrek kumu, kolit, husye ağrıları ve sertleşmesi için şifadır.

Kullanım Şekli ve Dozu: 1 litrenin dörtte biri kadar kaynar suyun içine bir silme tatlı kaşığı bitki konur ve demlenir. Kahvaltıdan yarım saat önce günde 1 fincan içilir. 2 hafta kullandıktan sonra 1 hafta ara verilmelidir.

Yan Etkileri: Yanlış kullanılırsa olumsuz etkileri olabilir. Doktora kontrolünde kullanılmalıdır.

Kuşburnu

Latince Adı: Rosa canina

Almanca Adı: Hagabutte

Diğer İsimleri: İt burnu, Gül burnu, Köpek gülü.

Bilinen Bileşimleri: A, B1, B2, K ve P vitaminleri açısından zengindir. Mineraller, meyve asitleri, flavonlar, tanen ve şeker de ihtiva eder.

Özellikleri: Anadolu'da yaygın olarak bulunur. Avrupa ve Kuzey Afrika'da doğal olarak yetişir. Yabani gül türünün meyveleri olan kuşburnu, 1,5-3,5 metreye kadar yükselebilen, dalları sarkık, çalı görünümünde bir ağaçtır. Çiçekleri beyaz ya da pembe renkte açar. Sonbaharda olgunlaşan bitki tam bir C vitamini deposudur. Limon ve domatesten 30-40 defa, elmadan 300 defa daha fazla C vitamini vardır. 17 kilo portakalda bulunan C vitamini 1 kilo kuşburnunda bulunmaktadır.

Önerilen Hastalıklar: **Enfeksiyonlara ve soğuk algınlıklarına karşı bedenin direncini artırarak grip, nezle gibi hastalıklara karşı dayanıklılık sağlar. Mide kramplarına ve sindirim sistemi zorluklarına karşı faydalıdır. İyi bir kan temizleyicisidir. Çok yoğun vitamin zenginliği nedeniyle gözlerin dostudur. Bitkinlik ve yorgunluk için de çok faydalıdır, vücudu dinlendirir, romatizma ağrılarını giderir. Güçlü bir bağırsak yumuşatıcısıdır.**

Kullanım şekli ve Dozu: 1 litre suya 1 çay bardağı meyve konarak, 45 dakika orta ateşte kaynatılır. Bir saat demlenip süzüldükten sonra günde 3-5 çay bardağı içilir. İkinci bir terkip, 1 bardak kaynar suya 10 gram ezilmiş kuşburnu meyvesi konur, bir müddet demlenir, günde birkaç bardak içilir. Kuşburnu'nun marmelatı ve çekirdeğinden yapılan lapası şifadır.

Yan Etkileri: Bilinen ciddi bir yan etkisi yoktur.

Not: Bu bitki KOBİK tarafından bitkisel karışım destek ürün tableti olarak üretilmiştir.

Kuşkonmaz

Latince Adı: Asparagus officinalis

Almanca Adı: Spargel

Bilinen Bileşimleri: Aspargin, saponin, kapsantin, mannit, koniferin, şeker A ve C vitaminleri.

Özellikleri: Asya, Afrika ve Akdeniz bölgesinde yetişen bitkinin yaprakları pul gibi ve almaşık dizilişli, çiçekleri küçüktür. Çalı veya yarı çalı halinde odunsu ve çok yıllıktır. Renkleri yeşilimsi veya beyazdır. Meyveleri üzümsüdür. 150 kadar türü vardır. Yurdumuzda Trakya ve Doğu Anadolu'da yabani olarak yetişir. Hekimlikte toprakta sürünen gövdesi, kökü ve tomurcukları kullanılır. İlkbahar aylarında toplanıp, kurutulur. Kurutulmuş kökleri ve kök saplarından infüzyon ve dekoksiyon yoluyla faydalanılır.

Önerilen Hastalıklar: Kalp hastalıklarından doğan ödemleri giderir, idrar söktürür, idrar yollarını temizler. Sinirleri kuvvetlendirir. Kanı temizler. Karaciğer ve böbreklerin muntazam çalışmasını sağlar. Karaciğer şişliğini indirir. Dalak hastalıklarında faydalıdır. Zihin yorgunluğunu giderir. Sivilce ve egzamanın iyileşmesine yardımcı olur. Kandaki şeker miktarını düşürür. El ve ayaklarda görülen şişlikleri indirir. Cinsel gücü artırır.

Kullanım Şekli ve Dozu: Bu otun filizi tavuk suyu ya da et suyuyla pişirilip, aç karnına içilse, mide, karaciğer, göğüs, böbrek, dalak ve rahim gibi tıkanıklıkları açar, midenin liflerini temizleyerek oldukça güçlendirir.

Yan Etkileri: Belsoğukluğu, böbrek ve mesane iltihabı olanlarla, çok sinirli kimselerin kullanmaması gerekir.

Kuşüzümü

Latince Adı: Vitüs vinifara

Diğer İsimleri: Çoban üzümü, it üzümü.

Bilinen Bileşimleri: Tartarik asit, malik asit, pektin tanen, flavon glikozitleri antosiyaninleri, şekerler, A, B1, B2, C vitaminleri ve çeşitli mineraller taşımaktadır.

Özellikleri: Türkiye'nin birçok yerinde yetiştirilen ve çok eski bir kültür bitkisi olan kuşüzümü, yapraklarını döken, tırmanıcı gövdeli olan bir bitkidir. Meyveleri yeşilden siyaha kadar değişen renklerdedir. Güney Avrupa ve Batı Asya'da doğal olarak yetişirken, ülkemizde özel-

likle Ege bölgesi üzüm formları bakımından çok zengindir.

Önerilen Hastalıklar: Damar hastalıklarını tedavi etmekte kullanılır. Yaş meyveleri bağırsakları yumuşatır. Hastalıklara karşı metabolizmayı, özelikle de sindirim sistemini ve karaciğeri koruma altına alır. Kuru üzümün balgam söktürücü etkileri de vardır. Pilavlarda, dolmalarda ve bazı tatlılarda kullanılır.

Yan Etkileri: Bilinen ciddi bir yan etkisi yoktur.

Kuzukulağı

Latince Adı: Rumex acetosa

Almanca Adı: Sauerampfer

Diğer İsimleri: Labada

Özellikleri: Karabuğdaygiller familyasından olan bitki, nemli kırlarda, sulak çayırlarda kendiliğinden yetişip, bir kaç yıl yaşayan otsu bir bitkidir. İkinci derecede soğuk ve kurudur. Haziran ve eylül ayları arasında küçük çiçekler açar. 50 santimetre ile 2 metre arasında değişen boyu, hafifçe kabarık

geniş yeşil yaprakları vardır. Yurdumuzda labada, büyük kuzukulağı, küçük kuzukulağı gibi çeşitleri yetişir. Ev ilaçlarında büyük ve küçük kuzukulağının yaprakları kullanılır. Kuzukulağının yapraklarıyla salata yapılıp yenir. Lezzetli bir tadı vardır.

Önerilen Hastalıklar: İdrar söktürür. Mide şişkinliğini giderir. Kökü kaynatılıp içilirse bütün kaşıntıları keser. Yeşil tohumları kaynatılıp içilecek olursa, anne sütünü artırır. Mesane tıkanmasını giderir, iştah açar. İshali keser. Harareti söndürür, susuzluğu keser.

Kullanım Şekli ve Dozu: Otun kökleri ve yeşil tohumları kaynatılarak kullanılır.

Yan Etkileri: Romatizmalılar, böbreklerinden hasta olanlar, yememelidir.

Küçük Hindistan Cevizi

Latince Adı: Myristicafragrans

Almanca Adı: Muskatnul

Diğer İsimleri: Cevizibevva, pespase.

Bilinen Bileşimleri: Bitkinin içinde bulunan uçucu yağın bileşiminde, yağ asitleri, terpenler ve aromatik bileşikler bulunur.

Özellikleri: Molük Adaları'nda yetişen bitkinin, portakal ağacına benzeyen meyvesi küçük bir şeftaliyi andırır. Bitkinin kullanılan kısmı tohumlarıdır. Sıcak bölgelerde yetiştirilir. Köftelere, soslara, çorbalara, keklere ve sıcak şaraba katılır.

Önerilen Hastalıklar: Mideyi rahatlatıcı, özelliği vardır.

Hindistan Cevizi Yağı: Donmuş, üşümüş adaleler üzerine sürülerek masaj yapılması çok faydalıdır.

Yan Etkileri: Bilinen ciddi bir yan etkisi yoktur.

Lavanta Çiçeği

Latince Adı: Lavandula angustifolia

Almanca Adı: Lavendelblueten

Diğer İsimleri: Lavandula, lavandar, lavande

Özellikleri: Ballıbabagiller familyâsından olan bitki, Akdeniz Havzası'nda doğal olarak yetişmektedir. Çiçekleri mavi ya

da mor olan bitki, çalı görünüşündedir. Etrafa yaydığı güzel kokusuyla bilinir. Çiçeklerini tamamen açmadan önce tomurcuk halinde toplaması gerekir. Bakteri öldürücü özelliği vardır. Lavanta çok yönlü bir bitkidir. Lavanta kokusu havayı sterize eder. Mantar, küf ve diğer mikropların yaşama alanını yok eder. Örneğin, mantar sporları havaya dağılır. Havadaki lavanta esansı onların yok olmasını sağlar.

Önerilen Hastalıklar: Antiseptik özellikleri nedeniyle banyolara eklenerek vücudun temizlenmesinde ve canlandırılmasında kullanılır. Tibet'te lavantaya, beyinden kötülükleri süpürdüğüne inanıldığı için "Beyin süpürgesi" denmiştir. Stres kaynaklı mide huzursuzluklarında kullanılır. Özellikle dikkat çekici kokusunun rahatlatıcı bir etkisi bulunmaktadır.

Karaciğer ve bilhassa Hepatitte tesirlidir.

Lavanta Yağı: Masaj yağı olarak kullanılan yağ, vücuttaki kötü kokuları giderir. Baş ağrısı, stres, kas ağrıları, romatizma ağrılarında faydalıdır. Güve ve sivrisinekleri uzaklaştırmak için kullanılabilir.

Kullanım Şekli ve Dozu: Lavanta, çaylarda 1-2 granül kadar kullanılır.

Yan Etkileri: Fazla kullanıldığında toksit etkisi yapabilir.

Not: Bu bitki KOBİK tarafından bitkisel karışım destek ürün tableti olarak üretilmiştir.

Leylek Burnu

Latince Adı: Geranio

Özellikleri: Yaralara çok fazla etkili olan bir ottur. Taze leylek burnu otu dövülüp, kronik iltihaplar üzerine uygulanırsa, son derece yararlıdır. Baş ağrısına etkilidir. Ağız yaralarına fayda eder.

Hanımların göğüs uçlarındaki yaralara faydalıdır. Aynı ot vücuttaki şişler üzerine uygulanırsa, şişlikleri kısa sürede indirir.

Limon Otu

Latince Adı: Lippia citriodora

Almanca Adı: Zitronen

Bilinen Bileşimleri: Yapraklardaki uçucu yağ oranı yüzde 0.1-0.2 arasında bulunur. Uçucu yağda limonen, citral ve cineol bulunmaktadır.

Özellikleri: Esas kökeni Güney Amerika olan limon otu, Batı Hindistan ve Güney Afrika'da da yetişir. Çalı tipinde, çok yıllık bitkilerdir. 1-2 metreye kadar yükselebilen boyu, 35 kadar türü vardır. Çiçekleri açık lila rengindedir.

Önerilen Hastalıklar: Mideyi yatıştırıcı etkisi vardır, iştah açıcı ve yatıştırıcı olarak kullanılır.

Limon Yağı: Grip ve soğuk algınlığına karşı koruyan limon yağı, balla tatlandırılmış suya ikişer damla damlatılarak kullanılır. Bu karışımdan günde 3 defa gargara yapılır. Hafızayı güçlendirir. Boğaz ağrısı ve mide yanması için faydalıdır. Cilt temizlemede kullanılıp, masaj yapılır. Vücuttaki istenmeyen yağları temizler, sivilceleri giderir.

Kullanım Şekli ve Dozu: Bilinen ciddi bir yan etkisi yoktur.

Mahlep

Latince Adı: Prünus mahaleb

Diğer İsimleri: İdris ağacı, indirez, endürüz keniro, melem, yabani kiraz.

Bilinen Bileşimleri: Kumarin, prusik asit, salisilik asit içerir.

Özellikleri: Avrupa, Doğu Akdeniz ülkelerinde yaygın olan mahlep, Türkiye'de Tokat, Niksar, Zile, Amasya, Çorum ve Mardin'de yetiştirilir. Türkiye'nin dış satım ürünüdür. 10 metreye kadar boylanabilen, beyaz çiçekli bir ağaçtır. Ağacın meyveleri sıyrılarak, mahlep tohumu elde edilir. Güneşte kurutulur. Çekirdekleri kırılır ve elenerek çekirdek tohum kabuğundan ayrılır. Özellikle keklere, çöreklere ve kuru pastalara katılır. Likör sanayinde kullanılır. Mahlep ağacı, dal ve kabukları içerdiği kumarin nedeniyle hoş kokuludur. Mahlep ayrıca parfümeri sanayinde de yağı ise boya sanayinde kullanılır.

Önerilen Hastalıklar: İdrar söktürücü ve kuvvet verici olarak kullanılır.

Yan Etkileri: Bilinen ciddi bir yan etkisi yoktur.

Maitake

Latince Adı: Grifola frondosa

Özellikleri: Çin ve Japon doğal tıbbında ve mutfağında kullanılan bir mantar türüdür.

Önerilen Hastalıklar: Bedeni strese karşı koruyan ve vücut fonksiyonlarını normalleştiren bir canlıdır. Kansere, AIDS'e, şeker hastalığına, kronik yorgunluğa, hepatite ve yüksek tansiyona karşı faydalıdır.

Kullanım Şekli ve Dozu: Sadece ilaç olarak alınmayıp, mantar olarak da yenebilir.

Yan Etkileri: Bilinen ciddi bir yan etkisi yoktur.

Mate Yaprağı

Latince Adı: İlex paraguariensis

Diğer Adı: Paraguay çayı

Özellikleri: Brezilya ve Paraguay'da yetişen bitki, dünya ülkelerine ihraç edilir. Doğal yenileyici ve

tazeleyici özelliktedir. Subtropikal bir bitkidir. Brezilya ve Paraguay'ın ihracatında önemli bir yer tutar. Zengin aroma ve hoş bir lezzete sahiptir. Yaprakları sadece içecek olarak kullanılmaz, yemek de yapılır. Aynı yeşil çaya benzer, yalnız daha iyidir. Çay gibi bir bitkidir. Avrupalılar tarafından "Yerlilerin Yeşil altını" olarak adlandırılır.

Önerilen Hastalıklar: **Bitkinin içeriğinde bol miktarda kafein olduğu için uyarıcı etkisi vardır. İdrar söktürücüdür. Aşırı iştahın dengelenmesine yardımcı olur.** ***Aynı zamanda antioksidan özelliği de vardır. Bağışıklık sistemini güçlendirir.*** **Doğal bir besin**

kaynağıdır. Kanı temizleyici, kalbi rahatlatıcı, saçları kuvvetlendirici, gelişme bozukluklarını giderici, zihin açıcı, yorgunluk giderici, stres azaltıcı, mide iltihabını ve uykusuzluğu giderici özelliklere sahiptir.

Kullanım Şekli ve Dozu: Bitkinin kurutulmuş yaprakları üzerine kaynar vaziyette olmayan sıcak su dökülür. Bir iki dakika demlemeye bırakılır. Genellikle sade olarak içilmekle beraber, isteğe göre süt, şeker veya limon ile farklı bir lezzet katılarak içilebilinir.

Yan Etkileri: Aşırı miktarda kullanılması sakıncalıdır.

Maydanoz

Latince Adı: Petroselinum sativum

Almanca Adı: Petersilie

Bilinen Bileşimleri: Terkibinde uçucu

bir yağ, "apiin" adlı bir glikozit, müsilaj, kalsiyum, demir B1, B2 ve yüksek oranda C vitamini vardır.

Özellikleri: Sağlık açısından oldukça yararlı özellikleri olan bitki, maydanozgiller familyasındandır. 30 ile 100 santimetre boyuna kadar uzayabilen bitkinin yaprakları güzel kokulu ve parçalıdır. İki yıllık otsu bitkinin çiçekleri ağustos ve eylül

aylarında açar. Tohumları ufak ve esmerdir. Derin kazılmış toprağı seven maydanoz, dünyanın her yerinde ılıman iklime sahip bölgelerde, bahçelerde yetiştirilir.

Önerilen Hastalıklar: Maydanoz kurutulmuş, pişirilmiş, çiğden suyu sıkılmış, kür halinde demlenerek, 3-5 dakika kaynatılarak ya da çiğ olarak tüketilebilir. Her durumda yararlıdır. Özellikle sapları kuvvetli bir idrar söktürücüdür. Her gün yenen maydanoz, şişmanlamayı önler.

Aybaşı sancılarını keser. İltihaplı yaraların iyileşmesini sağlar. Terleticidir, vücutta biriken zehirli maddeleri boşaltır. Cilt güzelliği üzerine olumlu tesir eder.

Yüksek tansiyonu düşürür.

Cinsel istekleri artırır. Görme gücünü artırır. Sürmenajda faydalıdır.

Kalbin yorulmasını önler.

Kansızlığı giderir. Kansere karşı korur. Karaciğer şişliğini indirir, sağlıklı çalışmasına, karaciğer yağlarının azaltılmasına etkili olur. Bu sebeple Hepatit B ve C'ye karşı çok etkilidir.

Safra akışını kolaylaştırır.

Böbrek taşlarının düşürülmesine yardımcı olur. Romatizmada faydalıdır. Mide ve bağırsaklarda gaz birikmesini önler. Bağırsak solucanlarının düşürülmesine yardımcı olur. Anne sütünü azaltır ve böylelikle memelerin şişmesini önler. Romatizma için faydalıdır.

Kan şekerini normal seviyede tutar.

Kullanım Şekli ve Dozu: 1 tatlı kaşığı kadar maydanoz 1 bardak

suda kaynatılıp, sabahları aç karnına içilirse vücuda fayda verir. Sinüzitte, ebegümeci ile maydanoz beraber haşlanır, buharı teneffüs edilir.

Yaprakları çiğnenirse ağız kokusunu giderir. Çiğ olarak bolca tüketildiğinde grip ve nezlenin kolayca geçmesini sağlar.

Karaciğer yağlanması için maydanoz suyunun çiğden sıkılıp limon ve su eklenerek sabahları aç karna içilmesi çok iyi bir kür olacaktır.

Böbrek taşı için pırasa, maydanoz ve kerevizin sıkılmış suları veya 5 dk. haşlanmış suları düzenli olarak her gün aç karna sabahları 1 su bardağı 3 ay boyunca, 3 haftalık kürler halinde birer hafta ara vererek içilmelidir.

Hepatit hastaları için; **maydanoz saplarıyla beraber 2-3 taşım kaynatılarak günde 3 defa aç karna içilmesi ve en az 3 hafta devam edilmesi önerilir.**

İç kanamalarda kaynatılarak içilirse kanamayı durdurur.

Yan Etkileri: Kronik böbrek iltihabı olanlar tedavi maksatlı maydanozu çok uzun süre(3 haftadan fazla ara vermeden) yememelidir.

Problemli hamileliklerde hamile bayanların ilk birkaç ay maydanozu ölçülü tüketmeleri önerilir.

Not: Bu bitki KOBİK tarafından bitkisel karışım destek ürün tableti olarak üretilmiştir.

Melek Otu

Latince Adı: Angelica silvestris

Almanca Adı: Wilde Engelwurz

Bilinen Bileşimleri: Uçucu yağ ve tanen ihtiva eder.

Özellikleri: Maydanozgiller familyasından olan melek otu, dere kenarlarında, çayırlarda ve ormanlardaki ağaçsız alanlarda yetişen, boyu 3 metreye kadar uzanabilen

hoş kokulu, otsu bir bitkidir. İki tür melek otu vardır. "Angelica officinalis" denilen bir türü, Orta ve Kuzey Avrupa'da yetişen, yüksek bir bitkidir. "Angelica sylvestris" denilen diğer bir türü de İstanbul, Marmara bölgesi, Doğu Karadeniz ve Beyşehir dolaylarında yetişir. Boyu 1-1,5 metre kadardır. 2 veya çok yıllık bir bitkidir. Hazirandan eylüle kadar çiçek açar. İçinde limonlu eterik yağ vardır.

Önerilen Hastalıklar: **Mide ve bağırsak hastalıklarına iyi gelir. Sinirleri kuvvetlendirir. Spazmları giderir. Astım nöbetlerini giderir. Kuvvet ve iştah verir. Yapraklarından çıkan suya, bir parça pamuk bastırılıp, diş çürüğüne konursa, ağrıyı keser. Kan dolaşımını düzenler. Kurutulmuş Melekotu, dövülüp başa sürülecek olursa, bitleri öldürür. Verem, kronik bronşit ve asabi astıma şifalıdır. Kadınlarda cinsel soğuklukta, beyaz akıntıda, ağrılı ve az olan adetlere çok faydalıdır. Bedenin içinde ve dışında olan yaraları iyileştirir kalbi güçlendirir. Panzehir özelliği vardır.**

Kullanım Şekli ve Dozu: İyice haşlanarak tüketilir. Tadı acı olduğundan iyi haşlanmalı ve az tüketilmelidir.Yaprak, sürgün ve köklerinden 40 gram,1 litre suda kaynatılır ve günde 3 bardak içilir. Kekik otu ile beraber kaynatılıp içilmeye devam edilirse kanı temizler.

Yan Etkileri: Bilinen ciddi bir yan etkisi yoktur.

Melisa Yaprağı

Latince Adı: Melisa officinalis

Almanca Adı: Melissenblaetter

Diğer İsimleri: Oğul otu

Bilinen Bileşimleri: Yapraklarında tanen, reçine ve uçucu bir yağ vardır.

Özellikleri: İstanbul, Bursa, Ege ve Akdeniz bölgelerinde yetişen bitkinin boyu 30-80 santimetre

kadardır. Çalılıklar arasında, avlu ve yol kenarlarında yetişen Melisa otu, limon kokulu ve çok yıllıktır. Yaprakları basit saplı, dişli kenarlı, çiçekleri ise beyaz sarımsı veya kırmızımsı renktedir. Yaprakları mayıs ve haziran aylarında, özel limoni kokusunu ve lezzetini yitirmeden, çiçekleri açmadan önce toplanmalıdır. Yaprak ve gövdedeki tüylerin şekillerinin ve cinslerine göre Türkiye'de üç alt türü bulunmaktadır. Bunlardan yalnız "melisa subs" limon kokulu olup, tedavide kullanılır. Arılarını etkilenmesinden ve bitkiden iyi kalitede bal yapmalarından dolayı, çiçeğin ismine Yunanca "arı" anlamına gelen "melisa" denmiştir. Melisa yaralarda, zehirli ısırıklarda ve arı sokmalarında kullanılmıştır.

Önerilen Hastalıklar: Sindirim sistemindeki tüm kramplara ve gaz şişkinliği ile ilgili rahatsızlıklara çok etkilidir. Sinir teskin edici ve yatıştırıcı özelliği vardır. Endişe ve depresyon gerginliklerini giderir, stresin en iyi ilacıdır. Kanı çoğaltır, şekeri düşürür. Kalbe kuvvet ve ferahlık verir. Hafızayı kuvvetlendirir, tansiyonu düşürür. Boğaz ağrısına ve nefes darlıklarına çok faydalıdır. Görme gücüne kuvvet verir, kulak çınlamasını keser. Oldukça faydalı bir bitkidir.

Kullanım Şekli ve Dozu: Toplanan yapraklar gölge bir yerde kurutulmaya bırakılır. Bir bardak sıcak suya, 2-3 tatlı kaşığı kurutulmuş ya da taze yaprak konulup, 10-15 dakika demlemeye bırakılır. İçilene kadar üzeri sıkıca kapalı tutulur. Sabah - akşam bu çaydan bir bardak içilir.

Yan Etkileri: Tansiyonu düşük kişilerin dikkatli kullanması önerilir.

Not: Bu bitki KOBİK tarafından bitkisel karışım destek ürün tableti olarak üretilmiştir.

Menekşe

Latince Adı: Viola tricolor

Almanca Adı: Stiefmutterchen

Özellikleri: Menekşe, nemli yerlerdeki ağaç altlarında ve ormanlık

alanlarda kendiliğinden yetişir. Çok güzel çiçekleri olan bitki, kokulu ve çok yıllıktır. Süs bitkisi olarak yaygın bir şekilde yetiştirilir. Memleketimizde 20 kadar çeşidi vardır. Sabahın erken saatlerinde toplanan çiçekler, üst üste gelmeden gölgede kurutulup, bez torbalarda saklanır. Bronşit, nezle ve öksürüğe iyi gelir. Yumuşatıcı bir tabiatı vardır.

Önerilen Hastalıklar: Menekşe çiçeğinden yapılan çay çok faydalıdır.Vücutta biriken zehirlerin atılmasını sağlar. Kronik bronşitte etkili bir ilaçtır. Bronşit, nezle ve öksürüğe iyi gelir. Kanı temizler. Safra ve kandan meydana gelen baş ağrısına faydalıdır. Beynin sıcaklığına ve kuruluğuna çok faydalıdır.

Kullanım Şekli ve Dozu: Önceden bir müddet bekletilen çiçekler, daha sonra demlenir. Menekşenin çiçekleri dövülerek kaşınan yerin üzerine sürülürse kaşıntıyı keser. Sedef hastalığında; bir bardak kaynar suya 20 gram hercai menekşe bitkisi konur, demlendikten sonra günde 2-3 bardak içilir.

Yan Etkileri: Bilinen ciddi bir yan etkisi yoktur.

> **Not: Bu bitki KOBİK tarafından bitkisel karışım destek ürün tableti olarak üretilmiştir.**

Mercanköşk

Latince Adı: Origanum

Almanca Adı: Majoran

Özellikleri: Yarı çalımsı, tüylü ve çıplak, yeşil renkli, çok yıllık bir bitkidir. Taç yaprakları mor, pembe ve beyaz renktedir. Bitkinin sağlık alanında kullanılan kısmı, çiçekli toprak üstü kısımları, bu kısımlardan elde edilen uçucu yağı ve suyudur. Türkiye'de 21 cins mercan köşkü doğal olarak yetişir. Mercanköşk, ülkemizin en önemli ihraç maddelerinden biridir. Baharat ve çeşni olarak çorbalara, et ve sebze yemeklerine, pizza ve salatalara, soslara her türlü yumurtalı yemeklere lezzet katmak için kullanılır.

Önerilen Hastalıklar: Mercanköşk, soğuk algınlığı ve ona bağlı öksürüklerin tedavisinde kullanılır. Ayrıca düz kaslar üzerinde gevşetici etkiye sahiptir. Ağrı kesici özelliği vardır.

Yara iyileşmesini hızlandırıcı maddeler içerir.Bu sebeple açık yaralara çok etkilidir. Meme kanserinde

güvenle kullanılır.

Cilde sürüldüğünde, deride yanma hissine neden olurken, açık yaraya sürülmesi durumunda acı duyulmamaktadır.

Yan Etkileri: Bilinen ciddi bir yan etkisi yoktur.

Mersin

Latince Adı: Folia myrti

Almanca Adı: Myrte

Diğer İsimler: As, Asmar, Murt, Sıçankulağı otu.

Bilinen Bileşimleri: Yapraklarında folium Myrti, çiçek dallarında reçine, tanen, sinaol, terpen, mirtol, pinen gibi maddeler vardır. Meyvelerinde ise; uçucu yağ, şeker, sitrik asit bulunur.

Özellikleri: Mayıs-haziran ayları arasında, beyaz renkli çiçekler açan bitki, Mersingiller familyasındandır. 2-5 metre boyunda bir ağaççık olan bitki, daima yeşil kalır. Yaprakları deri gibi serttir. Çiçekleri beyaz, kokusu güzeldir. 100 kadar türü vardır. Doğası ikinci derecede soğuk ve kurudur.

Türkiye'de Karadeniz, Ege ve Akdeniz Bölgeleri'nde yetişir. Bitkinin çiçekleri uzun saplı olup, tek olarak her bir yaprağın koltuğunda bulunur. Meyveleri nohut büyüklüğünde, morumsu siyah renkte ve çok tohumludur. Taze yapraklarından, su buharı distilasyonu ile "Mersin esansı" elde edilir. Bu esans renksiz, akıcı, özel kokulu ve yakıcı lezzetlidir. Takriben 100 kilogram yapraktan 300 gram esans elde edilir. Gıda ve parfümeri sanâyinde kullanılan önemli bir maddedir.

Önerilen Hastalıklar: Kabızlığı **giderir. Mikrop öldürücü, iştah açıcı, kan dindirici ve yara iyileştirici olarak kullanılır. Antiseptik özelliği vardır. Şeker hastalığına şifadır. (Günde 10 damla kullanılır.) Panzehir özelliği etkilidir. Öksürüğe fayda verir, balgamın atılmasını kolaylaştırır. Mideyi güçlendirir. Yaprağı kaynatılıp saçlar yıkanırsa, saçlar daha çabuk uzar ve siyahlaşır. Bedeni güçlendirir. Küçük çocukların öksürüğüne ve nefes darlığına çok faydalıdır. Kanlı ishallerde ve midenin güçlendirilmesinde kullanılır.**

Kullanım Şekli ve Dozu: Yaprakları kaynatılarak suyu kullanılır.

Yan Etkileri: Bilinen ciddi bir yan etkisi yoktur.

Meşe Ağacı

Latince Adı: Qercus macreolepis

Almanca Adı: Grosse Eiche

Diğer İsimleri: Bişe, Belut

Özellikleri: Yaprağını dökmeyen bu ağacın çeşitleri parklara süs ağacı olarak dikilir. Meşe ağacı, 35 kadar çeşidi olan, kalın gövdeli, uzun ömürlü bir orman ağacıdır. Ağacın kabukları ilaç olarak kullanılır. Meşe ağacının "palamut" ve "pelit" adında iki çeşit meyvesi vardır. Palamutlar şifa amaçlı kullanmak için henüz olgunlaşmadan ağustosun yarısından eylülün yarısına kadarki 1 aylık zaman içinde toplanır. 10 gün süreyle güneşte kurutulur.

Önerilen Hastalıklar: **Kan durdurucu etkisi olan meşe ağacı, mide bağırsak kanamalarını durdurur. Kan kusmaya ve dizanteriye şifadır. Altını ıslatan çocuklara, öğleden sonraları bir miktar meşe kabuğu suyu içirilmelidir. Saman nezlesine iyi gelir. İdrar yollarını açar. Bağırsak bozukluklarını giderir. Mikrop öldürücü etkisi vardır.**

Kullanım Şekli ve Dozu: İlkbaharda soyulan dalların kabukları, ince bir şekilde kıyılarak gölgede kurutulur. 1 bardak suya, 10 gram meşe kabuğu konulur. 10 dakika bekletilip, günde 2-3 bardak içilir. Kaynatılan meşe kabuğunun suyu, yaraların temizlenmesinde kullanılır. Suyu gargara yapılırsa, boğaz ağrılarını yok eder. Meşe kabuğu toz haline getirilip, merhem yapılır. Bu karışım basurun üzerine sürülür.

Kurutulan palamutlar toz haline getirilir. "Palamut kahvesi" adı verilen bu tozlar, suyla kaynatılır, süzülür, bal veya pekmezle tatlandırılarak içilir.

Bu işlem çocuk olmama ve kısırlıkta kullanılan zararsız bir ilaçtır. Bel gevşekliği için, 1 bardak suya, 5 gram kavrulmuş palamut tozu konulup, hafif ateşte 10 dakika kaynatılır. Bu karışım süzülür, bal ile tatlandırılarak günde 2-3 bardak içilir.

Yan Etkileri: Bilinen ciddi bir yan etkisi yoktur.

Meyan Kökü

Latince Adı: Glycyrrhiza glabra

Almanca Adı: Süssholz

Diğer İsimleri: Piyan, Boyan.

Özellikleri: Ülkemizde Batı ve Güneydoğu Anadolu'da yaygın

olarak bulunan meyan kökü, fasulyegillerdendir. 50-100 santimetreye kadar yükselen tüysü yapraklı, mavimsi mor çiçekli, çok yıllık otsu bir bitkidir. Tatlı olan toprak altı bölümleri tıpta ve serinletici içkilerin yapımında kullanılır. Güneybatı Asya ve Akdeniz ülkelerinde yetişir. Yüzyıllardır tedavi edici özelliğiyle bilinir. Kullanılan kısmı kökleridir. Toprak altında kalan kökleri, ekim ya da kasım aylarında topraktan çıkarılır. Yıkanarak iyice temizlenir. Köklerin

suyla kaynatılıp, suyunun uçurulmasıyla elde edilen konsantre sulu ekstresi kullanılır. Yoğun tatlı lezzeti nedeniyle ilaçlara lezzet verici olarak konur. Sigara yapımında, şekercilikte ve meşrubat enstitüsünde kullanılmaktadır. Ekstraktı kola tipi içeceklerde ve şekerlemelerde yer alır.

Önerilen Hastalıklar: Bağışıklık sisteminin bozulmasından doğan tüm hastalıkların tedavisinde (behçet, sedef, vitiligo, lupus türleri,pernisiöz anemi, hashimoto vs.gibi) sorunlarda diğer tıbbi ve bitkisel tedavilerle birlikte uygulanmaktadır. Bağışıklık sisteminin depresyon nedenli olduğu bilimsel olarak açıklandığı için, meyan kökünün depresif sinirsel hastalıklara karşı da iyi bir ilaç olarak kullanılabileceği görülmüştür.

Astım, solunum yolu rahatsızlıkları ve ağız bölgesi iltihaplarına karşı kullanılır. Öksürüğü azaltır, düşük tansiyonu dengeler. Vücut direncini sağlar, yorgunluğu ortadan kaldırır. İştah açıcıdır, hazmı kolaylaştırır, karın ağrılarını giderir. Boğaz ağrılarını giderir. Ses kısıklığına ve egzamaya iyi gelir. Kramp çözücü etkisi vardır. Üst solunum yolları enfeksiyonlarında balgam söktürücüdür, gırtlaktaki salgıyı seyrelterek daha az tahriş edici hale getirir. Mide-onikiparmak bağırsağı ülseri ve gastriti tedavi eder.

Kullanım Şekli ve Dozu: Kurutulan meyan kökleri, ince ince kıyılıp hava almayan kaplarda saklanır. Kurutulan köklerden elde edilen toz, 1 bardak sıcak suya 1 çay kaşığı kadar konur. Her yemekten sonra üç öğün içilir.

Yan Etkileri: Uzun süre kullanılmamalıdır, alışkanlık yapar. Kronik karaciğer iltihabı, yüksek tansiyon ve kanda potasyum eksikliği durumlarında kullanılmamalıdır.

Not: Bu bitki KOBİK tarafından bitkisel karışım destek ürün tableti olarak üretilmiştir.

Mısır Püskülü

Latince Adı: Zea mays

Almanca Adı: Maisgriffel

Özellikleri: Çin, Brezilya, Ukrayna, Fransa ile dünyanın pek çok bölgesinde yetişir. Mısırın tepesinden sarkan sarı renkli saçaklı kısımdır. Mısırın püskülü kurutularak kavanozlarda saklanabilir.

Önerilen Hastalıklar: Önemli bir idrar söktürücüdür. Ödem dışında, idrar yolu enfeksiyonlarında yararlıdır. Sinirleri yatıştırıcı olarak da kullanılır.

Alalık ve Vıtımıgoda etkilidir.

Kullanım Şekli ve Dozu: Birkaç dakika kaynatılıp, birkaç dakika demlenmesi yeterlidir.

Yan Etkileri: Bilinen ciddi bir yan etkisi yoktur.

Mürver

Latince Adı: Sambucus nigra

Almanca Adı: Holunder Baldrian

Özellikleri: Yol ve dere kenarlarında, çalılıklar arasında yetişen bitki, yaz aylarında sarımsı çiçekler açar. Morumsu küçük meyveleri bulunur. Mürver çiçekleri yaz aylarında çiçek açma zamanından önce toplanarak, demetler halinde gölge yerlerde kurutulur. Bitki, hafifçe ovalanarak saptan ayrılır. Kurutulan çiçekler hava almayan kaplarda, ışıktan ve nemden korunarak saklanır.

Önerilen Hastalıklar: **Vücuttaki zehirleri dışarı atıcı özelliği vardır. Ateş düşürür, vücudun direncini artırır. İdrar söktürür, terleticidir. Gribe, öksürüğe ve nezleye faydalıdır. Soğuk algınlığını giderip, göğsü yumuşatır.**

Maydanoz ile beraber kaynatılarak içilirse anne sütünü artırır. Çiçeği kaynatılıp suyu içilirse, mideyi temizleyip bağırsakları mülayim tutar, balgamı dışarı

atar, rahim şişlerine oldukça yararlıdır.

Kullanım Şekli ve Dozu: 50 gram mürver çiçeği, 50 gram naneyle karıştırılıp, 1 litre kaynar suya konularak demlenir. Bu karışımdan günde 3 fincan içilir. Toz haline getirilen mürver çiçeği, günde 3 defa 5 gram içilirse, kanlı basur için faydalıdır. Yaprakları merhem biçiminde ezilerek, burkulmalara ve yaralara karşı kullanılır.

Yan Etkileri: Bilinen ciddi bir yan etkisi yoktur.

Müşk

Yumuşatıcı bir özelliği vardır. Soğuk mizaçlıların yüreklerini güçlendirir. Zaferanla ezilmiş müşkü, yüz felci geçirenlerin burnuna devamlı damlatılırsa faydalı olur. Balgamdan kaynaklanan baş ağrısına çok faydalıdır. Beyni güçlendirici etkisi oldukça fazladır.

Nane

Latince Adı: Mentha piperita

Almanca Adı: Pferfferminzblatt

Bilinen Bileşimleri: Nanenin içeriğinde Mentol, menton, jasmon

vb. maddeleri içeren uçucu yağ ile tanen, reçine, acı bitki esansı ve bazı organik maddeler bulunur.

Özellikleri: Dünyanın tüm ılıman ve astropikal bölgelerinde yetişen nanenin ülkemizde 7 türü yetişmektedir. Ballıbabagiller familyasındaki aynı cinsten 25 kadar çok yıllık, dayanıklı otsu bitkidir. Nemli ve gölgelik yerleri çok seven nane türleri, 30 ile 100 santimetre arasında boylanabilirler. Nane türleri, döktüğü tohumlarıyla çoğalır ya da çoğaltılır. Bitkinin kullanılan kısmı yapraklarıdır.

Türkiye'de yarpuz, kır nanesi, su nanesi, msueveolens, ve nigricans türleri yetişmektedir. Nanenin tazesi ya da kurutulmuşu baharat olarak kullanıldığı gibi ilaç, yiyecek ve parfümeri alanlarında da kullanılır. Kendine has kuvvetli aromasıyla çorbalardan sebzelere kadar birçok yemekte kullanılır. Alkollü ve alkolsüz içeceklerde serinletici olarak yer alır. Yaz sonu ile sonbahar başında toplanan yapraklar, çok sıkmadan demetler halinde bağlanır, gölge ve havadar yerlere asılarak kurutulur. Nanenin tazesi de kurusu da yemeklerde baharat olarak kullanılır.

Önerilen Hastalıklar: Sindirim salgılarını artırdığından mide ve bağırsaklardaki sindirim işlemini kolaylaştırır. İç organların kaslarında yatıştırıcı etkiler yapar. İçerdiği uçucu yağlar nedeniyle mide bulantılarını keser. Gebelikteki ve yolculuklardaki kusma refleksini bastırır.

Mide ve bağırsak gazlarını söktürücüdür. Beden üzerinde güçlendirici (tonik) etkisi vardır. Bağırsaklardaki kolit yaralarının iyileşmesinde etkili rol oynar. Grip ve nezlede yüksek ateşin düşürülmesinde değerli bir yardımcıdır. Safra salgısını artırıcı özelliktedir. Soğuk algınlığında üst solunum yolları antiseptiği olarak kullanılır. Limonla hazırlanan nane çayı ferahlık verir, çarpıntılara, migrene karşı rahatlatıcıdır. Dimağa kuvvet verir, yüksek ateşin düşürülmesinde yardımcıdır. Sinirleri güçlendirir, kalbi kuvvetlendirir.

Nane Yağı: Ağrı dindirici özelliği vardır. 5 damla nane yağı suyla içilirse, baş ağrısını ve karın ağrılarını dindirir. Mide bulantısını kesen yağ, bağırsak solucanlarını temizler, nezle ve gribe faydalıdır. Sinüsleri açmada oldukça etkilidir, anne sütünü çoğaltır.

El ve ayak ekzamalarında naneyağı haricen sürülerek kullanılır.

Kullanım Şekli ve Dozu: Bir kahve kaşığı nane, 1 bardak su içinde bir taşım kaynatılarak elde edilen çay içilir. Limon ile kaynatılıp sıcak içilir.

Yan Etkileri: Hiçbir yan etkisi yoktur. Mide ülseri ve gastriti olanlar fazla kullanmamalıdır. Fazla kullanılırsa bulantı yapar.

Not: Bu bitki KOBİK tarafından bitkisel karışım destek ürün tableti olarak üretilmiştir.

Nergis (Narcissus)

Nergisgiller familyasından, soğanı zehirli bir bitkidir. Baharda çiçekleri ilk açan bitkilerdendir. Çiçeği, çıplak bir sapın ucunda biraz eğik durur. Sıcak ve nemli bir özellikte

olup, beyine faydalıdır. Kusturucu olarak kullanılır. Fazla miktarda kullanılmamalıdır. Baş ağrısına faydalıdır. Kalbi ve beyni kuvvetlendiren bir koku maddesi vardır.

Noni

Latince Adı: Morinda citrifolia

Almanca Adı: Noni

Özellikleri: Çin ve Hindistan'dan Pasifik Adaları'na getirilen tropikal bir meyvedir.

Önerilen Hastalıklar: Bağışıklık sistemini uyaran noni, hasarlı hücrelerin yeniden onarılmasını sağlar. Yüksek tansiyonu dengeler, kanserden korunmada faydalıdır. Hafif depresyonda yararlı olabilir.

Kullanım Şekli ve Dozu: Hapları ya da suyu kullanılır.

Yan Etkileri: Bilinen ciddi bir yan etkisi yoktur. Bazı hassas kişilerin ciltlerinde hafif kızarıklık ve şişme belirtileri görülmüştür.

Okaliptüs

Latince Adı: Eucalyptus globulus

Almanca Adı: Eukalyptus

Bilinen Bileşimleri: Bileşiminde yüksek oranda sineol, uçucu madde,

acı madde ve tanen içerir.

Diğer İsimleri: Sıtma ağacı, Sulfata ağacı

Özellikleri: İzmir'den başlayarak, Ege ve Akdeniz kıyı şeridinde sıcak ve bol güneşli yerlerde yetişir. Mersingiller familyasındaki aynı cinsten 300'ü aşkın ağaç ya da ağaççık türünün genel adıdır. Anayurdu Avustralya ve Yeni Zelanda olup, oradan dünyaya

yayılmıştır. Bataklık yerleri kurutmak ve odunundan faydalanmak için sıkça yetiştirilmektedir. Topraktan çok fazla su çektiği için kısa zamanda bataklığı kurutur. Bazı okaliptüs türlerinin boyu 100 metreyi aşabilir. Okaliptüs türleri tohumuyla çoğalır. Okaliptüslerin yaprakları, genellikle orak biçimli,

sarkık yapıda, koyu yeşil renkli ve tadı acıdır. Yaprak koltuklarından çıkan püskül biçimindeki sarımsı beyaz ya da kırmızı renkli çiçekleri, tek tek ya da kümeler oluşturarak açar. Meyveleri, çok sayıda tohum taşıyan kapsüller halinde oluşur. Yaprakları devamlı yeşildir. Şifası tazı yapraklarındadır.

Önerilen Hastalıklar: Özellikle solunum yolları hastalıklarında etkili ve iyileştiricidir. Göğsü yumuşatır, balgam söktürür, nefesi açar, ateşi düşürür ve sinüsleri açar. Bu etkileri sağlamak üzere ya şurubu içilir ya buhar banyosuna girilir ya da ispirtolu veya zeytinyağlı eriyikleri alınır. Antiseptik oluşu nedeniyle yara, ülser ve yanıkları temizleme ve iyileştirmede etkilidir. Bunun için merhemi şikâyet edilen yerlere uygulanır. Dişeti enfeksiyonlarında mikrop kırıcı, ağız kokularını gidericidir. Peklik verici ve bedeni güçlendiricidir. Romatizma ağrıları, kas kasılmaları ve üşütmelerden ortaya çıkan ağrılarda şikâyet edilen yere lapası uygulanır. İdrar yolları antiseptiğidir. Mide asidini temizler, sindirimi kolaylaştırır.

Kullanım Şekli ve Dozu: 1litre kaynar suyun içine 20 gram okaliptüs yaprağı konularak demlenir. Günde 2-3 defa yarımşar fincan içilir. Saman nezlesinde okaliptüs yaprağı kaynatılır ve buharı teneffüs edilir. Memeli basur için, bir bardak kaynar suya 5 gram yaprak konur. Bir müddet bekletilir. Bal ile tatlandırılarak günde 2-3 bardak içilir.

Yan Etkileri: Aşırı dozda alınmamalı, her uygulamadan sonra eller sabunla yıkanmalı, gözlere dokunulmamalıdır. Hiçbir yan etkisi yoktur.

Not: Bu bitki KOBİK tarafından bitkisel karışım destek ürün tableti olarak üretilmiştir.

Ökse Otu

Latince Adı: Viscum album

Almanca Adı: Mistel

Diğer İsimleri: Burç, Çekem, Güvelek, Gökce.

Bilinen Bileşimleri: Adi ökseotunun yaprakçıkları tanen, urson, inosit, viskotoksin, sapotoksin ve glikozit adı verilen maddeleri içerir.

Özellikleri: Çam, göknar, ardıç, söğüt, kavak, zeytin, ıhlamur gibi

meyve ağaçlarının yüksek dallarında asalak şekilde yetişir. Ağaçları öz suyunu emerek beslenir. Kışın yaprağını dökmeyen ökseotunun yaprağı zeytin yaprağına benzer. Sarımsı renkte çiçekler açar, parlak meyveleri nohut büyüklüğündedir. Bitkinin meyvelerinin etli bölümünde "visin" adlı yapışkan madde bulunur. Bu beyaz yapışkan madde, insanlar için zehirli olmasına rağmen iştahla yiyen kuşlara hiçbir zararı dokunmaz. Bitkinin meyveleri sağlığa zararlı zehirli maddeler ihtiva eder

ama yaprak ve saplar zararlı değildir.

Önerilen Hastalıklar: Sinirleri yatıştırıcı, sinirsel spazmları gidericidir. Yüksek tansiyonu düşürür. Yüksek tansiyon nedeniyle oluşan baş ağrılarını geçirir. Damar çeperlerindeki kireçlenmeyi azaltır. Damar sertliğine karşı yararlıdır. Metabolizmayı düzene sokar. *Son zamanlarda yapılan bazı kanser araştırmalarında ökseotunun tümör oluşumunu engellediği saptanmıştır.* En önde gelen özellikleri kalbi güçlendirmesi, kan basıncını dengelemesi, kan dolaşımını düzenlemesidir. Epilepsi hastalığına karşı etkilidir. Menopoz dönemine ait sıkıntılar için etkilidir. Hormon dengesinin bozuk olduğu hallerde çok faydalıdır. Soğuk olarak burna çekildiğinde burun kanamasını durdurur.

Kullanım Şekli ve Dozu: Yarım tatlı kaşığı ince kıyılmış ökseotu, orta boy bir su bardağı dolusu soğuk suya eklenir.10-12 saat demlendikten sonra süzülür ve ılıklaştırılarak içilir. Yılda 6 haftalık bir ökse otu kürü uygulanması tavsiye edilir.

Yan Etkileri: Bilinen ciddi bir yan etkisi yoktur.

Not: Bu bitki KOBİK tarafından bitkisel karışım destek ürün tableti olarak üretilmiştir.

Öksürük Otu

Latince Adı: Tussilago farfara

Almanca Adı: Huflattisch

Diğer İsimleri: Deve tabanı, farfara.

Bilinen Bileşimleri: Yapraklarında müsilaj, acı bir glikozit, tanen, inülin, şekerler ve fitosterol vardır. Çiçeklerinde de aynı maddeler ve bunlara ilave olarak da uçucu bir yağ vardır.

Özellikleri: Bileşikgiller familyasından olan öksürük otu, yurdumuzda gevşek topraklı ve nemli sırtlarda yetişen çok yıllık otsu bir bitkidir. 20 santimetreye kadar uzayabilen bitkinin yaprakları köşeli, etlice ve alt yüzü sık tüylü, beyaz görünüştedir. Çiçekleri ise, ilkbaharın başlangıcında bütün bitkilerden önce açmaya başlar. Nisanda tam açmadan önce toplanan çiçekler, gölgede kurumaya bırakılır. Yaz aylarında toplanan yapraklar da çiçeklerden ayrıca kıyılıp kurutulur. Ev ilaçlarında yaprakları ve çiçekleri kullanılır.

Önerilen Hastalıklar: Öksürüğü

keser, balgamı söker. Diğer solunum yolu hastalıklarında da yumuşatıcı olarak faydası görülür. Kronik ve akut bronşite nezle ve gribe karşı etkilidir. Astım, nefes darlığı soğuk algınlığındaki şikâyetleri geçirir. Sinirleri yatıştırır, ağrıları giderir.

Kullanım Şekli ve Dozu: **Bir bardak kaynar suyun içine 1-2 tatlı kaşığı kuru yaprak-çiçek karışımı konur. 10 dakika süreyle demlendirilir. Bu şekilde 3 defa sıcak olarak içilir. Körpe yapraklar ezilerek hazırlanan lapa, çıbanla yaraların üzerine dıştan uygulanırsa iyileştirici olur. Taze sıkılmış bitki öz suyu kulağa damlatıldığında kulak ağrılarına iyi gelir.**

Yan Etkileri: Normalde herhangi bir yan etkisi olmamasına rağmen uzun süreli kullanılmamalıdır.

Papaya

Latince Adı: Carica papaya

Almanca Adı: Papaya

Diğer İsimleri: Kavun ağacı

Bilinen Bileşimleri: Demir, kalsiyum, potasyum, fosfor mineralleri ile A, B1, B2, C vitaminleri ve karoten (carotene – kansere karşı koruyucu bir madde) açısından oldukça zengindir.

Özellikleri: Papaya, sindirim sorunları için kullanılan önemli bir bitkisel kaynaktır. Yapraklarını dökmeyen, tropikal bölgelerde yetişen, büyük bir çalı veya küçük bir ağaçtır. Güneşli, sıcak, humuslu ve bol sulu topraklarda yetişir. Meyveleri yaz aylarında iyice olgunlaştıktan sonra toplanır. Olgunlaşmamış papaya meyveleri,

Güney Amerika'da sebze olarak pişirilmekte veya salatası yapılmaktadır. Gıda endüstrisinde ise etleri yumuşatmak ve biranın rengini açmak için kullanılmaktadır. Bu bitkiden elde edilen papain drogu, özellikle protein sindirimi başta olmak üzere besinlerin sindirimini sağlayan enzimler içerir.

Önerilen Hastalıklar: Şeker hastaları için Pankreas salgısının yetersizliğine karşı kullanılır. Zayıflatıcı etkisi vardır. Ülser veya gastrit gibi sorunları olan kişiler tarafından mide asidini desteklemek için alınabilir.

Kullanım Şekli ve Dozu: Ham papayayı doğrayıp, üzerine bolca limon suyu sıkıp, tahta kaşıkla ezilip yenirse zayıflamada yardımcı olur. Gıda takviyesi olarak, yemeklerden sonra ya da ihtiyaç duyulduğunda 1-2 tablet çiğnenerek alınır.

Yan Etkileri: Hekim tavsiyesi olmadan kullanılmamalıdır.KOBİK Antalya tesislerinde organik papaya ürünü üretmektedir.

Papatya

Latince Adı: Matricaria chamomilla

Almanca Adı: Echte kamilen

Diğer İsimleri: Mayıs papatyası, adi papatya, küçük papatya.

Bilinen Bileşimleri: Çiçeklerinin terkibinde acı madde, tanen, reçineler ve glikozitler vardır. Meyvesinde ise sarımtırak esmer renkli bir uçucu yağ taşır.

Özellikleri: Dünyada Güneydoğu Avrupa, Kuzeybatı Asya, Kuzey ve Doğu Afrika'da, Kuzey Asya ve Hindistan'da yetişen papatya, Türkiye'de tüm bölgelerde yetişir. Yol kenarlarında ve boş tarlalarda yetişen bitki, bileşikgiller familyasındandır. Nisan ve Eylül aylarında çiçek açan, 25 santimetreye kadar uzayabilen papatya, bir yıllık otsu bir bitkidir. Yaprakları ince parçalı olup, sapsızdır. Çiçeğinin orta kısmı sarıdır. Kenarlarında 12-20 tane dil biçiminde beyaz renkli çiçek vardır. Yaz aylarında toplanıp, kurutulur. Bu bitki Hippokrates, Galenos, Dioskurides tarafından da kul-

lanılmıştır. Papatya çiçekleri, haziran ayında tamamen açılmadan toplanıp, kurutulur. Nemsiz yerde saklanır.

Önerilen Hastalıklar: Ateşi düşürür. Ağrıları giderir, spazm çözer. Terletir, sinirleri yatıştırır. Bağırsak gazlarını giderir.

Vücuda rahatlık verir. Boğaz, bademcik ve diş etlerinin iltihaplarını giderir. Bel ve baş ağrılarını geçirir. Saçları sarartmak için de kullanılır. Papatya yağı spazm giderir. Mikropları öldürür, sinirleri yatıştırır. Papatya çayıyla gargara yapılması boğaz ağrılarına karşı yararlıdır. Vücuttaki zehirleri dışarı atar, İştah açar, hazmı kolaylaştırır, mideye iyi gelir, kabızlığı giderir. Soğuk algınlıklarını geçirmede birebirdir. Menopoza iyi gelir.

Papatya Yağı: Papatya yağıyla felçli bölgelere masaj yapılır. Cildi besleyen özelliğe sahiptir. Bademcik ve diş iltihaplarında gargara olarak kullanılan papatya yağı, içilmez.

Kullanım Şekli ve Dozu: Kurutulmuş papatyalar çay olarak demlenerek sabah akşam birer bardak içilir. Saman nezlesinde bir yemek kaşığı dolusu papatya 1 litre sıcak suyla haşlanır ve bir havlunun altında papatya buharı solunur. Bu tedavinin başarılı olabilmesi için, buhar solunumunun ardından evden dışarı çıkılmamalıdır.

Yan Etkileri: Bilinen ciddi bir yan etkisi yoktur fakat Compositae familyasının bir üyesi olan papatyanın aynı familyanın diğer üyelerine alerjisi olan kişiler tarafından kullanılmaması gerekmektedir.

Not: Bu bitki KOBİK tarafından bitkisel karışım destek ürün tableti olarak üretilmiştir.

Pazı

Latince Adı: Beta vulgaris

Diğer İsimleri: Yabancı ıspanak, Yabanpancarı.

Bilinen Bileşimleri: A vitamini kaynağı betakaroten, C vitamini ve folik asit yönünden zengin bir bitkidir.

Özellikleri: Ispanakgiller familyasından olan pazı, kırlarda kendiliğinden yetişen veya bahçelerde yetiştirilen otsu bir bitkidir. Yaprakları iri, kökleri dallı ve az etlidir. Anayurdu Akdeniz havzası, Anadolu, Kafkasya ve Ortadoğu olan bitkinin, yabani örneklerine ülkemizdeki kırlarda rastlanmaktadır. Bitki sebze olarak da kullanılır. Yaklaşık 1 metre kadar uzayabilen otsu bitki, iki yıllıktır. İri, genişçe, kalın damarlı, uzun yapraklı pazı, çeşitlerine göre koyu veya açık yeşil renklidir. Yaprak kenarları düz ya da dalgalı, yaprak ayaları kıvırcık veya düz yapılıdır. Pazının yaprakları ıspanak gibi pişirilerek, kavurması yapılarak ya da etli dolması hazırlanarak tüketilir.

Önerilen Hastalıklar: İdrar söktürür, idrar yollarında hissedilen yanmayı giderir. Haşlanmış

yaprakların suyu kabızlığı giderir. Yaprakları yanık, abse, şişlikler ve basur memelerinden doğan şikâyetleri giderir. Pazı yaprakları bedeni güçlendirici tonik etkiler taşımaktadır. Pazı yaprakları, içerdiği demir ve folik asitle kansızlığı önler. Pazı gebe kadınların omurganın bir tarafının açık olması hastalığını taşıyan çocuklar doğurma rizikosunu en aza indirir. Pazı lapası yıllardan beri kan kesici olarak kullanılmıştır.

Kullanım Şekli ve Dozu: Ispanak yemeği gibi pişirilerek ya da haşlanıp lapası yapılarak kullanılır.

Yan Etkileri: Bilinen ciddi bir yan etkisi yoktur.

Peygamber Çiçeği

Latince Adı: Centaurea cyanus

Diğer İsimleri: Mavi kantaron

Özellikleri: Bileşikgiller familyasından olan bitki, bilhassa ılık bölgelerdeki tahıl tarlalarında yetişir. Çiçekleri mavi veya menekşe rengindedir. Bir yıllık otsu bir bitki olan peygamber çiçeği, Mayıs ve Haziran ayları içinde çiçeklerini açar. Toplanan çiçekler gölgede kurutulur.

Önerilen Hastalıklar: **İştah açar, idrar söktürür. Nikris hastalığında faydalıdır. Böbreklerdeki kumun dökülmesine yardımcı olur. Bazı göz hastalıklarında kullanılır. Ağrıları keser. Vücutta biriken zehirli maddelerin atılmasını sağlar. Fazla miktarda kullanıldığı zaman kalbe zarar verir. Göğüs yumuşatıcı olarak öksürük,**

bronşit, karaciğer hastalığına karşı etkilidir. Nefes darlığı için de şifadır. Vücutta biriken zehirli maddeleri dışarı atarak kanı temizler. Boğaz ve böbrek iltihabına iyi gelir. Karında su toplanmasına (ascite) çok faydalıdır.

Kullanım Şekli ve Dozu: 15 gram peygamber çiçeği, 1 litre suda kaynatılıp günde iki kere yarımşar fincan yemeklerden sonra içilir. Yaprakları da kullanılır. İştah açması için 1 bardak kaynar suya 10 gram çiçek konur, demlemeye bırakılır. 1 günde tüketilmesi gerekir.

Yan Etkileri: Fazla kullanılırsa kalbe zarar verir. Böcek ve parazitlerde mücadele için ilaçlanmış tahıl alanlarından toplanmamış olmalıdır.

Peygamber Düğmesi

Latince Adı: Centaurea Tchihatcheffi

Önerilen Hastalıklar: Soğuk ve nemlidir. Akrep ve zehirli hayvan sokmalarına faydası vardır. Salgın ve ateşli hastalıklara büyük yararı vardır. **Avrupalı hekimlerin gözünde gayet makbul bir ottur ve çokça denenmiştir.**

Kullanım Şekli ve Dozu: Haşlanan otun öz suyu her türlü zehirli hayvan sokmalarına karşı etkilidir. Bu bitkinin yaprağı dövülüp göz şişlerine yakı olarak kullanılırsa, yaraları kolaylıkla iyileştirir. Bu otun çiçeği, yumurta akı ile dövülüp küçük çocukların başına yakı olarak uygulanılırsa beyinleri güçlendirilir.

Yan Etkileri: Bilinen ciddi bir yan etkisi yoktur.

Pelit Burcu

Latince Adı: Visco

Özellikleri: Sıcaklığı ve kuruluğu birinci derecededir.

Önerilen Hastalıklar: **Pelit burcu haşlaması sara hastalığında ve felçte kullanılır. Havale geçiren çocuklara yararı vardır. Baş dönmesine faydalıdır.**

Pelit burcundan dövüp bir dirhemi üzüm suyu ile içirilir. Haşlaması ya da tozu baş dönmesinde ve felçli hastalarda kullanılır. Bitkinin özsuyu vücuttaki şişler üzerine uygulanılırsa, şişleri dağıtıp, ağrılarını alır.

Yan Etkileri: Bilinen ciddi bir yan etkisi yoktur.

Pelit Yosunu

Latince Adı: Musco Arboreo

Özellikleri: Sıcaklık ve soğuklukta ılımlıdır.

Önerilen Hastalıklar: İdrar söktürücü etkisi vardır. **Ölmüş ceninin vücuttan dışarı atılmasına yardımcı olur. Mide bulantısına şifadır, karaciğere faydalıdır.** Kadın hastalıklarına yararlıdır. Aşırı adet kanamasını keser. İnsan vücudunu dengeler. Vücudu çeşitli zehirlenmelere karşı korur. Bedenin normal sıcaklığını ve nemliliğini artırır. Duyu organlarımızı güçlendirir. Gül yağı ile terbiye edilip ağrılara sürülürse, ağrıları dindirir.

Kullanım Şekli ve Dozu: Otun bir dirhemi üzüm suyu ile birlikte kullanılır. Pelit yosunu, kaynatılıp hanımlara içirilirse, rahimlerini güçlendirir ve gebe kalmaya yardımcı olur. Aynı ot, susam yağıyla birlikte güneşte terbiye edilip rahme sürülür.

Yan Etkileri: Bilinen ciddi bir yan etkisi yoktur.

Phyllanthus

Hint tıbbında kullanılan bu bitki, özellikle hepatit B virüsünün yol açtığı problemlere karşı, karaciğer desteği olarak kullanılır. Çeşitli cilt sorunlarına ve diyabete olumlu etkileri vardır.

Reishi ve Shiitake Mantarları

Latince Adı: Reishi-Ganoderma lucidum

Özellikleri: Uzak Doğu kökenli mantarlardır. Sağlık alanında çok sayıda olumlu etkileri vardır. Shiitake mantarı, vücutta üretilmeyen önemli aminoasitleri içeren ve bağışıklık sistemini kuvvetlendiren "lentinan" adı verilen bir

polisakkarit içerir.

Önerilen Hastalıklar: **Yüksek kolesterol ve yorgunluğa karşı yararlıdır. Her iki mantar da vücut direncini artırır. Kanser tedavisine yardımcı olurlar.**

Kullanım Şekli ve Dozu: Tazeleri, kurutulmuşu kullanılabileceği gibi hap, kapsül veya ekstre formları da vardır.

Yan Etkileri: Zehirli değildir, bilinen bir yan etkisi yoktur.

Not: Bu bitki KOBİK tarafından bitkisel karışım destek ürün tableti olarak üretilmiştir.

Rezene

Latince Adı: Foeniculum vulgare

Almanca Adı: Fenchelsaat

Diğer İsimleri: Raziyane, Arapsaçı, İrziyan.

Bilinen Bileşimleri: Bitkinin tohumları yapışkan bitki sıvısı, şeker, nişasta, tanen, sabit ve uçucu yağlar içerir.

Özellikleri: Maydanozgiller familyasındandır. Anayurdu Akdeniz olan, yaklaşık 2 metreye kadar boy atabilen, dayanıklı, çok yıllık, otsu bir bitkidir. Ülkemizde fakir topraklarda doğal olarak yetiştiği gibi, Ege ve Akdeniz Bölgeleri'nin ılıman yerlerinde bahçelerde kültürü de yapılmaktadır. Genelde hoş kokulu olan küçük ve sarı çiçekleri, yaz ortasında açar ve çiçek salkımları bileşik şemsiye görüntüsü kazanır. Bitki, açıklık alanlarda tohumlarını dökerek çoğalır, insan eliyle yetiştirilenlerinde ise, yetişmiş bitki bölünerek çoğaltılır. Bitkinin tadı tatlımsı ve yakıcıdır. Meyve ve yaprakları ezilirse, anason gibi kokar. Batı Anadolu pazarlarında satılmakta olan rezenin olgun meyveleri, baharat olarak kullanılır. Tohumları şarap yapımında

kullanılır. Hem yaprağı hem de tohumu özellikle balık yemeklerinde yer alır. Alkollü ve alkolsüz içeceklerde, fırın yemeklerinde, etlerde, şekerlemelerde, dondurmalarda, pudinglerde ve çeşni karışımlarda kullanılır.

Önerilen Hastalıklar: Mide ve bağırsak hastalıklarında rahatlatıcıdır. Sindirime yardımcı olur. Mide ve bağırsak gazlarını söktürür. İştah açıcıdır. Emziren annelerde, sütü artırıcıdır.
Bronşitte ve öksürük nöbetlerinde rahatlatıcı etkisi vardır. Öksürük ilaçlarına tat vermekte de kullanılır. İltihap giderici özelliği vardır, solunum yolları ve hazımla ilgili rahatsızlıklarda kullanılır. Çocuklarda iştah açıcıdır ve sindirimi kolaylaştırır. Balla karıştırılarak hazırlanan şurubu veya bonbon şekeri balgam söktürücü ve gaz gidericidir.
Rezenenin tansiyon düşürücü ve idrar söktürücü etkisi de vardır. Ağızdaki kötü veya acı tadı yok eder. Sindirim rahatsızlığı olan bebeklere ve küçük çocuklara rahatlıkla verilebilir.
Meyvelerinden elde edilen su, göz banyosunda ve gargara suyu olarak kullanılmaktadır. Kansızlığı giderir, emzikli kadınların sütünü çoğaltır.

Rezene Yağı: Özellikle göz için çok faydalı bir yağdır. 1 fincan suya 5 damla damlatılarak günde 3 defa kullanılır. Midede şişkinlik ve hazımsızlığı giderir. Cildi besleyip, pürüzleri giderir.

Kullanım Şekli ve Dozu: 1 bardak kaynar suyun içine 1 tatlı kaşığı tohum konur. 10-15 dakika kadar demlemeye bırakılır, bu karışımdan günde 3 defa birer bardak içilir. Taze yaprak ve sürgünleri ezilip, göze ikişer damla damlatılırsa kuvvet verir, trahoma iyi gelir.

Yan Etkileri: Reflüsü olan kişilerin yemekle beraber sıvı almaması ve yemekten 15-20 dakika sonra rezene çayı içmesi, hem sindirimi kolaylaştırır hem de reflü yakınmalarını azaltır. Aşırı dozlarda alınmamalıdır.

Not: Bu bitki KOBİK tarafından bitkisel karışım destek ürün tableti olarak üretilmiştir.

Rhodiola

Zihinsel ve fiziksel gücü artırmak için kullanılan önemli adaptojen bitkilerden biridir. Erkeklerde cinsel güç artırıcı bir etkisi vardır.

Rooibos

Latince Adı: Aspalathus linearis

Bilinen Bileşimleri: Askorbikasit, mineraller ve bazı uçucu yağlar.

Özellikleri: Anavatanı Güney Afrika olan bitki, kurutulduğunda kırmızı bir renk alır. Son yıllarda oldukça sık tercih edilen bitkiler arasındadır.

Sabun Otu

Latince Adı: Saponaria officinalis

Almanca Adı: Seifenkraut

Diğer İsimleri: Sabun çiçeği, Karga sabunu, Köpürgen.

Bilinen Bileşimleri: Saponin, sapurubinler, sapurobin asidi, sapotoksin, karbonhidratlar, yağlı maddeler, tuzlar ve C vitamini.

Önerilen Hastalıklar: Nefes darlığına, romatizma ve nikrise iyi gelir. **Kemik deformasyonlarını önler. Karaciğer ve safra ağrıları ile sivilcelere şifadır.**

Kullanım Şekli ve Dozu: Kıyılmış köklerden 1 kahve kaşığı bitki, 0,5 litre suda 5 dakika kaynatılır. Günde 3 defa yemeklerden evvel birer kahve fincanı içilir.

Yan Etkileri: Kullanılan yüksek dozları zehirleme yapar. Hamilelerin kullanması yasaktır.

Safran

Latince Adı: Crocus sativus

Almanca Adı: Safran

Diğer İsimleri: Aspir, Cehri, Çiğdem, Yemen safranı, Safran çiçeği, Safran çiğdemi.

Özellikleri: Safranbolu'da az miktar-

da yetiştirilen bitki, yurt dışında Hindistan, Balkanlar ve Doğu Akdeniz ülkelerinde yetişir. İran, İspanya, Fransa ve İtalya'da az da olsa kültürü yapılmaktadır. Sonbaharda 20-30 santimetreye kadar boylanabilen, mor renkli ve güzel kokulu çiçekler açan, soğanlı, çok yıllık bir bitkidir. Çiçekleri

yapraklarından önce açar. Bitkinin kullanılan kısmı olan dişi üreme organlarının tepe kısmı, elle kopartılarak toplanır. Bitkinin çiçekleri güneş doğana kadar toplanmalı, gölgede çabuk kurutulmalıdır. Çok hafif kömür ateşi üzerinde kurutulur. 4320 çiçekten 25 gram safran elde edilmektedir. Kozmetik ve ilaçlarda renklendirme maddesidir. Safran kullanıldığı

yemeğe sarı bir renk verir. Keskin ve hafif acımsı bir tadı vardır. Bazı balık ve deniz mahsulleri yahnilerde, pilavlarda, tatlılarda, hamur işlerinde ve soslarda kullanılır.

Önerilen Hastalıklar: İştah açıcı ve mideyi sakinleştiren bir özelliği vardır. Sindirimi kolaylaştırır. Cildi güzelleştirir, idrar söktürür. Nohutla içildiğinde sarhoşluğu ortadan kaldırır.

İktidarsızlığa ve cinsel içgüdülere iyi gelir.

Yan Etkileri: Yanlış kullanımda çocuk düşürücü etkisi vardır

Sakız Ağacı

Latince Adı: Mastaki

Diğer İsimleri: Mesleki

Özellikleri: Akdeniz kıyılarında yetişen, 4 metre boyunda, çalı görünümünde, kış aylarında yaprak dökmeyen bir ağaçtır. Antepfıstığıgiller familyasından olan ağacın çiçekleri küçük ve kırmızı renklidir. Meyvesi başlangıçta kırmızıyken, sonradan siyaha dönüşür. Dal ve gövdesinden sakız elde edildiği için bu ismi almıştır. Doğası ikinci derecede sıcak ve kurudur.

Önerilen Hastalıklar: Tükürük salgılanmasını artırıp, çene kaslarını güçlendirir. Midenin düzenli çalışmasını sağlar. Diş etlerini temizler. Bitkinin haşlamasıyla vücuttaki yaralar yıkanırsa, şifa bulur. Küçük çocukların karın ağrılarına iyi gelir. Kanlı ishali keser. Haşlaması içilirse, basur kanamasını, adet kanamasını ve burun kanamasını keser. Ağacın sakızı kullanılırsa mideyi arındırıp, güçlendirir. Karaciğer ve dalaktaki tıkanıklıkları açar.

Kullanım Şekli ve Dozu: Ot haşla-

narak ya da ağaçtan çıkan sakızı çiğnenerek kullanılır.

Yan Etkileri: Bilinen ciddi bir yan etkisi yoktur.

Sandalwood

Bitkiden elde edilen uçucu yağlar, tıp biliminde kullanılır. İdrar yolları enfeksiyonlarında ve üst solunum

yolu enfeksiyonlarında antiseptik özelliği vardır. Uçucu yağı aynı zamanda parfüm endüstrisinde de önemli bir maddedir.

Sarı Kantaron

Latince Adı: Hypericum perforatum

Almanca Adı: Johanniskraut

Diğer İsimleri: Binbirdelikotu

Özellikleri: Avrupa'da, Kuzey Afrika'da ve Batı Asya'da doğal olarak yetişen sarı kantaron, 30 ile 80 santimetre boyuna kadar yükselebilen, tüysüz, çok yıllık ve otsu bir bitkidir. Anadolu'da yaygın olarak yetişen bitkinin kullanımı oldukça yaygındır. Kırmızı, sarı, mavi ve nadiren beyaz çiçekli çeşitleri vardır. Hekimlikte sarı çiçekli olanları tercih edilir. Yaprakları karşılıklı ve sapsızdır. Çiçekleri parlak sarı renklidir. Çoğunlukta acı olan kökleri kullanılır. Yaz aylarında toplanıp, kurutulur.

Önerilen Hastalıklar: **Hafif depresyon durumlarında tane kimyonla beraber kullanılan Sarı Kantaron, huzursuzluk durumlarında rahatlatıcı özelliktedir. Kullanan kişinin uyku düzenini sağlar.**

Kantaron Yağı: **İç ve dış yaraları tedavi eder. Bir çorba kaşığı içilirse, ülser ve idrar yollarındaki yaraların iyileşmelerini sağlar. Dış yaralara haricen sürülür. İshali kesip, mide ağrılarını dindirir. Yara ve yanıkları iz bırakmadan iyileştirici özelliği vardır.**

Kullanım Şekli ve Dozu: Çay şeklinde demlenip, tüketilir.

Yan Etkileri: İntihar riski olan kronik depresyon durumlarında kullanılmamalıdır. Kullanılırken güneşlenilmemesi gerekir. Hamile ve emziren kadınların kullanması sakıncalıdır. Birkaç gün içinde ameliyat olacak hastaların da sarı

kantaron haplarını kullanmaları sakıncalıdır. Reçeteli antidepresan, sakinleştirici, doğum kontrol hapları, epilepsi ilaçları AIDS'e karşı ilaçlar kullanan kişilerin doktor kontrolünde kullanması gerekir.

Not: Bu bitki KOBİK tarafından bitkisel karışım destek ürün tableti olarak üretilmiştir.

Sarısabır

Latince Adı: Aloevera

Almanca Adı: Aloesaft

Diğer İsimleri: Sabır, alö, öd ağacı.

Bilinen Bileşimleri: Serbest ya da glikozit halde antrasen türevleri (aloin ve aloemodin adlı maddeler), uçucu yağ ve reçine içerir.

Özellikleri: Türkiye'nın Aloevera' sıdır. Anayurdu Afrika Kıtası olan sarısabır, ülkemizde Güneybatı ve Güney bölgelerimizdeki sıcak yörelerde yabani olarak yetişmektedir. Zambakgiller familyasından olan sarısabırın, kimi yerlerde de süs bitkisi olarak kültürü yapılmaktadır. 30 santimetreye kadar boylanabilen, çok yıllık Aloevera'nın yapraklarından elde edilen değişik özler ve ekstreler çeşitli cilt sorunlarında kullanılır. Kılıç biçiminde uca doğru incelip sivrileşen, kenarları testere gibi küçük dikenli, soluk yeşil renkli etli yaprakları toprağın üzerinde rozetler oluşturarak yükselir. Yaz mevsiminde açan çiçekleri, dik ve sık salkımlar halinde, sarı ve bazen kırmızı renkli olur. Pek seyrek olarak tohum bağlayan sarısabır bitkisinin tohumuyla çoğaltılması zordur. Bunun yerine, rozetinin kenarlarından verdiği yeni sürgün yapraklarının ayrılıp başka yere dikilmesiyle çoğaltılır. Güneşli yerleri seven ama kısmen gölgeli yerlere de dayanabilen sarısabırdan, nemli topraklardan daha çok verim alınır. Sarısabırın yapraklarının içinde saydam, jöleye benzeyen bir özsu bulunur. Hafif kokulu olan bu özsu, havayla karşılaşınca katılaşır ancak alkolde hemen erir. Sarısabırdan çıkarılan

bu özsu, kozmetik ve ilaç endüstrilerinde kullanılmaktadır.

Önerilen Hastalıklar: Aloe veranın cildin iyileşme hızını artırdığı bilinmektedir. Müshil etkisi olmasına rağmen fazla kullanılırsa diyareye neden olabilir. Sindirimi kolaylaştırır.
Safra söktürücüdür. Kadınlarda aybaşı kanamasını artırarak aybaşı dönemini kolaylaştırır. Böyle durumlarda, etkisinden yararlanmak üzere sarısabırın yaprakları kesilerek ya da çizilerek çıkan özsudan 1-2 damla alınır. Deri iltihapları ve egzama durumlarında

rahatlama sağlar. Sarısabır ayrıca yaraları, küçük yanıkları, güneş yanıkları ve böcek sokmalarını iyileştirir. Kuru ciltleri nemlendirip rahatlatır. **Aloe vera bilinçli kullanımda sağlık açısından çok faydalı bir bitkidir.**

Yan Etkileri: Gebe kadınlarda rahim kasılmalarına, emzikli annelerde ise bebekte ishale neden olacağı için, bu gibi kişiler sarısabırı dahilen kullanmamalıdır. Büyük yanıklarda kullanılmamalı, hemen uzman doktora başvurulmalıdır. Dahilen alındığında mide krampları veya aşırı ishal oluştuğunda, dozu düşürmek veya kullanıma ara vermek gerekir. Ülseratif kolit gibi bağırsak sorunları olanların, aloe vera ekstrelerini doktor kontrolünde kullanması gerekir. Aloe vera ekstreleri çok uzun süreli kullanılmamalıdır.

Sarmaşık

Latince Adı: Hedera

Özellikleri: Yurdumuzda adi sarmaşık ve Kafkas sarmaşığı olmak üzere iki çeşidi olan sarmaşık otu; tırmanıcı, yeşil renkli, odunsu bir bitkidir. Meyvesi etli, yuvarlak ve üzümsüdür. Yaprak ve meyvelerinde "hederin" denilen zehirli bir madde vardır.

Önerilen Hastalıklar: Yaraların tedavisinde kullanılır. Kanamayı keser, hanımların gecikmiş adetlerini açar.

Kullanım Şekli ve Dozu: Çiçeği gölgede kurutulup, dövülerek toz haline getirilir. Bu tozdan bir dirhemi suyla içilir. Tohumu tazeyken dövülüp, sirkeyle kaynatılır. Bu karışım dalak üzerine uygulanırsa, şişkinliği sona erip, ağrısı diner.

Yan Etkileri: Bilinen ciddi bir yan etkisi yoktur.

Saw Palmetto

Latince Adı: Serenoa repens

Özellikleri: Amerika'nın güney bölgelerinde yetişen bir palmiye türüdür.

Önerilen Hastalıklar: Saw Palmetto meyvelerinin, prostat sorunlarına

karşı koruyucu etkileri vardır. Ekstreleri, prostat büyümesine karşı yaygın olarak kullanılmaktadır. Tamamen güvenilir bitkisel ekstrelerden biridir.

Kullanım Şekli ve Dozu: Yemeklerden sonra alınması daha iyidir.

Yan Etkileri: Bilinen ciddi bir yan etkisi yoktur.

Schisandra

Karaciğer sorunlarına karşı kullanılan bitki, daha çok Çin tıbbında kullanılır. Vücudu ve bağışıklık sistemini kuvvetlendirici etkisi vardır.

Sedef Otu

Latince Adı: Ruta montana

Almanca Adı: Berg ruta.

Diğer İsimleri: Bahçe sedefotu

Bilinen Bileşimleri: Sedef otu bitkisinin toprak üstü bölümleri uçucu yağ, alkaloitler, tanen, reçine, rutin adı verilen glikozit ile pektin içerir.

Özellikleri: Sedef otugiller familyasındandır. Avrasya ve Kanarya Adalarında yabani olarak yetişmekte, yaz-kış yeşil kaldığı için ülkemizde de bazı bahçelerde sevilerek üretilmektedir. 60 ile 100 santimetreye kadar boylanabilen bitkinin yapraklarında çok kuvvetli koku yayıcı salgı bezleri bulunur. Parçalara bölünmüş, küçük ve yuvarlak yaprakları da mavi-yeşil renkli, acı tatlı ve kokulu, içerdiği yağ benekleri nedeniyle benekli görünüşlüdür. Bitkinin yeşilimsi, sarı renkli gösterişli çiçekleri yaz sonuna doğru açar. Tohumuyla çoğalan sedef otu bitkisi güneşli yerleri sevmesine karşın yarı gölgeli yerlere de dayanır.

Önerilen Hastalıklar: İştahı açar ve sindirimi kolaylaştırır. Mide rahat-

sızlıklarına iyi gelir, gaz söktürücüdür. **İyi bir yatıştırıcı özelliği vardır. Spazmları çözer. Kalp çarpıntısı ve endişeden doğan sorunları en aza indirger. Adet söktürücüdür. Kadınlarda aybaşı dönemini kolaylaştırır ve düzene sokar. Terleticidir.** Solucan ya da kurtları düşürücü etkisi vardır. Sedef otu ayrıca romatizma ve karın ağrılarına da etkilidir.

Kullanım Şekli ve Dozu: Kurutulmuş çiçekli dallarından toz halinde ve damıtılarak faydalanılır.

Yan Etkileri: Sedef otu gebelikte kullanılmamalıdır. Çok etkili bir çocuk düşürücüdür. Yüksek dozda alınırsa zehirlenmelere yol açabilir.

Sığırkuyruğu

Latince Adı: Verbascum phlomoides

Bilinen Bileşimleri: Şeker, sabit ve uçucu yağ, müsilaj, reçine, saponin ve renkli maddeler.

Özellikleri: Yol ve tarla kenarlarındaki çalılıklar arasında yetişen bitki, sıracagiller familyasından, yüksek boylu, bir veya iki yıllık otsu bir bitkidir. 2 metreye kadar uzayabilen, sık tüylü olan bitkinin, 200 kadar türü vardır. Yaprakları tabanında toplanmıştır. Sarı ve kırmızımsı renkte olan çiçekleri çok çabuk dökülür. Tohumlarıyla çoğalır. Yaz aylarında toplanan çiçek ve yaprakları, gölgede dikkatle kurutulur. Nemli yerlerden uzak tutulması gerekir. Bala benzeyen bir tadı vardır.

Önerilen Hastalıklar: Göğsü **yumuşatır. Balgam söktürür. Bronşitte faydalıdır. Basuru tedavi eder. Veremde, romatizma ağrılarında kullanılır, ses kısıklığına faydalıdır. Yatmadan önce içilirse uyku verir. Egzamaya iyi gelir, karaciğeri güçlendirir.**

Kullanım Şekli ve Dozu: 1 bardak kaynar suya, kurutulmuş ottan 1 tatlı kaşığı konur ve demlendirilerek, günde 3 defa birer bardak içilir. Taze yaprak ve çiçekleri ezilerek lapa yapılıp yaralar üzerine konulursa, yarayı temizler ve tedavi eder.

Yan Etkileri: Normalde bir yan etkisi yoktur. Çiçeği dışındaki diğer kısımları, özellikle çok küçük tohumları hafif zehirlidir.

Sibirya Ginsengi

Latince Adı: Eleutherococcus senticosus

Özellikleri: Çin tıbbında kullanılan bitki, adaptojen özellikleriyle bilinir.

Önerilen Hastalıklar: **Hafızayı ve bağışıklık sistemini güçlendirici etkisi vardır. Zihinsel olarak yoğun çalışan kişilerin kullanması uygun görülmüştür. Stres durumunda da yararlıdır. Rusya'da yapılan çalışmalar, Sibirya ginsenginin vücudun dayanıklılığını ve enerjisini artırdığını ortaya çıkarmıştır. Çernobil faciasından sonra radyasyonun etkilerini azaltmak için çevre halkına Sibirya ginsengi verilmiştir.**

Yan Etkileri: Kalp hastalığı olanların doktor tavsiyesi olmadan kullanmamaları gerekir. Uyarıcı ve güçlendirici etkisi nedeniyle bazı kişilerde uykusuzluğa neden olabilir. Hamilelik ve emzirme döneminde kullanılmamalıdır.

Sinameki

Latince Adı: Cassia angustifolia

Almanca Adı: Sennesblaetter

Özellikleri: Baklagiller familyasından olan bitki, tropikal ve subtrapikal bölgelerde yetişir.

Sarı çiçekleri olan otsu bir bitkidir. 400'den fazla türü olan bitkinin çiçekleri, yapraklarının dibinden çıkar. Uzun salkım şeklindedirler. Fasulyeye benzeyen meyvesi, basık silindirimsi, odunsu ve sert kabukludur. Çok eski tarihlerden beri ilaç olarak kullanılır. Piyasadaki kabızlık ilaçlarının hammaddesi sinamekidir. Yaprakları ve meyvesi kullanılır.

Önerilen Hastalıklar: **Çok kuvvetli bir müshildir. Kolit ve spastik kabızlıkta kullanılmaz. Bulantı ve kusma yapabileceği gibi sütlü kahveyle içilmesi daha kolaydır.**

Peygamberimiz kabızlığa karşı sinamekiyi tavsiye etmiştir.

Karaciğer için çok faydalı olup, karaciğer tıkanıklıklarını giderir.

Kullanım Şekli ve Dozu: 1 bardak suya 4 gram sinameki koyup hafif kaynatılır ve tatlandırılarak içilir. Demlenerek kullanılmaktadır.

Yan Etkileri: Nedeni bilinmeyen karın ağrılarında kullanılmamalıdır. Hamilelik ve emzirme dönemlerinde doktor kontrolü altında kullanılabilir. 12 yaşın altındaki çocuklara ve uzun süreli kullanılması önerilmez. Düşüğe yol açabileceği için hamilelik döneminde kullanılmamalıdır.

Not: Bu bitki KOBİK tarafından bitkisel karışım destek ürün tableti olarak üretilmiştir.

Sinirli Ot

Latince Adı: Plantago major

Almanca Adı: Breitwegerichkraut

Diğer İsimleri: Sinirli yaprak otu

Özellikleri: Sinirotugiller familyasından olan bitki, çeşidi çok olan çok yıllık otsu bir bitkidir. Birçok yabani türü olan sinirli ot, her yerde özellikle hendek, yol ve bahçe kenarlarında yetişir. Hekimlikte yaprakları kullanılır. Dal ve gövdesi yoktur, geniş yaprakları vardır. 2-3 yıllık olanların ortasından çıkan sapın üzerinde çiçek ve tohumlar bulunur. İyisi tohumunun rengi kırmızıya çalan, siyah renkte olanıdır. Yaprakları yaz aylarında toplanarak, gölge bir yerde kurutulur.

Önerilen Hastalıklar: İdrar söktürür. Yaraları iyileştirir, nasırların sökülmesinde kullanılır.

Astım, bronşit, faranjit, rinit, sinüzit, saman nezlesi, nefes yolları hastalıkları, şiddetli balgam ve öksürükte kullanılır. Kandaki alyuvar miktarını artırmada faydalıdır. Çok iyi tümör parçalayıcıdır. Bağırsaktaki yara ve iltihabı tedavi eder. Suyu ile gargara yapılırsa ağızdaki yaraları tedavi eder.

Kullanım Şekli ve Dozu: Ufalanmış bitkiden 1 bardak sıcak suya, 1 tatlı kaşığı konur. Üç öğün yemek üzerine birer bardak içilir. Taze yaprakları yaralara, ısırıklara ve hayvan sokmalarına iyi gelir.

Yan Etkileri: Bilinen ciddi bir yan etkisi yoktur.

Siyah Hardal

Latince Adı: Brassica nigra

Almanca Adı: Schwarzer Senf

Diğer İsimleri: Eşek hardalı

Bilinen Bileşenleri: Yüzde 1-2 oranında "sinigrin" adlı glikosinolat ile mirosin enzimi taşır. Tohumlar ayrıca yüzde 27 oranında sabit yağ, yüzde 30 oranında protein, alilsenevol, müsilaj ve eser miktarda sinapin ve hidrojen sülfat içerir.

Özellikleri: Anayurdu Akdeniz havzası ya da Batı Asya'nın ılıman bölgeleridir.Yuvarlak kesitli, sert ve yeşil renkli gövdesi olan bitki, 1-5 metre arasında boylanabilir. Tohumları 1,5-2 milimetre çapında kırmızımsı siyah renkli tahriş edici ve yakıcıdır. Oval biçimli, sivri uçlu ve yakıcı kokulu yapraklarının üstü koyu ve altı daha açık yeşil renklidir. Yaz ortasında küçük salkımlar halinde açan sarı renkli çiçekleri, hafif hardal kokulu olur. Verimli ve suyu iyi akıntılı toprakları seven

kara hardal bitkisi, tohumuyla çoğalır. Bir Akdeniz bitkisi olan bitkinin kullanılan kısmı tohumlarıdır.

Önerilen Hastalıklar: **Lapa halinde bronşit ve romatizmada kullanılır. Terleticidir, ateşlilik hali, soğuk algınlığı, grip ve bronşitin atlatılmasına yardımcı olur. İştahı açar ve sindirimi kolaylaştırır. Kara hardal romatizma ağrı ve yangılarını hafifletir. Eklem iltihabına karşı etkilidir. Kan dolaşımını uyarır. Ayak üşümelerini geçirir. Rahatlatıcı ve gevşeticidir.**

Kullanım Şekli ve Dozu: 120 gram taze öğütülmüş siyah hardal tozu, 45 derecelik ılık suyla lapa kıvamına gelene kadar karıştırılır. Bu

karışım ağrıyan yerlerin üzerine bir tülbent yardımıyla 1 dakika süreyle uygulanır. 1 çorba kaşığı hardal tozu üzerine 1 litre kaynar su dökülüp, 5 dakika süreyle demlendirilerek çayı hazırlanır. Hardal yağı, eklem ağrıları ve romatizmaya karşı haricen sürülür.

Yan Etkileri: Hardal, cildi duyarlı olan kişileri rahatsız edebilir.

Not: Bu bitki KOBİK tarafından bitkisel karışım destek ürün tableti olarak üretilmiştir.

Siyah Çay

Bilinen çayla ilgisi olmayan bir ağaçtır. Ağaçtan elde edilen yağın kullanımı yaygındır. Avustralya'da bulunan bu ağacın yağı, buhar distilasyonuyla elde edilir. Haricen hem kozmetik hem de tıbbi amaçlı kullanılan bir yağdır.

Söğüt

Latince Adı: Salix alba

Bilinen Bileşimleri: Dal kabuklarının terkibinde salisin glikozidi ve tanen vardır.

Özellikleri: Genellikle su kenarlarında yetişen boylu veya bodur bir ağaçtır. Kışın, yapraklarını döker. Meyveleri kapsül şeklindedir. Yurdumuzda 35 çeşidi olan söğüdün, dallarının kabuğu soyularak alınır ve güneşte kurutulur.

Tabii Aspirinin esas ham maddesi söğüttür. Ev ilaçlarında kullanılır.

Önerilen Hastalıklar: Ateşi düşürür, ishali keser. Mikropları öldürür, iştah

açar. Vücuda kuvvet verir. Romatizma ağrılarını dindirir. Mesane taşlarının düşürülmesine yardımcı olur. Uykusuzluğu giderir. Sinirleri yatıştırır. Aybaşı kanamalarını düzenler. **Migren ağrılarını yok edici özelliği vardır.**

Kullanım Şekli ve Dozu: Toz haline getirilen söğüt, suyla kaynatılarak içilir, lezzeti acıdır. 1 bardak sıcak suya toz halinde bir tatlı kaşığı karıştırılır. Her öğün yemekte birer bardak içilir. Sedef hastalığı için, 1 bardak suya 20 gram söğüt yaprağı, ağaç kabuğu veya kökü konulup, 10 dakika kaynatılır. Günde 2-3 bardak içilir.

Yan Etkileri: Bilinen ciddi bir yan etkisi yoktur.

Spirulina

Doğadaki en zengin komple yüksek biyolojik değerde proteine sahiptir. Kendisine en yakın soya fasulyesinden yaklaşık 2 kat daha fazladır.

Doğadaki en zengin B-12 vitaminine sahip besindir. En yakin takipçisi dana ciğerine göre 2-6 kat daha fazladır. B-12 kısaca yüksek enerji anlamına gelmektedir.

Doğadaki en zengin organik demir oranına sahiptir.

Ispanaktan 58 kat, dana ciğerinden 28 kat daha fazladır.

Doğadaki en zengin antioxidant kaynağıdır. Başlıca sahip olduğu antioksidantlar; vitaminler B-1 , B-5 ve B-6, mineraller çinko , mangnezyum ve bakır, amino asitler methionine ve superantioxidant beta-carotene, vitamin E ve selenyum. Doğadaki en zengin E vitamini içeren besindir.

Kendisine en yakın buğday filizinden 3 kat daha fazladır.

Sentetik E vitaminine göre, biyolojik aktivitesi % 49 daha fazladır.

Doğadaki en zengin Gamma Linolenic Asit (GLA) içeren besindir. En yakın Çuha çiçeği yağından 3 kat daha yüksektir.

Doğadaki en zengin klorofile sahiptir. Alfalfa ve buğday bitkisinden 5-30 kat daha fazladır.

Besin Değeri: Spirulina bilinen protein kaynakları içinde en yüksek protein oranına sahiptir. Diğer protein kaynakları ile

karşılaştırıldığında çok daha yüksek oranda protein içerdiği aşağıdaki tablodan rahatlıkla görülebilir;

Spirulina ayni zamanda doğal bir vitamin deposudur.

Beslenmede, sentetik vitaminlerinin zararlarının tartışıldığı günümüzde, doğal, sağlıklı ürünlerin en güvenilir vitamin kaynakları olduğunun bilincine varılmaktadır. Spirulina bu anlamda, ihtiva ettiği vitaminlerle günlük vitamin ihtiyacımızın önemli bölümünü karşılamaktadır.

Vitamin İçerik(mg/Kg.) B-Karoten (Provitamin A) 170 Siyanokobalamin (B12) 1,6 d-Ca-pantotenat 11 Folik Asit 0,5 İnositol 350 Niasin (B3) 118 Piridoksin (B6) 3 Tiamin (B1) 55 Tokoferol (E) 190

Etkileri nelerdir?

Spirulina tokluk hissi verir, bu sebeple kilo kontrolünde kullanılabilir ve sahip olduğu hücre duvarı yapısından dolayı sindirimi kolaydır.

Proteinler, vitaminler ve mineraller bakımından zengin; vücudun bağışıklık sistemini destekleyen ve bir çok hastalığın tedavisinde destekleyici olarak kullanılabilen doğal bir besindir.

Kırmızı ve beyaz kan hücrelerinin üretimini teşvik eder. Bu özelliğiyle kansızlık sorunu olanlarda etkili olur. Toplam yağ miktarı içinde %12 gibi yüksek oranda bulunan alfalinoleik asit, vücudun savunma mekanizması üzerinde etkilidir. Virüslerin hücre içine nüfuz etmelerine engel olur. Hastalıklara karşı direnç kazandırır.

Alfalinoleik asit ayni zamanda prostoglandin E1 in vücutta kolesterol sentezlemek, kan basıncını ayarlamak, hücre yenilenmesini sağlamak ve dinamizm kazandırmak gibi görevleri vardır. Bu sebeple, spirulina kolesterolü dengeler, tansiyonu düzenler ve hücre yenileyicidir.

Spirulina'nin mukoprotin içermesi, kolay sindirilmesini sağlamaktadır. Bu özelliğinden dolayı gastrit, ülser gibi mide rahatsızlıklarında

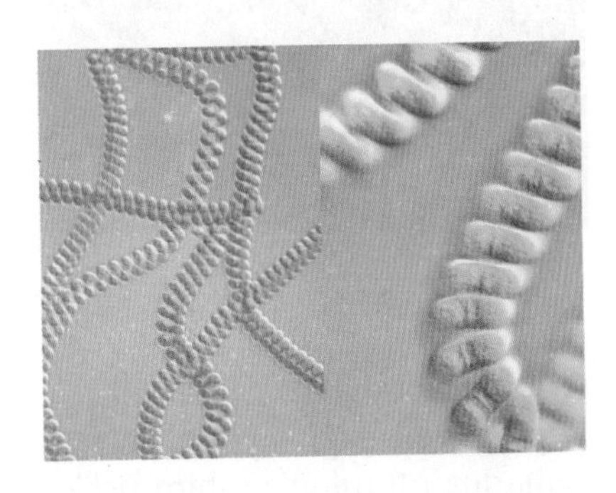

destekleyici olarak kullanılabilir. Cilt yanıklarında tedavi edici etkiye sahiptir. Cilt üzerinde hücre yenileyici ve yumuşatıcı etkisi vardır.

Spirulina, radrasyonun vücuttan atılmasında etken bir rol oynar.

KOBİK tarafından ülkemizde ilk defa yerli tableti yapılarak hizmete sunulmuştur.

Not: Bu bitki KOBİK tarafından bitkisel karışım destek ürün tableti olarak üretilmiştir.

Sultan Otu

Latince Adı: Mercurialis annua

Almanca Adı: Bingelkraut

Diğer İsimleri: Yer fesleğeni

Özellikleri: Sıcaklık ve kurulukta ılım-

lıdır.

Önerilen Hastalıklar: Sultan otu yaprağı ve çiçeği kaynatılıp, buharına oturulursa rahim şişliklerine iyi gelir. **Gecikmiş olan adet kanamasını açarak, rahim hastalıklarını güvende tutar.** Çiçek ve yaprakları gül yağı ile kaynatılıp, gözdeki şişlere lapa olarak uygulanırsa, göz şişlerini dağıtıp, ağrısını alır.

Yan Etkileri: Bilinen ciddi bir yan etkisi yoktur.

Sumak

Latince Adı: Rhus coriaria

Almanca Adı: Sumach

Bilinen Bileşimleri: Şeker, mum, flavon türevi sarı renk maddeleri, tanen, yüzde 4 uçucu yağ, organik asitler (sitrik, tartarik ve malik) ve bunların tuzlarını içerir.

Diğer İsimleri: Tetre, tetri, tatari, tutuba, tavru, terici sumağı.

Özellikleri: Antepfıstığıgiller familyasından, kışın yaprak döken veya

her mevsimde yeşil kalan, 3 metreye kadar boylanabilen bir ağaçtır. Meyvesi tek tohumlu, üzeri tüylü, kırmızı renkli, mercimeğe benzer bir meyvedir. Güney Avrupa ve Akdeniz çevresinde yetişen bitkinin birçoğu zehirlidir. Türkiye'de de çok yaygın olarak yetişir. Dış satım ürünlerimizden biridir. Birçok yöresel yemekte sumak ekşisi şeklinde kullanılır.

Tadı mayhoştur, ayrıca yaprak ekstresi dericilikte ve kumaş boyamada kullanılır.

Önerilen Hastalıklar: Hazmı kolaylaştırır. İştahsızlığı giderir, ishali keser. Kandaki şeker miktarını

düşürür. Fazlası kabızlık yapar. Antiseptik özelliği olan bitki, diyareye karşı kullanılır.

Yan Etkileri: Tansiyonu yüksek olanlar kullanmamalıdır.

Susam

Latince Adı: Sesamum indicum

Almanca Adı: Sesam

Diğer İsimleri: Süsen

Bilinen Bileşimleri: Sabit yağlar, oleik asit, linoleik, palmitik, mikrintik asit gliseritleri, protein B3, E vitamini, folik asit ve mineraller özellikle kalsiyum içerir.

Özellikleri: Susamgiller familyasından olan bitki, sıcak bölgelerde yetişir. Dik büyüyen 2 metreye kadar boylanabilen bir yıllık, yağ veren otsu bir bitkidir. Soğuk ve nemli özelliktedir. Anayurdu Afrika'dır. Ülkemizde Trakya, Ege ve Akdeniz Bölgeleri'nde yetişir. Çiçekleri beyaz ve kırmızı renkte, meyvesi kapsül şeklindedir. Tohumları esmer veya sarı renklidir. Tohumlarından preslenerek susamyağı çıkarılır. Tahin helvası yapımında, hamur işlerinde kullanılır. Hafif kavrulmuş her türlü tuzlu yiyeceğe serpilir, çeşni ve tat verir. Yağı yemeklik yağ olarak tüketilir. Besleyici değeri yüksektir.

Önerilen Hastalıklar: Safra taşlarının düşürülmesinde faydalıdır. **Karaciğer hastalıklarında kullanılır. Kabızlığı giderir. Cinsel gücü artırır. Karın ağrısını giderir. Nefes darlığı ve bronşitte faydalıdır. Antioksidan özelliği vardır. Hayvanlar üzerinde yapılan deneylerde**

susam tohumlarının kan şekeri seviyesini düşürdüğü gözlenmiştir. Susam 7 çeşit ağrı kesici bileşik içermektedir. Mideyi gevşetir.

Susam Yağı: Cildi yumuşak tutup, güzel görünmesini sağlayan susam yağı, şeker hastalığında kullanılır. Saç bakımında ve yanıklarda faydalıdır. İçilmesi durumunda bağırsaklar için faydalıdır.

Yan Etkileri: Bilinen ciddi bir yan etkisi yoktur.

Not: Bu bitki KOBİK tarafından bitkisel karışım destek ürün tableti olarak üretilmiştir.

Şahtere

Latince Adı: Fumaria officinalis

Almanca Adı: Erdrauchkraut

Bilinen Bileşimleri: Bitkinin içeriğinde tanen, şeker, fumarin ve fumar asidi vardır.

Özellikleri: Şahteregiller familyasından olan bitki, çok parçalı yapraklı, küçük, düzensiz, beyazımtırak veya pembe renkli çiçekleri olan otsu bir bitkidir. 40 santimetreye kadar uzayabilen bitkinin 50 kadar çeşidi vardır.

En çok yol kenarlarında yabani olarak yetişir. Mayıs ayı sonlarında çıkmaya başlayan bitki, çiçeklenme zamanı olan haziran ve temmuz aylarında dallarıyla birlikte toplanır. Gölge ve havadar bir yere demetler halinde asılarak kurumaya bırakılır.

Önerilen Hastalıklar: Kanı temizler. Vücudu terleterek zararlı maddelerin dışarı atılmasını sağlar. **Damar sertliğinde faydalıdır. Mide ağrısı şikâyetlerini de giderir.** Safra kesesi üzerinde çok etkili bir ottur. Hazmı kolaylaştırıp, safra taşlarını eritir. Migren ve baş dönmelerini giderir, ağrılı mide bulantısının en iyi ilacıdır. Tansiyonu düşürücü etkisi vardır. **Şahterenin öz suyu kına ile merhem yapılıp, egzamaya sürülürse şifa olur.**

Kullanım Şekli ve Dozu: Kurutulan ot, dövülerek toz haline getirilir. Toz halindeki şahterenin 1 çay kaşığı öğle yemeğinde, bir çay kaşığı da akşam yemeğinde yenir. Ayrıca yarım tatlı kaşığı ince kıyılmış şahtere otu, bir su bardağı dolusu soğuk suya eklenip, hafif ısıda kaynama derecesine kadar ısıtılır. Üstü kapalı olarak 10 dakika demlenir ve süzülür. Taze demlenmiş çaydan günde 3 bardak içilir.

Yan Etkileri: Yüksek dozajlar karın ağrısı yapabilir. Bilinen ciddi bir yan etkisi yoktur.

Şakayık

Latince Adı: Pfingdtrose, paeonia officinalis

Almanca Adı: Pfingsrose

Diğer İsimleri: Ayı gülü

Bilinen Bileşimleri: Kökünde; uçucu yağ, nişasta, şekerler, peanol ve peregrinin adlı bir alkoloid vardır.

Özellikleri: Düğün çiçeğigiller familyasından olan şakayık, gövdesi odunlaşmış, 70 santimetreye kadar boylanabilen, çok yıllık bir bitki cinsidir. Mayıs ve haziran aylarında pembe veya kırmızı çiçekler açan ve çok çeşidi olan bitkinin yaprakları derin parçalıdır. Ev ilaçlarında kökleri kullanılır.

Önerilen Hastalıklar: *Ana rahmindeki ölmüş çocuğu dışarı çıkarır. Ekrem ağrılarına fayda eder ve safranın kaynaşmasını engeller. Böbrek ve mesanede olan taşları eritir. Karaciğer ve dalağı temizler.* Boğmaca ve öksürükteki şikâyetleri giderir. Sarada faydalıdır. Sinirleri yatıştırıcı etkisi vardır. Gut, nefes yolları rahatsızlıkları, sinirsel rahatsızlıklar, kalp rahatsızlıkları ve gastrite karşı etkili olabileceği iddia edilmiş ve kullanılmıştır.

Kullanım Şekli ve Dozu: Bir tatlı kaşığı şakayık otu demliğe konulur. Üzerine 300-500 miligram kaynar su ilave edilerek, 5-10 dakika demlemeye bırakılır. Daha sonra süzülen çay içilir.

Yan Etkileri: Aşırı oranda veya uzun süreli kullanımlarda alınırsa karın ağrısı, baş ağrısı, bulantı, kusma, ve ishalle neden olabilir.

Şeker Pancarı (Beta Vulgaris)

Ispanakgillerden olan bitki, ilk senesinde uzunca, etli, koniye benzer bir kök verir. Beyaz veya pembe renkli olan şeker pancarının terkibinde yüzde 20'den fazla şeker vardır. Şeker pancarı için en uygun iklim, orta derecede yağışlı ve ılık iklim karakterini gösteren parçalardır. En çok Avrupa'da

Türkiye'de şeker yapımda kullanılır.

Şerbetçi Otu

Latince Adı: Humulus lupulus

Almanca Adı: Hopfenblüthen

Diğer İsimleri: Ömer otu, Maya otu.

Bilinen Bileşimleri: İçinde B1, B3 ve C vitaminleri, uçucu yağ, acı maddeler, reçineler, tanen gibi maddeler vardır.

Özellikleri: Kendirgiller familyasından olan bitki, yaz aylarında yeşilimsi beyaz çiçekler açan, tırmanıcı gövdeli, otsu bir bitkidir. 7 met-

reye kadar uzayabilen bitkinin gövdesi ince ve serttir. Kullanılan kısımları dişi çiçek durumları, çiçekler üzerinde bulunan salgı tüyleri ve köküdür. Ağustos ayında toplanan çiçekler, gölgelik yerlerde kurutulur. Bira imalinde kullanılır.

Önerilen Hastalıklar: Vücudu kuvvetlendirici etkisi olan şerbetçi otu, sinirleri yatıştırıp, uyku verir. Kanı temizler, hazım zorluğunu ve mide ağrılarını giderir. Cinsi arzuları sakinleştirici etkisi vardır. Kalp damar hastalıklarında kullanılabilir. Romatizma ve böbrek taşlarının sebep olduğu şikâyetleri giderir. Aybaşı kanamalarının düzenli olmasını sağlar. İştah açar, fazla ihtilam olmayı önler. Başlangıç aşaması olan ülsere fayda verir.

Kullanım Şekli ve Dozu: 30 gram şerbetçi otu çiçeği, 1 litre kaynar suda demlenir. Bu karışımdan sabah akşam birer bardak içilir. Yine sabah ve akşamları toz halindeki şerbetçi otundan 1 tatlı kaşığı alınabilir.

Yan Etkileri: Depresyon geçiren kimselerin bu ottan kullanmamaları gerekir. Fazla alınırsa bulantı ve kusma yapar. Antidepresanlarla beraber kullanılmamalıdır.

Şeytan Teresi (Asafoetida)

Antiseptik olarak kullanılan bitkinin, sakinleştirici özelliği vardır. İran ve Türkistan'da yetişen bitki, tentür ve hap şeklinde kullanıma hazırlanabilir.

Şimşir

Latince Adı: Buxus sempervirens

Almanca Adı: Buchsbaum

Bilinen Bileşimleri: Yaprakları ve dallarının kabuğunda; alkoloidler, uçucu yağ, reçineli bileşikler ve tanen vardır.

Özellikleri: Şimşirgiller familyasından olan bitki, yaprakları her zaman yeşil kalan, odunsu bir bitkidir. 10 metreye kadar boylanabilen ağaç, daha çok kireçli ve taşlı topraklarda yetişir. Çiçekleri yeşilimsi sarı olan bitkinin şifası yapraklarında ve dallarındadır.

Önerilen Hastalıklar: Terletir, ateş

düşürür ve vücudu rahatlatır. Hafif derecede müshil etkisi vardır. **Karaciğer hastalıklarında kullanılır. Safra kesesi ve safra kanalını sterilize eder, hazmı kolaylaştırır.** Romatizma, eklem romatizması, sinir bozuklukları ve sarada çok faydalıdır.

Kullanım Şekli ve Dozu: Toz halindeki şimşirden, günde 1 çay kaşığı yenir.

Yan Etkileri: Bilinen ciddi bir yan etkisi yoktur.

Tarçın

Latince Adı: Cinnamomum zeylaniccum

Almanca Adı: Zimt

Bilinen Bileşimleri: Yüzde 65-75 oranında sinamik aldehit ve bunun yanında hidrosinnamik aldehit taşır. Propil benzen türevi olan aromatik bir bileşik olan öjenol içermektedir. Seylan, Sri Lanka ve Hindistan'da yetişen ağaç, defnegiller familyasındandır. İkliminin uygun olmadığı gerekçesiyle tarçın ülkemizde yetişmez. Dünyanın en önemli baharatlarından biri kabul edilen tarçın, kışın yapraklarını dökmez. Dış görünümü 0,2-1 milimetre kalınlıkta, açık kahverengi, boru şeklinde kıvrılmış ve bir çoğu iç içe geçmiş kabuk parçalarından ibarettir. Yetişen ağacın körpe dalları kesilip, kabukları soyulur. Çıkarılan mantar tabakaları birbirinin içine konulup, sarılarak

kurutulur. Daha sonra ezilip baharat olarak satılır. Tarçın baharat olmasının yanı sıra çeşni ve koku vermesi için bazı yemek, tatlı ve şaraplara katılır. Ağacın meyvesinden elde edilen tarçın esansı, parfüm endüstrisinde kullanılır. Alkolsüz içeceklerde, pastalarda, et yemeklerinde ve dondurmalarda kullanılır. Sıcak ve kuru tabiatlı olup, lezzetli bir tadı vardır.

Önerilen Hastalıklar: **Mide ve bağırsak gazlarını söktürür. Hafif doku ve damar büzücü özelliğiyle diyareyi kesici ve peklik vericidir. İştah açıcıdır. Sindirimi kolaylaştırıp, mide bulantıları ve kusma refleksini bastırır. Kan dolaşımını geliştirip hızlandırır. Antiseptik etkilidir. Soğuk algınlığı ve gripte kullanılan preparatların içeriğinde yer alır. Yoğun gıdaları yumuşatıp, mideyi kuvvetlendirir. Hastalıkların çoğunu ortadan kaldırır, karaciğerin dokularını açar, gözü keskinleştirir.**

Radyasyona karşı kimyonla kullanıldığında çok etkilidir. 1 et suyu, 30 gram tarçın, 10 gram taze kimyon demlenir ve içilir. 1 hafta devam edilir.

Not: Bu bitki KOBİK tarafından bitkisel karışım destek ürün tableti olarak üretilmiştir.

Tarhun (Artemisia dracunculus)

Özellikleri: Yemeyi sindirip, mideyi güçlendiren tarhun, sıcak ve kuru özelliktedir. Bileşikgiller familyasından; anayurdu Sibirya olan ıtırlı bir bitkidir. Ayçiçeği ailesinden küçük, çalı gibi bir bitkidir. Tarhun, Güney Rusya ve Asya'nın batısına özgü bir baharattır. Ancak bugün en büyük üreticisi Fransa'dır. Ekşi-tatlı, anasona benzer bir tadı vardır. Serin, kuru ve karanlık yer-

lerde muhafaza edilmelidir. Tarhun, birçok baharatın aksine eski çağlarda kullanılan bir baharat değildir. Ortaçağda ilaç yapımında kullanılmaya başlanmış daha sonra 19. yüzyılda ABD'ye gelmiştir.

***Önerilen hastalıklar*:** **Kuvvetli bir idrar söktürücüdür. Hazımsızlığı giderir. Mide hastalıklarında faydalıdır. Mide ve bağırsak gazlarını giderir. Bağırsak solucanlarını düşürür. Aybaşı kanamalarının ağrısız olmasını sağlar.**

Yan Etkileri: Fazla miktarda kullanılmamalıdır.

Tere Tohumu

Latince Adı: Lepidum sativum

Almanca Adı: Garten kresse

Diğer İsimleri: Kerdeme, üzerlik tohumu.

Özellikleri: Turpgiller familyasından olan bitki, 20-25 santimetre boylarında, beyaz veya morumsu çiçekler açar. Bir yıllık ve otsu bitkilerdir. Yabani olarak bulunmakla beraber kültürü de yapıla-

maktadır. Türlerinden biri olan su teresi, beyaz çiçekli, çok yıllık otsu bir bitkidir. Özel bir kokusu ve lezzeti olan bitki, su kenarlarında yetişir.

Önerilen Hastalıklar: İştah açar, hazmı kolaylaştırır. Bronşları temizler, öksürüğü söktürür. Böbrekleri ve idrar yollarını temizler. Karaciğer hastalıklarında faydalıdır. Grip ve soğuk algınlığının çabuk geçmesini sağlar. Cinsel istekleri kamçılar. Vücudun hastalıklara karşı direncini artırır. Kansızlığı giderir. Kanı temizler, kandaki şeker miktarını düşürür. Sinirleri yatıştırır. Vitamin eksikliklerine karşı iştah açıcı olarak kullanılır.

Yan Etkileri: Bilinen ciddi bir yan etkisi yoktur.

Not: Bu bitki KOBİK tarafından bitkisel karışım destek ürün tableti olarak üretilmiştir.

Tongat Ali

Latince Adı: Eurycoma longifolia

Özellikleri: Ginseng ailesinden olan bitki, Malezya'da yaygın olarak kullanılır. Yağmur ormanlarında yetişir.

Önerilen Hastalıklar: Hem kadınlar hem de erkekler için cinsel açıdan uyarıcı etkisi vardır. Sıtmaya, tüberküloza ve sindirime yardımcı olarak kullanılır. Çayı, ekstreleri ve hapları mevcuttur.

Yan Etkileri: Bilinen ciddi bir yan etkisi yoktur.

Türbüt

İştah açıcı olan türbüt, hazmı kolaylaştırır ve şehveti uyarır.

Üvez

Latince Adı: Sorbus torminalis

Almanca Adı: Speierling

Özellikleri: Gülgiller familyasından olan bitki, orta boylu, beyaz çiçekleri olan ve kışın yapraklarını döken bir bitkidir. Kışın yapraklarını döken üvezin meyvesi, muşmula gibi olgunlaştığı zaman

yenir. Memleketimizde 11 kadar üvez türü bulunur. C vitamini bakımından oldukça zengindir.

Önerilen Hastalıklar: İdrar söktürür, kabızlığı önler. Tansiyonu düşürücü özelliği vardır, adet kanamasının azlığını giderir. Şekeri düşürür.

Yan Etkileri: Bilinen ciddi bir yan etkisi yoktur.

Üzerlik

Latince Adı: Peganum harmala

Almanca Adı: Peganum samen

Diğer İsimleri: Nazar otu

Bilinen Bileşimleri: Tohumlarının terkibinde; harmalin, harmin, harmslol, peganin adlı glikozitler ve kırmızı boya maddesi vardır.

Özellikleri: Sedef otugiller familyasından olan bitki, çok yıllık otsu bir bitkidir. Yurt dışında Afrika, Asya ve Amerika'nın sıcak bölgelerinde, ülkemizde ise Ege bölgesinden Doğu Anadolu'ya kadar her bölgede bulunur. 35 santimetreye kadar uzayabilen bitkinin çiçekleri yeşilimsi beyaz renktedir. Meyvesi ise basık küre şeklinde bir kapsüldür.

Önerilen Hastalıklar: ve Sinir sistemini uyarır, balgam söktürür. Mide ve kulunç ağrılarında faydalıdır. Sulu egzamada şikâyetleri giderir. **Parkinson hastalığına şifa verir. Uykusuzluğa fayda verip,**

kalp çarpıntısı ve nefes darlığına iyi gelir. Karın ağrısına, böbrek ve mesane ağrılarına oldukça etkilidir. İdrar söktürür, vücuttaki çıbanları kısa zamanda tedavi eder. Kullanımına 2 hafta devam edilirse varislere çare olur. Sabahları aç karnına bir kahve kaşığı içmek hemoroite etkilidir. Hemoroit ağrıları için pomat yapılarak dıştan

sürülür, ağrısını giderir ve küçülmesini sağlar.

Kullanım Şekli ve Dozu: Kavrulup ezilmiş tohumları günde 1-2 gram bala karıştırılarak yenir veya suya karıştırılarak doğrudan içilebilir.

Yan Etkileri: Belirtilen dozdan fazla alınması, bulantı ve kusma yapar.

Üzüm Çekirdeği Ekstresi

Latince Adı: Vitis vinifera

Almanca Adı: Trauben

Özellikleri: Siyah üzümün tohumlarından elde edilir. Üzümün sadece çekirdeğinden değil, kabukları ve saplarından da elde edilen yararlı ekstreler bulunmaktadır.

Önerilen Hastalıklar: Çok güçlü bir antioksidandır. Kalbi ve damarları koruyucu özelliği vardır. Kan dolaşımıyla ilgili rahatsızlıklar, baş ağrısı, cilt sorunları ve retina hasarlarına karşı kullanılmaktadır. Kanserden korunmak için de kullanılabilir.

Yan Etkileri: Bilinen ciddi bir yan etkisi ya da herhangi bir ilaçla etkileşimi yoktur.

Yabani Hindiba

Latince Adı: Cichorium inthybus

Almanca Adı: Wegwarte

Diğer İsimleri: Mavi hindiba, citlik.

Özellikleri: Bahar aylarında parlak çiçekler açan yabani hindiba otu, ekilmemiş tarlalarda ve ıslak çayırlarda bol miktarda yetişir.

Uzun ömürlü olan kökünden yapraklar sürer. Kökleri sonbaharda topraktan sökülür ve gölgede kurutulur. Tıpta yaprakları ve kökü kullanılır.

Önerilen Hastalıklar: Karaciğeri çalıştıran bitki, kanı temizleyerek ciltteki sivilceleri geçirir. Ödemde, karında su toplanmasında ve böbrekteki taşların temizlenmesinde oldukça faydalıdır. İştah açıcı özelliği vardır, kandaki şekeri düşürür. Vücut direncinin çoğalmasına neden olur.

Kullanım Şekli ve Dozu: 1 litre suya, 20 gram kıyılmış kök konur.

Bu karışım 10 dakika kaynatıldıktan sonra 1 saat demlenerek süzülür. Yemeklerden sonra birer çay bardağı içilir. Güçsüzlük için, günde on tane çiçekli sap toplanır, iyice yıkandıktan sonra çiçekler koparılarak atılır ve saplar yavaş yavaş çiğnenerek yenir. 2 hafta süreyle bu kürü uygulayan güçsüz kişiler, bedenlerinin yepyeni bir enerjiye kavuştuğunu hissederler.

Yan Etkileri: Bilinen ciddi bir yan etkisi yoktur.

Yaban Pelini

Latince Adı: Artemisia

Özellikleri: Sıcaklığı ve kuruluğu ikinci derecededir.

Önerilen Hastalıklar: Öksürüğe faydalıdır. Midenin ve rahmin hararetini alır. Adet düzensizliklerini kontrol eder. Yaban pelini otunu kaynatıp buharına oturan kadınların rahim içi ağrıları sona erer. Böbrek ve mesanelerdeki taşları eritip, çıkarır. Göğsü yumuşatıp, mideyi ve kalbi güçlendirir.

Kullanım Şekli ve Dozu: Üç dirhem kullanılması uygundur.

Yan Etkileri: Bilinen ciddi bir yan etkisi yoktur.

Yaban Razyanesi

Latince Adı: Peucedano

Özellikleri: İkinci derecede sıcak, üçüncü derecede kurudur.

Önerilen Hastalıklar: Göğsü yumuşatıp, balgamı söker, öksürüğe faydalıdır. Böbrek ve mesanedeki taşları eritir. İdrarı söker, kalbi güçlendirir. Zehirlenmelere karşı panzehir görevini üstlenir. Eklem ağrılarına çok faydalıdır. Karaciğer ve dalak tıkanıklıklarını açar. Beyni güçlendirir. Görme gücünü artırır.

Kullanım Şekli ve Dozu: Yaban razyanesi otunun yaprakları, çiçekleri ve kökü bir arada, mermer bir havanda dövülür. Bu karışım sıkıldıktan sonra saflaştırılıp, hafif ateşte kıvama getirilir. Elde edilen madde şurupların içine katılır.

Yan Etkileri: Bilinen ciddi bir yan etkisi yoktur.

Yarpuz

Latince Adı: Mentha pulegium

Almanca Adı: Polei Minze

Özellikleri: Çok yıllık dayanıklı bir bitki olan yarpuz, Anadolu'nun pek çok yöresinde sulak çayırlarda ve akarsu kenarlarında doğal olarak yetişir. Tohumlarıyla çoğalır. Yaprakları nane şeklinde toplanıp kurutulur. Sıcak ve kuru özelliktedir.

Önerilen Hastalıklar: **Kalbi rahatlatıcı özelliği vardır. Balgam sök-**

türür. Sindirimi kolaylaştırıp, mide ve bağırsaklarda şişkinlik yapan gazları yok eder. Kadınların menstürasyon dönemlerini kolaylaştırır ve rahatlatır. Yarpuzun karıncaları kaçırma etkisi vardır. İdrar söktürüp, mide bulantısına engel olur.

Kullanım Şekli ve Dozu: 1 bardak kaynar suyun içine, 1-2 çay kaşığı kurutulmuş yarpuz yaprağı konulur. 15 dakika süreyle demlendirilip günde 3 defa kullanılır.

Yan Etkileri: Hamile kadınlar ve böbrek rahatsızlığı olanlar kullanmaktan sakınmalıdır. Fazla miktarda kullanılması cinsi gücü zayıflatır.

Yemlik

Latince Adı: Scorzonera

Önerilen Hastalıklar: Sıcaklık ve kurulukta ılımlıdır. Yemlik otunun çiçeğinde, yaprağında ve kökünde panzehir etkisi vardır.

Yaprağının öz suyu yılanın soktuğu yere uygulanırsa zehri yok eder. Otun suyu ateşli hastalıklarda kullanılır.

Kullanım Şekli ve Dozu: Kökü iyice yıkanıp temizledikten sonra mermer bir havanda dövülür. Bu karışım kendi damıtılmış suyu ile kaynatılıp bir miktar şeker ile usulünce pişirilir. Bu şerbet ateşli hastalıklara şifadır.

Yan Etkileri: Bilinen ciddi bir yan etkisi yoktur.

Yer Fıstığı

Latince Adı: Arachis hypogaea

Almanca Adı: Erdnuss

Bilinen Bileşenleri: Protein, karbonhidrat, kolesterol, yağ, lif, fosfor, kalsiyum, sodyum, potasyum, magnezyum, B1, B2 ve B3 vitaminleri.

Özellikleri: Anayurdu Güney Amerika olan yer fıstığı, baklagillerdendir. 20 ile 70 santimetreye kadar uzayabilen, bir yıllık otsu bitkinin, karşılıklı ve ikili olarak dizilmiş yeşil renkli küçük yaprakları ve sarı renkli ufak çiçekleri vardır. Bu çiçekler döllendikten sonra yere doğru eğilerek oluşan meyvelerini toprağa gömer. Yer fıstığından Batı ülkelerinde yemeklik olarak ve sabun yapımında kullanılan yağı çıkarılır.

Ürün alındıktan sonra toprakta kalan bitkinin sap ve yapraklarından iyi bir hayvan yemi olur. Yağ ve protein bakımından çok zengin olan yer fıstığından ayrıca tatlı ve çikolata yapımında kullanılır.

Önerilen Hastalıklar: **En büyük özelliği kandaki kolesterol düzeyini düşürmesidir. Havanlarda kanseri önleyici etkileri saptanmıştır.**

Yer fıstığını saran kırmızı renkli zar, son derece zengin bir oligomerik prosiyanidin kaynağıdır. Oligomerik prosiranidinler hormonlara bağlı olaak gelişen kanser türlerini kontrol altına alır.

Yan Etkileri: Bilinen ciddi bir yan etkisi yoktur.

Yeşil Çay

Latince Adı: Camelia sinensis

Almanca Adı: Grüner tee

Özellikleri: Siyah Çay'ın fermente edilmiş halidir. Yeşil Çay mayalanma işleminden geçmediği için antioksidan etkili etken maddeleri bozulmamıştır.

Önerilen Hastalıklar: **Çeşitli kanser türlerine ve kalp hastalıklarına karşı koruma sağlayıcı etkisi vardır. Son derece sağlıklı olan Yeşil Çay'ın fazlaca tüketildiği toplumlarda kanser oranı oldukça düşüktür.**

Metabolizmayı canlandırıcı etkisi olduğu için özellikle diyet programlarında oldukça etkili bir içecektir.

Cildi güzelleştirici ve dişetlerini koruyucu özellikleri vardır. Yemeklerden sonra rezeneyle beraber içilirse sindirime yardımcı olur.

Uzmanlara göre; Yeşil Çay hapı, sıvı olarak alınan yeşil çaydan daha etkili. Kalp damar hastalıkları ve kanser riskini düşürdüğü belirlenen Yeşil Çay, aynı zamanda beyin hücrelerini tahrip eden Alzheimer hastalığını da engelliyor. İngiliz Daily Mail gazetesinde yer alan bir habere göre, Güney Florida Üniversitesi'nden bilim adamları, yeşil çayda bulunan antioksidan maddelerin Alzheimer'e neden olan etkenleri ortadan kaldırdığını söylüyor.

Taze yeşil çaydaki polifenolik maddelerin, kanser riskini azaltmada önemli etki gösterdiği belirtildi.

Yüzüncü Yıl Üniversitesi Ziraat Fakültesi Gıda Mühendisliği Öğretim Üyesi Prof. Dr. İsmail Sait Doğan, son yıllarda yapılan araştırmalarda yeşil çayın insan sağlığına olumlu etkiler yaptığını, özellikle kanser tedavisinde kullanılabileceğini belirtti.

Şekersiz olarak kullanılan Yeşil Çay'ın insan vücudunda sıvı dengesini sağladığını vurgulayan Prof. Dr. İsmail Sait Doğan, "Araştırmalara göre yeşil çaydaki polifenolik mad-

deler antioksidan özelliğe sahip olduklarından kanser riskini azaltmada müspet etki gösteriyor." dedi.

Çayın içerdiği antikanserojen ve antioksidan bileşenlerin vitamin E ve C'den daha etkili olduğu tespitini yapan Doğan, bu bileşenlerin kanser tedavisinde büyük rol oynamasının yanı sıra yeşil çayda E ve C vitaminlerinin az da olsa bulunduğunu dile getirdi. Tokyo Üniversitesi tarafından yapılan bir araştırmada, yeşil çayın kanser ve kalp hastalıkları gibi çok sayıda hastalığa karşı etkili olmasının sebebinin EGCG maddesi olduğunu söyleyen Doğan, "EGCG'nin akciğer, mide, kolon, karaciğer ve cilt kanserlerini önleyici etkisi bulunmaktadır.

Avustralya'daki Curtin Üniversitesi ile Çin'deki Hangzu hastanesinin kanser uzmanları Yeşil Çay içen Çinli erkeklerle çay tüketmeyen Avustralyalı erkekler arasında yaptıkları karşılaştırmalı incelemeler sonucunda Yeşil Çay'ın prostat kanseri riskini azalttığı gözlenmiştir. Bu yüzden dünyada prostat kanserinin en düşük oranda görüldüğü ülke Çin'dir" dedi. Sürekli kullanımı, romatizma hastalığının tedavisinde yardımcıdır.

Zayıflama rejimlerine yardımcı olur. Bilim adamları, yeşil çayın cilt kanseri riskini önlediğini saptadılar. Daha önceki araştırmalarda yeşil çayın içinde bulunan polifenol maddesinin, kanser tümörlerinin etrafında oluşan ve tümörleri besleyen kan damarlarını tıkadığı belirlenmişti.

Fareler üzerinde araştırma yapan bilim adamları, yeşil çayın cilde sürülen kremlerde kullanılmasıyla da cilt kanserine karşı tedbir alınabileceğini kaydettiler. Uzakdoğu ülkelerinin geleneksel içeceği olan yeşil çayın, bu bölgedeki insanları kanserden koruduğu bildirildi.

Yeşil Çay içme alışkanlığının bulunmadığı Batı'da, bu yüzden kanser vakalarının Uzak Doğu ülkelerine oranla daha fazla görüldüğü belirtildi. Yeşil Çay içenlerin, cilt kanseri riskinden korunabileceklerini düşünen bilim adamları, cilt

kanserine yakalanmış olanlara ise Yeşil Çayı kür edici bir ilaç olarak tavsiye edemeyeceklerini belirtiyorlar.

Bu konuda yapılan araştırmaya ilişkin rapor, merkezi Chicago'da bulunan Amerikan Sağlık Birliği'nin yayın organı "Archives of Dermatology" de yayımlandı.

Kullanım Şekli ve Dozu: Kapsül halindeki ekstreleri ya da çay şeklindeki kullanımı yaygındır.

Yan Etkileri: Bilinen ciddi bir yan etkisi yoktur. Kafein içerdiği için fazla tüketilmesi önerilmez.

Not: Bu bitki KOBİK tarafından bitkisel karışım destek ürün tableti olarak üretilmiştir.

Ylang ylang

Latince Adı: Cananga odorata

Almanca Adı: Ylang-ylang

Özellikleri: Uzak Doğu'da çok sık olarak kullanılan bitki ekstreleri, genellikle koku olarak tüketilir.

Önerilen Hastalıklar: Masaj yapılırken aromatik yağ olarak kullanılırsa, rahatlatıcı bir etki verir. Vücuttaki çarpıntıyı, sıkıntıyı azaltır. Sivilceli ciltlere uygulandığında, antiseptik bir özelliği vardır. Tütsü veya aroma olarak kullanılan kokuları, cinsel olarak uyarıcıdır. Ylang ylang yağı ile

susam yağını karıştırarak yapılan masaj bedeni oldukça rahatlatır.

Yan Etkileri: Bitkiyi doğrudan tüketmek ya da kaynatıp içmek yanlış olur. En uygunu ekstrelerini haricen veya koku olarak kullanmaktır.

Yoğurt Otu

Latince Adı: Galium verum

Almanca Adı: Labkraut

Özellikleri: Yaz aylarında sarı renkli çiçekler açan bitki, 50 santimetre boyuna kadar uzayabilir. Bitkinin toprak üstü kısımları yaz aylarında toplanıp, gölgede kurutulur.

Önerilen Hastalıklar: Ses telleri rahatsızlığına, guatr, kum, taş, idrar tutukluluğuna, böbrek iltihabına, **dil kanserinde ve kanserli şişliklerde faydalıdır.** Vücutta su birikmesinde ve ayrıca kas erimesinde tedavi edici özelliği

vardır.

Kullanım Şekli ve Dozu: Kurutulan otlar, demlenerek kullanılır.

Yan Etkileri: Bilinen ciddi bir yan etkisi yoktur.

Yohimbin

Latince Adı: Pausinytlia yohimba

Almanca Adı: Yohimbe

Diğer İsimleri: Aşk ağacı

Özellikleri: Orta Afrika'da yetişen bir bitkidir.

Önerilen Hastalıklar: Cinsel konularda uyarıcı bir bitkidir. Kimyasal depresyon ilaçlarıyla oluşan cinsel fonksiyon bozukluklarına olumlu etkisi vardır. Erkeklerdeki cinsel isteksizlikte faydalıdır. Penise giren kan miktarını artırır, kan çıkışını azaltarak ereksiyon süresini uzatır.

Kullanım Şekli ve Dozu: Çeşitli kullanım şekilleri olmakla beraber en uygunu tentür şeklindeki preparatlardır.

Yan Etkileri: Fazla dozda alındığında ağrılı ve uzun süreli ereksiyonlara yol açabilir. Günde 40 miligramın üzerinde kullanılmamalıdır. İlacı kullanırken çikolata, yağlı peynirler, sakatat gibi gıdaların tüketilmemesi gerekir. Depresyon ve tansiyon ilacı alanlar doktor kontrolünde kullanmalıdır.

Yulaf

Latince Adı: Avena sativa

Almanca Adı: Hafer

Özellikleri: Buğdaygiller familyasından olan bitki, daha ziyade hayvan yemi olarak yetiştirilen, otsu bir bitkidir. Nişasta bakımından oldukça zengindir. Yeşil yulaf özlerinden elde edilir.

Önerilen Hastalıklar: **Ürik asit seviyelerini azaltarak, üriner sistemi koruduğu tespit edilmiştir. Çocukların hazım güçlüklerini, beden ve ruh yorgunluklarını giderir. İdrar söktürüp, vücuda rahatlık verir. Kandaki şeker miktarını düşürür, iktidarsızlığı giderir. Mide ve bağırsak bozukluklarına fayda verir. Testosteron hormonunun seviyesini yükselttiği için cinsel isteği artırıcı olarak da kullanılır. Yulaf samanı yulafın sap ve yapraklarından olur. Batılı ülkelerde musli adı verilen gıdalarda vejeteryan gıda olarak kullanılır. Ekmeği tercih edilir.**

Yulaf samanı tek başına yemeklere atılarak kullanıbileceği gibi, demlenerek de kullanılması halinde, 1 lt suya 5/er gr atılarak demlenip aç karnına 3 hafta içilmesi halinde akciğer rahatsızlıklarına ve bronşite iyi geldiği denenmiştir.

Yulaf unuyla suyun kaynamış

karışımını elde olan alalığa sürülerek Anadolu kültüründe de kullanıldığı görülmektedir.

Yan Etkileri: Bilinen ciddi bir yan etkisi yoktur.

Zakkum

Latince Adı: Nerium oleander

Almanca Adı: Oleander

Diğer İsimleri: Zıkkım ağacı, Ahu ağacı, Zokum.

Bilinen Bileşimleri: Yapraklarında reçine, tanen, glikoz, C vitamini ve oleandrin adında bir glikozit vardır.

Özellikleri: Akdeniz sahilleri boyunca yetişen zakkum çiçeği, zakkumgiller familyasındandır. Batı ve Güneydoğu Anadolu'da dere yataklarında bulunan bitkinin

boyu, 5 metreye kadar uzayabilir. Sık dallı, çiçekleri pembe olan ağaç, kış aylarında yapraklarını dökmez. Kapsül şeklindedir.

Önerilen Hastalıklar: Bol miktarda idrar söktürerek, vücutta biriken suyu boşaltır. Haricen kullanıldığı takdirde adale ağrılarını giderir. Akrep ve arı sokmasında faydalıdır. Düşük dozlarda kullanılacak olursa kalbi kuvvetlendirir.

Zehirli ve yoğun enerjili olan meyveleri itibariyle üzerinde incelenmesi gereken bir bitkidir.

Yan Etkileri: Zehirli olduğu için fazla miktarda kullanılmamalıdır.

Zambak

Latince Adı: Lilium

Almanca Adı: Lilie

Diğer İsimleri: Zanbak

Özellikleri: 50 kadar çeşidi olan zambak çiçeği, zambakgiller familyasındandır. Soğanı pullu, dik gövdeli, güzel ve iri çiçekli bir bitkidir. Çiçekleri beyaz olan beyaz zambak, 1 metre kadar boylanabilir. Diğer bir çeşit olan kırmızı zambak yüksek dağlarda yetişir. Trabzon zambağı ise, Doğu Karadeniz bölgesinde yetişir. Ev ilaçlarında beyaz zambak kullanılır.

Önerilen Hastalıklar: Vücut ağrılarını dindirip, şişlikleri indirir. Diş ağrılarını ise sona erdirir.

Zambak Yağı: Vücut ağrılarında masaj yapmak için kullanılır.

Yan Etkileri: Bilinen ciddi bir yan etkisi yoktur.

Zencefil

Latince Adı: Zingiber officinalis

Almanca Adı: Ingwer

Diğer İsimleri: Zencebil, zingiber

Bilinen Bileşimleri: Bitkinin terkibinde yüzde 0,3-3,3 oranında uçucu yağ seksiterpen, monoterpenikaldehit, yüzde 60 arasında nişasta, yüzde 5-8 oranında reçine ve müsilaj içerir. Drogn keskin tat ve kokusunu veren, uçucu olmayan acı maddeler yüzde 4-7,5 fenolik keton yapısında

olanşogaol ve gingerollerdir.

Özellikleri: Anayurdu Hindistan ve Malezya olan bitki, 150 santimetreye kadar boylanabilen, yaprakları mızrak biçiminde sivri uçlu ve tarçın kokulu bir bitkidir. Bir arada olan çiçekleri turuncu ve sarı renklidir. Bitkinin kullanılan kısmı kökleridir. Tropik memleketlerde kültürü yapılır. Hem baharat hem de sağlık alanında dünyanın en önemli bitkilerinden biridir. Hindistan dünyanın en büyük zencefil üreticisidir. En makbul zencefil, yine Hindistan'da üretilen "Kalküta zencefili"dir.

Önerilen Hastalıklar: **Mide ağrısına ve mide bulantısına karşı etkilidir. İştah açar, mide ve bağırsaklardaki gazı söktürür. İshali kesip, bağırsak bozukluklarını giderir.** Soğuk algınlığında çabuk iyileşmeyi sağlar. Beden ve zihin gücünü artırır.

Cinsel istekleri kamçılar. Ses kısıklığına iyi gelir, meniyi artırır.

Kolesterolü ve yüksek tansiyonu düşürücü özelliği vardır.

Ebu Nuaym, Tıbbu'n Nebevi adlı eserde Ebu Saide'l Hudri hadisinde Ebu Said'in şöyle dediğini zikreder: "Peygamber Efendimize Rum kralı zencefil küpü hediye etti. Resulullah herkese bir parça yedirdiği gibi, bana da bir parça yedirmiştir."

Kışın soğuk günlerinde sıkça yakalandığımız soğuk algınlığı, nezle, grip gibi rahatsızlıkları en iyi tedavi eden ve önleyen doğal ürünlerden biridir.

Mide bulantısı, şişkinlik ve kolit

gibi sindirim problemleriyle karşı başarıyla kullanılabilir. Antiseptik etkisi sayesinde, mide ve bağırsak enfeksiyonlarına ve hatta gıda zehirlenmelerine karşı kullanılabilir.

Mide ve bağırsaklara yaptığı yan etkiyi yok eder.

Kan dolaşımını ve böbrekleri uyarır ve böylece kanın yüzeysel bölgelere de rahatça ulaşmasını sağlar. Terletici ve ateş düşürücü etkileri vardır. Kabızlığa karşı kullanılabilir.

Zencefil Yağı: Kurt ya da solucan dökücü olarak kullanılan zencefil yağı, bilumum ağrılarda masaj yapmak için kullanılır. 20 gün boyunca her sabah bir çorba kaşığı aç karnına içilmelidir.

Kullanım Şekli ve Dozu: Bitkisel çay olarak kullanılır. Zencefil tozu veya dilimlenmiş kök parçalardan 1 tatlı kaşığı, 1 bardak suya konur. Kaynama noktasına kadar ısıtılır, sonra kısık ateşte 10 dakika kadar daha kaynatılır ve tatlandırılarak yemeklerden önce çay gibi içilir.

Yan Etkileri: Bilinen ciddi bir yan etkisi yoktur.

Not: Bu bitki KOBİK tarafından bitkisel karışım destek ürün tableti olarak üretilmiştir.

Zerdeçal

Latince Adı: Curcuma longa

Almanca Adı: Kurkuma-fingern

Diğer İsimleri: Zerdeçap, Zerdeçöp, Hint safranı, Kürküma, Safran kökü, Sarı boyu, Zerdeçay.

Bilinen Bileşimleri: Başta kürkümin olmak üzere disinnamoilmetan

türevleri ve uçucu yağ içerir.

Özellikleri: Anavatanı Doğu Türkistan olan ve 1 metreye kadar boyu uzayabilen bitki, zencefilgiller familyasındandır. Yaprakları sivri uçlu, çiçekleri sarı renkte, çok yıllık olan zerdeçal, safranı andıran boyalı bir madde çıkarır. Bitkinin kurutulmuş kökleri kullanılır. Kökleri sarı renkli olup, toz haline getirildiğinde de koyu sarı renkli olur. Zerdeçal, parlak sarı rengi ve aromasıyla en az diğer Hint baharları kadar tanınır fakat

sağlıkta kullanımı çok yaygın değildi. Tadı baharlı ve çok hafif acı lezzettedir. Daha çok jelatin ve pudingiller, çeşni maddeleri, hazır çorbalar, etler ve turşularda kullanılır. Gıdalar için uygun doğal renk katkılarının en önemlilerinden biridir.

Önerilen Hastalıklar: Sinirleri uyarır. Vücutta biriken zehirli maddeleri atar. Hastalık sonrası nekahet devresini kısaltır. Verem gibi hastalıklarda faydalıdır. Hazım ve karaciğer problemlerinde oldukça faydalıdır. Safra kesesi rahatsızlıklarında kullanılır. İltihap giderici olan bitkinin gaz giderici etkisi de vardır. Soğuk algınlığı, epilepsi, çıban, astım, baş dönmesi, sarılık gibi hastalıklarda iyileştirici etkisi görülmüştür.

Yan Etkileri: Bilinen ciddi bir yan etkisi yoktur.

Not: Bu bitki KOBİK tarafından bitkisel karışım destek ürün tableti olarak üretilmiştir.

BİTKİLERİN GRUPLANDIRILMASI

Taneli Bitkiler

Arpa
Darı
Nohut
Bakla
Mercimek
Börülce
Pirinç
Haşhaş
Susam
Kenevir Tohumu

Tereler

Kendene
Soğan
Sarımsak
Marul
Ispanak
Kereviz
Tarhun
Nane
Bazek
Kişniş
Tere
Türbüt
Kabak
Kaşni
Yarpuz
Kuzukulağı
Turp
Lahana
Havuç
Şalgam

Kabuklu Yemişler ve Meyveler

İncir
Üzüm
Dut
Zerdali
Şeftali
Nar
Ayva
Elma
Erik
Kavun
Karpuz
Hurma
Ceviz
Fındık
Badem

Kokulu Bitkiler ve Güzel Kokular

Menekşe
Nergis
Gül
Müşk
Anber
Kafur
Safran
Karanfil
Hindistan Cevizi
Kakule

Baharatlar

Kuru
Kişniş
Kimyon
Güyegü Otu
Tarçın
Zencefil
Havlıcan
Çörek Otu
Hardal

Bitki Yağları

Adaçayı Yağı
Badem Yağı
Ceviz Yağı
Çörek Otu Yağı
Defne Tohumu Yağı
Elma Yağı
Gül Yağı
Haşhaş Yağı
Havlıcan Yağı
Hindistan Cevizi Yağı
Isırgan Yağı
Kantaron Yağı
Karanfil Yağı
Kimyon Yağı
Lavanta Yağı
Limon Yağı
Menekşe Yağı
Nane Yağı
Papatya Yağı
Potakal Yağı
Rezene Yağı
Susam Yağı
Zambak Yağı
Zencefil Yağı
Zeytinyağı

Allah(cc) yeryüzünde binlerce, yüzbinlerce nimet yaratmış ve insanın emrine vermiştir. Eğer insan Allah(cc)'ın emrini dinlemeyip, yolundan gitmez; O'nun dediği gibi yaşamazsa hakikati görmeyen biri olur. Zaten bunca nimete karşı teşekkür etmemek de en büyük saygısızlık ve akılsızlıktır.

5. BÖLÜM

BİTKİLER DÜNYASINDAKİ TERİMLER, DEYİMLER VE İFADELER

* * *

VÜCÜDUMUZA FAYDALI ENZİMLER, VİTAMİNLER VE MİNERALLER

SERBEST RADİKAL NEDİR?

Serbest radikaller; endüstri atıkları, güneş ışınları, kozmik ışınlar, ozon, özellikle otomobil egzozlarından çıkan gazlar, ağır metaller, virüsler, sigara, alkol, stres, vücutta yağ metabolizması sonucunda oluşan artık ürünler, su ve hava gibi kontrol edilmesi gereken çevresel faktörlerdir.

Yemek yemek gibi vücudumuzun normal metabolitik faaliyetleri sırasında oluşabilirler. Serbest radikaller kanser, kalp hastalıkları ve erken yaşlanmaya neden olurlar.

Yaşamak için ihtiyacımız olan oksijen, aynı zamanda serbest radikallerin de kaynağıdır. Oksijenin yanı sıra petrokimya ürünleri, ilaçlar, güneş ışınları, X-ışınları, hatta yiyeceklerde bulunan bazı bileşikler de serbest radikal oluşumuna sebeptir.

Serbest radikaller, yaşam için gereklidir. Elektron transferi, enerji üretimi ve pek çok diğer metabolik işlevde temel oluşturur. Ama eğer zincir reaksiyonu kontrolsüz bir davranış gösterirse, hücrede hasarlara neden olur.

Bilim adamları 1954'lerden beri serbest radikallerin çok sayıda dejeneratif hastalıklara neden olduğunu bilmektedirler.

Serbest radikaller, kimyasal olarak en dış elektron yörüngesinde bir elektron kaybetmiştir. Çeşitli zararlı etkilere neden olmasının en önemli nedeni, bu elektron açığını kapatabilmek için başka atomların elektronlarını paylaşmaya çalışmasıdır. Serbest radikaller bir dokunun herhangi bir molekülünü etkilerse, bu dokunun işlevini yerine getirememesine neden olur. Etkilenen maddenin biyolojik önemine bağlı olarak, önemli veya önemsiz çeşitli rahatsızlıklara neden olabilir.

Serbest radikal hastalıkları üç grupta toplanabilir:

Genetiğe bağlı bileşenler, çevresel bileşenlerle (iş hastalıkları, zehirlenmeler) hem genetik hem de çevresel bileşenler. (Bronşsal astım, kanser, kardiovasküler hastalıklar)

Serbest radikallerdeki aşırı yüklenme, vücut için tehlike oluşturur. Ancak vücudun işlevlerini görebilmesi ve

hastalıklardan korunabilmesi için de gereklidirler. Serbest radikaller, vücutta çok hassas bir dengeyle kontrol edilmektedirler. Sürekli gelişmekte olan teknoloji, oluşan çevre kirliliği, sigara ve pek çok etken, sürekli olarak çeşitli toksit maddelerle karşı karşıya kalmamıza neden olmaktadır. Bu etkiler kendini, serbest radikal oluşumuyla gösterir.

Tüm bu nedenlerden dolayı dış etkilerle oluşan hastalıklar artmakta, genetik hastalıkların da çevresel etkilerle daha çok belirginleşmesine neden olmaktadır. Bu hastalıklara çözüm getirmek öncelikle bu hastalıkların oluşumunu engellemekle gerçekleşebilir.

Bunun için de ilaçlardan öte alınan besinler önem kazanmaktadır. Serbest radikallerin etkilerini önleyen C ve E vitamini kanser ve kalp hastalıkları gibi toplumda erken ölümlerin başlıca nedenleri olan hastalıkların oluşumunu önlemektedir.

Bu ve benzeri hastalıkların aşılmasında antioksidan ve vitaminlerin etkileri büyüktür. Serbest radikallerin oluşumunun engellenmesi için, taze sebze, meyve ağırlıklı dengeli beslenme, düzenli egzersiz, yeterli dinlenme, toksinlerden uzak kalmak, alkol, sigara ve konsantre ürünlerden uzak kalıp, söylenenin aksine minimal protein kullanmalıdır.

Antioksidan nedir?

Antioksidanlar, vücudumuzdaki kimyasal reaksiyonlar sonucu oluşan veya dışarıdan sigara, alkol, kirli hava gibi serbest radikallerin enerjilerini alıp, onları etkisiz hale getirirler.

Antioksidanlarla beslenerek, serbest radikallerin zararları azaltılabilir. Antioksidanların etkilerini gösterebilmeleri için, vücutta belli oranlarda bulunmaları gerekir.

Antioksidan gıdalar, kalp hastalarına, kalp krizine, kansere ve erken yaşlanmaya karşı etkili bir koruyucu olarak görev yaparlar. Her zaman genç ve dinç görünmemize yardımcı olurlar. Bağ dokusunu güçlendirerek cilt sarkmasına engel olurlar. Kalp ve damar sistemindeki dokulara esneklik verirler. Vücudumuzda biriken toksinleri atmak ve onların zararlı etkilerinden kurtulmak için antioksidan besin alımını arttırmak gerekir.

Kolesterol

Hayvani gıda ve yağlarla vücuda girer. Sağlık için çok az miktarı yeterlidir. Bu miktar çoğalınca vücuda olumsuz etkisi başlar. Damar sertliği, kalp rahatsızlıkları, damarlarda daralma, beyinde sertleşme, gözde katarakt gibi mühim hastalıklara yol açar. Bu durumda kolesterol getiren yağlar yenilmemeli, onların yerine kolesterolü düşürücü yağların yenilmesine geçilmelidir.

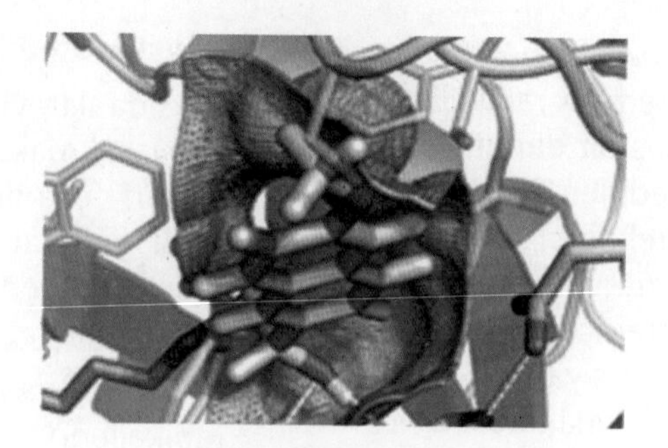

ENZİMLER

Kozmik bilim, enzim, vitamin ve minarellerin tabii yoldan bitki, sebze ve meyvelerden alınmasını; kapsül, drop veya properatlar halinde sunulan bu ürünler kullanılırken, inanç yapınız gereği Yaratıcının emrettiği şekilde kullanmamız önerilir. Bilhassa kapsül ve giydirilmiş jelatin türevlerinin (E) emilgator başlama ve katkıları göz önüne alınarak kullanılması tavsiye edilir. *(www.gidaraporu.com)*

Yasaklanan ve şüpheli şeylerden şifa ummak yerine kaçınmak daha doğru olacaktır.

Ayrıca enzim, vitamin ve minerallerin tek başına kullanımları da mutlaka bir uzman kontrolünde olması; beden toleransları ve yan etkileri, toksin oluşturmaları da göz önüne alınarak olmalıdır. Son yıllarda yapılan araştırmalarda enzim, vitamin ve minarellerin bedenimizde Toksin oluşturabileceği ve olumsuzluklara yol açabileceği belirtilmektedir.

Ascidophilus

Ascidophilus, mantar oluşumunu önleyici, kan ve kolesterol düzeyini düşürücü, hazmı kolaylaştırıcı, proteinlerin sindiriminde yardımcı olan bir bakteridir. Sağlıklı bir bireyde, yüzde 85 oranında ascidophilus, yüzde 15 oranında koliform bakteri olması gerekirken, beyaz un ve şeker, hamurlu gıda tüketimi gibi nedenlerle bu oran günümüzde tersine dönmüştür. Bu da çok sağlıksız bir durumdur. Bakteri yüksek ısıda öleceği için, preparat buzdolabında saklanmalıdır. Preparatın kullanımı sırasında antibiyotik alınmamalıdır.

Asthaxanthin

Renk verici karotenoitlerden biri olan asthaxanthin, çok güçlü antioksidan özellikler gösterir. Kalp damar hastalıklarına, sinirsel sorunlara ve özellikle gözle ilgili rahatsızlıklara karşı kullanılabilir.

Beta-Glucan

Bağışıklık sistemini uyaran ve faaliyetlerini kuvvetlendiren bir polisakkarittir. Sadece enfeksiyonlarda değil, kanser tedavisinde de kullanımı faydalıdır. Ekmek mayasının hücre duvarlarından yapılır. Sabah akşam birer kapsül

bol suyla alınır. Bilinen ciddi bir yan etkisi yoktur. Çocuklarda güvenle kullanılabilir.

Bioflavonoitler

Sebze ve meyvelere renk veren maddelerdir. Tamamı önemli antioksidan olan 4 binden fazla flavonit tanımlanmıştır. Turunçgiller, kuşburnu ve siyah üzüm en önemli flavonit kaynağıdır. Vücuttaki kan oranını düzenlemede ve C vitaminin vücuttaki emilimini ve kullanımını artırırlar. Varis, hemoroit gibi rahatsızlıklarda kullanılır. Bilinen ciddi bir yan etkisi yoktur.

Bromelain

Spor yaralanmalarında kullanılan sülfür içerikli bir madde grubudur. Ananas bitkisinden elde edilir. İnflamasyon giderici etkinliği sayesinde çeşitli burkulmalarda, eklem rahatsızlıklarında ve ağrılı menstürüsyon dönemlerinde kullanılır. Herhangi bir yan etkisi yoktur.

Brewerrs Yeast (Bira mayası)

B vitamini başta olmak üzere vitamin, mineral ve protein kaynağıdır. Çok çeşitli sağlık sorunlarında destekleyici olarak kullanılabilir.

Carnitine

Aminoasit olmamasına rağmen, yapısı benzediği için aminoasitlerle beraber anılır. Esas görevi protein yapımında yer almak değil, yağların yakılmasını artırıp enerji üretimini desteklemektir. Kalp ve karaciğer kasında yağlanmayı azaltarak, kaslar için iyi bir enerji kaynağıdır. Enerjilerini ve yağ yakışını artırmak isteyen kişilerin, egzersizden yaklaşık bir saat önce almaları faydalı olur. Bilinen ciddi bir yan etkisi yoktur.

Chlorella-Spirulina

Chlorella yeşil alg, spirulina ise mavi yeşil alg hücrelerinden oluşmuştur. Her iki algde protein, vitamin ve mineral bakımından zengindir. DNA'sı yüzyıllardır hiç değişmeyen bir canlıdır. Bilinen en yüksek klorofil kaynağı olan chlorella, yeşil sebzelerden 22 kat daha fazla klorofil içerir. Spirulina ise vejetaryenler için uygun bir bitkisel protein kaynağıdır. Kabızlığı giderir. Yeşillik ve sebze yemek istemeyen çocuklara uygun bir kaynaktır. Yaşlanmayı geciktirmede olumlu bir etkisi vardır. Tiroit hastalarının doktor kontrolünde kullanması gerekir.

Coenzyme Q-10

Vücuttaki tüm hücrelerde var olan bir antioksidandır. Vücuttaki eksikliği sürekli bir yorgunluğa neden olur. Vücutta yeterli miktarda üretilemeyebilir. Kalp krizi riskini azaltmak için kullanılır, yüksek tansiyonda dengeleyicidir. Dişeti hastalıklarına karşı etkilidir. Bilinen ciddi bir yan etkisi yoktur.

Dhea (Dehidroepiandrosterone)

Vücudumuzda doğal olarak bulunan, böbreküstü bezi tarafından salgılanan bir hormondur.

Testosteron, kortizon gibi erkek ve dişi hormonları bu hammaddeden üretilir. 40 yaşından sonra bu hormonun düzeyi azalır. DHEA enerji veren, cinsel gücü artıran, karın ve göbek civarı yağlarının erimesine yardımcı olan ve yorgunluğu atan etkili bir dopingdir. İhtiyaç duyulan dönemlerde, günde bir adet ılık suyla alınmalıdır. Yüksek dozda alımı karaciğer hasarına yol açabilir. Doktor kontrolünde kullanılmalıdır.

Emu Oil

Doğal bir asit kaynağı olan emu oil yağının içindeki yararlı asitlerin, iltihaba karşı olumlu etkileri vardır. Özellikle kızarıklıklara, hemoroite, zehirli böcek sokmalarına, eklem iltihapları ve ağrılarına iyi gelir. Aynı zamanda ciltteki kırışıklıkları gidermek için de yaralı bir destektir. Günde 1–2 kez sorun olan bölgeye sürülür. Aşırı yağlı bir cilt ya da açık bir yara yoksa kullanılmasında bir sakınca yoktur.

Feverfew (Tanacetum parthenium)

Migren, baş dönmesi, yüksek ateş gibi sorunlara karşı kullanılır. Migreni önleyici etkisi önemlidir. Migren ağrısının başlayacağı hissedildiği zaman kullanılması ve bunun bir kür halinde uygulanması, ağrı şiddetini ve sıklığını azaltır. Çok az sayıda mide sorunu dışında herhangi ciddi bir yan etkisi yoktur. Papatya gibi bazı bitkileri alerjisi olan kişilerin kullanmaması gerekir.

Fish Oil (Balık Yağı)

Balık yağı, Omega 3 yağ asitlerinin çok zengin bir kaynağıdır. Omega 3 yağ asitleri, kandaki kötü kolesterol seviyesini düşürür. Kalp hastalıklarına karşı kalbi korur ve damar sertliğini önler. Depresyon tedavisi gören hastalara da omega 3 yağ asitleri önerilir. Yorgunluk, unutkanlık ve iştah açmada etkilidir. Hamile ve emziren kadınlar doktor kontrolünde kullanmalıdır. Kan sulandırıcı ilaçlarla tüketilmemelidir.

Flaxseed Oil (Keten Tohumu Yağı)

En önemli bitkisel omega–3 yağ asidi kaynaklarından biridir. Balıkyağında da bol bulunan omega-3 yağ asitlerinin bitkisel bir kaynaktan almak isteyenler için uygundur. Omega-3 asitlerinin gerekli olduğu yerlerde bitkisel kaynak olarak kullanılabilir. Kabızlığa karşı etkilidir, başta prostat kanseri olmak üzere bazı kanser türlerinden korunmak için kullanılabilir. Düşük oranda mide rahatsızlığı ve bulantı yapan keten tohumu yağı, kimilerinde de alerjik reaksiyon gösterir.

GHR (Büyüme Hormonu Salgılatıcısı)

Growth Hormone Releaser yani GHR, birçok kişi tarafından gençlik hormonu olarak bilinmektedir. Çocuklukta ve ergenlikte yüksek olan, 20'li yaşlardan sonra sürekli azalmaya başlayan bir hormondur. Kullanımı sadece enjeksiyon yoluyla, doğrudan doktor kontrolünde olmalıdır. Büyüme hormonu doktor tavsiyesi olmadan kendi kendine kullanılmaz çünkü vücutta pasif durumda olan bazı tümörleri uyarabilir. Yüksek kanser riski olan ve kanser tedavisi gören kişiler kesinlikle kullanmamalıdır.

Glutathione (Glutatyon)

Vücuttaki zararlı maddelerin temizlenip, safra yoluyla dışarı atılmasına yardımcı olan bir proteindir.

Karaciğerde bazı aminoasitlerden üretilir. Damar sertliğine, alkol hasarına ve yaşlanmaya karşı koruyucudur. Glutathino eksikliği, zihinsel bozukluklara, titremelere, koordinasyon bozukluğuna ve denge kaybına neden olabilir.

Lecithin

Hayvansal kaynaklı tüm besinlerde bulunan ve B-kompleks vitaminlerinden olan kolinin en önemli kaynaklarından biridir. Yağımsı bir maddedir. Kolin, vücutta yağın metabolizmasını sağlayan ana maddelerdendir.

Vücuttaki en önemli görevlerinden biri, kolesterolün ve diğer yağların vücut sıvıları içinde dağılmasını sağlamaktadır. Karaciğeri güçlendirmek ve toksinlerin atılmasına yardımcı olmak için de kullanılır.

Günde 10 gramın üzerinde alındığında, mide rahatsızlıklarına ve bulantıya neden olabilir.

Likopen

Domatesin içinde bulunan ve rengini veren yararlı bir maddedir. Domates ne kadar kırmızıysa içindeki likopen oranı o kadar çok demektir. Yaz domatesinde kış domatesine göre 4–5 kat daha fazla likopen bulunur.

Antioksidan özelliği bulunan likopenin, başta prostat kanseri olmak üzere bazı kanser türlerine karşı koruyucu etkisi vardır. Domatesin doğal olmasına dikkat etmek gerekir. Bazı bünyelerin domatese karşı alerjisi vardır.

L-lysine

Vücut tarafından üretilemeyen aminoasitlerden biridir. Günlük 1000 miligram kadar lysine almamız gerekir. Sadece sporcular, yara veya yanıkları olan kişiler için bu oran daha yüksek olabilir. Et, süt ürünleri, yumurta ve bakliyatta bulunur. Uçuk veya üreme organlarını etkileyen viral enfeksiyonlara karşı etkilidir.

Herpex simplex virüsünün çoğalmasını engeller. Yüksek dozlarda alındığında kolesterolün yükseldiği gözlenmiştir.

L-arginine

L-arginine, bağışıklık sistemini güçlendiren, kas kitlesini artırıp yağ yakışını hızlandıran, erkeklerde sperm üretimini çoğaltan bir aminoasittir.

L-tyrosine

Antidepresan özelliği olan aminoasit, sinir güçlendirici ve stresli kişilerde görülen uyku bozukluklarını düzeltici olarak kullanılır.

Melatonin

Merkezi sinir sistemi tarafından salgılanan, ergenlik çağından sonra azalmaya başlayan ve yaşamın geri kalan bölümünde sabit kalan özel bir hormondur. Bazı kanser türlerini, yüksek tansiyon ve kalp krizi riskini azaltabilir.

Uyku bozukluklarında, uzun uçuşlar sonrası saat farkına bağlı oluşan sersemlik halinin giderilmesinde yararlıdır.

Doktor kontrolünde kullanılan tablet, yatmadan 1–2 saat önce ılık suyla alınır. 40 yaşın altında melatonin

kullanımının sakıncalı olabileceğine dair görüşler vardır.

Nac

Serbest radikal temizleyici ve özellikle yaşlanma etkilerini geciktirici olarak kullanılan bir antioksidandır. Karaciğer temizleyici ve fonksiyonlarını artırıcı faydası vardır.

Olive Leaf Extract (Zeytinyağı Ekstreleri):

Zeytinyağı yapraklarından elde edilir. Virüs ve bakterilere karşı oldukça etkili preparatlardır. HIV, herpes, influenza virüslerine ve mantar enfeksiyonlarına karşı başarıyla kullanılmaktadır. Yüksek tansiyona olumlu etkisi vardır. Sabah akşam birer tablet alınabilir. Bilinen ciddi bir yan etkisi yoktur.

Omega-3 Oil

Omega–3 yağı vücut için çok önemli bir besin kaynağıdır. En çok somon, uskumru, sardunya gibi balıklarda, bitkisel gıdalardan ise keten tohumu, ceviz, semizotu ve taze fasulyede bulunur. Omega–3 yağı kolesterolü düşürür, hafızayı kuvvetlendirir ve yorgunluğu azaltır. Eklem iltihaplarına karşı olumlu etkileri vardır. Kanı sulandırır ve cildi nemlendirir. İştah açıcı etkisi olması nedeniyle yorgun ve iştahsız kişilere tavsiye edilir. Bilinen ciddi bir yan etkisi yoktur.

Propolis

Arıların çeşitli bitkilerden topladığı çok değerli bir maddedir. Arılar propolisi balmumuyla karıştırıp petek ve kovan yapımında kullanırlar. Bakteri ve enfeksiyonlara karşı bağışıklık sistemini güçlendirir.

Psyllium Husks Fibre (Plantago ovata)

Planto ovata bitkisinin tohumlarından elde edilen bitkisel liftir. Suyla karıştırıldığında şişen madde, kabızlık, ishal gibi bağırsak rahatsızlıklarında, dışkının bağırsaktan atılımını kolaylaştırır. Tokluk hissi verdiği için diyet yapanlarda kilo kaybına yardımcı olarak kullanılır. Bol suyla, dozu yavaş yavaş yükseltilerek alınmalıdır. Birden yüksek dozda alınması, bağırsaklarda rahatsızlığa neden olabilir. Mide ve bağırsaklarda şişme özelliğinden dolayı, hiçbir ilaçla aynı anda kullanılmamalıdır.

Phenylalanine

Esansiyel bir aminoasitir. Konsantrasyon bozukluklarında kullanılır. Ağrı kesici etkisi de vardır.

Rutin

Dolaşımı güçlendirici ve damar destekleyicisi, antioksidan bir bioflavonoittir. Bacak bölgelerinde görülen kan akımı problemlerine, hemoroite ve varislere karşı etkilidir.

Shark Cartilage

Köpekbalığından elde edilen, çeşitli eklem ve kıkırdak ağrılarına karşı kullanılan bir kıkırdaktır. Köpekbalığının güçlü bağışıklık sistemini, bu kıkırdakta bulunan mukopolisakkaritlerin oluşturduğu bilinmektedir. Kalp hastaları tarafından kullanılmasında sakınca vardır.

Shar Liver Oil

Köpekbalığı karaciğerinin yağına shar liver oil denir. İçerdiği alkilgliserol ve

squalene gibi önemli bazı etken maddeler sayesinde geniş bir kullanım alanına sahiptir. Bilinen en iyi doğal bağışıklık güçlendiricilerdir. Cildi ve gözleri serbest radikallerden korur. Ağır ilaçların kullanıldığı bazı tedavilerde, vücudun dayanıklılığını artırmak için kullanılır. Bilinen ciddi bir yan etkisi yoktur.

Soya İsoflavonları

Soyadan elde edilen isoflavonların sağlığa çok önemli etkileri vardır. Genistein, daidzein ve glycetin en etkili isoflavonlar arasındadır. İsoflavonların östrojen hormonuna benzeyen kimyasal yapıları vardır.

Kolesterolün düşmesine yardımcı olup, çeşitli kanser türlerinden ve osteoporoz riskinden vücudu korur. Toksit bir etkiye sahip değildir. Ancak hormon alması sakıncalı olan kadınlar tarafından kullanılmamalıdır.

Superoxide Dismutase

Hücreleri canlandıran ve hücrelerin yıkım hızını azaltan bir enzimdir. Bilinen en tehlikeli serbest radikallerden biri olan superoxide, en çok eklemlerde tahribat yapar.

Doğal arpada, brokolide, Brüksel Lahanası'nda, lahanada, yeşil buğdayda ve pek çok yeşil yapraklı sebzede bulunur.

Kefir

Özelliklede Kafkasya'da yapılan, mayalanma yoluyla KEÇİ SÜTÜNDEN elde edilen, karbon asidi içeren bir içeçektir. Kefir mayası bir kavanoza konulup, 18–20 derecede 48 saat bekletilir. Bekletme süresine göre değişik şekilde katılaşır ve etki gücü de değişir. Kefir vücudumuz için çok faydalıdır.

Kafkasyalılar çocukluklarından beri kefiri kullanırlar. Bu nedenle yaş ortalamaları 110–120 civarıdır.

Çoğu önemli hastalıklar Kafkasya bölgesinde görülmez. Kefirin mide iltihapları, kansızlık, egzama, yüksek tansiyon, safra kesesi rahatsızlıkları, bulaşıcı sarılık, ishal ve kabızlık gibi hastalıkların tedavi edici etkisi vardır.

Kefir direkt bağırsaklardan kana karışır. Her gün rahatlıkla içilebilen kefirin en sağlıklı içme zamanı akşam yemekleridir.

Tümör rahatsızlıkları, bronş ve böbrek hastalıkları, safra kesesi rahatsızlıkları, mesane iltihapları, sarılık, astım, sinirsel rahatsızlıklar, kansızlık gibi ciddi hastalıklarda, her gün 1 litre kefir içilmelidir.

Sadece ilaç değil, aynı zamanda iyi bir besin maddesidir. 12 saat beklemiş kefir kabızlığa, 36 saat beklemiş kefir de ishale karşı kullanılır.

Kefir mantarı 3–4 hafta içinde 2 katı ürer. Buzdolabında saklanmamalı, ışıklı ortamlarda bulunmamalı ve kapağı iyice kapatılmalıdır. Egzama için, rahatsız bölgelerin üzerine kefir sürülür. Kuruyunca yıkanmaz, ertesi gün yıkanır. Ağır egzamalar için de aynı yöntem uygulanır.

VİTAMİN VE MİNARELLERİN GÖREVİ

Vitaminlerle minareler, proteinlerin, yağların ve karbonhidratların, vücutta kullanılmalarına yardımcı olurlar. Bir nevi aracı maddeler olup, destekleyici ve koruyucu özellikleri vardır. Vücudun sağlıklı tutulmasını sağlarlar. Vitamin ve mineraller, sebze ve meyvelerde daha çok bulunur. Tabii olarak alınması tavsiye edilir.

Bu bölümde minarel ve vitaminlerin TABİİ ELDE ETME YOLLARI ilk defa sizlerle paylaşılmıştır.

Mineraller

Bakır (Cu)

Dokuların ve C vitamininin yeniden meydana gelmesi için, karaciğerde depolanan önemli minerallerden biridir. Demirden yararlanmayı sağlar. Özellikle sinirler için önemli olan bakırın eksikliğinde, kalp hastalıkları ve kalp krizleri görülür, kansızlık baş gösterip, cilt hastalıkları meydana gelir. Bakır, her türlü hastalığa karşı koruyucudur.

Çeşitli gıdaların 100 gramındaki bakır miktarı şöyledir: Sığır karaciğeri 3,5 miligram, buğday çimi 1,30 miligram, ceviz 1,00 miligram, kuru fasulye 0,90 miligram, kestane 0,65 miligram, kuru kayısı 0,62 miligram, mercimek 0,50 miligram, limon 0,40 miligram, badem 1,00 miligram, fındık 0.90 miligram ve tere 0,56 miligram.

Bizmut (Bi)

Özellikle anjin, bademcik, larenjit, farenjit gibi boğaz hastalıklarında çok faydalı bir mineraldir. Nezle damlaları gibi ilaçlara katılarak iyileşme etkilerini hızlandırır.

Bor (B)

Uykusuzluğu sona erdirerek, vücudun fosfor dengesini sağlar. Günlük ihtiyacımız 20 miligram kadardır.

Brom (Br)

Bromun da bor gibi uykusuzluğu sona erdirici özelliği vardır. Sinir sistemini rahatlatan bu mineral çilek, domates, elma, havuç, üzüm, kayısı, kavun, kereviz, lahana, pırasa, sarımsak, soğan ve turpta yeteri kadar bulunur.

Çinko (Zn)

Vücut için çok önemli bir mineraldir. Vücut gelişiminin normal olması ve vücudun kendi kendini yenilemesinde önemli rol oynar. Her hücremizde çinko bulunur. Hastalıklara karşı direnci artırıp, kalp, beyin ve üreme sistemi için fayda sağlar. Mineralin eksikliğinde, saçlar dökülür, sedef hastalığı ve cilt problemlerine çok sık rastlanır. Gözlerde katarakt oluşur, tat ve koku hissi kaybolur. Erken prostat büyümesi görülür, özellikle erkeklerde yumurtaların gelişmesi aksar.

Çeşitli gıdaların 100 gramındaki çinko miktarı şöyledir: İnce kepek 10,3 miligram, kuru fasulye 5,5 miligram, yumurta sarısı 4,0 miligram, dana eti 3,5 miligram, buğday çimi 2,0 miligram, lahana 1,5 miligram, mercimek 6,0 miligram, kepekli ekmek 5,0 miligram, karaciğer 3,9 miligram, ceviz 2,0 miligram ve badem 1,5 miligram.

Demir (Fe)

Demir, büyümeye yardım eder ve hastalıklardan korunmayı sağlar. B vitaminlerinin kullanımını kolaylaştırır. Özellikle kadınlar için çok önemli bir mineraldir. Regl kanamaları fazla olan hanımlarda kansızlığı giderir. Kabızlıkta, solunum yetmezliğinde ve yorgunluğu gidermede çok faydalıdır. Vücuttaki demir eksikliği kansere neden olabilir. Bağırsak parazitleri, tanenli gıdalar, mide ülseri yiyeceklerden alınan demiri azaltır.

En yüksek demir oranı tabiattaa Spriluana yosunu olmak üzere sırasıyla çeşitli gıdaların 100 gramındaki demir miktarı şöyledir: Sığır karaciğeri 12 miligram, ince kepek 10 miligram, mercimek 7 miligram, badem 4 miligram, kuru üzüm 3 miligram, maydanoz 10 miligram, nohut 7 miligram, kuru fasulye 7miligram, ıspanak 4 miligram ve kuru erik 3 miligram.

Fluor (Fl)

Kemiklerin sağlıklı olmasını sağlar. Kemik erimesini, kırılmaları ve diş çürümelerini önler. Gereğinden fazla alınmasında gözde katarakt, tırnaklarda kırılma, kemiklerde zayıflama ve dişlerde çürümelere neden olur. En fazla kemik suyu çorbasında ve çayda bulunur. Bu nedenle bu gıdaların fazla tüketilmeleri, vakitsiz diş çürümelerine neden olur.

Çeşitli gıdaların 100 gramındaki fluor miktarı şöyledir: Kemik suyu 8500 miligram, böbrek 850 miligram, karaciğer 150 miligram, tereyağı 150 miligram, peynir 150 miligram, sığır eti 120 miligram ve kayısı 80 miligram.

Fosfor (P)

Vücuttaki bütün hücrelerde bulunan mineral, kemik ve diş yapısı, kalbin düzenli çalışması ve böbrek fonksiyonları için geçerlidir. Kalsiyum ve D vitamini olmadan fosfor, fosfor olmadan da B grubu ve vitaminler işlevlerini yapamaz. Sinir sisteminin güçlenmesine faydalıdır.

Çeşitli gıdaların 100 gramındaki fosfor miktarı şöyledir: Toz pakmaya

1900 miligram, yumurta sarısı 550 miligram, fıstık 450 miligram, kuru fasulye 400 miligram, ceviz 400 miligram, fındık 300 miligram, süt tozu 680 miligram, mercimek 400 miligram ve beyaz peynir 200 miligram.

İyot (İ)

Tiroit bezesini çalıştıran mineraldir. Kanı temizler ve vakitsiz ihtiyarlamaya engel olur. Kilo alma konusunda önemli rol oynar, zihinsel fonksiyonları düzenler. Özellikle 40 yaşlarından sonra bol iyotlu yiyecekler yenmesi gerekir.

Çeşitli gıdaların 100 gramındaki iyot miktarı şöyledir: Balıklar 0,1 miligram, yumurta 0,1 miligram ve inek sütü 350 miligram.

Kalsiyum (Ca)

Vücudumuzda daha çok kemiklerde bulunur. Vücuttaki demirin kullanımı ve alınan gıdaların hücre zarından geçebilmesi için gereklidir. Aşırı stres, aspirin, fazla yağ ve şeker tüketimi vücuttaki kalsiyum miktarını azaltır. Bu mineral kemik erimesini önler, kalbin ve akciğerin çalışmasını düzenler ve sinir sisteminin normal çalışmasını sağlar.

Çeşitli gıdaların 100 gramındaki kalsiyum miktarı şöyledir: Süt tozu 950 miligram, beyaz peynir 390 miligram, tere 210 miligram, fındık 200 miligram, ince kepek 140 miligram, kaşar peyniri 720 miligram, badem 240 miligram, maydanoz 200 miligram, kuru incir 170 miligram ve ıspanak 80 mg.

Kobalt (Co)

Damarları genişletip, damar spazmlarını giderir. Yüksek tansiyonu önler. Sinir sistemini rahatlatarak, migreni geçirmede önemli rol oynar. Kansızlığın giderilmesinde, karaciğer ve pankreasın düzenli olarak çalışmasında etkin rol oynar. B12 vitaminin yapısında kobalt vardır.

Çeşitli gıdaların 100 gramındaki kobalt miktarı şöyledir: Marul 100 miligram, şalgam 60 miligram, incir 20 miligram, ıspanak 60 miligram, pazı 40 miligram ve armut 18 miligram.

Krom (Cr)

İnsülin etkisini artırıcı özelliğinden dolayı, şeker hastaları için çok önemli bir mineraldir. Zayıflamada faydalıdır. Kalp ve damar hastalıklarının giderilmesini sağlar.

Tabi elde etme yolları: Toz pakmaya, sebze ve meyvelerin kabuklarında, kepekte, kara ve kovan balı peteğinde bulunur.

Kükürt (S)

Solunum yolları, karaciğer ve alerjik rahatsızlıklar için çok önemlidir. Oksijen dengesinde, beyin fonksiyonları, cilt, saç ve tırnakların sağlığı için gereklidir.

Çeşitli gıdaların 100 gramındaki kükürt miktarı şöyledir: Tere 730 miligram, kuru fasulye 210 miligram, balıklar 200 miligram, yumurta 195 miligram, havuç 180 miligram, karides 300 miligram, mercimek 270 miligram, maydanoz 190 mg ve soğan 70 miligram.

Lityum (Li)

Psikolojik bozulmalar, depresyonlar, bunalımlar, sinirsel rahatsızlıklar, uyuyamama, dikkat dağınıklığı, kişilik değişikliği ve çevreye uyum sağlayamama gibi hastalıkların giderilmesinde çok önemli rol oynar.

Magnezyum (Mg)

Sinir sistemi üzerinde çok etkili olan mineral, kasları ve sinirleri gevşetir. Stresi önleyici olarak da bilinir. Bu mineral diğer minerallerin daha etkin bir şekilde kullanımını sağlar. Çabuk yorulmayı önleyip, tüm salgı bezelerinin sağlıklı çalışmasını sağlar.

Çeşitli gıdaların 100 gramındaki magnezyum miktarı şöyledir: Kuru bezelye 730 miligram, kuru fasulye 250 miligram, badem 250 miligram, fıstık 150 miligram, semizotu 150 miligram ve maydanoz 135 miligram.

Manganez (Mn)

Sinir sistemi içinde önemli olan bu mineral, beyin ve kasların beslenmesi için gereklidir. J ve B1 vitamini ile çalışarak, sindirim sistemine yardımcı olur. Şekerin vücutta enerjiye dönüşümünü sağlar. Kadın ve erkeklerde üreme sistemi için çok önemlidir.

Molibden (Mo)

Demirin karaciğerde depo edilmesine yardımcı olur. Çeşitli sebze, meyve ve hayvansal gıdalarda bulunur.

Nikel (Ni)

Şeker hastaları için çok gerekli bir mineraldir. Havuç, lahana, tere, mantarlar, ıspanak, soğan, incir, kayısı ve kara kovan balı peteğinde bulunur.

Potasyum (K)

Vücutta su dengesinin sağlanmasına yardımcı olup, gıdaların hücre içine geçişini kolaylaştırır. Her gün tüketilen bu mineral, yeniden yerini tamamlar. Sinir sistemi ve beyne oksijenin taşınmasında, kasların sağlıklı kalmasında, karaciğerin korunmasında, kabızlıkta çok önemlidir. Fazla dozda kullanılması tansiyonu yükseltir.

Çeşitli gıdaların 100 gramındaki potasyum miktarı şöyledir: Kuru kayısı 1600 miligram, süt tozu 1100 miligram, kuru incir 950 miligram, badem 800 miligram, fıstık 650 miligram, fındık 600 miligram, zeytin 1500 miligram, kuru fasulye 1000 miligram, hurma 650 mg ve ceviz 600 mg.

Selenyum (Se)

E vitamini ile birlikte, kanser ve tümör oluşmasını engeller. Üreme sistemi için çok önemlidir. Hücre koruyucusu özelliği erken yaşlanmayı önler.

Toz pakmaya, karaciğer, kepekli ekmek, soğan, sarımsak, lahana ve balıklarda bulunur. Bu mineral fazla miktarda ve sürekli alınırsa, vücutta zehirlenme, halsizlik ve yorgunluk yapar.

Silisyum (Si)

Hücre zarlarını kuvvetlendirerek, kanamaları önler. Organların vakitsiz yaşlanmasını ve bozulmasını engeller. Beyin yorgunluğunu giderir.

Tabi elde etme yolları: En fazla buğday kepeği, sarımsak, kuru fasulye, enginar ve atkuyruğu otunda bulunur.

Sodyum (Na)

Salgı bezlerinin çalışmasını sağlar. Sinir ve kas fonksiyonları için gereklidir. Yeterince alınmazsa, gelişmede bozukluk, kilo kaybı, mide ekşimesi görülür. Fazla kullanılması halinde, tansiyonu yükseltir.

Çeşitli gıdaların 100 gramındaki sodyum miktarı şöyledir: Peynir 1200 miligram, süt tozu 380 miligram, yumurta 130 miligram, ıspanak 100 miligram, ekmek 650 miligram, zeytin 130 miligram, beyin 100 miligram ve sığır eti 70 miligram.

Vitaminler

A Vitamini

Karaciğerde depo edilen A vitamini, bünyemizi hastalık ve zararlı maddelere karşı korur. Bağışıklık sistemimizde ve proteinlerin yapımında etkilidir. Tüm organların gelişmesi, büyümesi ve tamirini üstlenir. Sağlıklı cilt, saç ve kemik ile gözümüz için gereklidir. A vitamini ayrıca, bağışıklık sistemimizde büyük desteği olan timüs bezesini koruyup, normal çalışmasını sağlar. İhtiyaçtan fazla ve uzun süre kullanımında, pankreas ve tiroit bezelerinin çalışmasını azaltır. A vitamini eksikliğinde, göz kapakları kenarlarında kızarma, geceleri görme zayıflığı, duyularda zayıflama, cilt hastalıkları, erken yaşlanma, hastalıklara karşı dayanıklılığın azalması, çocuklarda gelişmenin yavaşlaması, erkeklerde iktidarsızlık ve kadınlarda kısırlık görülür.

Tabi elde etme yolları: Karaciğer, kuzu ciğeri, tüm kırmızı etler, balık, tereyağı, süt, süt yağı, peynir, yumurta, yoğurt, portakal, elma, karpuz, kavun, erik, şeftali ve üzümde bulunur.

B1 Vitamini (Thiamine)

Sinir sisteminin çalışmasında oldukça etkili bir vitamindir. Sinirsel hastalıklarda, zayıflamaları engelleyip yeniden kilo almada, solunum yetersizliğinde, kabızlık ve iştahsızlıkta çok faydalıdır.

Tabi elde etme yolları: Kuru fasulye, yumurta, bira mayası, kahverengi pirinç, deniz ürünleri ve bütün hububatlarda bulunur. Günlük gereksinimi 1,5 miligramdır.

B2 Vitamini (Riboflavine)

Karaciğerle yakından ilgili bir vitamindir. Protein ve karbonhidratların enerjiye dönüşmesini, kansızlığın giderilmesini, alyuvarların yenilenmesini, antikorların oluşmasını ve dokuların yenilenmesini sağlar.

Ağız içi ve dil, göz ve ince bağırsak iltihaplarında çok faydalıdır. Gözde

kataraktın meydana gelmesini, migreni ve cilt hastalıklarını önleyici etkisi vardır.

Tabi elde etme yolları: Badem, bira mayası, peynir, tavuk, sığır eti, böbrek ve buğdayda bulunur.

B3 Vitamini (Nicotniamide)

Vücudumuzdaki yağ, protein ve karbonhidratların enerjiye çevrilmesinde faydalıdır. Bağırsakların ve sinir sisteminin düzenli çalışmasını sağlar. Beyin fonksiyonlarını ayarlama, bitkinlik, uyuklama, depresyon ve cilt sağlığının korunmasında önemli bir yere sahiptir.

Tabi elde etme yolları: En çok sığır eti, brokoli, karnabahar, havuç, peynir, mısır unu, yumurta, balık, süt, patates ve domateste bulunur.

B4 Vitamini (Adenine)

Akyuvarlar için çok önemli bir vitamindir. Beyaz kan hücrelerinin yenilenmesi ve yeteri kadar oluşmasını sağlar. Yeterince alınmadığı zaman vücuttaki akyuvar miktarı azalır.

Tabi elde etme yolları: Patateste, yumurta sarısında, meyvelerde, lahanada, domates ve ette bulunur.

B5 Vitamini (Pantotheniqu Asit)

Vücudumuzda hücre yapımına yardımcı olan bu vitamin, bağışıklık sistemini güçlendirerek, bitkinliği, iştahsızlığı giderir. Romatizma tedavisini hızlandırır. Stresin atılmasını, yaraların çabuk iyileşmesini sağlar ve saçların dökülmesini önler. Saçların uzaması ve güçlenmesi için önemli bir vitamindir.

Tabi elde etme yolları: Karaciğer, yer fıstığı, brokoli, hububatlar, karnabahar ve avokadoda bol miktarda bulunur.

B6 Vitamini (Pyridoxine)

Diş sağlığının korunmasında önemli bir yere sahip olan B6 vitamini, sinir sisteminde, kan hücrelerini artırarak kansızlığın giderilmesinde, insülün ve adrenalin hormonlarının oluşmasında çok faydalıdır. Proteinlerin, yağların ve şekerli gıdaların sindirilmesine yardım eder. Kolesterolün düşmesini sağlar. Eksikliğinde böbreklerde okzalat taşı oluşur.

Tabi elde etme yolları: Kırmızı et, balık, yumurta, patates, muz, kuruyemiş, lahana ve ıspanakta bulunur.

B8 veya H1 Vitamini (Biotine)

Sindirim sistemi rahatsızlıklarında ve kas kramplarında oldukça etkili bir vitamindir. Cilt, saç, sinir dolaşım sistemi sağlığı ve cinsel bezelerin çalışmasında çok önemlidir. Yağ, şeker ve proteinli gıdaların yakılmasını gerçekleştirir.

Tabi elde etme yolları: Karaciğer, böbrek, kuruyemiş, yumurta sarısı, süt ve süt ürünlerinde bulunur.

B9 Vitamini (Folik Asit)

Alyuvarların oluşumunda ve proteinlerin enerjiye çevrilmesinde gerekli bir vitamindir. Karaciğer ile salgı bezlerinin çalışmasını sağlar. Saçların beyazlaşmasını ve dökülmesini, iktidarsızlığı, düşünceleri toplayamamayı önler ve giderir. Ayrıca hamilelikte anne ve çocuğun sıhhatini korur.

Tabi elde etme yolları: Karaciğer, ıspanak, lahana, brokoli, kuruyemişte bulunur.

B10 Vitamini-H2 Paba

Cildi güneş ışınlarından koruyarak, deri sertleşmesini önler. Tüm cilt hastalıkları için faydalıdır. Ayrıca B9 vitamini oluşumuna yardımcı olur.

Tabi elde etme yolları: En fazla karaciğer, bira mayası, böbrek, kepek, pirinç, buğday ve pekmezde bulunur.

B11 Vitamini veya O Vitamini

Bol kilo aldıran vitamin, mide ekşimesine, iştahsızlık ve beslenme bozukluklarına iyi gelir.

Gelişme bozukluklarında, kasların zayıflamasında ve kemik erimesinde faydalıdır.

Tabi elde etme yolları: Etler, süt ve mamulleri, kalp, karaciğer ve toz pakmayada bulunur.

B12 Vitamini ve L2 Vitamini:

Sinir sistemi bozukluklarını gideren vitamin, alyuvarların gelişmesini ve çoğalmasını sağlayarak kansızlığı giderir. Hastalıklar sonrası nekahet döneminde çok faydalıdır. Bağışıklık sistemini güçlendirir.

Dikkati toplamada ve dengede çok önemlidir.

Tabi elde etme yolları: Dana eti, dana karaciğeri, böbrek, süt ve süt ürünleri, peynir, yumurta, midye, dil balığı, ringa balığı, uskumru, sardalya B12 vitamini içeren yiyeceklerdir. Bu vitamin sebzelerde bulunmaz.

B13 Vitamini (Oratik Asit)

Kanda ürenin düşmesini sağlayan vitamin, böbrekte taş oluşmasını önler. Var olan taşları da eritir.

Bağırsaklarda faydalı mikroplar oluşmasını sağlar. Romatizma ve gut hastalığın önleyip, kolesterolü düşürür.

Tabi elde etme yolları: Buğday çimi ve toz pakmayada bulunur.

B14 Vitamini (Xanthopterine)

Vücudumuzda oluşan tümörlerin oluşumunu engellediği bilinmektedir.

B15 Vitamini (Panganik Asit)

Bedenen çalışan ve spor yapanların çabuk yorulmalarını önleyerek, dinç kalmalarını sağlar.

Tabi elde etme yolları: Kayısı çekirdeği, toz pakmaya ve karaciğerde bulunur.

C1 Vitamini

Hücre ve dokuların dış etkenlerden korunmasını sağlar. Vücudun enfeksiyonlara karşı direncini artırır. Kemiklerin sertliğini muhafaza eder ve nezleye karşı konur. Ayrıca kan damarlarını kuvvetlendirerek kanamaları durdurur.

Vücudun tüm organlarının ve salgı bezlerinin, sağlıklı bir şekilde görevlerini sürdürebilmeleri için bu vitamin gereklidir.

Tabi elde etme yolları: Kuşburnu, maydanoz, semizotu, karnabahar, tere, çilek, lahana, yeşilbiber, limon, portakal, mandalina ve greyfurtta bol miktarda bulunur.

C2 Vitamini

Damarların çeperlerini kuvvetlendirerek yırtılmaları ve kanamaları önler. Ayrıca gözde retina tabakasının kanamasını engeller.

Tabi elde etme yolları: Limon, marul ve atkestanesinde bulunur.

D Vitamini (Kalsiferol)

Kalsiyum ve fosforun emilmesini artıran vitamin, kemikleri ve dişleri güçlendirir. D vitamini, A ve C vitaminiyle birlikte çalışır. Özellikle büyüme çağındaki çocukların bu vitamine ihtiyaçları çoktur. D vitamini eksikliğinde raşitizm, kemik zayıflığı, tüberküloz ve cilt rahatsızlıkları görülür. İhtiyaçtan fazla alınması zararlıdır. Sadece güneşlenmeyle günlük gereksinimin yüzde 80'i karşılanır.

Tabi elde etme yolları: En çok yağlı balıklar, karaciğer, yumurta sarısı, peynir, tereyağı, süt ve mantarda bulunur.

E Vitamini

E vitamini, C vitamini ve selenyum mineraliyle birlikte çalışarak, toksinleri vücudumuzdan atma özelliğini gösterir. E vitamini eksikliğinde kanda kolesterol oranı artarak, damar sertliğine neden olur. Kalp ve kaslarda bozulmalar, sinir bozuklukları ve beyinsel bozukluklar vücutta baş gösterir.

Vakitsiz yaşlanmalara da neden olan vitamin eksikliği, kadın ve erkekte kısırlığa, gözde erken katarakta ve göz önünde sinek uçuşmalarına neden olur.

Tabi elde etme yolları: Ay çekirdeği, badem, buğday, çiçek yağı, yer fıstığı, mısır özü yağı, soya yağı, balık yağı, tavuk, yumurta, kırmızı et ve fasulyede bulunur.

F Vitamini

Yağlardaki doymamış asit miktarını gösterir. Vücudumuza proteinler kadar lazımdır. Kolesterolü düşürmeye yarar. Bağırsakları düzenli çalıştırarak peklik ve ishali giderir. Bu vitamin eksikliğinde, damar sertliği, damar kireçlenmeleri, damar tıkanmaları, karaciğer ve sinir rahatsızlıkları ortaya çıkar. Kanser hastalığına karşı koruyucu etkisi vardır.

Tabi elde etme yolları: Soya yağı, mısır yağı, pamuk yağı, keten yağı, ayçiçeği yağı, haşhaş yağı ve susam yağında bulunur. Vücutta F vitamini olmazsa, kolesterol damarların iç yüzeyine yapışır. Bu olay da damar sertliği ve damar daralmalarına neden olur.

İ Vitamini

Yağların parçalanmasını sağlayarak, vücutta depo edilmesini önler. Böylece karaciğer yağlanmaz ve bozulmaz. Siroza faydalıdır. Çeşitli

hastalıkların iyileşme döneminde kullanılması gerekir. Sürmenaj hastalığında, hamilelikte, depresyonda, damar sertliğini önlemede faydalıdır. Sağılıklı saç gelişmesinde önemli rol oynar.

J Vitamini

Karaciğer enfeksiyonlarında oldukça etkilidir. Sirozu, karaciğer yağlanmasını ve büyümesini önler. Damar sertliğini giderir.

K Vitamini

Karaciğeri çalıştırarak, kanın pıhtılaşmasını sağlayan maddenin yapımını sağlar. Bu özelliğiyle kanamaları önler.

Sarılık, safra kanalı iltihabı, uzun süren ishaller, kolit, flebit, damarlara kan pıhtılaşması gibi hastalıklarda kullanılmamalıdır.

Lahana, karnabahar, ıspanak ile diğer yeşil sebzelerde, soya fasulyesi ve tahıllarda bulunur. Genellikle sebzelerle alınan günlük 60–85 miligram K vitamini, herhangi bir eklemeye gerek kalmadan yeterli olmaktadır.

M Vitamini (Stigmasterol)

Vücudumuzun yağ düzenini sağlayarak, deri sertleşmelerini önler.

Tabi elde etme yolları: Pancar, pazı yaprağı, kereviz, lahana, şalgam ve kaymakta bol miktarda bulunur.

N Vitamini (Thiotik veya Lipoik Asit)

Alkoliklerin, karaciğeri ve bağırsağı hasta olanların kanını temizleyerek, zehirlenmelerini önler.

Tabi elde etme yolları: Karaciğer ve toz pakmayada bulunur.

P Vitamini (Rutine)

Damarların çeperlerini kuvvetlendirerek kanamaları önler. Beyin ve gözde retina kanamalarını önler. Varis ve flebitte de çok faydalıdır.

Tabi elde etme yolları: Menekşe yaprağı, marul, taze biber, mersin ağacı meyvesi, yumurta, yer fıstığı ve atkestanesi kabuğunda bulunur.

U Vitamini

Bağırsak ve mide iç yüzeyini korur. Onikiparmak ülseri, ince ve kalın bağırsak iltihabı tedavisinde çok faydalıdır.

Tabi elde etme yolları: Lahana, kereviz, marul, domates, havuç ve muz da bulunur.

KAİNAT ECZANESİNDEN YETERLİ VE DENGELİ BESLENMEK

Yiyeceklerin esasını meydana getiren ve insanın yaşaması için lüzumlu olan temel gıda maddeleri altı gruptur: **"Proteinler, Karbonhidratlar, Yağlar, Vitaminler, Mineraller, Su."** Bunlara birde kozmik bakış ile bakalım ve dünya gıda kodeksini yeniden incelemeye almanın vaktini belirleyelim. İşte gelinen nokta:

Proteinler

Yağların ve karbonhidratların tüketilmelerine yardımcı olan aracı maddelerdir. Vücudun sağlıklı tutulmasını sağlayan maddeler, destekleyici ve koruyucu özelliktedir. Proteinler vücudun yapı malzemeleridir. Çocuklarda ve gençlerde kasların büyümesini, yenilenmesini ve tamirini üstlenirken, yaşlılarda ise vücudun tamirini ve eskiyen kısımların yenilenmesini sağlarlar.

Hayvani ve nebati olmak üzere iki çeşit proteinler vardır. Et, balık, yumurta, süt ve süt mamulleri hayvani protein, kuru yemişler ve kuru erzak adı verilen bakliyat ve hububatta nebati proteinlerdir.

Et, balık, yumurta ve süt kasların yapımı, tamiri ve yenilenmesi için faydalıdır. Bebekler, hamile ve emzikli kadınlar için iyi birer protein kaynağıdırlar.

Ağır bir hastalıktan sonra nekahet devresine girmiş olan hastalara çok faydalıdır. Nohut, fasulye, mercimek gibi hububatlar ise, vücudun tamirini sağlarlar.

İhtiyaçtan fazla protein alınmaması gerekir. Fazla protein alımı, böbrekler ve karaciğerin kapasitesinin üzerinde çalışmasını sağlar. Bu nedenle organlar çabuk yıpranır. Protein içerikli besin maddeleri, vücudumuza bir süre için canlılık verir çünkü bu maddeler metabolizmamızda hemen toksinlere dönüşür. Yetişkin bir insanın, geleneksel fizyolojinin dayattığı protein miktarına neden gerek duymadığını gösteren asıl kanıt anne sütüdür.

Anne sütü yüzde 2,5-3 oranın da protein ihtiva eder ki bu oran yeni bir insan vücudu için gereken orandır.

İnsan beslenmesindeki gerçeği öğrendiğinizde fizyologların, insanlara bilinçsizce standart bir protein miktarını dayatarak nasıl bir yanlışlığa neden olduklarını siz de göreceksiniz.

Mukus ve tüm toksinlerden arınmış bir vücut, minimum bir proteinle (meyvede mevcuttur) en yüksek enerjiye ve dayanaklılığa erişmektedir.

Protein ağırlıklı besinler konusundaki yanılgının ne anlama geldiğini Hipokrat'ın şu sözleriyle ifade etmek mümkün: "Hasta bir insana ne kadar çok

besin verirsen, o kadar zarar verirsin."

Karbonhidratlar

Vücudun çalışması ve sıcaklığını sağlaması için gerekli duyulan buğday, arpa, mısır, çavdar, nohut, fasulye, mercimek, bezelye, soya, üzüm, incir, bal gibi gıdalar karbonhidratlı gıdalardır.

Mide ve bağırsaklarda hazmı tamamlanan gıdalar, bütün vücuda dağıtılarak enerji için harcanır. Fazlası ise karaciğerde depo edilerek, gerektiğinde kana verilir.

Günlük ihtiyaçtan az yenirse vücut takatsiz düşer, ihtiyaçtan fazla yenirse kanda şeker miktarı artar.

Et tüketicisi, az miktarda yediği hayvansal besin maddeleriyle vücudunda daha az katı ağırlık maddeleri üretir.

Buna rağmen karbon hidrat tüketicisinin zamanla ortaya çıkabilecek hastalıkları çok daha tehlikelidir çünkü o vücudunda et tüketicisinden daha fazla toksin, irin ve ürik asit biriktirir.

Yağlar

Nebati ve hayvani olmak üzere iki çeşittirler. Tereyağı, iç yağı, kuyruk yağı, balık yağı gibi hayvani yağlar, vücudun normal çalışması, gelişmesi ve tamiri için gereklidir.

Bu yağlarda vücut için gerekli olan A, D ve E gibi vitaminleri vardır. Yeterince hayvani yağ yenmediği zaman bazı rahatsızlıklar baş gösterir. Fazla yendiği zaman da hazmı zor olması nedeniyle karaciğer yorulur, beslenme dengesi bozulur.

Zeytinyağı, ayçiçeği yağı, mısır yağı, pamuk ve susam yağları ise nebati yağlardır. Bu yağların Hibrit tohumdan olmamak kaydıyla-hazmı kolaydır.

Medyada son günlerdeki margarin yağına teşvik bizleri 1960'lı yılların "Marshall Yardımı" ile bu milletin nasıl beyaz ekmek, süttozu ve margarin yağlarıyla tanıştırılıp, hastane kapılarından ayrılamamamızı (o günleri yaşayan biri olarak) hatırlatmak isterim.

Su

Vücut ağırlığının yüzde 80'ini su teşkil eder. Bizim yaşam kaynağımızıdır. Serin ve nemli bir yapıya sahiptir. Isıyı düşürüp, vücudun nemini korur. Besinin incelmesini ve kılcal damarlara kadar işlemesi de su sayesinde olur.

Su, midenin boş olduğu saatlerde, yemek sırasında çok fazla içilmemelidir. Uykudan uyanır uyanmaz, cinsi münasebetten hemen sonra, banyodan sonra ve meyve yedikten sonra su içmemek gerekir.

Suyun kalitesi; renginden, kokusundan, tadından, ağırlığından, yatağından, kaynağından, güneş ve rüzgâra açık oluşundan, hareketinden, çokluğundan ve aktığı yönden anlaşılır. Madenlerin bulunduğu yerlerden çıkan sular, içinden çıktıkları madenin özelliğini taşıyıp, vücutta onun etkisini gösterirler.

SAĞLIK AÇISINDAN DİĞER GIDALAR

Yumurta

Süt ve yumurta en iyi gıdalardan biridir. Çeşitli vitaminleri, demiri ve proteini yapısında bulundurur. Neslinin azlığından şikâyet eden bir zata, Peygamber Efendimiz (sav) yumurta yemesini tavsiye etmiştir. Yumurta protein deposudur. Protein, yağ ve karbonhidratın yanında, bol miktarda demir, sodyum, kükürt, A ve B vitaminleri bulunur. Büyüme, üreme, kandaki alyuvarların teşekkülü ve vücudun kendi kendini tamirinde büyük yardımdır.

Kalbin güçlenmesinde oldukça önemli bir role sahiptir. 2 veya 3 yumurta, 100 gram etin yerini tutmaktadır. Sarısının çiğ olarak yenilmesi çok faydalıdır. Ağrıyı dindirir, boğazı ve akciğer keseciklerini temizler. Yumurta çok kaynatılınca faydaları azalır, hazmı zorlaşır.

Günde bir yumurtadan fazla yenmesi zararlıdır. Aynı öğünde sucuk, pastırma veya et gibi ağır yiyeceklerle birlikte ve hastalar tarafından yenilmemelidir.

İnsan vücuduna yapışkanlık özelliğiyle etten daha zarar verebilir.

En faydalı pişirme yöntemi, haşlama yöntemidir. Kaynatma sırasında yumurtanın yapışkanlık özelliği kısmen bozulur.

Süt

Süt, tüm yaştaki bireyler için bir gıdadır. Hayvanların karnından, kan ile gübre arasından bembeyaz ve tertemiz süt çıkar. Çocukların sağlıklı büyümesini, gençlerin beyin faaliyetlerinin artmasını sağlar.

Sütte çeşitli proteinler, karbonhidrat, fosfor, sodyum, potasyum, klor, magnezyum, sülfür, krom, bakır, çinko, demir, manganez, iyot gibi mineraller ve vitaminlerin her türü bulunur.

Basit bir besin maddesi gibi görünse de aslında bitki, yağ ve su kökenli üç maddenin bileşiminden oluşur.

Süt genelde normalden daha sıcak ve daha nemlidir. Vücudu besleyici özelliği fazladır.

Sütün en proteinli zamanı sağıldığı zamandır. Sağıldıktan sonra geçen her sürede sütün besin değeri düşer. Çocuklara, bilhassa et ve yumurta yemesi kısıtlanmış,

böbrek ve kalp hastalarına süt mamulleri iyi gıdadır. Ölçülü içilmelidir.

Çocuklar sütü kaymağı ile birlikte içmeli, yaşlılar, kolesterolü yüksek kimseler ve kalp hastaları sütün kaymağını ayırarak içmelidirler. Süt sadece bir iki taşım kaynatılmalıdır. Çok fazla kaynatılırsa hazım zorlaşır. Çok kaynatılan sütün, vitamin ve enzimleri ölür, hazmı zorlaşır. Süte kahve veya kakao katılmadan sade olarak içilmelidir.

Soğuk süt mideye zarar verir, gaz yapar. Sünen'de merfu olarak şu hadis rivayet edilir: "Allah'ım bizim için o sütte bereket yarat ve bize o sütten çokça ihsan et."

Süt içme alışkanlığı olmayan kişilerde, fazla miktarda süt tüketmek, gözlerin kararmasına, bayılmaya, eklem ağrılarına, karaciğer tıkanıklığına, baş ağrılarına neden olur.

Kesilmiş ve yağı alınmış süt daha az zararlıdır. Yan etkilerini gidermek için bal ya da zencefille içmek uygundur.

Sütler kendi aralarında da gruplara ayrılır:

Koyun sütü; sütlerin en koyusu ve en nemlisidir. Balgamsı artıklar doğurur, uzun süreli kullanımlarda ciltte beyazlıklar oluşur. Koyun sütünü suyla birlikte içmek gerekir. Vücudun susuzluğunu giderir.

Keçi sütü; ince ve dengeli bir süttür. Kuruyan vücudu nemlendirir, boğaz ağrılarına ve kuru kuru öksürmeye çok faydalıdır. Yaradılışa uygun olduğu için insan vücuduna en yararlı olan içeceklerden biri keçi sütüdür.

İnek sütü; vücudu besler ve rahatlatır. En dengeli ve en üstün kaliteli sütlerdendir. Bebeklere ağır gelebilir. Çünkü bir bebeğin midesi, bir dananın sindirebildiğini sindiremez. Sütün içine yarı su katılarak kullanılması daha faydalıdır. Sünen'de Abdullah İbn-i Mesud'un merfu olarak rivayet ettiği hadislerden birinde: "İnek sütünden vazgeçmeyiniz, zira inek her ağaçtan yayılır" diye buyrulmuştur.

KOBİK sadece hayvanlardan sağılan tabii ve hormonsuz sütleri çoçuklara; mamullerini de tercihen keçi sütünden olanları yağ, peynir türleri yoğurt, kefir vs. büyüklere önermektedir.

Kaymak

Çok besleyici bir gıda olmasına rağmen fazla yağ ihtiva eder. Katı halde hazmı zordur. Kaymağa su, vanilya, tarçın ve şeker ilave ederek, mikserde ezmeli ve süt gibi içmelidir. Kolesterolü olanlar, kalp ve damar rahatsızlığı çekenler kullanmamalıdır.

Yoğurt

Yoğurt, sütün bütün hususiyetlerine sahip bir gıda maddesidir. Mikrop barındırmayan birkaç yiyecek maddesinin birisi de yoğurttur. Kolesterolün kandaki seviyesini düşürür.

Mikrobik sarılıkta antibiyotik gibi iş görür. Büyüme ve gelişmeyi teşvik eder. Vücutta kanser oluşumunu önler.

Vücudu temizleme özelliği nedeniyle, zehirlenme tehlikesi olan kişilere

bu yüzden bol yoğurt verilir. Çeşitli bağırsak bozukluklarında ve kurtlarda yoğurt çok faydalıdır, bağırsakları dezenfekte eder. Ekşi ve kaymaklı yoğurtlar fazla yenilmesi vücuda zararlıdır. Günde 200 gram yenilmesi yeterlidir.

Peynir

Peynirde süte oranla 5–6 kat daha fazla protein ve yağ bulunur. Sütün ihtiva ettiği en mühim mineralleri taşır ve oldukça besleyici gıdalardan birisidir.

Sıhhat için en uygun peynir çeşidi buruselladan arındırılmış az yağlı veya yağsız, beyaz, tuzsuz ve tercihen keçi peynirdir.

Beyaz peynirde bol protein yanında fazla miktarda da lesitin bulunur. Bu madde karaciğerin ilacıdır. Ayrıca vücutta kolesterolü de düşürür. Damar sertliğini önler, beyaz peynir az tuzlu olmalıdır. Tuzsuz taze peynir, mideye iyi gelir, sindirimi kolay olur.

Çocuklar ve hastalar için peynir iyi bir kalsiyum kaynağıdır. İki yaşından itibaren çocuklara, şeker hastalarına ve albümini olanlara çok faydalı bir gazdır. Emzikli ve hamile kadınlara bol peynir tavsiye edilir. Plastik veya alüminyum kaplara peynir konulmamalıdır.

KOBİK Keçi peyniri yemeği önerir.

Et

Hormonsuz ve tabii beslenen antibiyotik kalıntıları taşımayan hayvanlardan elde edilen et tam bir protein deposudur.

Lezzetle yenen et yemekleri vücudun protein ihtiyacını karşılar.

Kuran-ı Kerim'de Tur Suresi'nde şöyle denilmiştir: "Onlara diledikleri meyve ve etten bol bol verdik." Etin yetiştiği yere ve yapısına göre değişen çeşitli cinsleri vardır:

Koyun eti; koyun eti yağsız ve tabii olmak şartıyla iyi etlerdendir, yağının hazmı çok zordur. Çok yaşlı koyunlar tercih edilmemelidir. İkinci derecede sıcak ve birinci derecede nemli bir yapıya sahiptir. En güzeli bir yaşında kuzu etidir. Zekâyı ve hafızayı güçlendirir. Altı haftalıktan küçük süt kuzularının ve oğlakların etleri zararlıdır. Dört aylıktan sonraki tamamen otla beslenen kuzu etleri, sağlıklı kişilerce yenilebilir.

KOBİK daha bozulmamış, masum tabii kuzu etini önermektedir.

Keçi eti; sıcaklığı az ve kuru bir ettir. Sindirimi zor ve sağlıklı bir besin değerine sahiptir.

Keçi etini uzmanlar çok fazla tüketmeği uygun görmese de KOBİK bugünkü beslenme şartlarında da en sağlıklı et olarak keçi etini önermektedir.

Oğlak eti; hayvanın doğumuna yakın olmadığı ve özellikle emmeye devam ettiği sürece normale yakın bir ettir. Bünyeyi yumuşatıcı bir özelliği vardır, çoğu insanın ağız tadına uygun çok özellikli bir ettir.

Sığır eti; sığır eti kart olmamak şartıyla en iyi etlerdendir. Soğuk ve kuru bir yapıya sahiptir. Besleyici ve çeşitli vitaminlerce zengindir. Koyun etine nazaran daha kolay sindirilir. İhtiyaçtan

fazla yenirse, karaciğeri ve böbrekleri yorar. Aşırı derecede yorulanlara önerilen bir ettir. Sürekli yenilmesi durumunda, ciltte siyahlığa, uyuz hastalığına, kanser, cüzam gibi hastalıklara neden olabilir.

Deve eti; deve etinin yenmesi helaldir. Peygamber Efendimiz ve sahabeler, savaş ve barışta sürekli olarak deve etini yemişlerdir. Özellikle deve yavrusunun eti, çok lezzetli ve besin yönünden çok kuvvetlidir. Sindirimi güç olan bir ettir.

Keler eti; sıcak ve kuru bir özellik taşır. Cinsi arzuyu kuvvetlendirici etkisi vardır.

Yavru ceylan eti; sıcak ve kuru özelliğe sahiptir. Ceylan yavrusunun eti, sağlıklı ve normal bünyelere çok faydalı bir ettir. Bugün için avlanması tavsiye edilmez.

Geyik eti; sıcak ve birinci derecede kurudur. Yabani hayvan etlerinin besin değeri en yüksek olanı geyik etidir. Nemli bünyelerin yemesi daha uygundur.

Tavşan eti; normal derecede sıcaklık ve kuruluğa sahiptir. Kebap olarak yenilmesi çok lezzetlidir. Kabız yapma özelliği vardır, idrarı söktürür ve mesanedeki taşları parçalar.

Yaban eşeğinin eti; sıcak ve kuru özelliğe sahip bir ettir. Besin değeri oldukça yüksektir. Tüm yabani hayvanların etleri katı ve siyaha meyilli bir kan yapar. Bu etlerin en güzeli ceylan yavrusunun etidir, daha sonra tavşan eti gelir. İbni Mace'nin Sünen'inde Cabir'den rivayet edildiğine göre Cabir şöyle anlatır: "Biz Hayber'in fethi sırasında katırı ve yaban eşeğini yemiştik."

Kuş etleri; kuşların helal olanlarının yanı sıra haram olanları da vardır. Kartal, doğan, şahin gibi pençesi olanlar, kerkenez, akbaba, leylek, saksağan, ala karga ve iri serçe kuşu gibi leş yiyenler, göçeğen ve çavuş gibi öldürülmesi yasaklananlar, çaylak ve karga gibi öldürülmesi emredilen kuşların yenilmesi haramdır. Tavuk, bıldırcın, güvercin, horoz, kaz, keklik, ördek, serçe, hindi ve turna gibi kuşların etleri de yenir.

Yüce Allah Kuran-ı Kerim'de Vakıa Suresi'nde şöyle buyurmuştur: "İştahlanacakları kuş etiyle."

Sakatat; sığır, koyun ve benzeri hayvanların ciğer, kelle, işkembe gibi organlarına "sakatat" adı verilir. Sakatatlar, karaciğere çok faydalıdır. Bol demir, fosfor ve çeşitli vitaminleri ihtiva eder. Özellikle çocuklara, nekahet devresinde olanlara, bedeni ve ruhi yorgunluk geçirenlere, kansızlara çok faydalıdır. Kalp hastalarına önerilmez.

Beyin; bol fosfor ihtiva eden beyin, çocuklara çok faydalıdır. Suda haşlanıp üzerine bol zeytinyağı ve limon sıkılarak tüketilir. Beyin taze olmalıdır ve bir defada 50 gramdan fazla yenilmemesi gerekir.

Yürek; B vitamini bakımından zengindir. Hazmı zor olduğu için ara sıra, az miktarda yenilmelidir.

Balık; çeşitleri çok olan balığın protein değeri diğer etler ayarındadır. Diğer etlerden fazla fosfor ve iyot ihtiva ederler. Bol B1, B2 ve PP vitaminleri bulunur. Yağsız ve taze olmak şartıyla her yaştan insan için hafif bir gıdadır. Yaşadığı yer-

lerin en sağlıklısı, berrak suyu olan nehirlerdir.

Deniz balığı üstün bir lezzettedir. İmam Ahmet İbn-i Hanbel ve İbn-i Mace Sünen'in de Abdullah İbn-i Ömer'in Peygamber Efendimiz'den (sav) rivayet ettiği hadiste, Peygamber Efendimiz'in şöyle dediğini rivayet ederler: **"Bizim için iki ölü ve iki de kan helal kılınmıştır. İki ölü; balık ve çekirge, iki kan da; ciğer ve dalaktır."**

Etler proteinli bir gıda olmasının yanı sıra, insan vücudunda bulundukları süre içinde mukus üretirler.

KOBİK bütün etlerin tabii olanı, yemle beslenen çiftlik balıkları ve diğerleride dahil bir uyarıda bulunarak, "Etler proteinli bir gıda olması sebebiyle, insan vücudunda bulundukları süre içinde mukus üretirler. Bütün etleri bu nedenle oldukça dikkatli kullanmak ve mutlaka öncesinde mevsimlik terevezler tüketerek yenmeleri gerekir" der.

KOBİK kesinlikle çiftlik balıklarını tüketmeyi uygun görmez.

Tereyağı

Sıcak ve nemli bir yapıya sahip olan tereyağında yeterli miktarda kalsiyum, fosfor, demir ve çeşitli vitaminler bulunur. Ne kadar çiğ yenirse o kadar faydalı ve hazmı kolay olur. Kızarmış ve pişmiş tereyağının hazmı ise zordur. Aslında insan vücudu için çok gerekli bir besin değildir. Öksürüğe iyi gelir, uyuzu ve vücuttaki sertliği giderir, bünyeyi yumuşatır. Bal ve hurma gibi tatlılarla yenmesi, mideye ağır gelmesini engeller. Tereyağında kolesterol bulunur. F vitamini azdır. Bu nedenle fazla tüketilmemesi gerekir.

Ebu Davud Sünen'in de Büsre's **Sülemi'nin iki oğlundan rivayet ettiğine göre onlar şöyle demişlerdir: "Peygamber Efendimiz üzerimize çıkageldi, biz de ona tereyağı ve bal ikram ettik. Peygamber Efendimiz tereyağı ve balı severdi."**

Kobik sade yağı tavsiye etmektedir.

Zeytinyağı

Yemeklik yağlardan olan zeytinyağı vücudu besler, içindeki azotlu maddeler sebebiyle tok tutar. Bol miktarda fosfor ihtiva ettiğinden kişiye enerji verir. Kolesterolü yoktur fakat F vitamini çok azdır. İyi cins ve taze olmak şartıyla karaciğer ve safra yolları üzerine etkilidir. Karaciğerin tamirini ve çalışmasını sağlar.

Safra akışını artırır, safra taşını döker, yeniden teşekkülünü önler. Sindirimi kolaydır.

Zeytinyağının faydaları çok fazladır ve çok sağlıklı bir yağdır. Tirmizi ve İbn-i Mace'de Ebu Hureyre'nin Peygamberimizden rivayet ettiği hadislerde, Peygamber Efendimizin şöyle buyurduğu rivayet edilir: **"Zeytinyağı yiyiniz ve onunla yağlanınız. Zira zeytinyağı mübarek bir ağaçtandır."**

KOBİK her yaşta sade zeytinyağı tüketmeyi önerir.

Ayçiçeği-Pamuk Ve Mısır Yağları

Herbit ve sanayi tohum olmayan bu bitkisel tağlar F vitamini bakımından zengin olan yağlarda, kolesterol yoktur. Beslenmeye çok faydalıdırlar. Vücutta kolesterol yükselmesini önledikleri gibi, yükselmiş olan kolesterolü zamanla düşürürler.

KOBİK kesinlikle herbit-dölsüz tohumlardan yapılan hiçbir yağı önermez.

Kolesterol'e dikkat

Hayvani gıda ve yağlarla vücuda girer. Sağlık için çok az miktarı yeterlidir. Bu miktar çoğalınca vücuda olumsuz etkisi başlar. Damar sertliği, kalp rahatsızlıkları, damarlarda daralma, beyinde sertleşme, gözde katarakt gibi mühim hastalıklara yol açar. Bu durumda kolesterol getiren yağlar yenilmemeli, onların yerine kolesterolü düşürücü yağların yenilmesine geçilmelidir.

Bal-mucize besin

Balın kalitesi arının uğradığı bitkilere göre değişir. Dağlardan ve ağaçtan alınan balın, boş alanlardan alınan baldan üstünlüğü vardır. Balda B1, B2, B5, B6 ve C vitaminleri vardır. Kalsiyum, fosfor, potasyum, kükürt, sodyum klorür ve magnezyum gibi mineraller içerir. Ayrıca bakır, iyot, demir, manganez ve çinko da yeterli miktarda balda mevcuttur.

Balın yüzde yetmişi doğrudan kana geçer. Balın içinde ayrıca her çeşit mikrobun üremesini önleyen maddelerden çok az vardır. Bu maddeler sayesinde bal yıllarca bozulmadan kalır. Vücudun vakitsiz ihtiyarlamasını önler.

Sinir bozukluğu sebebiyle uyku uyuyamayanların sinirlerini teskin eder. Mide ülserine faydalıdır. Damarları genişletir, yüksek tansiyonu düşürür, kalbi kuvvetlendirir ve çarpıntıları giderir.

Kalbin her tarafının bol kanla beslenmesini sağlar. Karaciğerin en iyi dostudur. Onun kendi kendini tamirini sağlar.

Bronşit, gastrit, romatizma, mide ve onikiparmak bağırsağı ülseri, kansızlık gibi birçok hastalıklara şifadır. Balın içinde hangi çiçeğin poleni ve miktarı fazlaysa, bal o bitkinin vasıflarını verir. "Delibal" diye anılan bal ise tansiyonu düşürür. 1 şeker kaşığından fazlasını yemek sakıncalıdır.

Çok enerjili olmakla beraber bal zehirli değildir, tutmaz. İnsan enerjisi yetmediği için insana tesir eder, şahıslara göre tolerasyon değişebilir.

6. BÖLÜM

MEYVELER VE SEBZELERDEKİ ŞİFALAR

HİPOKRAT ANDI

Hekim Apollon Aesculapions ve Tanrı adına and içerim. Onları tanık ve şahit tutarım ki, bu andımı ve verdiğim sözü gücüm yettiği kadar yerine getireceğim. Bu sanatta hocamı, babam gibi tanıyacağım, rızkımı onunla paylaşacağım. Paraya ihtiyacı olursa kesemi onunla bölüşeceğim. Öğrenmek istedikleri takdirde onun çocuklarına bu san'atı bir ücret almaksızın öğreteceğim. Reçetelerin örneklerini, ağızdan bilgileri şifahi malumatı ve başka dersleri evlatlarıma, hocamın çocuklarına ve hekim andı içenlere öğreteceğim. Bunlardan başka bir kimseye öğretmeyeceğim. Gücüm yettiği kadar tedavimi hiç bir vakit kötülük için değil, yardım için kullanacağım. Benden zehir isteyene onu vermeyeceğim gibi, böyle bir hareket tarzını bile tavsiye etmeyeceğim. Bir gebe kadına çocuk düşürmesi için ilaç vermeyeceğim. Hayatımı ve sanatımı tertemiz bir şekilde kullanacağım. Bıçağımı mesanesinde taş olan muzdariplerde bile kullanmayacağım. Bunun için yerimi ehline terk edeceğim. Hangi eve girersem gireyim, hastaya yardım için gireceğim. Kasıtlı olan bütün kötülüklerden kaçınacağım.

İster hür ister köle olsun, erkek ve kadınların vücudunu kötüye kullanmaktan sakınacağım. Gerek sanatımın icrası sırasında, gerek san'atımın dışında insanlarla ilişkideyken etrafımda olup bitenleri, görüp işittiklerimi bir sır olarak saklayacağım ve kimseye açmayacağım.

Bu andımı tuttuğum sürece, hayatım ve sanatımın icraası bana mutluluk versin. Tüm insanlar tarafından her zaman saygı göreyim.

Eğer yeminimden dönersem bunun zıddı bana az gelsin.

MEYVE VE SEBZELERDEKİ ŞİFALAR

Meyve ve sebzeler kuvvetli birer enerji ve besin kaynağıdır. Enerji verici özelliği açısından meyve ve sebzeler, diğer tüm besin maddelerine oranla daha uygun maddeler içerir.

Bu öz maddeler "karbonhidrat" yani "işlenmiş karbon maddesi" ve "glikoz" olarak bilinmektedir. Glikozun meyve ve sebzede bol miktarda mevcut oluşu, enerjiyi açığa çıkaran temel maddelerin, organik, mineral bazlı doku tuzlarının olduğunu ileri süren yaygın görüşü çürütür. Yıllarca süren deneyim ve araştırmalar, dokuların gereksinim duyduğu tüm minerallerin meyve ve sebzelerde bulunduğunu kanıtlamıştır. Bu nedenle taze meyvelerle, yeşil yapraklı sebzeler en önemli besin maddelerimizin başında yer almıştır.

TEMİZLEYİCİ BESİNLER - SEBZELER

Bamya (Abelmoschus esculentus)

Ebegümeciler familyasından, ılık iklimlerde yaşayan ve hazmı oldukça kolay olan bamyanın yaprağı, asma yaprağına benzer. Tohumları yuvarlak ve yeşilimtırak gri renktedir.

Özellikleri: Yaş ve kuru olarak tüketilebilir. Tazeyken toplanıp tüketilmesi sağlık için daha faydalıdır. İçinde A, B1, B2 ve C vitaminleri barındırır. Memleketimizin her yerinde yetiştirilir.

Önerilen Hastalıklar: Sindirim sistemini düzenleyici tesiri vardır, mide ve bağırsakların düzenli çalışmasını sağlar, kanı temizler. İdrar söktürücü olarak da bilinen bamya, halsizliğe iyi gelir.

Kullanma şekli: Mineraller açısından oldukça zengindir. Çiçekleri ezilip, kaynatılarak suyu içilirse göğsü rahatlatır ve yumuşatır.

Yan etkileri: Bilinen ciddi bir yan etkisi yoktur.

Bakla (Vicia faba)

Bakla, protein bakımından en zengin sebzelerden biridir.

Özellikleri: Baklanın içeriğinde, bol miktarda protein, karbonhidrat, demir, kalsiyum, potasyum, A, B1, B2 ve C vitaminleri bulunur. Kabuğu ile yenildiği takdirde, daha besleyicidir. Çiçekleri ilkbaharda toplanıp, gölge bir yerde kurutulur.

Önerilen Hastalıklar: Mesane ve böbreklerdeki kum ve taşların düşürülmesine yardımcı olur. İdrar yollarını temizler, böbrek ağrılarını dindirir, böbrek iltihaplarını giderir.

Kötü kolesterolü düşürür. Bakla, baklagillerdeki tüm sebzeler gibi bedenin kansere yakalanma riskini azaltır. Şekeri dengeler.

Kullanma şekli: Bakla içerdiği insülinle kan şekerini düzene sokar. İçerdiği yüksek orandaki lifle kabızlık çekenlere iyi gelir. Bakla ayrıca, hemoroit ve diğer kalınbağırsak sorunlarında da sağlığa yararlı etkiler sağlar.

Yan etkileri: Birinci derecede soğuk olan bakla, vücutta gaz oluşumuna neden olduğu için karın şişliği yapabilir.

Bezelye (Pisum sativum)

Özellikleri: Bezelyenin kalori değeri çok yüksek, proteini de oldukça fazladır. İçinde kalsiyum, fosfor, demir gibi minerallerle, A, B, B1, B2 ve C vitaminleri bulunur.

Önerilen Hastalıklar: Kansızlığa ve kan kanserini önlemede çok faydalıdır. Bağırsakların düzenli çalışmasını sağlar.

Önerilen Hastalıklar: Anne sütünü artırır. Gıda değeri bakımından taze bezelye, fasulyeden daha üstündür. Bezelye vücuda enerji verir ve vücudu kuvvetlendirir. Kasların gelişmesine ve yenilenmesine yardım eder.

Karaciğerin çalışmasını düzene sokar. Özellikle taze bezelye bağırsakları çalıştırarak kabızlığı giderir.

Kullanma şekli: Sebzenin tohumuna bezelye denir. Bu bitkinin taze, yeşil kabuğu ile taneleri ya da yalnız taneleri yenir. Çoklukla ilkbaharda turfanda bir sebze olarak piyasaya çıkarılan bezelyenin çeşitli türleri vardır.

Çiçekleri beyaz, menekşe renginde olabileceği gibi, boyu bodur, yarı yüksek, yüksek olabilir. Bazı türlerinin yalnız iç taneleri yenebileceği gibi, bazılarının da yeşil kabuklarıyla birlikte iç kabukları yenebilir. Türkiye'de öbür sebzeler ve fasulye kadar olmamakla beraber bol miktarda yetiştirilmektedir.

Yan etkileri: Bilinen ciddi bir yan etkisi yoktur.

Biber (Capsicum Annuum)

Özellikleri: Biber taze veya kuruyken kullanılır. Bol C vitamini ile nadir yiyeceklerde bulunur.

Önerilen Hastalıklar: P ve K vitaminlerini ihtiva eder. P vitamini ile damarları yumuşatır, kanamaları önler. K vitamini ile de kanın pıhtılaşma kabiliyetini artırarak kanamaları durdurur.

Biber iştahsızlığa karşı son derece etkili bir sebzedir. Mide tembelliğini gideren kuru biber, hazmı

kolaylaştırır. **Acı biber ise, kadınlarda ve erkeklerde cinsi isteksizliği ve kudretsizliği ortadan kaldırır.**

Kullanma şekli: Biber yeşil halde, çiğ olarak salata içinde yenir. Hazmı zordur, iyi çiğnenmelidir. Kırmızıbiberde, portakaldan daha çok C vitamini vardır. Bulaşıcı hastalıklara karşı etkilidir. Vücudun direncini artırır.

Yan etkileri: Bilinen ciddi bir yan etkisi yoktur.

Börülce (Vigna sinensis)

Özellikleri: Göbeği koyu renkli olduğu için "karnıkara" da denilen, fasulyeye benzer bir bitki olan börülce, C vitamini ve bitkisel protein açısından zengin bir sebzedir. Ayrıca, azot ve nişasta da içerir

Önerilen Hastalıklar: Göğüs ve akciğere faydalıdır. İdrar tutukluğunu ve anüs kaşıntısını giderir.

Cinsel arzuyu arttırır. Yanıklara sürülürse faydası görülür.

Kandaki şeker oranını ve yüksek tansiyonu düşürmeye yardımcı olur. Kansızlığa iyi gelir.

Kullanma şekli: Börülce yemeği, salatası ve turşusu yapılarak tüketilmesinin yanı sıra haricen yanıklarda kullanılır.

Yan etkileri: Bilinen ciddi bir yan etkisi yoktur.

Brokoli (Brassica olerace)

Brokoli, ülkemizde son birkaç yıldır kullanılmaya başlanan, aslında Anadolu bölgesinde yetiştirilebilecek bir sebzedir.

Özellikleri: İçeriğinde tiroit bezini baskı altında tutarak, aşırı miktarlarda tiroit hormonu üretmesine engel olan izotiyosiyanat maddesi barındırır.

İçindeki çok çeşitli etkin maddeler sebebiyle oldukça faydalı bir sebzedir.

Önerilen Hastalıklar: Sık idrara çıkma, idrar kesesini boşaltamama gibi rahatsızlıklar yanında prostat büyümelerinde vasodilatif özelliği sebebiyle idrar yollarını genişleterek açtığı ve prostatın çalışmasını sağladığı yapılan çalışmalarda tespit edilmiştir.

Kullanma şekli: Kadınların menapoz dönemlerinde yardımcı olduğu gibi meme kanserlerinde de etkili bir kullanıma sahiptir.

Yan etkileri: Bilinen ciddi bir yan etkisi yoktur

Brokoli kürü (Prostop için)

Kullanma şekli: Tabii üretilmiş 2 avuç taze yeşil brokoliyi 1 lt suda birkaç dakika haşlayarak bu suyu sabah öğlen akşam aç karna tüketiniz. Bu uygulamayı 3 hafta süreyle yapınız. 1 hafta ara verdikten sonra tekrarlayabilirsiniz. Haşlanmış brokoliyi ise yemeklerde zeytinyağı, limon ve sarımsak ile tüketebilirsiniz.

Yan etkileri: Bilinen ciddi bir yan etkisi yoktur.

Domates (Solanum lycopersium)

Yemeklerde lezzetle yenilen ve çok çeşidi olan domates, bin yıllık bir bitkidir. Patlıcangillerden bir çeşit

bitkidir. Ürünü için yetiştirilir. Vatanı Meksika ve Peru'dur. Yabani türünün meyveleri yuvarlak ve kiraz kadar küçüktür.

Özellikleri: Yemeklere konulup, salatası yenir. Tıbbi değeri çok yüksek olan bir sebzedir. İçerisinde bol miktarda A,B,C ve K vitaminleriyle kalsiyum, fosfor ve potasyum bulunur.

Önerilen Hastalıklar: Domatesin içeriğinde lycopin denilen bir madde vardır. Böbrekleri çalıştırarak, bol idrar söktürür. Vücutta biriken üre asidini ve ürat tuzlarını eriterek idrarla dışarı atar. Bu madde yaşlılığa bağlı makula dejenerasyonunun etkisini azaltır. Bu madde aynı zamanda kolesterole karşı etkili olup idrar yapma zorluklarını da ortadan kaldırır.

Kabuk ve çekirdekleriyle bağırsakları harekete geçirerek, kabızlığı giderir. Safra ve böbrek taşlarının oluşmasına engel olur. İştahsızlık çekenlere çok faydalıdır. Domates nasır üzerine bağlanırsa, nasırın sökülmesini kolaylaştırır.

Kullanma şekli: Domates kansere karşı etkili bir sebzedir fakat herhangi bir organda kanser baş gösterdikten sonra artık domates yenilmemelidir. Karaciğer rahatsızlığı, egzama ve mantar şikâyeti olanlar, domatesi fazla tüketmemelidir.

Cilde tazelik ve pembelik verir. İsiliği ve mayasılı giderir. Nasırların sökülmesine yardımcı olur. Çıbanların olgunlaşmasını sağlar.

Arı sokmasında ve yanıkların tedavisinde faydalanılır. Midesi zayıf olanlar, böbrek ve mesanelerinde iltihap olanlar, suyunu içmelidirler.

Her sabah içilen tabii ve çiğden sıkılmış bir su bardağı domates suyuda kansere karşı etkili bir çözüm olabilecektir. Ayrıca kalp büyümelerinin önlenmesi için yine her sabah tabii ve çiğden sıkılmış 1 bardak domates suyu içilmesi önerilir.

Yan etkileri: Bilinen ciddi bir yan etkisi yoktur. Hibrit tohumundan domatesler kullanmak normaldir.

Fasulye (Phaseolus vulgaris)

Hem besleyici hem de şifa değeri oldukça fazla olan bir sebzedir.

Özellikleri: Vücudun çalışmasını, gelişmesini ve kuvvetlenmesini sağlar. Yaprakları da çay gibi kullanılabilir. Bedenin ve zihnin yorgunluklarını en aza indirir. Taze fasulyede A, B1 vitamini ve potasyum bulunmaktadır.

Önerilen Hastalıklar: Pankreas bezesinin gereği gibi çalışmasını sağlar. İnsülün ifrazatını artırır. Böylece şeker hastalığını önler. Kandaki şeker miktarını düşürür.

Taze fasulyede bulunan bazı maddeler, kalbi, karaciğeri ve böbrekleri kuvvetlendirir.

Kullanma şekli: Zehirlenmelerden sonra yenilecek olursa zehrin etkisini azaltır.

Havuç (Daucus carota)

Kökleri sebze olarak yenilen, iki yıllık bir bitkidir. B, C, D ve E vitaminleri yönünde zengin olan havuç, çok faydalı bir besindir. Havuç köklerinin rengi genellikle sarı, turuncu ya da çeşitli tonlarıyla

pembedir. Ülkemizde Hatay ilimizin Samandağı yöresinde, koyu vişne çürüğü renkli pek nadir görülen havuçlar yetiştirilmektedir. Havuç bitkisinin oluklu gövdesi ve dereotununkine benzeyen ince yaprakları vardır.

Özellikleri: 100 gr. taze havucun içerdiği önemli besin değerleri şunlardır: 30-42 kalori; 1,1 gr. protein; 9,7 gr. karbonhidrat; 0 kolesterol; 0,2 gr. yağ; l gr. lif; 36 mgr. fosfor; 37 mgr. kalsiyum; 0,7 mgr. demir; 47 mgr. sodyum; 341 mgr. potasyum: 23 mgr. magnezyum; 8.115-11.000 IU A vitamini: 0,06 mgr. B1 vitamini; 0,05 mgr. B2 vitamini; 0.6 mgr. B3 vitamini: 0.15 mgr. B6 vitamini: 7,6 mcgr. folik asit: 6-8 mgr. C vitamini ve 0,6 mgr. E vitamini.

Önerilen Hastalıklar: Havuç, düzenli olarak yenildiğinde, sigara içen kişileri de içermek üzere, bedenin akciğer kanserine yakalanma rizikosunu en aza indirgemektedir:

Ayrıca havucu sık ve bol tüketen kişilerin gırtlak, mesane (idrar kesesi), rahmin boyun bölümü, kalınbağırsak, prostat ve yemek borusu kanserlerine yakalanma rizikosunun % 50 oranında; menopoz döneminin sonrasını yaşayan kadınlarda, göğüs kanserlerine yakalanma rizikosunun %20 oranında azaldığı yapılan araştırmalar sonucunda saptanmıştır.

Kalbin dostu da olan havuç, kandaki kolesterol düzeyini düşürmenin en kolay yoludur.

Araştırmalar, havuç yemenin kolesterolde önemli düşmelere neden olduğunu, havuç yemeyi bırakan kişilerde kısa sürede kolesterolün eski düzeyine yükseldiğini göstermiştir.

Havuç, içerdiği yüksek lif oranıyla peklik (kabızlık) çekenlere iyi gelmektedir.

Kaynatılarak içilen havucun suyu diyareye iyi gelir.

Kan yapıcı özelliği vardır. Sabah, öğle ve akşam taze sıkılmış bir çay bardağı havuç suyu içilmelidir.

Böbrek, beyin ve kalp damarlarının çalışmasına yardımcı olur.

Kullanma şekli: Ayrıca midedeki ülserli kısımların iyileşmesini sağlar. Reflü ve ülser için bir çay bardağı taze sıkılmış havuç suyu aç karna yudum yudum içildiğinde çözümdür, iyileşme sağlar.

2 çay bardağından fazla içilmemelidir. Alzheimer hastalığı için akşamları içilen tazen sıkılmış havuç suyu tedaviye yardımcı olur.

Hücrelerin canlanmasında ve çoğalmasında olumlu bir etkisi vardır. Gözleri kuvvetlendirir. Enginar ile birlikte karaciğerin en iyi ilacıdır.

Karaciğerin safra salgılamasına ve kolesterolü dengelemesine yardım eder. Bağırsakları çalıştırır, yara ve iltihaplarını çabucak iyileştirir.

Sarılığa, ergenlik sivilcelerine, ses kısıklığına iyi gelir.

Hamile hanımların bol miktarda havuç yemesi tavsiye edilir.

Taze havuç lapası, güneş yanıklarının üzerine sürülürse tedavi eder.

Havucu rendelemek B ve C vitaminlerinin kaybolmasına yol açar.

Havuçları en güzel tüketim yolu, soyulmadan yenmesidir. Sadece temiz yıkamak yeterlidir.

Yan etkileri: Bilinen ciddi bir yan etkisi yoktur.

Hıyar (Cucumis Sativus)

Toprak üzerinde etrafa dağılarak yetişen hıyar, ufak, sarı çiçekler açar.

Özellikleri: Açık yeşil renkte meyvesi vardır. İkinci derecede yaş bir sebzedir. Soyularak yenir, salatası ve turşusu yapılır. İştah açıcı olan hıyarda, bol miktarlarda B1, B2 ve C vitaminleri mevcuttur. Kalorisi düşüktür.

Önerilen Hastalıklar: Sindirimi kolaylaştırıp, böbrekleri çalıştırarak bol idrar söktürür. Böbreklerde ürat taşı varsa döktürür ve yeniden oluşmasını önler.

Vücudu yorgunluktan kurtarır. Kandaki şeker miktarını düşürüp, insülin ihtiva eder bu nedenle şeker hastalarına tavsiye edilir.

Ciltteki ter bezlerini çalıştırır, cildin taze ve pürüzsüz kalmasını sağlar. Bu özelliğiyle çok sayıda deri merhemlerinin, cilt kremlerinin yapımında kullanılır.

Kullanma şekli: Romatizma ve mafsal ağrılarında faydalıdır. Buhari ve Müslim'in Sahih'lerinde rivayet edildiğine göre: "Peygamber Efendimiz hıyarı taze hurmayla birlikte yerdi."

Yan etkileri: Bilinen ciddi bir yan etkisi yoktur.

Ispanak (Spinacia oleracea)

Kışın yetişen, madeni tuzların ve özellikle demirin zengin bulunduğu bir yıllık otsu bir sebzedir. Kumlu-killi ve gübreli topraklarda daha verimli yetişir. Yemeği, kavurması ve böreği yapılır.

Özellikleri: A, E, B1, B2, C, D, K vitaminlerince zengin olan ıspanağın kalori değeri 33'tür. Ayrıca demir, magnezyum, fosfor ve iyot açısından da oldukça zengin bir besin maddesidir.

Önerilen Hastalıklar: Kan yapıcıdır. Kemikleri ve dişleri sağlamlaştırır. Karaciğeri, lenf bezlerini ve kan dolaşımını uyarır. Bedenin mineral ihtiyacını karşılayan bir sebzedir. Soğuk algınlığı ve benzeri hastalıklara karşı vücuda dayanıklılık verir.

Ispanak diğer akraba sebzelerle kullanıldığında etkisi kat kat artar, kereviz ve maydanozla kansızlığa, mide ülserine ve böbrek rahatsızlıklarına çok faydalıdır.

Ispanak detoks-arınma aracı olarak tere, maydanoz ile birlikte kullanılmaktadır. Bu metot toksin atıcı olarak da arınma kürlerinde kullanılmaktadır.

Kansere karşı koruyucu özelliği vardır. Yüksek tansiyona karşı olumlu etkisi vardır.

Hamile hanımlar ıspanak yediklerinde, çocuk kendi kanını fazlasıyla yapar. Taze ıspanakları çiğ olarak yemek daha çok faydalıdır. Ispanak yemeği pişirildiği gün tüketilmelidir. Aksi olursa zarar verir.

Vücudun dayanıklılığını arttırır ve vücuda kuvvet verir.

Yorgunluğu giderir. Zihni kuvvetlendirir. Yaşlılığa bağlı öğrenme güçlüklerini giderir. Felce ve özellikle yaşlanmaya bağlı görme bozukluklarına iyi gelir.

Sinirleri yatıştırır ve sakinlik verir. Sindirimi kolaylaştırır. İdrar söktürücüdür. Hemoroite (Basur) iyi gelir. Yara ve yanıkların iyileşmelerini hızlandırır. Kemikleri ve dişleri güçlendirir. Diş çürümelerini önler. Kolesterolü düşürür. Şeker hastalarına yararlıdır.

Kullanma şekli: Ispanak salatalara ve çorbalara katılabileceği gibi yemeği de yapılır.

Ispanağı kaynatıp suyunu içmek vücuda kuvvet ve dinçlik verir.

Cilt bakımı için de kullanılır. Ispanak kaynamış süte batırılıp yüze ve boyna maske yapılabilir. Bu maske sivilcelere karşı da yararlıdır.

Ispanağın bütün bu yararlarının yanında romatizma, gut hastalığı, eklem iltihabı ve böbrek taşı olanlara tavsiye edilmez.

Yan etkileri: Bilinen ciddi bir yan etkisi yoktur.

Kabak (Cucurbita pepo)

Kabağın yapısı serin ve nemlidir. Asma kabağı, sakız kabağı, bal kabağı, kestane kabağı gibi birçok çeşitleri vardır.

Özellikleri: İçeriğinde kalsiyum, fosfor ve demir bulunduğu gibi C ve B1 vitaminleri bakımından da zengindir. Lif oranı oldukça yüksektir.

Besinlerin en yumuşaklarından ve en kısa zamanda etkilenenlerindendir.

Önerilen Hastalıklar: Kabak yemeği veya tatlısı, mide ve bağırsağa yumuşaklık verir, kabızlığı giderir. Bağırsak iltihabını ve hemoroiti tedavi eder.

Kabağın tohumları da çocuklarda tenya ve kurt düşürücü olarak kullanılır. Kabak bedeni temizler, sinirleri yatıştırır.

Besin değerinin kaybolmaması için kabağı buğuda pişirmek önerilir. Kabağın lapası sedef için haricen-sürülerek kullanılır.

Kullanma şekli: Kabak çiğ olarak rendelenip salatalara da katılabilir Kabak içinde yetişen ve bu şekilde satılan, kabak çekirdeğini yemeye devam etmek, kemik erimesine karşı etkilidir. Gaylaniyat'da Aişe şöyle der:

"Peygamber Efendimiz (sav) buyurdular ki: 'Ey Aişe, tencereyi kaynattığınız zaman, tencereye çokça kabak koyunuz. Zira kabak, üzgün insanın kalbini kuvvetlendirir.'"

Yan etkileri: Bilinen ciddi bir yan etkisi yoktur.

Karnabahar (Brassica Oleracea)

Lahanaya benzeyen, sebze olarak kullanılan, iki yıllık otsu bir bitkidir.

Özellikleri: Kış aylarında yetişen Karnabahar A, B1, B2, C, K, E vitamini, potasyum, kalsiyum, cinsiyet hormonu ve sodyum ihtiva eder. Bu maddeler nedeniyle besleyici ve güç verici özelliği ön plana çıkar.

Önerilen Hastalıklar: Kalp rahatsızlıklarını giderir, sinirleri ve beyni iyi çalıştırır, bağırsakların çalışmasını düzenler.

Kullanma şekli: Karnabahar, az suda haşlanıp salata şeklinde yenirse daha faydalı olur. Çok kaynatma besin değerini azaltır. Faydalı maddelerin çoğu suya geçtiği için sebzelerin haşlama suyu atılmamalı, çorba şeklinde içilmelidir.

Bilhassa idrar yolu enfeksiyonlarında ve antibakteriyel olarak helikobakter türevlerinin yok edilmesinde kür halinde kullanılarak mide ülserinin oluşumu engellenebilmektedir.

1 lt suda 2 avuç tabii taze karnabahar 5 dakika kaynatılarak sebzenin haşlanmasıyla elde edilen su günde 4 defa da-sabah, öğle, akşam, yatarken tüketilir. 3 hafta devam edilmelidir. **Mide ülseri içinde aynı kür kullanılabilir.**

Yan etkileri: Bilinen ciddi bir yan etkisi yoktur.

Kereviz (Apium graveolens)

Güneşli ve nemli yerleri seven kereviz, iki yıllık, çok kokulu, otsu bir tarım bitkisidir. Memleketimizde bolca yetiştirilir.

Özellikleri: Tohumları ile çoğaltılan kerevizde A, B,C vitaminleri vardır.

Önerilen Hastalıklar: Kereviz, baş ve yaprak olarak ne kadar çiğ yenirse o kadar faydası fazla olur. Mideyi kuvvetlendiren kereviz, iştah açar, kanı pislikten temizler. Karaciğere faydasıyla bilinir, şişkinliğini giderir. Safra ifrazatını normale sokar. Böbrekleri çalıştırır, vücutta birikmiş fazla suyu idrar yoluyla dışarı atar. Ses kısıklığına iyi gelir.

Kullanma şekli: Kereviz haşlanmış sebze olarak, salatası veya çorbası yapılarak yaygın şekilde tüketilen bir gıda maddesidir. Özellikle Güney Avrupa mutfak geleneklerinde, Fransız mutfağında, ABD'de Louisiana yemek kültüründe önemli yeri vardır.

Kereviz tohumları tatlandırıcı baharat olarak kullanılır. Baharatlık amaca dönük kereviz tohumu yemeklik tuz ile karıştırılarak "kereviz tuzu" adı altında piyasaya sürülür ve yemeklerde ve kokteyllerde olağan tuza alternatif bir ürün oluşturur.

Kereviz içindeki etkin maddeleri sebebiyle kokulu olup karaciğerin sağlıklı çalışmasına yardımcı olarak siroz oluşumuna engel olur, hastalığı tedavi de eder. Kansızlığa karşıda etkili olan kerevizi 1 lt suya 1 avuç küp küp doğranmış kerevizi atarak haşlayıp, günde aç karnına 3 bardak içerek tüketebilirsiniz. Yaprağını da aynı amaç ve demir eksikliği için kullanabilirsiniz.

Kereviz besleyici, metabolizmayı hafif surette tahrik edici ve güçlendirici bir sebzedir. Gıda şeklinde alınabildiği gibi, kereviz suyu da çıkarılabilir. Toz veya kapsül şeklinde de piyasada bulunmaktadır. Kerevizin şifalı ürün olarak kullanımında öncelikle idrar sökücü (diüretik) özelliği akla gelmektedir.

Böbrek taşı için pırasa, maydanoz ve kerevizin sıkılmış suları veya 5 dk.

haşlanmış suları düzenli olarak her gün aç karna sabahları 1 su bardağı 3 ay boyunca, 3 haftalık kürler halinde birer hafta ara vererek içilmelidir.

Yan etkileri: Bilinen ciddi bir yan etkisi yoktur.

Kırmızı Pancar (Beta Vulgaris)

Bir veya 2 yıllık olan otsu bitki, sebze olarak kullanılır. Kökleri yuvarlak ve yumru şeklindedir.

Özellikleri: İçinde barındırdığı radyoaktif maddeyle, vücudu şeker hastalığına, vereme ve kansere karşı korur. Mide ve bağırsak üzerinde etkilidir.

Önerilen Hastalıklar: Kemik zafiyeti olanlara da çok fayda verir.

Karaciğeri hastalıklara karşı koruyan özelliğiyle tanınır ve karaciğerin düzenli çalışmasını sağlar.

Kullanma şekli: B vitaminleri ve fosforu ile sinirleri yeniler. Kırmızı pancar, çiğ olarak salata içinde yenmelidir.

Yan etkileri: Tansiyonu olanlar, az miktarda tüketmelidir.

Kuru Fasulye

Özellikleri: Taze fasulyeden daha yüksek oranda kalori taşır. Vücuda bol miktarda kalori ve protein verir.

Önerilen Hastalıklar: Bedenen ve zihnen çalışanlara çok faydalıdır. Kabukları şeker dengelemek için demlenerek kullanılır.

Sinirlerin gelişmesini, çalışmasını ve tamirini sağlar. Bulgur pilavıyla birlikte yenilince protein değeri artar.

Kullanma şekli: Pişirilerek yemeği yapılır. Piyazı da çok faydalıdır.

Yan etkileri: Bilinen ciddi bir yan etkisi yoktur.

Lahana (Brassica oleracea)

Yağışlı iklimleri daha çok seven lahananı çeşitli yemekleri, turşusu yapılır. Körpe yaprakları salata olarak tüketilir.

Özellikleri: İçerisinde bol miktarda potasyum, sodyum, kalsiyum, fosfor, magnezyum, demir, B, C, E ve U vitamini bol bulunur. Besin değeri çok yüksek olan bir sebzedir.

Ortadaki beyaz ve gevrek yapraklarının çiğ olarak yenilmesi çok faydalıdır.

Önerilen Hastalıklar: Bu şekilde lahana yemek, göğsü yumuşatır, öksürüğü söktürür. Sindirimi kolaydır. Lahana kanı temizler, bol alyuvar yapımını sağlar, bu nedenle kansızlığa şifadır.

Lahananın tabii hali ve yaprakları itibariyle mide ve bağırsak kanserlerine ve kemoterapi ve radyoterapiden sonra kür olarak kullanılması halinde bedende biriken toksinlerin atılmasına yardımcı olur. Lahana içindeki glucosinolate adı verilen etkin maddesini diğer sebzelerden daha çok barındırması sebebiyle kan dolaşımının düzenlenmesine yardımcı olmaktadır.

Sarılık ve safra kesesi hastalıklarına iyi gelir. Bolca taze lahana yemek, ses kısıklığına iyi gelir.

Şeker ve romatizma hastaları için de çok faydalı olduğu bilinen lahana, bol arsenik, kükürt ve vitaminleri

ile kanı temizleyip cildi güzelleştirir. Bol idrar söktürür, vücuttaki suyu ve zehirli maddeleri idrarla dışarı atar.

Sadece lahana çeşitlerinde bulunan U vitamini, mide ve bağırsakların iç yüzeyini korur, oralardaki yaraların iyileşmesini sağlar.

Mide ülseri, reflü ve gaz oluşumunu engellemek için 2 yumruk büyüklüğünde patatesle beraber yarım kilo tabii lahana çiğden suyu sıkılır, her sabah aç karna 2 bardak yudum yudum içilir, 3 hafta devam edilir.

Bu sürede hayvansal ve konsantre gıdalar tüketilmez. Denenmiştir, mücerreptir.

Yaşlanmayı önleyici ve kalp krizine karşı koruyan bir mineral kabul edilen selenyumun kaynağıdır.

Selenyumun ayrıca, sağlıklı görünüşlü bir cilt verdiğini ve erkeğin cinsel gücünü arttırdığı da bilinir.

Kullanma şekli: Zayıflama ve selülit giderme kürü uygulaması için, lahananın tabii yeşilimsi ana yapraklarından 5 adet 2 avuç büyüklüğünde olanları, 1 lt suda yaklaşık 5-7 dakika haşlanır, bu su aç karnına gün içerisinde tüketilir, 3 ay (3 hafta tamamlanınca 1 hafta ara verilip ardından 3 haftalık kür yine uygulanır) devam edilir.

Bağırsak ve mide kanseri için, mevsiminde, tabii ortamda yetiştirilmiş büyük yapraklı lahanaların haşlanarak kür halinde 3 hafta boyunca içilmesi, kürler arasında 1 hafta ara verilmesi önerilir.

Lahanalar hibrit tohumdan üretilmiş, yuvarlak, düzgün yapılı ve ince yapraklı olmamalıdır.

Yan etkileri: Guatr hastası olanlar lahanayı çok fazla tüketmemelidir.

Mantar (Lactarius piperatus)

Özellikleri: Mantarların protein değerleri etten daha fazladır. Zihni iyi çalıştırır, bedeni yorgunluğu giderir.

Önerilen Hastalıklar: Zayıf ve kansız kimseler için iyi bir gıdadır, kan yapar. Vücuda kuvvet verir, yorgunluk giderir.

Kullanma şekli: Mantar toprağın zehiri, topraktan yaratılan insanın panzehiridir. Haşlanarak suyu, pişirilerek yemeği, ızgarası, turşusu yapılır.

Lezzetli ve besleyici olan çeşitleri olduğu gibi hafif ve ağır zehirli çeşitleri daha çoktur.

Mantarlar birbirlerine çok benzedikleri için sık sık zehirlenme ve ölüm hadiseleri olmaktadır. Bu nedenle dikkatle seçilmelidir.

Mantarlar pişirildiği gün tüketilmelidir.

Kesinlikle alüminyum kaplarda pişirilmeyen mantarı, romatizma ve üremi olanlar yememelidir.

Kültür mantarları kullanılmamalıdır.

Yan etkileri: Bilinen ciddi bir yan etkisi yoktur.

Marul (Herba lactucae sativae)

Özellikle salata olarak tüketilen marul, iki yıllık, otsu bir sebzedir.

Özellikleri: Besin değeri A, B1, B2, B3, C ve K vitaminleri ile krom,

potasyum, kalsiyum, sodyum, fosfor ve demir gibi mineralleri ihtiva eder.

Önerilen Hastalıklar: 100 gramında, küçük bir bardak sütün içinde bulunan kalsiyumdan daha fazla vardır. İnsan sağlığı bakımından önemi büyüktür.

Kullanma şekli: Çiğ yenildiği için tesiri çok fazladır. Sinirleri teskin eder, uyuyamayanlara, kalp çarpıntısı çekenlere çok fayda verir. Salata şeklinde yenilen marul, şeker hastalarının kandaki şeker seviyesini düşürür, susuzluklarını giderir. Bağırsak iltihabı için bol miktarda marul yenmelidir. Emzikli annelerin sütünü çoğaltır, göğsü yumuşatır ve öksürüğü söktürür.

Yan etkileri: Bilinen ciddi bir yan etkisi yoktur.

Mercimek (Lens esculenta)

Ülkemizin birçok bölgesinde yetişir. En fazla demir ihtiva eden gıdalardandır.

Kullanma şekli: Mercimekte, protein, B vitamini, demir, kalsiyum, manganez, sodyum, bakır, çinko ve bol miktarda fosfor bulunur.

Önerilen Hastalıklar: Beden ve zihin gücünü artırır. Mideyi kuvvetlendirir, öksürük ve bronşite iyi gelir. Hasta ve zayıf kimselerde bol kan yapımını sağlar, bağırsaklara yumuşaklık verir.

Besin değeri oldukça yüksek olan mercimek vücuda ve zihne güç verir.

Kullanma şekli: Bağışıklık sistemini kuvvetlendirir. Gözlere de yararlıdır. Mercimeğin kalori değeri de yüksektir. Enerji verir ve yorgunluğu giderir.

Kansızlara faydalıdır. Anne sütünü attırır.

Kandaki kolesterol oranını düşürür ve kan akışını hızlandırır. Kalp ve damar hastalıkları ile şeker hastalığından korunmaya yardımcı olur. Kalp krizi riskini azaltır. Bağırsakları çalıştırarak vücuttaki zararlı maddelerin uzaklaştırılmasını kolaylaştırır ve kabızlığı giderir. Mercimek genellikle çorbası yapılarak tüketilir. Ayrıca yemeklere de katılır.

Mercimek kaynatılıp suyu içilirse göğüs ağrılarını hafifletir ve öksürüğü keser.

Yan etkileri: Kuvvetli bir gıda olduğu için karaciğer rahatsızlığı olanlara dokunur. Bunun dışında bilinen ciddi bir yan etkisi yoktur.

Mısır (Zea mays)

Bol güneşli ve sulak yerleri sever. Üç metreye kadar yükselebilen mısır, bazı bölgelerde yaygın olarak üretilmektedir.

Kullanma şekli: İçeriğinde A, B1, B2, B3, B5, B6, C ve K vitaminleri, protein, kalsiyum, potasyum, demir, fosfor, karbonhidrat, glikoz ve yağ vardır.

Önerilen Hastalıklar: İhtiva ettiği yüksek karbonhidrat, kişinin enerji seviyesini yükseltir. Göze kuvvet verir. Cilt sağlığında faydalıdır.

Kullanma şekli: Mısır haşlanarak yenirse, beyin yorgunluğuna ve iktidarsızlığa iyi gelir. Özellikle Karadeniz insanları mısırı her

yerde olabildiğince çok kullanmaktadırlar. Mısırın çok tüketildiği bölgelerin insanlarının ciltleri parlak, pürüzsüz ve gözenekleri sıkıdır.

Mısırın bir diğer yararı da ala hastalığına (deriye renk veren hücrelerin ölümü, vitiligo) karşı çok güçlü bir önleyicidir.

Mısırı en iyi tüketme şekli; haşlayarak tüketmektir

Yan etkileri: Bilinen ciddi bir yan etkisi yoktur.

Nohut (Cicer arientinum)

Ülkemizin her tarafında yetişir. Yetiştiği toprağın cinsine göre geç veya çabuk pişer.

Kullanma şekli: Kalorisi ve besin değeri oldukça yüksektir. İçeriğinde fosfor, potasyum, kalsiyum, demir, kükürt, B vitaminleri ve protein bulunur.

100 gr. nohut 360 kalori, yaklaşık 20 gr bitkisel protein, 5 gr. yağ ve 61 gr. karbonhidrat içerir.

Önerilen Hastalıklar: Vücudu ve mideyi kuvvetlendirir. İştah açıcı özelliği vardır. Anne sütünü artırır, idrar yollarını dezenfekte ederek, yanmaların geçmesine yardımcı olur. Beyinsel ve zihinsel yorgunluğu giderir. Mideyi kuvvetlendirir, bağırsakları yumuşatır ve bol idrar söktürür. Vücuttaki damarları açar.

Cinsel isteği ve gücü arttırır. Sesi açar ve öksürüğü keser.

Göğüs kanserine karşı koruyucudur. Vücutta fazla su toplanmasını önler. Östrojen hormonunu dengeleyici etkisi ile özellikle menopoz döneminde faydalıdır.

Kullanma şekli: Yemeklerde sebze olarak kullanılır. Ayrıca, leblebi yapımında da kullanılır.

Nohut toz haline getirilip derideki yara ve kaşıntılara sürülürse iyi gelir.

Yan etkileri: Bilinen ciddi bir yan etkisi yoktur.

Patates (Solanum Tuberosum)

Patates önemli bir besin maddesidir.

Kullanma şekli: Patateste bol miktarda protein, B, C vitaminleri ve fazla miktarda potasyum bulunur. Unlu gıdalara göre bir derece daha iyi oluşu, daha fazla minerale sahip oluşundandır.

Önerilen Hastalıklar: Şeker hastalarının kanını alkali hale getirerek, susuzluklarını keser ve hastalıklarına dayanıklılığını artırır.

Ülser ve reflüye yardımcı olur. Denenmiş ve mücerrebtir.

Sindirimi kolaylaştırıp, kabızlığı önler. Karaciğer şişliğini giderir.

İshali kesmek için patates püresi, yağsız yoğurtla karıştırılıp yenir. Sert bir cisim yutanlar, patates püresi yiyerek cismi çıkarır.

Kullanma şekli: Vitamin değerinin kaybolmaması için külde veya çift tabanlı tencerelerde pişirilmelidir.

Suyunu çiğ sıkarak her sabah 2 bardak çiğ olarak içmek gaz, ülser ve reflünün şifasıdır.

Suda haşlandığı zaman, patates içinde bulunan potasyum ve diğer faydalı maddeler suya geçerek kaybolur. Suyu dökülmemeli kullanılmalıdır.(Hibrit tohum olmamalı.) Kızartılarak yenilmezse kilo

aldırmaz. Patates yemeği piştiği gün tüketilmelidir.

Yan etkileri: Bilinen ciddi bir yan etkisi yoktur.

Patlıcan (Solanum Melongena)

Memleketimizde bol miktarda yetişen sebzenin çeşitli yemekleri ve turşusu yapılır.

Özellikleri: Yeterli miktarda A, B1, B2 ve C vitaminleri ihtiva eden patlıcanda, ayrıca kalsiyum, fosfor ve demir de bulunur. Kalori değeri oldukça düşüktür.

Önerilen Hastalıklar: Tam olgunlaşınca yenilen patlıcanlar, kalp çarpıntısına iyi gelir. Böbrekleri çalıştırır, vücutta toplanan fazla suyu dışarı boşaltır.

Kanı artırıcı özelliği vardır. Mide ve bağırsakları hasta olanlara patlıcan dokunur.

Sinirleri yatıştırır ve tansiyonu düşürür. Bağırsakları yumuşatır ve idrar söktürür.

Kandaki kolesterol seviyesini düşürür ve damar tıkanıklığına iyi gelir. Kansızlığı giderir. Karaciğerin ve pankreasın çalışmasını düzenler.

Böbrek ağrılarını ve yanmasını azaltır. Basura iyi gelir. Kilo vermeye yardımcı olur. Patlıcan normalde acı bir besin olduğu için kullanmadan önce tuzlu suda bekleterek acılığı giderilir. Patlıcan lapa haline getirilip yanıklara konursa faydası görülür.

Yan etkileri: Gastrit ve ülser hastalarının kullanması sakıncalıdır.

Pırasa (Allium porrum)

Kış sebzesi olarak kullanılan bitki, ılık iklimlerde yetişir.

Özellikleri: Pırasada A, E, B1, B2 ve C gibi bol vitaminlerle, sodyum, potasyum, kalsiyum, fosfor, magnezyum ve demir gibi mineraller bulunur.

Önerilen Hastalıklar: Esas adı Pürhassa'dır. Çok hususiyetli demektir. İnsan sağlığı için çok faydalıdır. İştahsızlığı giderir, kan yapar ve idrar söktürücüdür. Bağırsakları yumuşatır, kilo aldırmadan besler. Zayıflatıcı özelliği vardır.

Kullanma şekli: Pırasanın pirinçli ve zeytinyağlı yemeği romatizma, mafsal ağrıları, böbrek hastalıkları ve üremi de faydalıdır. Çiğ olarak yenilebilir. Pırasa suyu yüzdeki sivilcelere ve lekeler iyi gelir.

Böbrek taşı için pırasa, maydanoz ve kerevizin sıkılmış suları veya 5 dk. haşlanmış suları düzenli olarak her gün aç karna sabahları 1 su bardağı 3 ay boyunca, 3 haftalık kürler halinde birer hafta ara vererek içilmelidir.

Yan etkileri: Bilinen ciddi bir yan etkisi yoktur.

Pirinç (Oryza Sativa)

Ilık iklimlerde yetişir. Büyük bir enerji kaynağıdır.

Özellikleri: Pirinçte, kalsiyum, fosfor, demir gibi bol miktarda çeşitli mineraller ve B1, B2 gibi bol vitaminler bulunur. Kabuklu siyah ve kepekli olanı tercih edilmelidir.

Önerilen Hastalıklar: Buğdaydan sonra en besleyici gıdadır. Bünyeyi kuvvetlendirir.

Tansiyonu yüksek olanlar için iyi bir gıda ve ilaç vazifesi görür. İshali keser.

Diyaliz hastaları için ideal bir gıdadır.

Çocuklarda ve yaşlılarda görülen ishallerde, pişirilmiş yağsız pirinç lapası veya çorbası çok fayda verir.

Yan etkileri: Tüm bu özelliklerine rağmen, fazla mukus özelliğine sahiptir. Birinci derecede sıcak bir gıdadır.

Roka (Eruca Sativa)

Yol kenarlarında ve duvar diplerinde görülen bitki, yarım metreye kadar yükselir. Bir veya iki yıllık, sert kokulu ve baharatlı otsu bir bitkidir.

Özellikleri: P,K,C gibi vitaminlerle çok faydalı mineralleri içinde bulundurur.

Daha çok sonbahar ve kış aylarında salata şeklinde yenir.

Önerilen Hastalıklar: Tadı ve asitleri mideyi çalıştırır, hazmı kolaylaştırıp, iştah açar.

Böbrekleri çalıştırır. Kanı temizler, mafsal iltihabı ve mafsallarda ürat birikmesinin önlenmesinde çok faydalıdır.

Karaciğere faydalıdır. Karaciğer ağrılarını giderir, sarılığı keser. Uyarıcıdır. Vücuda kuvvet verir.

Bağışıklık sistemini güçlendirir. Cinsel gücü ve isteği arttırır. Öksürüğü keser. Vücuttaki zararlı maddelerin vücuttan uzaklaştırılmasına yardımcı olur.

Kullanma şekli: Rokanın yaprakları, kökü ve tohumları kullanılır. Kökünden ve tohumlarından baharat üretilir. Baharatı yemeklere güzel koku ve tat vermek için kullanılır. Yapraklarının ise salatası yapılır.

Yan etkileri: Bilinen ciddi bir yan etkisi yoktur.

Sarımsak (Allium sativum)

Oldukça keskin kokulu, çok yıllık, otsu bir bitkidir. Beden temizliği için çok sık tüketilen, yararlı bir bitkidir. Toprak altında iri bir soğanı vardır.

Özellikleri: Sarımsağın bileşiminde iki kuvvetli antibiyotik maddesi, şeker, çok tesirli esanslar, A, B, C gibi vitaminler, bol iyot ve kükürt bulunur.

İnsan sağlığına en önemli tesiri, canlılık vermesidir. Kuvvetli mikrop öldürücü özelliğiyle, vücudu çeşitli hastalıklara karşı korur. Grip, tifo, difteri gibi salgın hastalıklarda çok yararlıdır. Grip salgını zamanında bolca sarımsak yenmelidir.

Önerilen Hastalıklar: Sarımsak ayrıca hazmı kolaylaştırır.

Bağırsaklarda zararlı mikropları öldürerek, vücudun zehirlenmesini önler.

Kansere karşı koruyucu özelliği vardır. Spazm çözücü etkisi vardır. Kabızlığı giderip, bağırsaklardaki çeşitli solucanları yok eder.

Yüksek tansiyona şifadır. Damar sertliğini giderir, kanı sulandırır, kanı temizler. Sarımsak en ince damarları dahi temizler ve oralara kadar kan gitmesini sağlar

Kalp adalelerini kuvvetlenir, kalp ağrılarını zamanla geçirir. Akciğer ve bronşları dezenfekte eder. Ateş düşürür. Ses kısıklığına uğrayanlara sarımsak tavsiye edilir.

Kullanma şekli: Tüm bu özelliklerden faydalanmak için sarımsağı uzun süre kullanmak gerekir. Ergenlik sivilcelerinin üzerine sarımsak olduğu gibi sürülürse, yara izi bırakmadan sivilceleri yok eder. Ezilmiş sarımsak, lapa halinde yaraların üzerine konulursa antiseptik görevi yapar.

Yan etkileri: Belirgin kokusu olmayan sarımsak kapsülleri, her ne kadar piyasada satılıyorsa da taze sarımsak kullanılması önerilir. Emzikli kadınlar sarımsak yediklerinde, sütle çocuğa geçer ve çocuklarda karın ağrısı yapabilir.

Kastamonu sarımsağı tercih edilmelidir.

Semizotu (Portulaca oleracea)

Bağ ve bahçelerde yetişen, bir yıllık, otsu bir bitkidir. Toprağın üzerine yayılarak büyür.

Özellikleri: Demir ve C vitamini bakımından zengindir, besleyicidir. Semizotu, yaprakları salata olarak ya da ıspanak gibi pişirilerek yemeklerde kullanılır. Ayrıca, bol miktarda Omega–3 yağ asidi içerir.

Önerilen Hastalıklar: Mide ve bağırsak kanamalarında çok fayda verir. Semizotu sıkılıp suyundan içilirse, müzmin bronşite iyi gelir. Bol idrar söktürür, kanı üre ve benzeri pisliklerden temizler. Kilo verdirici özelliği vardır. Mide ve bağırsak yanmasını giderir.

Semizotu yeşil salata şeklinde, iyi çiğnenerek yenilirse, faydası daha çok olur. Bağırsakları yumuşatır ve mide yanmasını giderir. İdrar söktürür ve kabızlığı giderir.

Kanı temizler. Sinirleri yatıştırıcı etkisi ile zihin yorgunluğu ve uykusuzluğa iyi gelir.

Dalak şikâyetlerini azaltır. Kanın pıhtılaşmasını kolaylaştırıcı etkisi özellikle iç kanamaları durdurmakta faydalıdır. İdrar yanmasını giderir.

Böbrek kumlarını ve taşlarını dökmeye yardımcı olur. Ayrıca, solucanları dökmeye de yardımcı olur.

Kullanma şekli: Semizotu genellikle etli yemeği, böreği ya da salatası yapılarak tüketilir. Ayrıca, yoğurt ile birlikte de farklı bir lezzet oluşturur.

Tıbbi amaçla; Lapa haline getirilip başa konursa baş ağrısını keser, yanık ve apselere konursa iyileşmesini kolaylaştırır. Taze olanı tercih edilmelidir.

Yan etkileri: Bilinen ciddi bir yan etkisi yoktur.

Soğan (Allium cepa)

Güneşli ve hafif toprakları seven soğanın, acı, tatlı, güzlük ve kışlık gibi çeşitleri vardır. Yemeklere çeşni veren bir sebze olarak bilinir. Yeşil yaprakları veya kuru yumruları kullanılır. Tazesi salatalara doğranır.

Özellikleri: Soğanda bol miktarda A, B ve bilhassa C vitamini, fosfor, iyot, kükürt gibi vücuda çok yararlı, besleyici maddeler, antibiyotik vazifesi gören esanslar ve hazım artırıcı maddeler bulunur.

Önerilen Hastalıklar: Soğuk algınlıklarına karşı bedeni korur. B vitamini yönünden zengin olduğu için de yorgunluğu giderir, bedene canlılık verir. İştah açıcı özelliği olan soğan, idrar yoluyla vücutta birikmiş su ve üreyi dışarı atar. Damar sertliğini önler, kilo verdirir, şişmanlığı önler.

Böbrek taşını ve kumunu döküp, yeniden teşekkül etmesini önler. Sinirleri teskin eder, zihin yorgunluğunu, uykusuzluğu giderir.

İktidarsızlığı önler, bronşları çalıştırır, öksürüğü söktürür. İçerdiği bol miktarda kükürt ve iyotla kan pisliklerini temizler. Böylece cildin taze kalmasını, sivilcelerin geçmesini, egzamaların zamanla iyileşmesini sağlar.

Gıdaların bağırsaklarda kokuşup, vücudu zehirlemesini önler. Vücudu dinçleştirir. Çeşitli hastalıklar yanında kansere karşı da vücudun korunmasını sağlar.

Dolama ve arpacıkta iltihapların boşalmasına yardımcı olur. Basurun tedavisi için bolca soğan yemelidir.

Kullanma şekli:Prostat iltihabı ve bağırsak kurtları için her gece 1 lt suda 1-2 soğan sabaha kadar bekletilerek, sabah aç karna içilir.

Yan etkileri: Bilinen ciddi bir yan etkisi yoktur. Ancak yemeklere katılan soğan yağda yakılmamalıdır.

Soya (Soja hispida)

Özellikleri: "Sarı altın" olarak da adlandırılan soya, beslenme gücü yüksek olan bir gıdadır. Etin iki misli proteini, B, E ve K vitaminleriyle mineralleri ihtiva eder. Soyanın hazmı kolaydır, kuvvetli şekilde enerji verir.

İnsan vücudunun her gün sarf etmeye mecbur kaldığı madeni tuzlar bakımından çok zengindir.

Önerilen Hastalıklar: Beynin çalışmasını artırır, kolesterolü düşürür, dalgınlığı ve erken bunamayı önler.

Yan etkileri: Çok fazla tüketilmemelidir.

Not: Bu bitki KOBİK tarafından bitkisel karışım destek ürün tableti olarak üretilmiştir.

Şalgam (Brassica rapa)

Özellikleri: Çeşitli vitamin ve maddeleri ihtiva eden şalgamın, yaprağı ve kök yumrusu yenir. Yumrusunda ve yapraklarında, B vitamini, şeker, kalsiyum, demir, iyot ve bakır bulunur. Çocuklar için iyi bir gıdadır.

Önerilen Hastalıklar: B vitaminleriyle akciğerleri, bronşları temizler ve kuvvetlendirir. Şalgam bol idrar söktürerek, böbreklerdeki ürat tipi taşı ve kumu döker.

Vücuttaki fazla suyu atarak kilo verdirir. Bağırsakları çalıştırır ve dezenfekte eder, kabızlığı giderir.

Şeker hastalarının aşırı su isteğini keser ve çeşitli hastalıklara karşı dayanıklılıklarını artırır.

Yan etkileri: Bilinen ciddi bir yan etkisi yoktur.

Tere

Geniş alanlarda yabani olarak bulunan tere otu, rutubetli ve bataklık yerleri sever.

Özellikleri: Tere otunun içinde, A, C ve D vitaminleri, bazı faydalı esanslar ve mineraller bulunur. Salata malzemesi olarak tüketilir.

Önerilen Hastalıklar: Tere bilinen en iyi toksin atıcıdır. Mideyi çalıştırıp, hazmı artırır. Kandaki şeker seviyesini düşürerek, şekerlilerin insülin ihtiyacını önemli ölçüde azaltır.

Öksürüğü söktürür. Grip ve soğuk algınlığını kısa zamanda atlatmaya yarar. Böbrekleri çalıştırır, mesane ve idrar yollarını dezenfekte eder. İdrar tutukluğunu giderir. Kansızlığı giderir.

Cinsi arzuyu artırıcı özelliği vardır. Kanser de dâhil olmak üzere çeşitli hastalıklara karşı dayanıklılığı artırır.

Yan etkileri: Midesi hasta olanlar, damar sertliği ve romatizması olanlar Tere'yi çok yememelidir.

Turp (Raphanus sativus)

İster çiğ, isterse salatası yapılır. Sıcaklığı üçüncü, kuruluğu ikinci derecededir. Kökü ve tohumu için yetiştirilir. Sağlıklı bir sebze olmakla kalmayıp, tedavi edici özelliklere sahiptir.

Özellikleri: Turpun içeriğinde A,B,C vitaminleri, çeşitli esanslar, iyot ve kükürt bulunur.

Önerilen Hastalıklar: Karaciğer için çok faydalıdır. Siroz için, turp suyu, şeker veya bal şerbeti ile tatlandırılarak, günde 2 çay bardağı içilir. Bu karışımın içilmesine bir müddet devam edilir. Böbrekleri dezenfekte eder, kum ve taşı döker. İştah açıcı özelliği vardır.

Kanserlere karşı çok etkili olup, mikropları öldürerek, üremesini engeller.

Bağırsakları dezenfekte eder, çeşitli alerji ve egzamaları geçirir. Kür halinde kullanılmalıdır.

Yan etkileri: Ülserli hastalar, turp yemede dikkatli olmalıdır. Hazmı oldukça zordur.

Zeytin (Olea oleaster)

İlkbahar aylarında yeşilimsi beyaz çiçekler açan zeytin ağacı, kışın yapraklarını dökmez. Akdeniz iklimi bitkisidir.

Özellikleri: Zeytin protein, yağ, selüloz, fosfor, kükürt, kalsiyum, klor, manganez, A, C, E vitaminlerinden meydana gelmiştir. Besleyici bir yiyecek olup tam bir gıda deposudur.

Önerilen Hastalıklar: Zeytinyağı kalp ve damar sistemi için çok faydalıdır. Bol fosfor ihtiva ettiği için vücudu besler, sindirimi kolaylaştırır. Böbrekleri temizler, taşların düşmesini kolaylaştırır.

Safra akışını artırır. Damarları açar, bağırsak kurtlarını düşürür.

Bağırsak solucanlarının düşürülmesine yardımcı olur. Zeytinyağı vücuda sürüldüğünde cildi besler, güzelleştirir ve kırışıklıkları giderir.

Yan etkileri: Bilinen ciddi bir yan etkisi yoktur.

BESLEYİCİ BESİNLER - MEYVELER

Armut (Pirus communis)

Özellikleri: Özellikle zihin yorgunluğunu gideren, bütün salgı bezlerini ahenkli bir şekilde çalıştıran kıymetli bir meyvedir. Bol B vitaminleri ve fosforu içinde barındırır.

Armudun faydalı olabilmesi için, onu yemekten önce aç karna yemelidir.

Önerilen Hastalıklar: Böbrekleri çalıştıran armut, damarların içinde birikmiş olan tortuları eritip, idrarla dışarı atar. Kandaki üre asidi, üre tuzları gibi atık maddeleri dışarı atarak, romatizma, mafsal kireçlenmesi hastalığı olanlara çok fayda verir.

Armut kansızlığı giderir, sinirleri teskin eder, hastalıklara karşı dayanıklılığı artırır.

Ağızdaki tükürük salgısını, mide ve bağırsak ifrazatını artıran armutta, yüzde 15'e yakın şeker vardır. Bu şeker oranı hastalar için zararsızdır.

Kullanma şekli: Günde 200 gram armut yenmesinde bir sakınca yoktur. Hazmı zor olduğu için midesi zayıf olanlar, ya taze suyunu içmeli ya da kompostosunu yemelidir.

Yan etkileri: Bilinen ciddi bir yan etkisi yoktur.

Ayva (Cydonia Oblonga)

Özellikleri: Memleketin her tarafında yetişen ayvada, bol miktarda karbonhidrat, protein, kalsiyum ve yağ bulunur. Mayıs, haziran aylarında, beyaz ve pembe renkli çiçekler açan, orta büyüklükte bir meyve ağacıdır. Soğuk ve kurudur.

Önerilen Hastalıklar: Ayva kalbe kuvvet vererek rahatlatır, kanı temizler, safra akışını artırır.

Karaciğer tembelliğini gideren bu meyve, mideyi kuvvetlendirip, iştah açar, hazmı kolaylaştırır, bağırsak gazlarını yok eder.

Kemik zafiyeti ve bedenin gelişmesi yavaş olan çocuklarda ayva çok faydalıdır. Susuzluğa iyi gelir, kusmayı engeller. Bağırsak yaralarına, kanamalara ve şiddetli ishale iyi gelir. Ayvanın çiğ yenmemesi tavsiye edilir.

Kullanma şekli: Meyvenin bulunmadığı mevsimlerde, kurusu veya marmelâdı yenilebilir, reçeli de şifadır. Yenilen ayvanın en güzeli, balla birlikte pişirilmiş olanıdır. Kabızlık çekenler, kanı koyu ve tansiyonu yüksek olanlar ayva yememelidir.

Üzüm hoşafı ile beraber içilmeye devam edilirse kan yapar. Ayvanın çekirdekleri de şifa deposudur. Anne sütünü çoğaltır.

Ayıklanan çekirdekler gölgede kurutulur, torbalara konularak paketlenir. Ayvanın böbreklerde çok sert kumlar yaptığı da unutulmamalıdır.

İbn-i Mace Sünen'inde İsmail İbn-i Muhammed Et-Talhi'nin Şuayb İbn-i Hacib'ten, onun da Ebu Said'den, onun da Abdül-Melik'z-Zübeyri'den, onun da Talha İbn-i Ubeydullah'tan rivayet ettiği şu hadise yer verir: "Talha der ki; Peygamberin huzuruna girdim, elinde ayva vardı. Bana dedi ki: 'Ey Talha ayvadan vazgeçme. Zira ayva kalbi rahatlatır.'"

Yan etkileri: Bilinen ciddi bir yan etkisi yoktur.

Avokado (Persea Gratissima)

Avokado kabuğu yeşil, yenen kısımları beyaz, iri çekirdekli bir meyvedir.

Özellikleri: Avokado tam olgunluğa toplandıktan sonra erişir. Lezzetini anlamak için olgunlaşmasını beklemek gerekmektedir. Bunun için hemen tüketmek üzere satın alı-yorsanız, yumuşak olanı seçmeniz gerekir. Seçerken aynı zamanda derisinin parlak ve kaygan olmasına, salladığınızda çekirdeğin sesinin gelmesine dikkat edin. Avokado yetiştiriciliğini sınırlayan en önemli iklim faktörü kış donlarıdır. Bahçe tesisinde don olayı görülen alanlarda ağaçların hava akımını sağlayacak şekilde ve gü-neye meyilli yerlere dikilmelidirler. Sıcaklığın 30 derecenin üzerine çıktığı ve nispi nemin yüzde 50'nin altına düştüğü mayıs-haziran aylarında önemli meyve dökümleri görülür. Avokado yetiştiriciliği için en iyi toprak, derinlikçe zengin, drenajı iyi, taban suyu sorunu olmayan kumlu ve alüvyonal topraklardır. Anavatanı Meksika, Guetemala ve Güney Amerika'nın kuzey sahilleridir. Kabıza karşı etkili, bağışıklık sistemini güçlendirici özellikleri bulunmaktadır. İçerdiği doymamış yağ asitleri kanda kolesterolün yükselmesini önler dolayısıyla kalp ve damar hastalıkları için en iyi doğal ilaçtır.

Önerilen Hastalıklar: Avokado, vücutta toksit maddeleri etkisiz hale getirerek, yaşlılığa yol açan zararlı maddeleri yok eder. Dolayısıyla yaşlanma sürecini yavaşlatarak hastalıkları önlemede önemli rol oynar. İçeriğinde bulunan protein, mineral ve vitaminler küçük çocukların ve hamile bayanların dengeli ve sağlıklı beslenmelerinde çok gerekli olan maddelerdir. Avokado, vücudun karbonhidrat, protein ve yağ metabolizmasında düzenleyici olarak görev yapar.

Kullanma şekli: Avokado yaprağı demlenerek içilmesi böbrek taşının oluşumunu engeller, en az 3 hafta demlenerek içilmelidir. **Avokado meyvesi yenilerek veya salatası yapılarak tüketilmesiyle bedendeki demir eksikliği tabii yoldan giderilebilir.**

Yan etkileri: Bilinen ciddi bir yan etkisi yoktur.

Not: Bu bitki KOBİK tarafından bitkisel karışım destek ürün yağı olarak üretilmiştir.

Ceviz (Juglans regia)

Mayıs ve haziran aylarında çiçek açan ceviz ağacı, ülkemizin her bölgesinde yetişir. Oldukça uzun ömürlü olan ağacın, çok sayıda cinsleri vardır. Cevizler sonbaharda olgunlaşarak, bir müddet güneşte bırakılarak kurutulur.

Özellikleri: İçinde A, B1, B6 vitaminleriyle, sodyum klor, magnezyum, potasyum ve çinko bulunur. Kuru yemiş olarak tüketilen ceviz, tatlılara ve helvalara konur. Bol miktarda çinko ve bakırı ihtiva eden cevizin yaprakları, meyvesi ve meyvesinden çıkarılan yağ, birçok rahatsızlığa iyi gelen kuvvetli bir besin maddesidir.

Önerilen Hastalıklar: Her sabah kahvaltıda bir miktar ceviz içi yemek zekâyı geliştirir. İştah açıp, mideyi kuvvetlendirir. Bağırsak ağrılarını giderir, lenf bezleri iltihabında kullanılır.

Ceviz yaprakları da kendisi gibi şifa deposudur. Haziran ve temmuz aylarında toplanan yapraklar, gölgelik ve havadar bir yerde kurutulur. Ihlamur ile beraber kaynatılıp, balla da tatlandırılarak içilmeye devam edilirse, sinirleri güçlendirir.

Taze ceviz balla yenildiğinde, basur için fayda sağlar. Cevizin üzerindeki yeşil kabukların suyu çıkarılıp, sivilcelerin üzerine sürülürse iyi gelir.

Kullanma şekli: Çok kuvvetli ve besleyici bir meyve olduğu için fazla yenmemelidir. Cevizin ve cevizden elde edilen ceviz yağının dışında, kabukları ve yaprakları da kullanılır. Yeşil kabukları ezilerek saçları ve elleri boyamakta kullanılabilir.

Ceviz yaprağının kaynatılması ile elde edilen su çay olarak içilirse mideyi kuvvetlendirir, Troit, boğaz ve bademcik iltihaplarını iyileştirmeye yardımcı olur. Bu su ile banyo yapılırsa cilt rahatsızlıklarına iyi gelir.

Ceviz Yağı: Bronzlaşmak için güneş yağı yerine cilde sürülür. Cilt yanmadan esmerleşir.

Cevizin iç perdesi suda ve karanlıkta bir hafta bekletilerek 20 gün süreyle içilmesi ve haricen yağının dıştan boğaz bölgesine sürülmesi iyidir. Troitin ilacıdır.

Yan etkileri: Ceviz ağacının altında oturulmaz ve uyunmaz.

Not: Bu bitki KOBİK tarafından bitkisel karışım destek ürün yağı olarak üretilmiştir.

Çilek (Fragaria vesca)

Sulak ve nemli yerleri seven çilek, toprak üzerinde, sürünücü gövdeli bir bitkidir.

Özellikleri: Çilekte A, B, C vitaminleriyle, demir, protein, şeker, fosfor, kalsiyum, sodyum, meyve asidi ve ayrıca diğer meyveler de bulunmayan salisilik asit vardır.

Önerilen Hastalıklar: Salisilik asit, romatizma ilacının esas maddesidir. Bu nedenle çilek, romatizma, mafsal iltihabı, eklemlerde ürat birikmesi, damar sertliği, böbrekte kum ve taş teşekkülü gibi rahatsızlıkların geçmesini sağlar. Vücuttaki fazla suyu atarak, yüksek tansiyonu düşürür.

Kullanma şekli: Yenilince insana ferahlık verir. Karaciğerin çalışmasını

ve safra ifrazatını artırır. Mide ve bağırsakların düzenli olarak çalışmasını sağlayan çilek, iştah açar, bütün salgı bezlerini ahenkli şekilde çalıştırarak vücuda kuvvet kazandırır. Böbreklerdeki kum ve taşları döker.

Sabahları aç karnına çilek yenmesi çok faydalıdır. Hafif şekerli çilek suyu hastaların ateşini düşürür ve kısa zamanda kendilerini toparlamalarını sağlar.

Sigara içilen bir odada bulunurken gün boyu 5-6 çileğin ezilerek yenilmesi nikotin zehrinin etkilerini azaltır.

Yan etkileri: Bilinen yan etkisi yoktur. Ancak hormonlu çilekler yenmemelidir.

Dut (Morus Nigra)

Özellikleri: Memleketimizde çok miktarda yetişen dut, nisan ve Mayıs aylarında çiçek açan bir ağaçtır. Çeşitli vitaminler ve faydalı organik asitler ihtiva eder.

Önerilen Hastalıklar: Kansızlık için çok faydalı bir meyvedir. Bol miktarda P vitamini ihtiva eden dut, damarları yumuşatır. Bu nedenle iç ve dış kanamalar ile bu sebeple meydana gelecek felçleri önler. **Karadut, bağırsak iltihabına iyi gelir.**

Fazla miktarda iyot ihtiva ettiği için iyot sıkıntısı çekenler, dut kurusu yemelidir. Aç karnına yenilen beyaz dut, bağırsak solucanlarını düşürülmesini sağlar.

Kullanma şekli: El ve ayak egzamaları için taze dutun kaynatılarak veya pekmezinin sıcak suda ıslatılarak el ve ayaklara gece yatarken sürülmesiyle önlenebilir. Dut pekmezi kanı temizleyerek de egzamanın tedavisine yardımcı olur.

Yan etkileri: Bilinen ciddi bir yan etkisi yoktur.

Elma (Apple tree)

Özellikleri: Bedenen en uygun meyve elmadır. En iyi sirke elma sirkesidir. Büyüklere ekşi çocuklara tatlı elma önerilir.

Önerilen Hastalıklar: Elma çok sayıda hastalığa şifadır. A ve C vitaminleri oldukça fazladır.

Kabuğuyla birlikte çiğ yenirse, vücuda daha çok fayda sağlar. Bir elmanın taşıdığı C vitamini, bir insanın günlük C vitamini ihtiyacını karşılar. Sinir ve adaleleri kuvvetlendiren elma, bedeni ve zihni yorgunluklardan arındırır.

Elma ve sirkesi kanı temizler. Toksinlerin atılmasında bedene yardımcı olur. Sindirim sistemini uyarır. Romatizma, karaciğer ve böbrek hastalarına, damar sertliği çekenlere, aşırı şişmanlara, hemoroite, egzamalara ve cilt hastalarına iyi gelir.

Kullanma şekli: Vücut direncini kuvvetlendirerek, hastalıkların çabuk geçmesini sağlar. Ağızdaki mikropları ve bağırsaklardaki zararlı bakterileri öldürür. Kanser oluşumunu önleyici etkisi vardır. Günde 150–200 gr yenilebilir. Kabuğuyla beraber günde yenilen 2–3 elma, hamilelerin bulantı ve kusmalarını azaltır.

Göğsü yumuşatmak ve balgam söktürmek için elma kabukları, tarçın, karanfil ve zencefil birlikte kaynatılıp içilir. Soğuk ve kuru özellik-

tedir. Kalbe kuvvet verip, ruhun mizacını değiştirir.

Elma Yağı: Cildi temizlemede kullanılır. Cildin kırışıklıklarını gerer ve cildi güzelleştirir. Gıda tüketiminde de kullanılabilir.

Yan etkileri: Bilinen ciddi bir yan etkisi yoktur. Hormonlu iri elmalar yenilmemelidir.

Erik (Prunus domestica)

Kurusu ve tazesi yenilen eriğin, 7 metreye kadar yükselebilen bir ağacı vardır.

Özellikleri: İçinde bol miktarda B vitamini ve madeni maddeleri içerir. Komposto, marmelât, pestil ve sirke şeklinde tüketilir. **Beyin yorgunluğunu önleyen erik ayrıca sinirleri kuvvetlendirir.**

Önerilen Hastalıklar: Özellikle kuru erikte B vitamininin yanında fosfor, magnezyum ve kolayca kana geçen bol miktarda şeker vardır.

Kullanma şekli: Eriğin kompostosu bağırsakları çalıştırır. Hemoroiti olanlar, hastalar, ihtiyarlar ve devamlı oturanların her gün erik kompostosu veya marmelâdı yemeleri çok faydalıdır.

Karaciğerin kendi kendini tamir etmesine ve güçlenmesine yardımcı olur. Kan yapıcı özelliği olan erik, kalbi kuvvetlendirir ve iştah açar.

Yan etkileri: Şeker hastaları kuru eriği çok fazla yemelidir.

Fındık (Coryllus maxima miller)

Karadeniz bölgesinde fazlaca yetiştirilen fındık, ılıman ve dağlık yerlerde yetişen alçak boylu bir bitkidir.

Kuru yemişler içinde en yağlı olanıdır.

Özellikleri: İçeriğinde B, A, C ve E vitaminleri bulunur. Fındık ağacı kabuğu antibiyotik etkilidir. Oldukça besleyici olan fındığın, proteini bilhassa fosfor ve demiri çok fazladır.

Enerji verip, bedene güç katar. Büyüme çağındaki çocuklara, hamilelere, bedenen ve zihnen çalışanlara çok faydalıdır.

Önerilen Hastalıklar: Kansızlığa karşı koruyucudur. Kalbin ve kasların sağlığında etkilidir.

Dişlerin yapısını kuvvetlendirir, cinsi gücü artırır. Fındık yemeye devam edildiğinde, kadınların menopoz döneminin çabuk geçmesini sağlar.

Kullanma şekli: Sabahları aç karna 1 tatlı kaşığı dövülmüş fındıkla, 1 kahve kaşığı tarçın yemek sağlık açısından çok faydalıdır.

Yan etkileri: Bilinen ciddi bir yan etkisi yoktur. Ancak **mide rahatsızlığı, damar sertliği, tansiyonu olanlar çok seyrek fındık yemelidir.**

Fıstık (Arachis Hypogaed)

Meyveleri toprağın altında yetişen fıstık, sıcak iklimlerde yetişir. Kumlu yerlerden hoşlanır.

Özellikleri: Bol proteini ve B vitaminleriyle beden, zihin yorgunluğunu ve sinir zafiyetini giderir.

Herhangi bir sebeple et yemesi yasaklananlarda, gereken proteinin bir kısmı fıstıkla karşılanabilir.

Önerilen Hastalıklar: Kavrulmuş fıstık, şeker hastaları için uygun bir gıdadır. Fındık, bal veya pekmezle karıştırılıp yenilirse, vücuda kuvvet verir ve şişmanlatır.

Fıstık kabızlık yapar ve yaptığı kabızlık çok zararlıdır. Bu nedenle bir sebze üzerine yenilmesi gerekir.

Kullanma şekli: Fıstık yağı karaciğer ve böbrekler için faydalı olup, böbrek ve safra kesesi ağrılarını hafifletir. **Göğsü yumuşatır, öksürük söktürür. Çocukların zekâsını geliştirir.**

Yan etkileri: Damar sertliği ve kolesterolü olanlar fıstık yememelidir.

Greyfurt (Citrus maxima)

Portakaldan büyük, tadı ekşi ve hafif acımsı olan bir ağaçtır.

Özellikleri: Bol miktarda C vitamininin yanında A, B, P vitaminlerini de ihtiva eder. Meyve kabuklarından marmelât yapılır. Kanamaları önler. Felç varsa süratle açılmasına yardım eder.

Bağışıklık sistemini kuvvetlendiren greyfurt, kanserin ilerlemesini de durdurur.

Önerilen Hastalıklar: Soğuk algınlığına iyi gelir, karaciğeri çalıştırır, hazmı kolaylaştırır ve iştah açar. Tansiyonu, kolesterolü ve şekeri düşürür.

Sabah akşam aç karnına yenildiğinde karın yağlarını eritir. Sabah kahvaltısında içilecek olan bir bardak greyfurt suyu, bol idrar söktürür. Bedene ve zihne zindelik verir. Sıkılarak içilen greyfurt suyu, taze ve sade olarak içilmeli, içerisine şeker katılmamalıdır.

Kullanma şekli: Kahvaltı aralarında tüketilmesi önerilir. 1 su bardağı greyfurt suyu arınma-detoks amacıyla içine bir yemek kaşığı tabii zeytinyağı katılarak gökteki ayın 12-13-14. günleri sabah akşam birer bardak içilerek kullanılabilir. Bu müddette hayvansal ve konsantre gıdalar yenmemelidir.

Yan etkileri: Bilinen ciddi bir yan etkisi yoktur. Ancak Greyfurt aç karna içilmez.

Hurma (Fructus Dactylus)

Afrika ve Arap Yarımadası'nda bol miktarda yetişen hurmanın dalları yoktur.

Özellikleri: Sütun gibi tek gövde olarak büyüyen ağaç, otuz metreye kadar yükselir. Kışın yaprağını dökmeyen hurmada, B1, B2, A ve C vitaminin yanında, protein, sodyum, potasyum, kalsiyum, magnezyum, demir, kükürt, fosfor ve klor bulunur.

Hergün en az 6-7 hurma yiyiniz.

Önerilen Hastalıklar: Çok fazla hurma tüketmek, vücutta kanser oluşumunu engeller. Hurma çok faydalı bir gıdadır. Kansızlığa, vereme ve kemik zayıflığına karşı bünyeyi korur. Bol miktarda kan yapımı sağlar. Kemik hastalıklarında faydalıdır.

Kullanma şekli: Gıda değeri çok yüksek olduğu için bedenen ve zihnen yorgunluk çekenlere, hastalıktan zayıf düşmüş olanlara fayda sağlar. Hurma bademle birlikte yenilirse, meniyi çoğaltır. Görme gücünü artırıp, damar sertliği ve kolesterolü yok eder.

Vücuttaki şeker oranını ayarlayan tek meyvedir. Anne karnındaki çocuğun gelişmesini sağlar.

Sabahları aç karnına yenilmeye bir süre devam edilirse, balgamı söker ve kurutur. Hurmanın hazmı biraz zor olduğu için midesi zayıf olan-

lar yerken çok iyi çiğnemelidir.

Buhari ve Müslim'in sahihlerinde İbn-i Ömer'den rivayet edildiğine göre İbn-i Ömer şöyle der:

Bir zamanlar Peygamber Efendimizin(sav) yanında oturuyorduk. O sırada bir hurma göbeği getirildi. Bunun üzerine Peygamber Efendimiz şöyle buyurdu: 'Ağaçların içinden bir türü vardır ki yaprağı düşmez. O ağaç olgun bir Müslüman'a benzer. O ağacın ne olduğunu söyleyin.' Oradakiler kırlardaki ağaçları saymaya başladılar. Abdullah İbn-i Ömer der ki: 'Bunun hurma ağacı olduğu hatırıma geldiyse de hurma ağacı olduğunu söylemek istememe rağmen, çevreme baktığımda yaş bakımından topluluğun en küçüğü olduğumu gördüm ve bunun üzerine söylemeye utanarak susmayı tercih ettim.'

Daha sonra Peygamber Efendimiz soruyu kendisi cevapladı ve şöyle dedi: 'O ağaç hurma ağacıdır.'"

Yan etkileri: Bilinen ciddi bir yan etkisi yoktur.

İğde **(Elaeagnus angustifolia)**

Tarla kenarlarında yabani olarak yetişir.

Özellikleri: Meyvesi kızılcık biçiminde, derisi serttir. Haziran ayında açan çiçekleri kokusuyla insanları mest eder. Vitamin ve besin bakımından oldukça güçlüdür.

Önerilen Hastalıklar: Prostat gibi idrar yolları rahatsızlığı için çok faydalıdır. Çiçek ve yaprakları da kadınlarda soğukluğu-Firijiditeyi ortadan kaldırır. Şifalıdır.

İğdenin çiçeği zamanı döle düşüp doğan çoçuk istekle ve aşkla yapıldğından sağlıklı, güzel ve gürbüz olur. Mücerrebtir.

Kullanma şekli: Göğsü yumuşatıcı, öksürüğü giderici, astımı iyileştirici etkisi vardır. Kusmayı durdurur, bağırsak bozukluklarını düzenler, ağız pasını giderir. Çiçekleri incirle yendiğinde cinsel soğukluğu önler.

Yan etkileri: Bir yan etkisi yoktur.

İncir **(Ficus carica)**

Ege bölgesi başta olmak üzere Türkiye'nin her yerinde yetişir. Taze ve kuru olarak yenilebilir Bütün meyvelerden daha çok besleyicidir. Kolayca kana geçen ve yüzde 60 oranında şeker ve fazla miktarda protein ihtiva eder.

Özellikleri: İçeriğinde kükürt, bakır, potasyum, kalsiyum ve magnezyum gibi madeni maddelerle, A, B1, B2, C vitaminleri bulunur. İncir sıcak bir meyvedir. En iyisi kabuğu olgun ve çok beyaz olanıdır.

Önerilen Hastalıklar: Boğaz kurumasına, göğüs sertliğine ve akciğer bölmelerine faydalıdır. Bedenen ve zihnen çalışanlara güç ve kuvvet verip, her türlü yorgunlukları giderir. Kurusu vücudu besler ve bademle birlikte sinirlere iyi gelir.

En güzel damar açıcı meyve incirdir. Kanser oluşumunu önleyici bir takım maddeler ihtiva ekmektedir. Kuvvetli bir kan yapıcıdır. Tansiyonu dengeler. İncir enerji veren bir meyvedir, cinsel gücü artırır.

Kullanma şekli: İncir, süt, ceviz ve

bademle yenmeye devam edilirse kabızlığı önler, anne sütünü artırır.

Ebi'd Derda'dan naklen şöyle anlatılır: "Peygamber Efendimize bir tabak incir hediye edildi. Bunun üzerine Peygamberimiz: 'Bir meyvenin cennetten indiğini söyleseydim inciri söylerdim çünkü cennet meyvesi çekirdeksizdir. İncirden yiyiniz, zira incir basuru keser ve nigris hastalığına fayda verir.'"

Yan etkileri: Bilinen ciddi bir yan etkisi yoktur. Ancak şeker hastaları inciri çok fazla tüketmemelidir. Ayrıca incir ağacı altında oturulmamalıdır.

Karpuz (Citrullus Vulgaris)

Özellikleri: Sürüngen gövdeli olan karpuz, bir yıllık, otsu, soğuk, yaş ve temizleyici özelliğe sahip bir bitkidir. Kumlu, killi, derin ve serin toprakları sever. Toprak üzerine yayılarak, kolları 2–3 metre uzar.

Önerilen Hastalıklar: Karpuz yemekten önce yenirse, vücuda daha çok faydası olur. Yemek üzerine yenilince, hazımda zorluk yapar ve şifası yok olur.

Vücudu zehirlerinden temizleyen ve sıcak günlerinde vücuda serinlik veren en iyi meyvelerden biridir. Karpuzda B1, B2, C vitaminleri ve demir bulunur.

Böbrekleri çalıştırarak, üre, ürat tuzları gibi zararlı artıkların kandan atılmasını sağlar. Mesane ve böbreklerdeki kum ve taşı döker. Çocuklarda kemiklerin gelişmesini sağlar.

Ebu Davud ve Tirmizi, Peygamber Efendimizin (sav) yaş hurmayla birlikte karpuz yerken: "Birinin sıcaklığını, diğerinin soğukluğu giderir" dediğini rivayet ederler.

Kullanma şekli: Çiğ olarak tüketilir.

Yan etkileri: Bilinen ciddi bir yan etkisi yoktur. Karpuz Hibrit tohumdan yenilmemelidir.

Kavun (Cucumis melo)

Sürüngen gövdeli olan kavun, lezzetli ve tatlıdır.

Özellikleri: Kavunun içinde bol miktarda A, B,C vitaminleriyle, bol miktarda demir, krom ve iyot bulunur.

Önerilen Hastalıklar: Hibrit olmayan kavun kanı temizler ve cildin taze kalmasını sağlar. İyice olgunlaştıktan sonra yenmelidir. Sinirleri teskin edip, insana sükûnet verir. Uyku düzenini ayarlar.

Kullanma şekli: Kalorisi düşük olan kavun, bağırsaklara yumuşaklık verir. Kavunun aç karna yenilmesi çok faydalıdır.

Şeker hastalarına, mide bağırsak rahatsızlığı ve tansiyonu olanlara yasaktır. Fazla tüketilmemelidir.

Yan etkileri: Bilinen ciddi bir yan etkisi yoktur.

Kayısı (Armeniaca vulgaris)

Bahar aylarında beyaz veya pembe çiçekler açan kayısı ağacı, 5–6 metreye kadar uzayabilir. En çok Malatya'da yetişir.

Özellikleri: Kayısının yabanisine "Zerdali" denir. Besin değeri oldukça yüksek olan kayısı, sağlığa çok faydalı bir meyvedir.

Önerilen Hastalıklar: Sinir sistemi üzerine çok etkilidir. Beyni yorucu işlerde çalışanlarda, sinirli kimselerde ve uyku düzeni bozuk olanlar da çok faydalıdır. Bu gibi kimseler yazın olgunlaşmış kayısı yemeli, bulunmadığı aylarda kuru

kayısı kompostosunu eksik etmemelidir.

Yemekler üzerine yenilen kayısı hazmı çabuklaştırır, iştahı açar, pekliği giderir.

Kansızlığa karşı çok iyidir, kanseri önleyici etkisi vardır, ruhi sıkıntılarda bolca taze veya kuru kayısı yemek sakinlik verir.

Karaciğeri rahatsız olanlar kayısıyı az ve seyrek yemelidirler.

Kullanma şekli: Taze, kurutulmuş olarak yenildiği gibi pişirilerek de tüketilir.

Yan etkileri: Bilinen ciddi bir yan etkisi yoktur. Ancak ishal olanlar yememelidir.

Not: Bu bitki KOBİK tarafından bitkisel karışım destek ürün yağı olarak üretilmiştir.

Kestane (Castanea sativa)

Kışın yapraklarını döken kestane ağacı, 30 metreye kadar uzayabilen bir ağaçtır. Rutubetli dağlarda tabi olarak yetişir.

Özellikleri: Karbonhidrat bakımından zengin olduğu için besleyicidir.

Önerilen Hastalıklar: Kasları kuvvetlendirip, kan dolaşımına yardımcı olur. Bol B vitaminleriyle sinirleri kuvvetlendirir. Karaciğerin dostu olduğu gibi mideyi de kuvvetlendirir.

Günde yenilen 100 gram kestane bağırsak iltihabına iyi gelir. Bedeni ve zihni çalışma yapan herkes için kuvvetli bir enerji kaynağıdır. Kestane çiğ olarak fazla yenmemelidir.

Kullanma şekli: Haşlanmış kestane, kara kan damarlarının güçlenmesine sağlar, basur olmayı önler.

Yan etkileri: Şeker ve tansiyon hastalarının, damar sertliği olanların kestaneyi az tüketmeleri gerekir.

Kiraz (Prunus Avium)

Nisan ayında beyaz çiçekler açan kiraz ağacı, 8–10 metreye kadar yükselebilen bir ağaçtır.

Özellikleri: Kirazda A, B1, C vitaminleriyle, bol miktarda madeni maddeler ve mineraller vardır. Kirazın ihtiva ettiği şeker, çabucak kana geçer.

Önerilen Hastalıklar: Hastalıklara karşı vücut direncini artırır. Tıbbi bakımdan en etkili bölümü meyve saplarıdır. Kiraz sinirleri kuvvetlendirip, sükûnet verir. Böbrekleri çalıştırarak, bol idrar söktürür.

Vücudu zehirlerinden temizleyen kıymetli bir meyvedir. Kolesterolü düşüren bir özelliği vardır.

Zayıflatıcı etkisi vardır. Kiraz yemek, ağrıların dindirilmesinde aspirinden çok daha etkilidir.

Kullanma şekli: Kirazın şifalı etkisini görmek isteyenler, sabah ve öğle vakti yarım ile bir kilo arasında kiraz yiyip, başka bir şey yememelidirler. Albümin için de sabahları aç karna yarım kilo kiraz yenilir.

Yan etkileri: Bilinen ciddi bir yan etkisi yoktur.

Not: Bu bitki KOBİK tarafından bitkisel karışım destek ürün tableti olarak üretilmiştir.

Limon (Citrus limonum)

Ilıman iklime sahip bölgelerde yetişen limon ağacı, 6 metreye kadar yükselir. Mart ve Ekim ayları arasında

güzel kokulu çiçekler açar.

Özellikleri: Tabii bir C vitamini deposu olan limonda ayrıca A, B1, B2 bakımından da zengindir.

Önerilen Hastalıklar: Soğuk algınlığı, nezle, öksürük ve gribal enfeksiyon durumlarında olumlu etkisi vardır. Kansızlığı önler, kanı durultur. Aniden yükselen tansiyonda, yarım limon suyunun üzeri su ile tamamlanarak içilirse, tansiyonu normal seviyesine indirir. Kuvvetli bir mikrop öldürücüdür.

Mide, bağırsak ve idrar yollarındaki zararlı mikropları öldürür. Mide bulantısını geçirerek kusmayı keser. Böbrek ve mesane taşını döker. Bademcik rahatsızlıkları için 1 adet limon sıkılır, bir miktar suyla karıştırılarak gargara yapılır.

Kullanma şekli: C vitamini eksikliğinde ortaya çıkan iskorpit hastalığında, en iyi ilaç limondur. Karaciğer için çok faydalı bir sebzedir. Eşek arısının soktuğu yeri, limon suyu ve sirke karışımıyla ovmak rahatlatıcıdır.

Çocukların diş yerleri limon suyu ile ovulduğunda dişleri çabuk çıkar. Limonun şifasının çoğu kabuğundadır.

1 bardak suya 1 limonu sıkıp sabah akşam içmek zayıflamaya ve tansiyon ile karaciğer yağlanmasına iyi gelir.

Limon Yağı: Grip ve soğuk algınlığına karşı koruyan limon yağı, balla tatlandırılmış suya ikişer damla damlatılarak kullanılır. Bu karışımdan günde 3 defa gargara yapılır. Hafızayı güçlendirir. Boğaz ağrısı ve mide yanması için faydalıdır. Cilt temizlemede kullanılıp, masaj yapılır. Vücuttaki istenmeyen yağları temizler, sivilceleri giderir.

Yan etkileri: Bilinen ciddi bir yan etkisi yoktur.

Not: Bu bitki KOBİK tarafından bitkisel karışım destek ürün yağı olarak üretilmiştir.

Mandalina (Citrus reticula)

Portakala benzemesine rağmen onun kadar etkili değildir.

Özellikleri: Bol miktarda C vitamini ve ayrıca A, B1, B2 vitaminleri ile sodyum ve potasyum vardır.

Önerilen Hastalıklar: Kanı temizler, enfeksiyonlarla mücadeleyi kolaylaştırır. Vücudun direncini artırır. Akşam yemeğinden sonra yenilen 1–2 mandalina, iyi uyku verir.

Kullanma şekli: Çiğ olarak yenir. Suyu sıkılarak içilir.

Yan etkileri: Bilinen ciddi bir yan etkisi yoktur.

Not: Bu bitki KOBİK tarafından bitkisel karışım destek ürün yağı olarak üretilmiştir.

Muşmula (Mespilus Germanica)

Beyaz ve pembe renklerde çiçekler açan bir ağaç ve bu ağacın buruk tatlı meyveleridir. Kışın yapraklarını döken, bodur bir meyve ağacıdır. Toplanan meyveler, bir süre bekletildikten sonra yenilir.

Özellikleri: Muşmula meyvesi C vitamini, B vitamini ile karoten ve çeşitli mineraller içerir.

Önerilen Hastalıklar: İnce ve kalın bağırsağı kuvvetlendirip, düzenli

çalışmasını sağlar. İnce bağırsak iltihabı, ishal ve dizanteride çok faydalıdır. Kabızlık yapmadan ishali durdurur. Kan dolaşımını düzenler. Tansiyonu yüksek olanların muşmulayı az yemeleri gerekir. Böbrek ve mesanedeki kum ve taşları dökmeye yardımcı olur. Sinirleri güçlendirir. Mideyi kuvvetlendirir. Mide hastalıkları, lumbago ve nikriste faydalıdır.

Kullanma şekli: Kan dolaşımını düzenler. Düşük yapmayı engeller. Muşmula ilk koparıldığında buruk bir tada sahiptir. Bir süre bekletildikten sonra yumuşar ve lezzetlenir. Bu şekilde meyve olarak yenebileceği gibi çekirdekleri ve yaprakları da ilaç olarak kullanılabilir.

Muşmula çekirdeği idrar arttırır. Muşmula yaprakları kaynatılıp içilirse şeker hastalığına iyi gelir.

Yan etkileri: Bilinen ciddi bir yan etkisi yoktur.

Muz

Ülkemizde Anamur ve civarında, dünyada ise tropikal bölgelerde yetişir. Geniş ve çok uzun yaprakları olan muz ağacının, meyveleri büyük ve salkımlar halindedir.

Özellikleri: Muzun içeriğinde, bol miktarda folik asit, B6 vitamini, nişasta, potasyum ve şeker bulunur. Sütle birlikte yenilen muz, vücuda bol demir, kalsiyum ve vitamin verir.

Önerilen Hastalıklar: Çocukların vücutlarının gelişmesini, hastaların ise kendilerini toplamasını sağlar. Muz sinir ve beyin yorgunluğunu giderir. Kalp için şifalıdır.

Bedenen ve zihnen çalışanlara, kas sistemine, mafsal ve böbrek iltihabı olanlara, bağırsak hastalarına muz çok faydalıdır.

Yan etkileri: Sadece muzla karın doyurulursa, hazım zorluğu yaşanır. İshale iyi gelir, şeker hastalarına tavsiye edilmez.

Nar (Punica Granatum)

Parlak kırmızı çiçekler açan, hafifçe dikenli bir ağaçtır. Memleketimizde soğuk bölgeler dışında her yerde yetiştirilir. Nar meyve olarak yenildiği gibi, suyu çıkarılarak da tüketilir. Nar ağacının kabukları, çiçekleri, tohumları ve meyveleri ilaç olarak kullanılır.

Özellikleri: Narda protein, karbonhidrat, kalsiyum, fosfor, demir gibi maddeler ve B1, B2, C gibi vitaminler bulunur.

Önerilen Hastalıklar: Mideyi kuvvetlendiren nar, böbrekleri çalıştırır. Kalbi yorgun ve zayıflamış kimseler, nar mevsiminde her gün nar suyu içmelidir.

Yan etkileri: Nar suyu çabuk bozulduğu için taze sıkılıp içilmeli, bekletilmemelidir. Küçük çocuklar ve hamileler fazla yememelidirler.

Not: Bu bitki KOBİK tarafından bitkisel karışım destek ürün tableti olarak üretilmiştir.

Portakal (Citrus aurantium)

Kışın yaprağını dökmeyen bir meyve ağacıdır. Akdeniz iklimine sahip bölgelerde bol miktarda yetiştirilir.

Özellikleri: Bol miktarda barındırdığı C vitaminiyle, kış aylarında soğuk algınlığı gibi ateşli hastalıklara karşı vücudun korunma gücünü ve direncini artırır.

Önerilen Hastalıklar: Ateş düşürücü

özelliğe sahiptir. Portakal, hasta olmadan önce düzenli bir şekilde yenilmelidir. Hasta olduktan sonra yenilen portakal, iyileştirici özelliğini kaybeder. Hastalandıktan sonra yenilen portakal, hastalığın seyrini etkilemez. Portakalda A,B,C vitamini ve fosfor bulunur.

Sinir zafiyetini giderir. Portakal ağızdaki mikropları da öldürür. Cildin taze ve pürüzsüz olmasını sağlar. Hasta ve çocukların kansızlığını giderir. Kan içindeki zararlı maddelerin temizlenmesini sağlar.

Kanseri önleyici iyi bir meyvedir. Yemeklerden sonra yenilecek bir portakal mide ifrazatını artırır, hazmı kolaylaştırır ve iştah açar. Kandaki şeker seviyesinin düşmesine yardım eder.

Portakal, şeker hastaları için hem bir gıda hem de ilaç vazifesi görür. Günde 2–3 adet yenilebilir.

Yüksek tansiyonda haftada 1 gün boyu sadece portakal yenilirse şifa verir.

Kullanma şekli: Portakal mevsiminde tüketilmelidir. 1 su bardağı portakal suyu arınma-detoks amacıyla içine bir yemek kaşığı tabii zeytinyağı katılarak gökteki ayın 12-13-14. günleri sabah akşam birer bardak içilerek kullanılabilir. Bu müddette hayvansal ve konsantre gıdalar yenmemelidir.

Portakal Yağı: Yarım fincan suya, 3 damla damlatılan portakal yağı, günde 3 defa kullanılarak, mide rahatsızlıklarına şifa verir. Hazmı kolaylaştırır, romatizmada faydalıdır. Kan dolaşımını düzenleyen portakal yağı, sinir yatıştırıcıdır. Yara ve yanıkların tedavisinde kullanılır. Cildin kırışıklığını gidermek için akşamları cilde sürülüp yatılır.

Yan etkileri: Mide rahatsızlıkları olanlar portakal yememeli ya da az tatlı olanları tercih etmelidirler. Portakal aç karna içilmez, kahvaltı aralarında tüketilmesi önerilir.

Not: Bu bitki KOBİK tarafından bitkisel karışım destek ürün yağı olarak üretilmiştir.

Şeftali (Prunus Persica)

Ilık iklim bölgelerinde yetişen şeftali ağacının boyu, 5 metreye kadar uzayabilir. Meyvesi tatlı, sulu ve hoş kokuludur. Hazirandan başlayarak, ekim sonuna kadar meyve verir.

Özellikleri: Çeşitli vitaminleri ve madeni maddeleriyle değeri yüksek olan bir meyvedir.

Önerilen Hastalıklar: Ağız ve midede ifrazatı artırarak, hazmı kolaylaştırır. Bol idrar söktürerek, idrar yollarındaki kum ve taşı söker. Sabah aç karnına ve gece yatarken bir iki olgun şeftali yenmesi, yukarıda sayılan hastalıklara şifa olur.

Şeftali bağırsakları çalıştırır, çeşitli hastalıklara dayanıklılığı artırır. Balgamı artırır, şehveti artmış kişilere faydalıdır.

Yan etkileri: Bilinen ciddi bir yan etkisi yoktur.

Not: Bu bitki KOBİK tarafından bitkisel karışım destek ürün yağı olarak üretilmiştir.

Üzüm (Vitis vinifera)

Özellikleri: Üzüm, vücut için önemli bir besin kaynağıdır. Protein, yağ, karbonhidrat, fosfor, demir, sodyum, potasyum, magnezyum,

kükürt gibi maddeler ve çeşitli vitaminler ihtiva etmektedir.

Önerilen Hastalıklar: Kanı artırır, iştah açar. Mideyi, bağırsakları ve böbrekleri kuvvetlendirir. Sindirim sistemini düzenler, idrar söktürür.

Beyine enerji sağlar, fazla suyu atarak yüksek tansiyonu düşürür.

Karaciğeri temizler, hamilelikte bol miktarda üzüm yenilmesi gerekir. Üzüm, annenin vücudunda biriken maddeleri dışarı atarak bulantısını giderir. Üzüm dalından koparıldıktan sonra ne kadar erken yenirse, o kadar şifalı olur.

Midede ülser veya gastriti olanların, karaciğeri veya dalağı şişmiş olanların ve kabızlık çekenlerin bir süre taze üzüm suyu tüketmelidir.

Kullanma şekli: Çocuklar ve büyüklerin her sabah aç karnına, 41 adet çekirdeksiz kuru üzüm yemesi, zihinlerini güçlendirir. "Gaylaniyat" adlı eserde Habib İbn-i Yesar'ın İbn-i Abbas'tan rivayet ettiği hadiste Habib şöyle der: "Ben Resulüllah'ı, üzümü topluca ağzına koyarak yerken gördüm."

Son zamanlarda kanser hastalıklarına karşı üzüm çekirdeği ekstresi kullanılmasının sebebinde bu İlahi hükmü araştırmak gerektiğini düşünüyorum. Acaba İslam Resulü üzüm çekirdeğinin gelecek yıllarda kanser denen ölümcül bir hastalığa iyi geldiğini biliyor da onun için de kuru üzüm yani "çekirdeği ile üzümü yiyiniz" mi demek istemişti?

Yan etkileri: Bilinen ciddi bir yan etkisi yoktur.

Yerelması (Radix helianthi)

Özellikleri: Memleketimizde bolca yetiştirilen yerelmasının, toprak altında patates gibi yumruları vardır. Ginseng ile akrabadır.

Kullanma şekli: Kullanılan kısmı bu yumrulardır. Yerelması suda pişirilmeli ya da çift tabanlı tencerede buharda pişirilmelidir.

Önerilen Hastalıklar: Vücudun direncini artırır, pankreas bezesini düzeltir. Hazmı çok kolaydır. Kabızlığı giderici bir özelliği vardır.

İçinde bulundurduğu vitaminleri ve kalsiyumuyla çocukların boylanması ve kemiklerinin iri olmasına yarar.

Emzikli hanımlarda süt miktarını ve sütün beslenme değerini artırır. Böbreklerin ve pankreasın düzenli çalışmasını sağlar. Bol idrar söktürür, kandaki pislikleri dışarı atar.

Yan etkileri: Bilinen ciddi bir yan etkisi yoktur.

> **Not: Bu bitki KOBİK tarafından bitkisel karışım destek ürün yağı olarak üretilmiştir.**

Zerdali

Özellikleri: Kayısı ağacının Akdeniz ülkelerinde yetiştirilen küçük meyveli bir türüdür. Aç karnına yenilince çabuk hazmolan zerdali soğuk ve nemlidir.

Önerilen Hastalıklar: Zerdali yenilince, midede safra varsa safraya, balgam varsa balgama, sevda bulunursa sevdaya dönüşür.

Yan etkileri: Bilinen ciddi bir yan etkisi yoktur.

"Hastalandığım zaman bana şifa veren O'dur;"

(Şuara Suresi 80. ayet)

Ey derdine çare arayan hasta! Hastalık iki kısımdır. Bir kısmı hakikî, bir kısmı vehmidir, vesvesedir. Hakikî kısmı ise, Şâfî-i Hakîm-i Zülcelal, büyük bir eczane hükmünde olan dünyada, her derde bir ilaç istif etmiş. O ilaçlar ise, dertleri isterler. Her derde bir çare yaratmış. Tedavi için ilâçları almak gerekir. Fakat tesiri ve şifayı, Cenab-ı Hak'tan bilmek gerektir. İlacı o verdiği gibi, şifayı da o veriyor. Hakkaniyetli ve dindar doktorların tavsiyelerini tutmak çok önemli bir ilâçtır. Çünkü çoğu hastalıklar vücudu kötü kullanmaktan, çok yemekten, israftan, hatalardan, sefahatten ve dikkatsizlikten geliyor.

Hakkaniyetli ve dindar doktorlar, meşru bir dairede nasihat eder ve tavsiyelerde bulunur. Hasta o tavsiye ve tesellilere itimat hastalığı hafifleşir, sıkıntı yerinde bir ferahlık verir.

Vehmî ve vesveseli hastalık kısmı ise; onun en tesirli ilâcı, ehemmiyet vermemektir. Ehemmiyet verdikçe o büyür, şişer. Ehemmiyet vermezse küçülür, dağılır.

Bu tür hastalık şüpheci ve asabî insanlarda kötü bir hastalıktır. Habbeyi kubbe yapar; manevi kuvveti kırılır. Bir de merhametsiz ve insafsız doktorlara rast gelse, şüphesini ve hastalığını daha da artırır. Zengin ise malı gider; yoksa ya aklı gider veya sıhhati gider.

7. BÖLÜM

HASTALIKLAR VE ŞİFALARI

KOBİK'TEN ÖNEMLİ NOT:

Değerli okuyucularımız!
Bitkilerle şifa bulmak için yapacağınız karışımlar her zaman netice vermeyebilir. Bitkilerin üretilmesi, toplanması, kurutulması, saklanması uygun ve hijyenik olmadığı takdirde kitabımızda bahsedilen şifaların elde edilmesi mümkün olmayabilir. Büyük bir ihtimalle bunun sebebi alınan terkiplerle kür hazırlamanızda, demlemenizde ve kullanma şeklinizdeki yanlışlıklar veya yetersizlikler olabilir. Bunun için saydığımız konularda hassasiyet göstererek ürün almanızı öneririz. Kapalı olmayan, ambalajsız ve günü geçmiş ürünleri ise almayınız. Bitkilerden şifa bulabilmeniz için hazırlanan prepatlar yerine devlet tarafından onanmış, kanuni, ruhsatlı, izinli ve Türk Gıda Kodeksi'ne uygun hazır, yerli ürünler kullanmanızı öneririz.

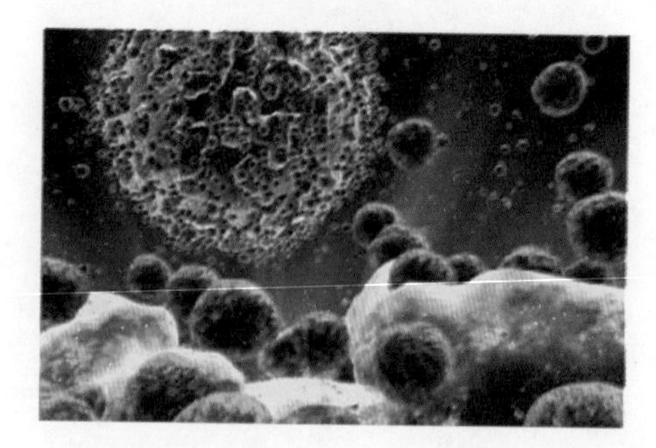

HASTALIKLAR VE ŞİFALARI

Bu bölüme gelene kadar bitkilerle sağlıklı yaşamanın formülünü sizlere aktarmaya çalıştık. Bitkileri nasıl kullanacağımızı öğrenmek için onları iyi tanımamız gerekiyor. Kitabın başından beri ifade ettiğimiz temel bilgilere bu nedenle yer verdik. "Hastalıklar ve Şifaları" bölümünde ise bu temel bilgilerin dışında, daha pratik tedavi yöntemlerinden bahsedeceğiz. Birçok insan yaşamı boyunca her hastalığa ya da her ilaca farklı tepkiler verebilir. Tüm bitkisel karışımlar, evrensel ruhun enerjisini taşımaktadır. Çoğu zaman oldukça gereksiz bulduğumuz bitkiler, önemli bir şifa kaynağı olabilir.

Vücudumuzdan içeri giren her maddeye olumlu bir şekilde yaklaşırsak, bize daha verimli bir sonuç verecektir. Örneğin; Hıristiyanlıktaki kutsanmış yiyeceklerin, Müslümanlıktaki nefesi kuvvetli kişiler incelendiğinde, hepsinin bitkileri hazırlarken beyinleriyle pozitif enerji yükledikleri, böyle olunca da bitkinin şifa verici gücünü artırdıkları görülmüştür. Günümüzde ise işin manevi boyutuyla ilgilenmediğimiz için, bu pozitif enerjinin olumlu sonuçlarını maalesef göremiyoruz. Oysaki bitkisel ya da kimyasal preparatları sadece ağızdan almamızın yanı sıra, doğru beslenip, masajı, bitki çaylarını, vitaminleri, antioksidanları, dini görevleri kısaca doğru yaşama biçimlerini geri plana atmazsak, hastalıklardan daha çabuk kurtuluruz. Şunu asla unutmayalım; bu bölümde bahsedeceğimiz pratik tedavi yöntemleri, hastalıkları tedavide kendi başına asla yeterli değildir. Sadece doktor kontrolünde yapılması gereken teşhis ve tedavilere yardımcı olur.

Adet Düzensizlikleri ve Adet Sancıları

Her kadın hayatının bir evresinde adet düzeninde sapmalar, gecikmeler ya da ara kanamalar yaşayabilir. İnsan hayatında yaşanılan stresler, sıkıntılar, ani kilo değişiklikleri, üzüntüler gibi pek çok etken adet düzenini etkileyebilir.

Adeta saat gibi işleyen bu mekanizmada sapmalara neden olabilir.

Adet bozukluklarının hiçbiri normal değildir ve araştırılması gerekir. Çünkü kadın üreme sistemindeki hemen hemen bütün hastalıkların en sık verdiği belirti adet düzensizlikleridir.

Pratik Bitkisel Formüller

Adet kanamasını söktürmek için, maydanoz, civanperçemi, papatya, nane, nergis, safran, kimyon, anason, rezene, havuç tohumu, karabaş otu, adaçayı ve misk gibi bitkiler çay gibi demlenip günde 3–4 bardak içilir. Ayrıca taze üvez meyvelerini de tüketmek gerekir.

Aşırı adet kanamaları için, 4 bardak soğuk suya 2 yemek kaşığı ufalanmış çobançantası ve atkuyruğu bitkisi konulup, ikisi birlikte 10 dakika bekletilir. Bu karışımın 1 günde tüketilmesi gerekir.

İkinci bir terkipti ise, birer tutam kereviz ile maydanoz kaynatılır. 1 gece bekletilip, 3 gün sabahları aç karnına 1 bardak içilir.

Kainat Eczanesinden Önerilen Bitkiler

Dereotu (Anethum graveolens):

Dereotunun önemli bir adet söktürücü özelliği vardır. İçeriğinde bulunan apiole, güçlü bir adet kolaylaştırıcıdır. Eğer kanamanızı söktürmek istiyorsanız, iki çay kaşığı dövülmüş dereotu tohumuyla hazırlayacağınız çay, büyük fayda sağlayacaktır.

Zerdeçal (Curcuma longa):

Yapılan araştırmalar Çin ve Hint doktorlarının zerdeçalı adet düzensizliklerinin tedavisinde kullandıklarını ortaya çıkarmıştır. Zerdeçalı toz haline getirerek kullanabileceğiniz gibi, ayrıca çay şeklinde demleyerek de içebilirsiniz.

Kereviz (Apium graveolens):

Kereviz tohumu adet kanamasını artıran "butildeneftalid" adlı bir madde içerir.

Hatmi Çiçeği (Althaea officinalis):

Hatmi çiçeğinin içeriğinde bulunan "betain" isimli bileşik, adet kolaylaştırıcı bir etki gösterir.

Aynı bileşik, pancar, havuç, pazı, hindiba, yulaf, portakal ve civanperçemi gibi bitkilerde de bulunur.

Hatmi çiçeği ile civan perçemini karıştırarak yapacağınız çayı mutlaka deneyin.

Kara Alıç (Viburnum prunifolium):

"Sancı kabuğu" da denilen bu bitki, adet sancılarının tedavisinde kullanılır.

Bitkinin kabukları döl yatağını rahatlatan en az dört değişik madde içerir. Bunlardan aesculetin ve scopoletin aynı zamanda kas spazmlarını da yatıştırır.

Civanperçemi (Achillea millefolium):

Civanperçemi kadınlarda görülen ağrılı krampların tedavisinde yararlı bir bitkidir. Civanperçemi çok sayıda spazm önleyici bileşik içermektedir.

Zencefil (Zingiber officinale):

Amerikalı doktorlar adet sancılarının tedavisi için zencefili önerirler. En az 6 değişik ağrı kesici ve diğer 6 kramp giderici bileşiği bulunan zencefil çayı, adet sancıları için son derece güvenilirdir.

Çilek (Fragaria):

Çilek yaprakları, krampların giderilmesinde çok faydalıdır. Çilek yaprakları vitaminler, mineraller ve kanser önleyici özelliği olan elajik asit bakımından çok zengin kaynaklardır. Çilek yaprağı çayı, mineral ve vitamin eksikliği olan kişiler için son derece yararlı bir içecektir. Eğer çileğe alerjiniz varsa, yapraklarından yaptığınız çayı içmeniz doğru olmaz.

Kava kava (Piper methysticum):

Yapılan araştırmalar, bazı Avrupalıları'ın rahatlamak ve gerginlikten kurtulmak için kava kava bitkisini kullandıklarını ortaya çıkarmıştır. Bitki aynı zamanda döl yatağını da yumuşattığı için adet sancıları için kullanılabilir.

Ağız Kokusu

Ağız kokusu rahatsız edici kokuya sahip nefestir. Aynı zamanda 'halitosis' olarak da bilinir. Sebebine göre zaman zaman da olabilir, kalıcı da olabilir. Ağızda, özellikle dilin arka tarafında milyonlarca bakteri yaşar. Çoğu insanda ağız kokusunun sebebi bunlardır. Ağzın sıcak ve nemli ortamı bu bakterilerin büyümesi için ideal koşulları oluşturur. Ağız kokusu çoğu zaman ağızdaki bir şeyden kaynaklanır.

Çeşitli hastalıkların belirtisi olan ağız kokusu, bu rahatsızlıkların tedavisinden sonra ortadan kaybolur. Diş çürüklüğü, hazımsızlık, şeker hastalığı, boğaz iltihapları, akciğer veremi, devamlı kabız veya ishal durumlarında nefes kokması görülebilir.

Pratik Bitkisel Formüller

* Ardıç tohumunun çiğnenmesi ve yutulması durumunda nefes kokuları ortadan kalkar.
* **Ağza alınan 1–2 adet karanfil uzun müddet tutulup, emilir.**
* Sirkeyle karıştırılan bal ağızda çiğnenir.
* Pırasa yaprağı ile Defne yaprağı iyice ezilip, bu karışımla dişler ovulup temizlenir.
* **Birkaç çay kaşığı dere otu yaprağını yada dövülmüş tohumlarını, yarım litre suya karıştırıp kaynatın.**
* Yaklaşık 50-60 gr. taze kişnişi yarım litre suya ekleyip, 3-5 dakika kadar kaynatın. Süzdükten sonra ister için ister ağız yıkama sıvısı olarak kullanın.
* **Birkaç çay kaşığı anason tohumunu, yarım litre suda birkaç dakika boyunca kaynatın. Ilındıktan sonra süzün ve isterseniz çay olarak için yada ağız yıkama sıvısı olarak kullanın.**

Kainat Eczanesinden Önerilen Bitkiler

Karanfil (Syzygium aromaticum):.

İnsanlar genellikle nefeslerinin temiz kokması için karanfil çiğnerler. Karanfilin yağı son derece güçlü bir antibakteriyeldir.

Adaçayı (Salvia officinalis):

Ağızlara yaralara ve nefes kokularına karşı ağzımızı her gün birkaç kez adaçayı ile çalkalayabiliriz. Adaçayının tıpkı maydanoz ve nane gibi nefes tazeleyici özelliği vardır.

Nane (Mentha piperita):

Ağız kokusu için en çok önerilen şey, nane çayıdır. Aromatik nane yağı güçlü bir antiseptiktir. Aynı zamanda toksik bir maddedir bu yüzden kesinlikle yutulmamalıdır.

Dereotu (Anethum graveolens):

Çiğneyeceğiniz birkaç tane dereotu tohumu nefesinizi temizler. Klorofil bakımından çok zengin bir bitkidir. Eğer hamileyseniz, dereotunu düzenli olarak kullanmak sorunlara yol açabilir.

Maydanoz (Petroselinum crispum):

Parlak yeşil renkli maydanoz, güçlü bir nefes tazeleyici olan klorofil bakımından son derece zengin bir kaynaktır. Yemeklerden sonra, bunların neden olacağı ağız kokusunu gidermek için birkaç yaprak maydanoz yenilmelidir.

Anason (Pimpinella anissum):

Anasonun tohumları yıllardır nefes tazeleyici olarak kullanılmaktadır. Birkaç çaykaşığı anason tohumunu, yarım litre suda birkaç dakika boyunca kaynatın. Daha sonra süzün. Karışımı isterseniz çay olarak için yada gargara şeklinde kullanın.

AIDS (HIV Enfeksiyonları)

AIDS bulaşıcı bir virus hastalığıdır. Mikrobu HIV (hiv) adı verilen virüstür. HIV girdiği vücudun, mikroplara karşı koyma yeteneğini sağlayan bağışıklık sistemini etkileyip yok eder. Direnci azalan vücutta, HIV in etkisinin yanı sıra, çeşitli mikroplar da hastalıklara neden olurlar. HIV vücuda girdiğinden itibaren, vücutta bununla savaşmak için özel antikorlar oluşur. Kandaki bu antikorların ELISA yöntemiyle saptanmasına Anti-HIV testi denir. Anti-HIV antikorların ELISA yöntemiyle ölçülebilecek düzeye ulaşması için 3 aylık bir süreye (pencere dönemi) ihtiyaç vardır. Bu nedenle test, bulaşma olduktan 3 ay sonra yapılmalıdır. Anti-HIV testinin pozitif olması kanda HIV virusunun olduğunu gösterir. Ancak anti-HIV testinin yalancı pozitif çıkma ihtimali de vardır. Bu nedenle, kişinin HIV pozitif (seropozitif) olduğunu söyleyebilmesi için, Westernblood testi denen doğrulama testinin de yapılıp sonucunun pozitif olması gerekmektedir. Anti-HIV testi, üniversite hastanelerinin mikrobiyoloji laboratuarlarında, sigorta ve devlet hastanelerinin laboratuarlarında ve özel laboratuarlarda yaptırılabilir. HIV bulaştıktan sonra, AIDS hastalığı belirtileri kişinin yaşam koşullarına ve vücut direncine göre, 3-15 yıl, hatta bazen daha uzun bir süre sonra ortaya çıkar. HIV bulaştığı vücutta çeşitli hücrelere, özellikle CD4T kan hücrelerine yerleşerek çoğalır. Zarar gören CD4T hücreleri giderek azalır ve bunun sonucu olarak vücudun bağışıklık sistemi yıkıma uğrar. Vücut direnci zayıflayan hastada, normalde zararsız olan, hafif geçen ya da ender rastlanan bazı hastalıklar belirir. Ayrıca lenf bezlerinde büyümeler, ağız ve deride tekrarlanan uçuk, pamukcuk, yara ve lekeler, nedeni bilinmeyen uzun süreli ateş, gece terlemeleri, kilo kaybı, ishal, öksürük, tüberküloz, akciğer hastalıkları gibi belirtiler ortaya çıkar. Kişide bu belirtilerin ancak birkaç tanesinin bir arada bulunması durumunda AIDS düşünülebilir. Kaposi sarkomu ve bazı lenfomalarda, HIV infeksiyonunu düşündüren önemli belirtilerdendir. Kesin tanı için anti-HIV testi yapılır.

Kainat Eczanesinden Önerilen Bitkiler

Herhangi bir bitkiyi denemeden önce mutlaka doktorunuza danışmalısınız. Aşağıda yararlı olabilecek bazı bitkiler bulacaksınız.

Meyan Kökü (Glycyrrhiza glabra):

Bitkinin içinde bulunan **"glycyrrhizin"** isimli bileşeni, virüsün sağlıklı hücrelere sirayet ederek genetik özelliklerini değiştirmeleri gibi bir çok viral çoğalma sürecini engelleyici özelliğe sahiptir. Meyan kökü çayı, birçok virüse etkilidir. Yapılan araştırmalarda, glycyrrhizinin test tüplerinde HIV virüsünün çoğalmasını engellediğine dair bazı bulgulara varılmıştır. Herhangi bir bitki çayından 1 litre hazırlayıp, içine 30 gram meyan kökü atıp içebilirsiniz. Ya da Meyan kökünü yalnızca çiğneyebilirsiniz.

Sarı Kantaron (Hypericum perforatum):

Hypericin ve sudohypericin adı verilen iki bileşik sarı kantaronda bulunur. Araştırmalarda bu bileşiklerin HIV'e karşı etkili oldukları, keşfedilmiştir. Düzenli olarak sarı kantaron bitkisini kullanan kişiler, alkollü içkiler, turşular, saman nezlesi ilaçlarından bazıları ve tirozin gibi ilaçlardan uzak durmalıdırlar. Eğer hamileyseniz sarı kantaron kullanmamalısınız ve bu bitkiyi kullandığınız sürece yoğun güneş ışınlarına maruz kalmamalısınız. Bitkinin tamamından elde edilen bir tentür alıp, günde birkaç kez bir bardak meyve suyuna 20-25 damla atarak içebilirsiniz.

Aloe (Aloe vera):

Aloenin içeriğindeki acemannan adlı bileşiğin son derece güçlü bir bağışıklık sistemi uyarıcısı olduğuna dair bazı kanıtlar bulunmuştur. Deney tüplerinde yapılan araştırmalar ile acemannanın HIV'e karşı etkili olduğu görülmüştür. Bu bitki için önerilen miktar, günde 4 kez 250 miligrama kadardır. Aloe suyunu, şifalı bitki satan hemen hemen her dükkanda bulabilirsiniz.

Dul Avrat Otu (Arctium lapa):

Lawrence Review of Natural Products dergisinde yer alan bir yazıya göre, yapılan çalışmalarda dulavrat otu özütünün HIV'e karşı etkili olduğu saptanmıştır.

Sarımsak (Allium sativum):

Klinik deneyler, sarımsağın AIDS, herpes ve zatürree gibi virüslere karşı etkili olduğunu göstermiştir. Araştırmacılar aynı zamanda sarımsakta bulunan ajoen bileşiğinin, HIV'in vücutta yayılmasını yavaşlattığını gösteren

kanıtlar elde etmiştir. Günde 4-5 diş sarımsak yemek, bu fırsatçı virüslerden korunmaya yardımcı olmaktadır.

Soğan (Allium Cepa):

Soğan güçlü bir antioksidan bileşik olan kuersetin bakımından en zengin kaynaklardan bir tanesidir. Soğan aynı zamanda sarımsakla aynı antiviral etkilere sahiptir.

Armut (Pyrus communis):

Armut, kafeik asit ve klorojenik asit bakımından son derece zengin bir kaynaktır. Kafeik asit bir bağışıklık sistemi uyarıcısıdır. Klorojenik asitin de HIV'e karşı etkili olduğu, bilim adamlarınca saptanmıştır.

Alalık (Vitiligo)

Halk dilinde "Alalık" diye bilinen ve pigmentlerin lekelenmesiyle başlayan hastalık son zamanlarda çok yaygınlaşmıştır. Karaciğerin kanı temizlememesiyle de orantılı olarak belirginlik gösterir. Yapılan detoks-arınma uygulamalarında, kalın bağırsak-safra kesesi-karaciğer temizliklerinde çok olumlu neticeler alınmaktadır. Bilhassa, toplu havuza girmelerde sudaki klor serbest radikalleri tetiklediğinden, güneşlenmeyle birlikte bu hastalığı ortaya çıkarabilir.

Kainat Eczanesinden Önerilen Bitkiler

Mısır ve Mısır Püskülü:

Hibrit olmayan mısır taneleri her gün suda haşlanarak, herkesin kendi avucu kadar tüketmesi, mümkünse haşlama sırasında püskülleride kullanılmalıdır.

Ayrıca mısır ekmeği de tüketilmesi önerilir. Çok fazla soğan yemek, kahve içmek ve patlıcan lekelenmelerin artmasına sebep olabilir.

Alerji

Bazı insanların vücut dirençleri, çeşitli yiyecekler, çiçek tozları, elbise, halı, parfümler, plastik eşyalar, dar elbiseler, sıcak veya soğuk hava ile hayvan tüyleri gibi maddelere duyarlıdır.

Alerjik durumlar, psikoloji ve yanlış beslenmeyle yakından ilgilidir. Özellikle son yıllarda hazır gıdaların, boyalı katık maddeleri içeren yiyeceklerin beyaz un ve şekerin aşırı tüketimi alerjik reaksiyonları artırdı. Her türlü alerjide karaciğerin kendini temizlemesi ve toksin atması çok önemlidir.

Yeterli miktarda C vitamini alınması çok önemlidir. Alerjik belirtiler hisseden kişinin, vücut direncini azaltan pastırma, sucuk, konserve, et ve balıklar, kavun, çilek gibi gıdalardan çok fazla tüketmemelidir.

Pratik Bitkisel Formüller

Alerjisi olanlar, şahtere, ısırgan, zerdeçal, aloe vera, yulaf ezmesi, maydanoz, sarımsak, buğday çimi, taze bezelye, soya fasulyesi, badem, fındık, muşmula, atkuyruğu ve sinirli ot bol bol tüketmelidir. Günde 2–3 bardak ısırgan otu çayı, öğün aralarında tatlandırılmadan içilmelidir. Alerjiyi, oluştuğu nedene göre tedavi etmek en doğrusudur.

Kainat Eczanesinden Önerilen Bitkiler

Sarımsak (Allium Sativum) ve Soğan (A. Cepa):

İçerdikleri kuersetin gibi yüksek konsantrasyonlu bileşikler nedeniyle alerjiye karşı son derece yararlıdır. Bu bileşikler hastalığı alevlendirici reaksiyonları yavaşlatır. Eğer alerjiniz varsa, bu yiyecekleri mönülerinizden bolca kullanmanız gerekir.

Isırgan Otu (Urtica Diocia):

Isırganla hazırlanmış preparatlar, alerjik semptomların tedavisinde son derece etkilidir. Dünya üzerindeki tüm kültürler, bu bitkiyi yüzyıllardır öksürük, burun akıntısı, göğüs sıkışıklığı, astım, boğmaca ve hatta tüberküloz gibi sorunları tedavi etmek için kullanmışlardır. **"Doğal İlaç Doğal Şifa"** kitabının yazarı Andrew Weil, Kolombiya Üniversitesi Botanik Hekimliği kürsüsünde yaptığı bir konuşmada, saman nezlesinin kurutulmuş ısırgan yaprakları ile tedavi edilişinden daha etkileyici bir şey duymadığını söylemiştir.

C Vitamini:

Düzenli olarak C vitamini kullanan kişilerde alerji, solunum yolları iltihapları ve astım nöbeti gibi sorunların en alt düzeylerde görüldüğü saptanmıştır. C vitamini diyare hariç hiçbir yan etkisi olmayan doğal bir antihistaminiktir. Bazı kişilerde günde 1200 mg. gibi düşük miktarlarda alınmasından sonra diyare geliştiği kaydedilmiştir. Fakat bu son derece nadir rastlanan bir durumdur. Biberler, Arnavut biberi ve su teresi C vitamini açısından son derece zengin bitkilerdir.

Papatya (Matricaria recutita):

Özellikle Avrupalı aromaterapistler, kurdeşen ve kaşıntı gibi cilt sorunlarının tedavisi için, papatya ile hazırlanmış preparatlarla masaj yapılmasını öneriyorlar.

Alzheimer

Alzheimer hastalığı en yaygın olarak görülen demans (bunama) nedenidir. Demans, beyin hücrelerinin harabiyetine ve kaybına yol açan bir hastalığın sık rastlanan belirtileri olarak tanımlanabilir. Alzheimer hastasında hafıza kaybı, kişilik ve davranış değişiklikleri, düşünme ve yorumlamada bozulma, konuşurken doğru kelimeleri bulmada güçlük, bazı işleri doğru sırayla yapmada zorlanma gibi bulgular görülür. Bu bulgular zamanla daha da kötüleşir ama kötüleşmenin hızı hastadan hastaya farklılık gösterir. Ancak hastalık ilerledikçe günlük yaşamı sürdürmek giderek zorlaşır ve hasta zaman içinde tamamen başkalarına bağımlı hale gelir.

Kainat Eczanesinden Önerilen Bitkiler

Biberiye (Rosmarinus Officinalis):

Biberiye içeriğinde, serbest radikalleri yok eden antioksidanları barındırır. Bu antioksidanlar arasında en etkili olan biberiye asididir.

Aromaterapistler alzheimere karşı biberiye yağı, melisa, rezene ve

adaçayının kullanılmasını tavsiye ediyorlar.

Biberiye hafıza güçlendirici bir bitkidir. Sadece bu yüzden 'hatırlatan bitki' olarak da anılır.

Bakla (Vicia faba):

Taneleri lesitin bakımından son derece zengin olan bakla, alzheimera oldukça faydalıdır.

Aslına bakarsanız tüm baklagiller lesitin ve kolin açısından zengindir ve yalnızca alzheimerden korunmaya ve tedavisine yönelik perhizlerde değil, her türlü diyette bulunmalıdır.

Karahindiba (Taraxacum Officinale):

Bu bitkinin çiçekleri en önemli lesitin ve kolin kaynaklarımızdandır. Lesitin ve kolin genelde aynı besinde bir arada bulunur.

Söğüt (Salix):

Yapılan bazı araştırmalar artriti olduğu için çok miktarda anti inflamatuar kullanan kişilerde alzheimere rastlanma oranının çok düşük olduğunu ortaya koymuştur.

Aspirinin bitkisel eş değeri olan söğüt kabuğu da anti inflamatuar açısından zengindir. Bu nedenle söğüt kabuğunun da alzheimere karşı etkili olabileceği söylenir. Eğer aspirine alerjiniz varsa, bitkisel aspirinleri de kullanmamalısınız.

Isırgan Otu (Urtica dioica):

Isırgan otu bol miktarda, vücuttaki östrojen sirkülasyonunu iki katına çıkarabilen, bor minerali içerir.

Yapılan bazı araştırmalarda, östrojenin hafızayı geliştirdiği ve aynı zamanda da bazı alzheimerli hastaları ruhsal bakımdan güçlendirdiği görülmüştür.

Çemen Otu (Trigonella foenum-graecum):

Bu bitkinin yaprakları kolin bakımından en zengin besin kaynakları arasında yer alır.

Kolinin alzheimeri önlemede ve tedavide önemli etkileri vardır.

Adaçayı (Salvia officinalis):

Biberiye gibi adaçayı da antioksidanlar bakımından son derece zengindir, fakat kullanırken çok dikkatli olunması gerekir.

Adaçayı çok yüksek dozlarda alındığında çarpıntıya neden olan "thujone" adlı bir bileşik içerir.

Arpacık

Göz kapağında çıkan iltihaplı sivilcedir. Göz kapağı kenarının kızarmasıyla kendini gösterir. Zayıf ve kabız olanlar da sık görülür.

Pratik Bitkisel Formüller

* Soyulmuş bir diş sarımsağın ucu kesilir ve arpacık üzerine günde 2–3 defa sürülür.
* Marul yaprakları ezilir, lapa haline getirilip arpacığın üzerine konulur.
* Patates haşlanıp ezilir ve göz üzerine günde 3–4 defa konulur.

Kainat Eczanesinden Önerilen Bitkiler

Kekik (Thymus vulgaris):

Bir parça pamuğa damlatılan kekik konsantresi, direk olarak arpacığın üzerine yerleştirilir. Kekik güçlü bir antiseptik olan timol bakımından zengin bir kaynaktır ve çok sayıda antiseptik bileşik içerir.

Patates (Solanum tuberosum):

Dr. Varro Tyler, "Arpacığı tedavi etmek için, patatesin iç kısımlarını kazıyın ve bu parçaları sardığınız bir bezi arpacığın üzerine yerleştirin. İçindeki patatesleri birkaç kez tazelemeyi ihmal etmeyin. Bu şaşılacak derecede etkili bir yöntemdir. Birkaç saat içinde kabarcık sönmeye başlayacak ve arpacık görülür derecede iyileşecektir. Aynı günün akşamına kadar da tamamen yok olacaktır" diyor.

Papatya (Matricaria recutita):

Sıcak papatya çayıyla arpacık üzerine kompres yapmak faydalı olur.

Sarımsak (Allium sativum):

Sarımsak gerçekten çok güçlü bir antibiyotiktir. Arpacığı tedavi etmek için 10-12 diş doğranmış sarımsak yiyin. Eğer bu kadar çok sarımsağı yiyemezseniz, hiç olmazsa gözünüzde arpacık çıktığı zaman sarımsağı her zamankinden fazla tüketmeye dikkat edin.

Eklem İltihabı (Artrit)

Romatoid Artrit en yaygın romatizmal hastalıktır ve daha fazla kadınlarda olmak üzere nüfusun yüzde 0,5 inde görülmektedir. Hastalığın sebebi henüz tam olarak açıklanamamıştır; ancak genetik faktörler ile bünyenin kendi dokularına karşı çalışması süreçleri ile bağlantılar mevcuttur.

Kainat Eczanesinden Önerilen Bitkiler

Isırgan Otu (Urtica dioica):

Isırgan otunun dikenli yapraklarını ağrıyan eklemlerin üzerine sokturmak, ağrılar için iyi bir yöntemdir. Ayrıca bitkinin yapraklarını buharda sebze gibi pişirerek de kullanabilirsiniz. Ramatoid Hastalıklar Vakfı, her gün alınacak 3 mg. borun, Romatoid Artritin ve osteoartrit ağrılarına faydası olacağını söylüyor. Buharda pişirerek kolayca hazırlayabileceğiniz her 100 gramlık porsiyonla ya da bunun üç katı ağırlıktaki taze yaprakla hazırladığınız porsiyonlarla önerilen 3 mg.'lık dozdan daha fazla bor almak anlamına gelir. Bu da artrit için çok faydalıdır.

Biberiye (Rosmarinus offcinalis):

Eski çağlarda "hafıza otu" olarak bilinen biberiye, hücre yaşlanmasını önleyen antioksidanlardan bol miktarda içerir. Zaten bu şekilde anılmasının en önemli nedeni içerdiği antioksidanlar nedeniyledir.

Amerikalı bir bitki üreticisi, balığa çıktığı bir gün balıkların üzerini biberiye ile kaplayarak kokmaktan nasıl koruduğunu anlatmıştı.

Balıkları o şekilde dondurmadan bıraksanız bile, biberiye sayesinde günlerce bozulmadan kalabilirler.

Söğüt (Salix), Sarımsak (Allium sativum) ve Meyan Kökü (Glycyrrhiza glabra):

Söğüt kabuğu bitkisel aspirindir. İçerdiği "salisin" adlı kimyasalı, Bayer firması aspirin adı verilen ve artrit hastalarının her gün kullandıkları, ağrı kesici, küçük asit tabletlerine dönüştürmüştür. Fakat söğüt kabuğunu tek başına içmek mideyi rahatsız edebilir. Bu neden-

le vereceğimiz tarif, midenize oluşacak yan etkiyi en aza indirir.

Üç ölçü kadar kurutulmuş söğüt kabuğu, iki ölçü kurutulmuş meyan kökü ve bir ölçü de doğranmış sarımsak karıştırıldıktan sonra karışımın üzerine kaynar su dökülür ve 15 dakika demlenmeye bırakılır.

İçerken tadından hoşlanmazsanız, lezzetlendirmek için çayınıza limon, bal, zencefil veya zerdeçal ekleyebilirsiniz.

Zencefil (Zingiber offcinalis) ve Zerdeçal (Curcuma longa):

Hintli araştırmacıların yaptıkları araştırmalarda, günde 3 ile 7 gram arası zencefil alan 18 osteoartrit ve 28 romatoid artrit hastasının yüzde 75'inden fazlası, ağrı ve sertliklerinde hafif de olsa bir azalma olduğunu ortaya çıkarmıştır. Zerdeçalın içerdiği "curcumin" maddesi, zencefilde bulunan bazı bileşiklerle aynıdır. Her iki bitkinin de çayını içebileceğiniz gibi, bunlarla hazırlayacağınız çeşitli sebze yemekleriyle de keyfini çıkarabilirsiniz.

Kırmızıbiber (Capsicum):

Acı kırmızıbiber dilimizi yaktığı gibi, vücudun herhangi bir yerindeki ağrıyı da keser. Kırmızıbiberdeki ağrı giderici kimyasal madde olan kapsaikin, doğanın kendi uyuşturucusu olan endorfinin salgılanmasını tetikler.

Kırmızıbiber aynı zamanda salisilatlar olarak bilinen aspirin benzeri bileşikleri içerir. Kırmızıbiberi suda kaynatarak çay yapabilirsiniz fakat çeşitli baharatlarla hazırladığınız yemeğinize karıştırmak çok daha büyük bir keyif verecektir.

Çabuk etki etmesini istiyorsanız, domates suyunuzun içine bir parça acı biber sosu karıştırmayı deneyin.

Araştırmacılar, artritli eklemlere günde 4 kez kapsaikinli bir kremin doğrudan uygulanması halinde, ağrıların önemli oranlarda azaldığını keşfettiler.

Artrit Diyeti

Aşağıda verilen malzemeler karıştırılarak güzel bir artrit çorbası hazırlayabilirsiniz. Temel malzemeleri karıştırın ve bunları hoşunuza giden baharatlarla lezzetlendirin. Aşağıdaki malzemelerin miktarları ve baharatlarıyla oynayabilirsiniz. "3-3,5 litre su, 50 gr doğranmış hindiba, 2 çorba kaşığı dövülmüş sarımsak, 250 gr. ısırgan yaprağı, 50 gr. küp doğranmış patlıcan, 100 gr. küp doğranmış havuç, 100 gr. doğranmış kuşkonmaz, 100 gr. karahindiba yaprağı, 100 gr incecik doğranmış karahindiba kökü, 50 gr. doğranmış ıspanak, çemen otu, 250 gr. boyuna kesilmiş çalı fasulyesi, Yarım kilo lahana, 2 çorba kaşığı zerdeçal, 250 gr. doğranmış kereviz, 2 çorba kaşığı meyan kökü, 2 çorba kaşığı eşek otu tohumu, kırmızı toz biber, toz kara biber, beyaz hardal, keten tohumu, saparna ve limon suyu." Suyu büyük bir tencereye koyarak içine lahana, fasulye, kereviz, ısırgan, havuç, kuşkonmaz, karahindiba yaprağı ve kökü, ıspanak, patlıcan, hindiba, sarımsak, zerdeçal, meyan kökü ve eşekotu tohumunu atıp karıştırdıktan sonra üzerlerine kırmızı ve karabiber, hardal, keten tohumu, saparna, çemen otu ve limon suyu ekleyin. Yüksek ateşte kaynamaya bırakın. Kaynadıktan sonra ocağı kısığa alıp, tencerenin kapağını kapatın ve 20-30 dakika yada sebzeler yumuşayıncaya kadar hafif ateşte pişirin. Dört kişilik çorbanız hazır.

Artrit Çayı

Fesleğen, kara ısırgan, melisa, güvey otu, kekik, nane, biberiye, ada çayı, yeşil nane ve kekiğin üzerine birer tutam zencefil ve zerdeçal ekleyin. Hoşunuza giden malzemelerden iki ölçü, daha az cazip gelenlerden ise bir ölçü karıştırabilirsiniz. Bu karışıma kaynar su ekleyin ve içmeden önce 15-20 dakika kadar demlenmeye bırakın.

Astım (Nefes Darlığı)

Nefes alma sırasında, atmosfer havasının solunum olayının olduğu "alveol" denilen hava boşluklarına naklini sağlayan iletici hava yollarında daralma, tıkanıklık ve buna bağlı olarak hava akımında zorlukla karakterize bir hastalıktır. Hava yollarında mikrobik olmayan süreğen bir iltihaplanma söz konusudur. Olası bir astım nöbetinde dik oturulmalı ve karını biraz öne çıkarmak gerekir. Nefes alırken akciğer hava keseciklerinin çökmemesi için dudaklar sivriltilmelidir. Düzenli solumak çok önemlidir. Çok soğuk havalarda dışarı çıkmamak, zorunlu halde çıkılırsa ağız ve burun atkı ile kapatmalı ve düzenli solumaya dikkat edilmelidir.

Pratik Bitkisel Formüller

İşte nefes darlığı için birkaç faydalı tarif:

* 10 adet karanfil, 10 adet karabiber, 6 adet zencefil, 5 adet tarçın, bir tutam ısırgan otu ve bir tutam ayva yaprağı 2 litre suya konulur ve 10–15 dakika kaynatılır. 30 dakika demlenen karışım süzülür. Günde 3 bardak içilir. Her içildiğinde bir miktar ısıtılıp ve bir kaşık balla tatlandırılıp içilmelidir.
* 1 bardak kaynar suya 10 gram ısırgan yaprağı konur, 10 dakika bekletilir ve günde 3–4 bardak içilir.
* Öksürükotu çayından günde 2–3 bardak içilmelidir. Ayrıca öksürük otu, sinirli ot ve kekik karışımı çay da kullanılır.
* 1 bardak suya 5 gram ayva yaprağı konur, 10 dakika kaynatılıp günde 2–3 bardak içilir.

Kainat Eczanesinden Önerilen Bitkiler

Kahve, Çay, Kafein, Kakao ve Çikolata:

Tüm bu içecekler ve çikolata, bitkilerden elde edildiği için bitkisel ürünler kategorisinde yer almaktadır. Kafein içeren her şey astımdan kurtulmaya yardımcı olur. Kahve, çay, kafeinli meşrubatlar, kakao ve çikolata kafeinden fazlasını içerir. Hepsinin de anti-asım özellik taşıyan ve kafein ile birlikte, "ksantin" adı verilen kafeinin de üyesi olduğu bileşikler ailesine

mensup olan "theobromine ve theophylline" adlı iki önemli doğal kimyasalı bünyelerinde barındırdığı kanıtlanmıştır. Bu kimyasallar bronşları açar. Kafein ve diğer anti astım kimyasalları tamamen zararsız değillerdir. Kafein uykusuzluk ve sinir yapar. Bu kimyasallar kendi doğal durumlarında alındığı zaman, yan etkileri yok denecek kadar azdır.

Domates (Lycopersicon lycopersicum):

Yapılan araştırmalar, her gün alınacak yaklaşık 1000 mg. C vitaminin astım krizlerini, bronşiyal spazmları, göğüs hırlamasını, solunum yolu enfeksiyonlarını, burun tıkanıklığını, göz sulanmasını ortadan kaldırdığını ortaya koymuştur. Bu yüzden içinde bol miktarda C vitamini bulunduran domates astım için oldukça faydalıdır.

Meyankökü (Glycyrrhiza glabra):

Meyankökü çayı boğazı yumuşattığı için boğaz ağrısı, öksürük ve astım vakalarında sıkça tavsiye edilir. Meyankökü günde üç fincana kadar kullanıldığı sürece risk yaratmazlar. Eğer astımınız için düzenli meyan kökü kullanmaya karar vermişseniz, degliserinize özütleri (DGLE) tercih edin; çünkü yan etkileri daha azdır.

Isırgan Otu (Urtica diocia):

İngiliz herbalist Nicholas Culpeper'ın yaptığı araştırmalar sonucunda, ısırgan otunun kökünün ve yapraklarının hem suyunu çıkararak hem de çay gibi demleyerek içmenin hiçbir riski olmadığı, akciğer kanallarını ve bronşları açmaya yardımcı olan bir ilaç olduğunu ortaya çıkarmıştır. Uzun yıllar boyunca ısırgan otuna en iyi astım ilacı gözüyle bakan Avustralyalılar, bitkinin kökünden ve yapraklarından elde ettikleri suyu bal ve şekerle karıştırıp içerler. Amerikalılar, astım ve saman nezlesi hastalarına her zaman ısırgan otu öneriyorlar.

Ateş Yükselmesi

Vücut sıcaklığının 37,5 dereceden yukarı çıkmasına ateş yükselmesi denir.

Ateşin yükselmesiyle birlikte; üşüme, titreme, baş ağrısı, iştahsızlık ve vücut kırgınlığı görülür.

Bazı bitkiler ateşi düşürmek için çok faydalıdır.

Pratik Bitkisel Formüller

* Kaynatılan ıhlamurdan bir bardak alınıp içine 1 çay kaşığı dolusu nane konulur. 10 dakika demlenen karışımdan içilip terlenirse ateş düşer.
* **Maydanoz, kantaron, pelin yaprağı, okaliptüs yaprağı ayları ile kuru erik hoşafı yapılıp içilmelidir.**
* 1 bardak kaynar suya 5 gram ufalanmış ebegümeci konulur, 10 dakika demlenir ve günde 3 bardak içilir.
* **1 bardak kaynar suya 10 gram civanperçemi konur, 10 dakika bekletilir ve günde 2–3 bardak içilir.**
* Bir ya da iki çay kaşığı kurutulmuş söğüt kabuğunu 250 ml. kaynar

suya karıştırıp 20 dakika kadar demlenmeye bırakın. Tadındaki acılığı almak için zencefil, tarçın, papatya ya da diğer lezzetli bitkilerden katabilirsiniz.

Kainat Eczanesinden Önerilen Bitkiler

Söğüt (Salix):

Söğüt güçlü bir ateş düşürücü ve ağrı kesici özelliğine sahiptir. Aktif bileşeni salisin 1830 yılında ayrıştırılarak, Bayer firması tarafından aspirin meydana getirildi. 1890 yılında piyasaya sürülen Bayer aspirini, çok kısa bir süre içinde dünyanın en popüler ilaçlarından biri oldu. 2 çay kaşığı kurutulmuş söğüt kabuğunu, 250 ml. kaynar suya karıştırıp 20 dakika demlemeye bırakın. İçerken tadındaki acılığı almak için zencefil yada tarçın kullanabilirsiniz.

Zencefil (Zinger officinale):

Zencefil son derece güvenli bir bitkidir. Bu yüzden zencefil çayının hiçbir zararı olmaz. Zencefilin tadı diğer ateş düşürücüleri daha içilebilir kılar. Dr. Varro Tyler'e göre, hayvanlar üzerinde yapılan araştırmalarda, zencefilin içindeki bazı bileşenlerin ateş düşürücü özellikler gösterdiği saptanmıştır.

Acı Kırmızı Biber (Capsicum), Tarçın (Cinnamomum), Yaban Mersini (Vaccinium macrocarpon):

Acı kırmızı biber zengin bir salisilat kaynağıdır. Tarçın ve yaban mersini ise ateş düşürücü olarak ün yapmış bitkilerdir.

Bademcik

Ağızda, dilin arkasında bulunan lenf bezleridir. Bademcik iltihabı 9 yaşın altındaki çocuklarda çok sıkı görülür. Bademcik iltihabı, vücudun kendisini enfeksiyonlara karşı koruduğunu gösterir.

Pratik Bitkisel Formüller

Kekik, okaliptüs, ıhlamur, kuşburnu, ebegümeci, böğürtlen, adaçayı, sinirli ot ve kayışkıran gibi bitkilerin hepsi ya da bulunanlar, 2 litre sıcak suya birer tutam atılıp, 1 saat demlenir. Bu karışımın bir günde, su yerine içilerek tüketilmesi gerekir.

* **Ağız içinden bademcikler üzerine tuz sürülürse iltihabı boşaltır.**
* Erik yaprakları kaynatılıp, su ile gargara yapılır.
* **1 bardak suya 1 kaşık dövülmüş kenevir konur. 10 dakika bekletilip 1 günde tüketilerek içilir.**
* 1 bardak kaynar suya, 10–12 gram adaçayı konulup, 5 dakika kaynatılır. Oluşan karışımla boğaz gargara yapılır.

Kainat Eczanesinden Önerilen Bitkiler

Karahindiba (Taraxacum officinale):

Bademcik iltihabı için, 30 gr. karahindiba kökünü 500-750 ml suda, suyun yarısı buharlaşıncaya dek yavaş yavaş kaynatın ve için.

Böğürtlen (Rubus):

Böğürtlen kökleri en eski bademcik iltihabı ilacıdır.

Adaçayı (Salvia officinalis):

Bademcik iltihabının tedavisi için sıcak gargara yapılması uygundur.

Bitkiye bu özelliğini veren şey, rahatlatıcı ve sıkıştırıcı bir etkisi ve antimikrobiyal özelliği olan tanendir.

Sarımsak (Allium sativum):

Sarımsak bademcik iltihabı dahil olmak üzere her türlü boğaz iltihabına karşı son derece etkili bir bitkidir. Ürolog Dr. James Balch ve karısı diplomalı beslenme uzmanı Phyllis, hem boğaz ağrısı hem de bademcik iltihabı için, günde iki sarımsak kapsülü tavsiye ediyor.

Bağırsak Solucanları

Bağırsak solucanları tenyalar, yuvarlak solucanlar ve kıl kurtları olarak üçe ayrılabilir. Tenyalar, 7–8 metreye kadar uzayabilen, halk arasında şerit diye bilinen bir canlıdır. İyi pişmemiş etlerle insanlara geçer. Şerit olan kişide karın şişliği, bulantı ve iştahsızlık görülür. Bağırsak normal çalışmaz ve sinir sistemi bozukluğu baş gösterir.

Pratik Bitkisel Formüller

Tenyaları düşürmek için;

* **1 çorba kaşığı eğrelti otu, 2 su bardağı suda çay gibi demlenip, 15 dakika arayla aç karna birer su bardağı içilir.**
* 1 litre sıcak suya 1 yemek kaşığı kekik konulup, 15 dakika demlenir ve süzülür. Sabahları aç karnına 1 bardak, gün boyuda toplam 4 bardak tüketilir.
* **İnce rendelenmiş 200 gram havuç, sabahları aç karnına yenilir. Öğleye kadar bir şey yenmez. Öğle ve akşam yemeklerinden 20 dakika önce 100'er gram daha yenir. 5–6 gün boyunca yenilmeye devam edilmelidir. Yuvarlak solucanlar, 10–20 santimetre boyunda olup, genellikle 3–10 yaşındaki çocuklarda görülür. Karın şişliği, karın ağrısı, zayıflama ve kaşıntı görülür. Tedavisi için;**
* 1 su bardağı sıcak suya 1 tatlı kaşığı papatya konulur, 10 dakika demlenip süzülür. Yemeklerden 1 saat önce günde 3–4 bardak içilir.

Kıl kurtları, 3–4 milimetre boyunda olup, gözle zor görülen ufak kurtlardır. Geceleri uykusuzluk, sinir bozukluğu, baş dönmesi ve apandisit bölgesinde ağrılara sebep olurlar. Sabahları aç karnına 250 gram çilek yenilip, öğleye kadar başka bir şey yenmezse şifa olur. Bir müddet buna devam etmelidir.

Kainat Eczanesinden Önerilen Bitkiler

Zerdeçal (Curcuma longa):

Zerdeçal anti parazit özellikleri olan dört değişik bileşik içerir. Zerdeçalı kullanmanın en kolay yolu, içeriğinde bolca bulunan köriyi sofranızdan eksik etmemektir. Köriye sarı rengini zerdeçal verir.

Karanfil (Syzygium aromaticum):

Karanfilin bağırsak kurtları da dahil olmak üzere bir çok parazite karşı etkili olduğu saptanmıştır. Bağırsak kurtları için, demli bir karanfil çayı çok etkilidir. Papaya ve ananas suyuna toz karanfil serpmek de aynı sonucu verir.

Papaya (Carica papaya):

Bağırsak kurtlarını temizlemek için küçük saçma taneleri boyutlarındaki papaya çekirdekleri yutulur.

Sarımsak (Allium sativum): Üç diş sarımsağın suyu sıkılarak, 150 ml. havuç suyuyla karıştırılır. Bu karışım her iki saatte bir içilir.

Zencefil (Zingiber officinale): Keskin kokulu bu kök, dünyanın en tehlikeli parazitlerine karşı son derece etkilidir. Bu kurtlardan bir tanesi anisakis kurdudur. Japonya kökenli bu kurt çiğ balıklarda rastlanmakta ve gittikçe yayılmaktadır. Bu nedenle Japonlar suşi tabaklarında bolca zencefil kullanırlar.

Baş Ağrısı

Baş ağrısını birçok nedeni vardır. Beyne fazla kan hücumu, sinüzit, nezle, grip, bademcik, yüksek tansiyon, düşük tansiyon, kabızlık, göz bozukluğu, şeker hastalığı, dolaşım bozukluğu, karaciğer ve safra rahatsızlığı, solunum yetersizliği, tifo, verem, menenjit, aşırı üzüntü baş ağrısına sebep olabilir.

Pratik Bitkisel Formüller

* Hanımların adet günlerinde görülen baş ağrıları için, 1 çay bardağı sıcak suya, 1 kahve kaşığı civanperçemi otu konulup, 10 dakika demlenip süzülür ve günde 2 çay bardağı içilir.
* **Lavanta, papatya, kekik, karabaş otu gibi bitkiler, 1 çay bardağı sıcak suya, 1 kahve kaşığı koyup 5 dakika demlenip süzülür. Bu karışımdan günde 2–4 bardak içilir.**
* Migren için, 2 su bardağı kaynar su içine birer tatlı kaşığı hafif ezilmiş fesleğen, defne ve oğul otu konularak 15 dakika demlenir. Günde 2–3 bardak içilir. Bu karışımın içilmesine düzenli olarak en az 1 ay devam edilirse, zamanla migrene şifa olur.
* **1 bardak kaynar suya, yarım çay kaşığı toz zencefil konur, 10 dk. bekletilip, günde 3 bardak içilir.**
* 1 bardak kaynar suya, 4–10 gram oğul otu konur. 10 dakika bekletilip günde 3 bardak içilir.
* **1 bardak kaynar suya, 2 gram papatya konulur, 10 dakika bekletilip günde 2 bardak içilir.**
* 20 gram ıhlamur, 40 gram kedi otu kökü, 20 gram lavanta çiçeği, 20 gram oğul otu yaprağı karıştırılıp, 1 bardak kaynar suya, 5–10 gram konur. 10 dakika bekletilip, günde 2–3 fincan içilir.

Baş ağrısı, kan aldırmakla da tedavi edilebilir. Eğer başın sağ kısmı ağrıyorsa sağ koldan, sol kısmı ağrıyorsa sol koldan kan alınması, baş ağrısını olumlu yönde etkiler. Kan aldırmanın mümkün olmadığı zamanlarda ise, Peygamber Efendimizin, önerdiği hacamat baldır ya da enseye uygulanır.

Kainat Eczanesinden Önerilen Bitkiler

Kekik (Thymus vulgaris):

Tıbbi antropolog Dr. John Heinerman, 250 ml. kaynar suya bir çay kaşığı kuru kekik karıştırarak hazırlanan çayı baş ağrıları için öneriyor.

Aynı zamanda, bu çayla kompres yaparak, tansiyona bağlı olarak ağrıyan boyun, omuz ve sırt adalelerinizi yumuşatabilirsiniz.

Semizotu (Portulaca oleracea):

Baş ağrısına eğilimli kişiler günde 600 mg. magnezyum almalıdır. Semizotu gibi yeşil yapraklı bitkilerin yanında tüm baklagiller ve işlenmemiş tahıllar zengin magnezyum kaynağı besinlerdir.

Nane (Mentha piperita):

Bir parça nane yağını alkolle karıştırıp şakaklarınızı ovarsanız, baş ağrınızı yatıştırırsınız.

Oğul Otu (Melisa officinalis):

1-2 çay kaşığı kurutulmuş bitkinin 250 ml kaynar suya karıştırarak elde edilen çay çok faydalıdır.

Acı Kırmızı biber (Capsicum):

Kırmızı bibere acı tadını veren kapsaikin aynı zamanda müthiş bir ağrı kesicidir.

Oral yolla alındığında, acı kırmızıbiber baş ağrısı tedavisinde etkili bir ilaçtır. Acı kırmızı biberin aspirin benzeri salisin açısından zengin bir kaynak olduğu resmen onaylanmıştır.

Sarımsak (Allium sativum):

Kanın pıhtılaşmasını sağlayan trombositler aynı zamanda migren ağrılarını da tetikler. Trombositlerimizi devre dışı bırakmamız mümkün değildir. O zaman en küçük bir sıyrık bile ölümcül olabilir.

Trombosit aktivitesini biraz düşürmek, migren ataklarından korunmada yardımcı olur.

Bolca sarımsak ve soğan tüketmek kanı sulandırdığı için trombosit faaliyetlerini büyük ölçüde engellemektedir. Bu özelilkleri sayesinde aynı zamanda kalp krizlerini önlemek içinde tavsiye edilir.

Söğüt (Salix):

Söğüt ağacı kabukları, baş ağrısı da dahil olmak üzere, söğüt kabuğu türevi olan aspirinin tedavi ettiği her türlü ağrının tedavisinde kullanılır. Baş ağrısı tedavisi için günde 60 ile 120 mg arası salisin alımı yeterlidir. Bu dozu 1,5 çay kaşığı aksöğüt kabuğundan alabilmeniz mümkündür.

Bel Soğukluğu

Tıp dilinde "gonore" denilen bir çeşit zührevi hastalıktır. Cinsi münasebetle bulaşır. İdrar yollarında acıma, yanma, şişlik ve akıntı ile belirir. Akıntı cerahatlidir. Bel soğukluğu, boşaltımın sadece bu doğal boşaltım organları yoluyla gerçekleşmesidir. Özellikle etle tek yönlü beslenen insanlarda bu hastalığa sık rastlanır. Uzun süreli ilaç kullanımlarında, mukus ve irin, erkekte yoğun olarak prostatta, mesanede birikmektedir. Kadında ise rahim enfeksiyonuna neden olmaktadır.

Pratik Bitkisel Formüller

* 1 bardak kaynar suya, 4 gram hasır otu kökü konur. 10 dakika bekletilip içilir.

* **Turp tohumu toz haline getirilip, balla macun yapılıp yenir.**

* 10 gram salatalık çekirdeği toz haline getirilir, 1 gram kahveyle birlikte aç karnına içilir.

Brusella

Bir hayvan hastalığı olmasına rağmen insanlarda da görülebilen bulaşıcı bir hastalıktır. Tıp dilinde

"Bruselloz" olarak bilinen bu hastalığa **"Akdeniz humması"** da denir.

Hasta hayvanların, eti, sütü ve sütünün ürünleriyle temas eden insanlara bu hastalık bulaşabilir. Yüksek olmayan, zaman zaman titreme şeklinde gelen ateş yapar. Gece terleme ile ateş normale düşer. Hasta çabuk yorulur ve terler. İştahsızlık ve buna bağlı olarak zayıflama görülür. Brucella özellikle keçiden geçer, kaynatılmadan sütten yapılan peynirle geçer. İnsanı halsiz ve dermansız bırakır.

Pratik Bitkisel Formüller

* 4 bardak kaynar suya, 100 gram şahin otu konulur. 30 dakika bekletilip, balla tatlandırılarak, 1 günde tüketilir.
* **Sarımsak, stafilokokus dureus ve brucella abortus denen mikropları öldürür.**

Bronşit

Akciğerde bronşların hastalanması neticesi, nefes darlığı çekilmesidir. Diğer bir adıyla nefes borularının iltihaplanmasıdır.

Akut ya da kronik olan bu hastalığa, üşütme, soğuk yeme içme, kirli ve tozlu hava sebep olabilir.

Pratik Bitkisel Formüller

* Kazayağı bitkisinin çiçek ve yaprakları, taze çam sürgünü, yer sarmaşığı, ebegümeci, okaliptüs yaprağı, andız otu, kekik, gülhatmi çiçek ve yaprakların 1 litre sıcak suya birer tutam konulur. Bu karışım 10 dakika demlenip, süzülür ve biraz bal ilave edilerek günde 4–5 bardak içilir.
* **Öksürük otu kronik ve akut bronşite, nezle ve gribe karşı etkilidir.**
* 1 bardak kaynar suya, 5–6 gram ufalanmış ebegümeci konulup, 10 dakika bekletilir. Bu karışımdan günde 2–3 bardak içilir.
* **1 bardak kaynar suya, 5 gram ufalanmış defneyaprağı, 10 gram kurutulmuş ve ince doğranmış portakal kabuğu konulur. 10–15 dakika bekletilen karışımdan günde 2–3 bardak balla tatlandırılıp içilir.**
* Çörekotu hafif kavrulup toz haline getirilir. Günde 3 defa, 1 çay kaşığı toz çörekotu, yarım çay kaşığı balla ağızda emilerek yutulur.
* **1 bardak suya, 3 gram kekik konulup, 10 dakika bekletilir. Bu karışımdan günde 3 bardak içilir.**

Kainat Eczanesinden Önerilen Bitkiler

Sabun Otu (Saponaria officinalis): Bitkinin içerdiği kimyasalların diğer kimyasalların etkilerini artırdığı gibi, ağrı kesici etkileri olduğu da tespit edilmiştir.

Sabun otu çayı yapmak için her 250 cl. kaynamış suya bir çay kaşığı kurutulmuş bitki ilave edilir. Bu karışım ılık olarak içilir.

Isırgan Otu (Urtica dioica):

Bitkinin kökünün suyunu ve yapraklarını bal ve şekerle karıştırıp kullanırsanız, hem bronşite hem de astıma karşı harika bir silah kuşanmış olursunuz. Her 250 cl. suya bitkinin kurutulmuş yapraklarından iki çay kaşığı karıştırıp kay-

natın ve soğuyuncaya kadar bekletin.

Sarımsak (Allium sativum): Bolca sarımsak yemek, bronşit tedavisinde büyük yarar sağlar. Çünkü sarımsak ağzına kadar antiviral ve anti bakteriyel kimyasallarla doludur.

Sarımsak sizi aynı zamanda soğuk algınlığı ve gribe karşıda korur. Nefesinizin sarımsak kokmasını en aza indirmek için, birkaç dal maydanoz yiyebilirsiniz.

Ayrık Otu (Agropyon repens):

Çok uzun zamanlardan beri solunum rahatsızlıklarında kullanılmaktadır. Solunum yolları iltihaplarına karşı son derece etkilidir.

Hatmi Çiçeği (Althaea officinalis): Hatmigiller ailesi güçlü solunum yolu yumuşatıcılarıdır. Hatmi çiçeği ise özellikle etkilidir. Çünkü bitkinin sakinleştirici kökleri aynı zamanda anti inflamatuar etkiye sahiptir.

Bronşit, soğuk algınlığı, öksürük ve boğaz ağrılarının tedavisinde kullanılır.

Böbrek İltihabı

Böbreklerin iç kısımlarının iltihaplanmasıdır. Tıp dilinde "piyelonefrit" adı verilir.

Pratik Bitkisel Formüller

* Böbrek iltihapları, idrar yolları ve idrar torbası iltihabı (sistit) için; adaçayı, kocayemiş yaprağı, funda yaprağı ve mersin yaprağı 1 litre sıcak suya bir tutam atılıp, 20 dakika demlenip süzülür. Bu karışımdan aç karnına günde 3 su bardağı içilir. İçilmeye bir müddet devam edilmelidir.
* **1 bardak kaynar suya 20 gram mısır püskülü konulur, demlemeye bırakılır. Günde 2 bardak içilir.**
* 1 bardak kaynar suya, 10 gram yabani hindiba bitkisi konur. 10 dakika bekletilip, günde 3–4 bardak içilir.
* **Marul tohumu toz haline getirilip, günde 5–6 gram içilir.**
* 1 bardak kaynar suya 2–4 gram ardıç tohumu konulur. 10 dakika bekletilip günde 2–3 bardak içilir. Ayrıca bu hastalıkta bolca muz yenilmelidir.
* **1 bardak kaynar suya, 4–6 gram kiraz sapı konulur. 10 dakika bekletilip, günde 2–3 bardak içilir.**

Burun Tıkanıklığı

Nezle ve grip durumlarında burun tıkanıklığında; 1 bardak suya 1 çay kaşığı tuz ile 1 çay kaşığı karbonat konularak karıştırılır ve burna çekilir.

Pratik Bitkisel Formüller

* Çörek otu suda ıslatılır, sonra tekrar kurutulup, toz haline getirilir. Bu karışım burna çekilir.
* **Oğul otu haşlanıp, suyu burna çekilir.**
* Papatya haşlanır suyu burna çekilir.

Cilt Bakımı

Cildimiz, iç dünyamızın yansımasıdır. Karaciğer ve sindirim sistemi sağlıklı çalışmayan bir kişide cilt problemleri baş gösterir. Omega 3, alfa lipoik asit, ısırgan otu, çinko, A,E,B,C vitaminleri, aloe vera, üzüm çekirdeği özleri, adaçayı, papatya, dereotu, kişniş, tarçın ve gülsuyu cildimizin dostudur. Fazla baharat tüketimi cilt için zararlıdır.

Beslenmede bol miktarda sıvı almak, aşırı asitli ve baharatlı gıdalardan uzak durmak, taze süt ve süt ürünlerini bolca tüketmek, mandalina, kırmızı dolmalık biber, salatalık, havuç, şeftali, kayısı, yeşil yapraklı sebzeleri bolca tüketmeye dikkat etmek gerekir. Haricen sürülen aloe vera jellerinin, A-E vitaminli kremlerin, susam ve zeytinyağının, gülsuyunun, salatalık özlerinin de faydası olabilir.

Pratik Bitkisel Formüller

* 1 bardak kaynar suya, 5 gram ıhlamur konulur. 10 dakika bekletilip, bu suyla yüz ve boyun yıkanır.
* **Marul yaprakları sıkılır, suyu ile yüze masaj yapılır.**
* 2 kısım gül suyu, 1 kısım kekik suyuyla karıştırılır. Bu karışımla cilt silinir. Cilt eğer fazla yağlıysa, kekik 2 misline çıkarılır.
* **Biberin yeşil saplarını yemek yüzü güzelleştirir.**
* Kimyon kaynatılır, süzülür ve bu suyla yüz yıkanır.

Kainat Eczanesinden Önerilen Bitkiler

Avakado (Persea Americana):

Avakado yağıyla uzun vadeli bir tedavi uygulanması halinde egzama iyileşmektedir. Avakado yağı A, D ve E vitaminleri bakımından zengindir ve bu vitaminler cildin sağlığını korur. Avakado yağını doğrudan kaşınan, kızarmış ya da tahriş olmuş bölgeye uygulayabilirsiniz. Ağız yoluyla alındığında da aynı derecede faydalı olacaktır.

Papatya (Matricaria recutita):

Yalnızca papatya çayını içmekle kalmayın, bu çayı güzelce demleyip cildinizin sorunlu bölgelerine kompres yapın. Papatya çayı iltihaplı cilt hastalıklarının, özellikle mantar hastalıklarının tedavisinde yararlı olduğu Avrupa'da onaylanmıştır.

Salatalık (Cucumis sativus):

Bir salatalığı soyup, varsa birazda avakado ekleyip blenderden geçirin. Elde edilen püreyi doğrudan sorunlu bölgeye sürüp 15 dakika ile 1 saat arasında bekletin. Salatalığın ayrıca yanıkları rahatlatma ve kırışıklıkları giderme özelliği vardır.

Aynı Safa Çiçeği (Calendula officinalius):

Bu hoş görünüşlü küçük çiçek, halk arasında her türlü cilt problemini tedavi etmesiyle ün yapmıştır. Aynı Safa Çiçeği, akyuvarları zararlı mikropların üzerine çullanması için uyarır ve yaraların iyileşmesini hızlandırır.

Havuç (Raucus carota):

Havuç, cildin sağlıklı kalmasını sağlayan ve ciltteki hasarları onaran karotenoid bakımından zengin bir kaynaktır. Şiddetli seyreden akneye karşı verilen Retin-A adlı ilaç, bir karotenoid

preparatıdır.

Semizotu (Portulaca oleracea):

Havuç gibi semizotu da karotenoid bakımından hayli zengindir. Bir avuç semizotunu üzerine havuç ve biraz ananas ekleyerek blenderden geçirin. Elde edeceğiniz karışımı yüzünüze sürüp 20 dakika bekletin.

Ceviz (Juglans):

İki çay kaşığı dövülmüş ceviz yaprağını bir bardak kaynar suya atıp bekletin. Elde ettiğiniz karışımı cildin sorulu bölgelerine kompres yapın.

Ananas (Ananas comosus):

Cilt bakımında en son yenilik alfahidroksi asittir. (AHA) AHA ölü hücrelere tutan maddeleri ayrıştırarak, ölü deri hücrelerinin atılmasını sağlar. Dermetologlar AHA preparatlarını klinik olarak akne, cilt çatlakları, kırışıklıklar ve diğer cilt sorunlarının tedavisinde kullanırlar. Ayrıca yüz maskelerinde de faydalanırlar.

Aloe (Aloevera):

Aloenin yapraklarının çeşitli cilt sorunlarının tedavisinde son derece etkilidir. Küçük yanıklar, kesikler ve diğer cilt sorunları için aloenin alt yapraklarından bir parça koparıp, ortasından uzunlamasına yarıp içinden çıkan jelatimsi özü yaranın üzerine sürmek yeterli olacaktır.

Evde Yapılabileceğiniz Doğal Cilt Maskeleri

* 2 yemek kaşığı yulaf unu, 2 yemek kaşığı rendelenmiş limon kabuğu ve 6 yemek kaşığı dolusu buğday kepeği iyice karıştırılıp, biraz su eklenerek lapa haline getirilir. Bu karışımla yağlı ciltler 2–3 dakika boyunca temizlenir. Sonra bolca ılık suyla yıkanır.
* **1 yumurta sarısı, yarım tatlı kaşığı zeytinyağı ve bir tatlı kaşığı dolusu havuç suyu iyice karıştırılır. 15 dakika boyunca yüzde kalan karışım, daha sonra bol suyla yıkanır.**
* Soyulmuş salatalıktan kesilen 5 kalın dilim mikserde püre haline getirilir. 2 tatlı kaşığı elma sirkesi, 2 tatlı kaşığı susam yağı, 1 yumurta sarısı iyice çırpılarak mikserde iyice karıştırılır. Yüze, boyuna ve dekolteye uygulanarak,45 dakika bekletilir.
* **Kabuğu soyulan bir elma rendelenir ve 1 yemek kaşığı dolusu krema ile iyice karıştırılır. Yüze, boyuna ve dekolteye uygulanarak, 10 dakika bekletilir.**
* 50 gram soyulmuş badem iyice dövülür. Bademlerin üzerine bir miktar ılık süt konularak yoğrulur. Daha sonra karışıma 10 gram yulaf unu ve 10 gram portakal aroması katılır. 1 saat 15 dakika bekletilen karışım, üzerine biraz daha süt katılarak macun kıvamına getirilir. Bu karışım yüzünüze sürülüp, yumuşak hareketlerle en az yarım saat masaj yapılır. Daha sonra bol suyla yıkanır.

Cinsel Performans Eksikliği

Cinsel performansta düşüklük ve isteksizlik günümüzde önemli bir problem haline gelmiştir. Cinsellik, insanların enerjisinin en sağlıklı biçimde bütünleşmesi, kişisel ve ruhsal gelişimi için çok önemlidir. Cinsel organlarının sağlıklı ve düzenli çalışmasının, genel ve ruh sağlığı üzerine olumlu etkileri vardır. Her iki cinste de cinsel isteksizliğin altında psikolojik nedenler yatabilir. Problemlerden kaçmanın yolu kaçmak değil, onlarla yüzleşmektir. Cinsel performans eksikliğinde bazı bitkisel takviyeler faydalı olur. Ginseng özellikle "Kore ginsengi" diye bilinen cins daha etkilidir. Yulaf, arı poleni ve sütü, tongat ali bitkisi, yohimbin bitkisi, zencefil, kakule, kişniş, safran, keçiboynuzu, meyan kökü gibi bitkiler cinsel performans eksikliğinde faydalıdır. Beslenmede özellikle sade yağ, incir, fındık, badem, ceviz, Hint fıstığı, tropikal meyveler, Antep fıstığı, bal, kuru meyveler, doğal şekerler, tavuk suyu, kırmızı pul biber, peynir, havyar, pekmez, tahin, sivribiber, kırmızıbiber, sarımsak oldukça etkilidir. Sağlıklı bir cinsellik için en önemli doğal katkılar, güneş ışını, uyku, temiz hava, oksijen ve düzenli spordur. Hem erkekte, hem kadında dinlenmiş bir bedende cinsel dürtüler daha güçlü olur. Güneş ışığının canlandırıcı etkisi, cinsel dürtülerde de artış sağlar. Tüm bu etkenlerin yanı sıra ılık susamyağıyla yapılan günlük 3–4 dakikalık masajın canlandırıcı etkisi de önemlidir.

Pratik Bitkisel Formüller

* 30 gram anason, 10 gram sinameki 2 kilo suda 20 dakika kaynatılıp, sabah akşam 1 bardak içilir.
* **Isırgan tohumu toz haline getirilir. Günde 8–10 gram inek sütüyle beraber içilir.**
* 1 bardak kaynar suya, 4–10 gram maydanoz tohumu 10 dakika bekletilip, günde 2–3 bardak içilir.
* **Keten tohumu toz haline getirilir, karabiber ile beraber balla macun yapılıp yenir.**
* Taze ceviz balla yenilir.
* **1 bardak kaynar suya, 2 gram papatya konulur. 10 dakika bekletilip, günde 1 bardak sabah aç karna şekerle tatlandırılıp içilir.**
* 1 bardak suya, 10 gram parçalanmış keçiboynuzu meyvesi konulur. 10 dakika kaynatılıp, günde 3–5 bardak yemek aralarında içilir.

Sağlıklı bir cinsel ilişkide tavsiye edilen yöntemler şunlardır: Gençlik çağlarında olması, vücut sıcak ve nemliyken olması, bir önceki münasebetle, daha sonraki münasebet arasında belli bir sürenin geçmiş olması, kalbin nefsanî meşgalelerle dolu olmadığı bir sırada olması, karnın fazla aç ya da tok bulunmadığı bir sırada olması, sevgi ve istekle olması.

Cüzam

Cüzamın nedeni, "mycobacterium leprae" adlı bakteridir. Bakteri, deri ve sinirleri etkileyerek duyum

yitimine, ağır vakalarda ise biçim bozukluğuna yol açar.

Pratik Bitkisel Formüller

* Ağaç kavunu sıkılır, suyu şekerle tatlandırılıp içilir.
* **1 bardak kaynar suya, 10 gram kuzukulağı yaprağı konur. 10 dakika bekletilen karışım şekerle tatlandırılarak günde birkaç bardak içilir.**
* Su sarımsağı bitkisi toz haline getirilir, 5 günde1 defa 20 gram balla karıştırılıp yenilir.

Çıban

Ateşli hastalıklardan sonra, yaralanmalarda ve vücudun zayıf düşmesini netice veren her durumda, hastalık yapmaya fırsat bulamayan bazı virüsler, canlanarak dokuyu işgal eder. İşgal ettikleri zayıf dokuda, önce ağrı şeklinde kendilerini belli ederler. Sonra ağrılı bölgede bir kızarıklık başlar. Kızarıklık zamanla sertleşmeye ve kabarıklık yapmaya yönelir. Kabarıklığın ortası iltihaplanarak baş verir.

Pratik Bitkisel Formüller

* Kara boynuzu otu tohumlarını un haline getirinceye kadar dövünüz. Elde ettiğiniz lapa ile çıbanın üzerine örtüp sarınız.
* **Keten tohumu dövülerek bal ile karıştırılırsa, elde edilen lapa da yukarıdaki kara boynuz otu tohumunun yerine geçer.**
* Kudret narı yağından günde 2 defa çıbanların üzerine konulur.
* **Kuru üzüm, sığırın iç yağı ile merhem haline getirilir. Derideki yaraların üzerine konulursa iltihabını dışarı akıtır, yarayı iyileştirir.**
* Keten tohumu toz haline getirilir, balla macun yapılıp, çıbanın üzerine konulursa, çıbanı pişirerek kurutur.
* **Marul yaprakları ezilir, lapa halinde çıbanların üzerine konulur. Marul yaprakları haşlamak suretiyle de kullanılabilir.**
* Semizotu lapa haline getirilip, çıbanların üzerine konulur.
* **Ardıç dalları ezilerek kaynatılır. Elde edilen suya, sıcak su ilave edilir, çıbanların üzerine kompres yapılır.**

Damar Sertliği

Kanda normalden fazla biriken kolesterol, damarların iç yüzeyine sıvanır, buna kalsiyum da tortu şeklinde yapışır ve damarlar yumuşaklığını kaybederek, sertleşir.

Pratik Bitkisel Formüller

* Ökse yaprağı, alıç yaprak ve çiçekleri, zeytin yaprağı, enginar yaprağı, servi tohumu gibi bitkilerin çayları çok faydalıdır. Günde 2–4 bardak içilebilir.
* **1 bardak kaynar suya, 10 gram şahtere konur. 10 dakika bekletilip, günde 2–3 defa 1 bardak içilir.**
* 1 baş sarımsak ezilir, 200–300 gram yoğurtla karıştırılıp, 1 gece bekletilir. Ertesi günü 2–3 defada yenilir.
* **10 gram sarımsak iyice ezilir, üzerine 10 gram ılık su konulup 24 saat bekletilir. Tülbentle**

süzülen karışımdan günde 20–40 damla içilir.

Dalak Rahatsızlıkları

Dalak, mor renkte bütün bir guddedir. Yoğunluğu açısından yumuşak ve elastikidir. Bulunduğu yer, kaburga kafesinin altında ve sol üst karın bölgesinin arka kısmındadır. Yaklaşık olarak uzunluğu 12,5 santim, genişliği 7,5 santim ve kalınlığı ise 5 santimdir. Kan hücrelerinin depolanması, demir metabolizması ve kan hücrelerinin üretimi ve yok edilmesiyle ilgili bir kan lenf-guddesidir.

Cenin gelişirken dalak hem kırmızı hem de beyaz kan hücrelerini üretmektedir. Doğumdan sonra bu görev kemik iliği tarafından üstlenilir ve dalak çalışmalarını bazı tür beyaz hücre üretimi ve yorgun düşmüş kırmızı hücreleri yok etmekle sınırlandırır. Ayrıca kan dolaşımının getirdiği bakterileri ve hareketsiz zerreleri de yok eder. Büyük miktarda kan depolar ve bunu zorlama ve üzülme hallerinde salgılar.

Pratik Bitkisel Formüller

* Lahana yaprağı sıkılır, elde edilen sudan günde 2–3 bardak üzüm hoşafıyla karıştırılarak içilir.
* **1 bardak kaynar suya, yarım çay kaşığı toz zencefil konur. 10 dakika bekletilip, günde 3 bardak içilir.**
* 1 bardak kaynar suya, 4 gram kuru gül konulur. 10 dakika bekletilip, balla tatlandırılarak günde 2–3 bardak soğuk olarak içilir.
* **1 bardak suya, 10 gram kuşkonmaz kökü veya sapı konulur. 5–10 dakika kaynatılıp günde 3–4 bardak içilir.**

Depresyon

Ciddi depresyonu mutlaka bir psikiyatrisin tedavi etmesi gerekir. Hafif depresyonda doğal ve bitkisel maddeler tedaviye yardımcı olabilir. Hafif depresyon, yaşam tazımızı dengelemek ve pozitif enerji veren teknikleri uygulamakla kontrol altına alınabilir. Spor, egzersiz, yoga gibi rahatlatıcı bedensel faaliyetleri günlük hayatımıza katmak çok önemlidir. Bunların yanı sıra, sarı kantaron bilimsel olarak kabul edilen en yaralı antidepresanlardan biridir. Hafif ve orta depresyonda, klasik olarak kullanılan antidepresan kadar etkili olduğu görülmüştür. Uzun süre kullanılabilen sarı kantaron bitkisi, bırakıldıktan sonra ruhsal durumda ani bir bozulmaya meydan vermez. Omega 3 ve bazı ayurveda preparatları ile sara kantaron, melisa çayı ve meyan kökü depresyondan korunmada yardımcıdır. Bağışıklık sisteminin depresyon nedenli olduğu bilimsel olarak açıklandığı için, meyan kökünün depresif sinirsel hastalıklara karşı da iyi bir ilaç olarak kullanılabileceği görülmüştür. Kırmızı pul biber, nane, limon fesleğen, zencefil ve gülsuyu ferahlık veren baharatlardır. Beyaz un, beyaz şeker, kırmızı et gibi hazmı zor ve ağır gıdaların fazla yenmesi sinir sistemini olumsuz etkiler. Özellikle tropikal tatlı sulu meyveler, turun-

cu, kırmızı sebzeler ve meyveler canlılık vererek, kendimizi daha iyi hissetmemize yardımcı olur. Derin dinlenme için zaman ayırmak ve meditasyon, yoga, bazı dini ritüeller, reiki ve evrensel enerji gibi bazı spiritüel teknikleri uygulamak zamanla biriken stresin depresyona dönüşmemesi için faydalıdır. Son yıllarda yapılan bazı araştırmalar sonucunda, manevi açıdan boşlukta olan kişilerin daha sık depresyona yakalanabildiklerini ortaya çıkarmıştır.

Pratik Bitkisel Formüller

* 1–2 granül lavanta, çok az nane ve gül yaprağından karışım bir çay yapıp, günde 2–3 fincan çay içilmelidir.
* **Adaçayı çayından sabah ve akşamları günde 2–3 fincan içilmelidir.**
* Lavanta, melisa, gülsuyu, limon, paçuli, sandal ağacı, kırmızı pul biber ve nane kokularını sık sık koklamanın da olumlu etkileri vardır.

Kainat Eczanesinden Önerilen Bitkiler

Meyan kökü (Glycyrrhiza glabra): Meyan kökü anti depresan bileşikler bakımından çok zengindir. Meyan kökü günde 3 bardağa kadar makul miktarlarda alındığı takdirde güvenlidir. Uzun süreli kullanımlarda yada belirtilen miktardan fazla alınması halinde, baş ağrısı, uyuşukluk, vücutta aşırı tuz ve su tutulması, aşırı potasyum kaybı ve yüksek tansiyona neden olabilir.

Sarı kantaron (Hypericum perforatum):

Yapılan araştırmalar, bitkinin içeriğindeki aktif bileşiklerden biri olan hipersinin anksiyetenin, depresyon ve değersizlik hissi gibi durumların tedavisinde çok önemli ilerlemeler sağladığını ortaya koymuştur. Ciddi derecedeki depresyon hastalarının en büyük sıkıntısı olan uyku düzensizliklerini tedavi eden bir özelliğe sahiptir. Bir bardak kaynamış suya ekleyeceğiniz 1-2 çay kaşığı kurutulmuş sarı kantaronu 10 dakika kadar demlenmeye bırakın ve sonra için. Dr. Varro Tyler'e göre, 4 ile 6 hafta boyunca, günde 1 ya da 2 bardak bu çaydan içilirse, son derece etkili olur. Eğer hamileyseniz, sarı kantaron kullanmayın ve kullanırken şiddetli güneş ışınına maruz kalmayın çünkü bu bitki, cildi güneşe karşı daha hassaslaştırmaktadır.

Biberiye (Rosmarinus officinalis):

Biberiye yağı aromaterapistlerin depresyon tedavisinde kullandıkları en önemli malzemelerden birtanesidir. Biberiye yağı merkezi sinir sistemini uyaran sineol adlı bir bileşik içerir. Aromaterapistlerin depresyon tedavisinde kullanılmasını önerdikleri diğer bitkisel yağlar ise, bergamot, fesleğen, papatya, adaçayı, yasemin, lavanta, portakal çiçeği yağı, muskat ve ylang ylang yağlarıdır. Bu yağlar yalnızca haricen kullanılır.

Semizotu (Portulaca oleracea):

Semizotunu eğer doğru yiyorsanız, sadece yemek bile depresyonda

etkili olabilir. Magnezyum ve potasyum mineraller içeren besinlerin anti depresan etkileri olduğu bilinmektedir. Semizotunun kuru ağırlığı dikkate alındığında, içeriğinin yüzde 16'sından fazlası anti depresan maddedir.

Diş Ağrılarında

Diş ağrısı, dişin içinde ya da çevresinde oluşur. Ağrı iltihaplı dişten veya diş etinden, tahriş olmuş diş sinirinden, sinüsler ya da çenede bulunan bir problemden kaynaklanır. Eğer diş çürüğünüz varsa ağrı oluşur. Çürük şu sebeplere neden olur: Dişteki bir kırık ya da çatlak, dişinizdeki hasar görmüş bir dolgu, sakız çiğnemek gibi sürekli tekrarlayan hareketleri normalden fazla yapmak ya da uyurken dişlerinizi gıcırdatmanız, çekilen diş etleri, dişi çürütmüş olabilecek bir yaralanma oluşturur.

Pratik Bitkisel Formüller

* Defne yaprağı sirke ile kaynatılıp, gargara halinde kullanılır.
* **1 bardak suya, birkaç damla karanfil esansı konulup, bu suyla ağız çalkalanır.**
* Sarımsak ezilir, ağrıyan dişin etrafı ovulur.
* **1 bardak kaynar suya, 1 tatlı kaşığı adaçayı konulur. 20 dakika bekletilip, ılık halde gargara yapılır.**
* Nane iyice kıyılır, suda birkaç gün bekletilir. Bu karışım bir şişede birkaç gün bekletilir. Ağrıyan ve çürük dişlerin içerisine pamuklu bir miktar konulur.
* **Maydanoz ezilir, ağrıyan dişe sürülür.**
* 30 gram papatya, 30 gram naneyle karıştırılır. 1 bardak kaynar suya 10 gram konulup, 10 dakika bekletilir. Bu karışımla ağız sık sık çalkalanır.
* **Ağrıyan dişe tuz konulursa şifa bulur.**

Kainat Eczanesinden Önerilen Bitkiler

Karanfil (Syzgium aromaticum):

Bir miktar karanfil yağını içmeyip, dişinizin üzerine koymanız yeterli olacaktır.

Karanfil yağı, lokal anestezik ve antiseptik olarak kullanılır.

Zencefil (Zingiber officinale):

Toz zencefil ile acı biberi cıvık bir kıvam alıncaya kadar suyla karıştırın.

Küçük bir pamuk parçasını bu karışıma batırdıktan sonra, diş etlerinize değdirmemeye özen göstererek dişlerinize uygulayın.

Söğüt (Salix):

Çiğnediğiniz bir tutam söğüt kabuğunu macun haline gelince ağrıyan dişinizin üzerine bastırın. Söğüt kabukları aspirinin bitkisel kökeni olan salisin içerir.

Susam (Sesamum indicum):

Bir ölçü susamı iki ölçü suda, suyun yarısı buharlaşıncaya kadar kaynatın. Elde ettiğiniz öz doğrudan dişe uygulanırken, dişeti hastalıklarına da iyi gelmektedir.

Susam 7 çeşit ağrı kesici bileşik içermektedir.

Diş Eti Kanamaları ve İltihaplarında

Dişler düzgün temizlenmediğinde, üzerlerinde ve aralarında biriken yiyecek artıkları bakteriler üretirler. Bakteri plağı dediğimiz bu püremsi birikintiler, diş çürüklerinin ve dişeti iltihaplarının baş sorumlusu olup, zamanla tükürüğün çökelmesi sonucu diş taşlarını oluştururlar. Bakteri plağının içinde üreyen mikroorganizmalar, şekerli gıdaları parçalayarak asit üretirler. Ve bu asit, dişi küçük bir bölgeden başlayıp giderek büyüyen bir şekilde çürütür. Daha ileri safhalarda çekim kaçınılmaz olabilir. Dişeti iltihabının ilk belirtisi dişetindeki kanamalardır. Dişetlerinde renk, şekil bozuklukları ve ağız kokusu ile kendini daha da belli eder. Dişeti iltihabının neden olduğu diş kayıpları, çürüklerin neden olduğu diş kayıplarından çok daha fazladır. Öncelikle şunu belirtmek gerekir ki, sağlıklı dişeti açık pembe renktedir. Dişe ve kemiğe sıkıca yapışmış olup, portakal kabuğuna benzer parlak - pütürlü bir görünümü vardır.

Pratik Bitkisel Formüller

* 1 bardak suya, 10 gram taze veya kuru ceviz yaprağı ve cevizin dış kabuğundan konur. 5–10 dakika kaynatılıp, bu suyla ağız çalkalanır.
* **Atkuyruğu otu 10 dakika kaynatılır. Bu suyla gargara yapılır.**
* Hatmi kökü, çiçeği ve yaprağı kaynatılır. Ele edilen suyla gargara yapılır.
* 10 gram kâfur, 100 gram suda çözülüp, gargara olarak kullanılır.

Kainat Eczanesinden Önerilen Bitkiler

Papatya (Matricaria recutita):

Dişeti hastalıklarının tedavisi için papatya çayıyla gargara yapılır. 250 ml. kaynar suya 2-3 çay kaşığı papatya atın ve 10 dakika bekledikten sonra süzerek yemeklerden sonra ağzınızın içini çalkalayın.

Meyan kökü (Glycyrrhiza glabra):

Meyan kökü, magnuzyum ve yapılan bazı araştırmalarda dişeti iltihaplarının ve plak oluşumunun kontrol altına alınmasında yararlı olduğu ortaya çıkarılan glycyrrhizin adlı bileşiği içerir. Meyan kökü günde 2-3 fincan gibi makul miktarlarda kullanılırsa zararsızdır.

Nane (Mentha piperita):

Gerçek nane dişeti çürümelerine neden olan bakterilerle savaşır. 250 ml. kaynar suya 2 çay kaşığı kuru nane karıştırarak hazırlayacağınız çayı içebilir ya da ağzınızı çalkalayabilirsiniz. Taze nane yapraklarını çiğnemeyi ihmal etmeyin.

Su teresi (Nasturtium officinale):

Dişeti iltihaplarınızı tedavi etmek için su teresini çiğneyebilirsiniz.

Adaçayı (Salvia officinalis):

Diş ve dişetlerini adaçayı yapraklarıyla ovmak çok etkilidir. 250 ml. kaynar suya 2-3 çay kaşığı adaçayı yaprağı karıştırılarak yapılacak anti-gingivitis çayını

makul miktarlarda kullanmak faydalı olur. Yüksek dozda alınan çay, spazmlara neden olur.

Dilin Tat Alma Duygusunu Kaybetmesi Halinde

Pratik Bitkisel Formüller

* Siyah turp rendelenir. Dil üzerine konulur ve bir süre gezdirilir. Bu işlem yemeklerden önce ve sonra tekrarlanmalıdır.
* **Semizotu ve kuzukulağı ezilir, elde edilen sudan 1'er kaşık alınır. 1 tatlı kaşığı şekerle eritilir. Bu şerbetle dil ve ağız içi günde birkaç defa ovulur.**

Diyabet

Diyabet, başta karbonhidratlar olmak üzere protein ve yağ metabolizmasını ilgilendiren bir metabolizma hastalığıdır ve kendisini kan şekerinin sürekli yüksek olması ile gösterir. Diyabet hastalarındaki temel metabolik bozukluk, kan yoluyla taşınan glükozun (şekerin) hücrelerin içine girememesidir. Normal koşullarda besinlerden elde edilen veya karaciğerdeki depolardan kana salınan glükoz pankreas tarafından salgılanan İNSÜLİN hormonunun yardımıyla hücre içine girer ve orada yakılarak enerjiye dönüşür. Hücrelerin üzerinde değişik maddelerin girmesine izin verilen kapılar vardır. Bu kapılar normalde kilitlidirler ve uygun anahtar varlığında açılırlar. Diyabet, hücrelerin üzerindeki glükoz kapısının açılamaması durumudur. Bu örnekten ilerlersek diyabet, anahtar işlevi gören İNSÜLİN hormonu yetersizliğine ve/veya insülinin etkilediği reseptörlerin (hücre kapısındaki kilidin) bozukluğuna bağlı gelişmektedir.

Pratik Bitkisel Formüller

* Arpa çimi, yulaf, kereviz tohumu, okaliptüs yaprağı, karadut yaprağı, ceviz yaprağı, keçi sakalı, dulavrat otu, zeytin yaprağı, hindiba, ardıç tohumu, böğürtlen yaprağı, adaçayı, yaban mersini, aslanpençesi gibi bitkilerin çaylarından günde 3–4 bardak duruma göre kullanılır.
* **Karahindiba, ceviz yaprağı ile kaynatılıp içilmeye devam edilirse kandaki şekeri düşürür.**
* Yabani hindiba kökü zeytinyağıyla beraber kaynatılıp içilmeye devam edilirse, kandaki şekeri düşürür.
* **Lahana, tere, marul, turp, domates ve patlıcan gibi sebzelerin de şekeri düşürücü özelliği vardır.**

Kainat Eczanesinden Önerilen Bitkiler

Çemen otu (Trigonella foneumgraecum):

Çemen otu tohumu kan şekerini kontrol altında tutmaya yardımcı olan altı çeşit bileşik içerir. Kandaki iyi kolesterol (HDL) seviyesini artırıp, total kolesterolü düşürür.

Sarımsak (Allium sativum):

Sarımsağın mükemmel bir kan şekeri kontrol özelliği vardır. Eğer yapa-

biliyorsanız sarımsağı çiğ yiyin ya da yemeklerinizde pişirin.

Yer fıstığı (Arachis hypogaea):

Yer fıstığı da kan şekerini düşürücü özelliğe sahiptir.

Çay (Camellia sinensis):

Siyah çayın anti-diyabetik özellikler taşıdığı ve kan şekerini ciddi şekilde düşürdüğü, Hintli araştırmacılar tarafından ispatlanmıştır.

Soğan (Allium cepa):

Soğanın kabuğu, diyabetik retinopati gibi diyabet hastalıklarında sık görülen göz sorunlarında etkili bir bileşik kaynağıdır.

Diyabet Hastaları İçin Diyet Örneği

Fasulyeler kan şeker seviyesini kontrol altında tutmaya yarayan bir tür lif, soğan kabuğu da aynı işi gören kuersetin adlı bir bileşik içerir.

Çorbayı pişirirken soğanı kabuğuyla kullanırsanız, içerdiği kuersetinin tamamının çorbaya geçmesini sağlarsınız.

"Yarım litre su, 1 tane kabuğu soyulmadan dörde bölünmüş soğan, 1 kutu barbunya konservesi,1 tane küp şeklinde doğranmış küçük boy havuç, yarım bardak yer fıstığı, çeyrek bardak çemen otu filizi ya da yarım çay kaşığı çemen otu tohumu, 2 defne yaprağı, 4 diş doğranmış sarımsak, bir tutam tarçın, bir tutam öğütülmüş karanfil ve bir tutam zerdeçal."

Geniş bir tencereyi ateşe oturtup içine suyu ve soğanı koyup kaynamaya bırakın. Kaynadıktan sonra barbunya, fasulye, havuç, yer fıstığı, çemen otu filizlerini ya da tohumlarını, defne yapraklarını, sarımsakları, tarçını, karanfili ve zerdecalı karıştırın. Kaynamaya başladıktan sonra altını kısıp tencerenin kapağını kapatın ve 30 dakika kadar pişirin.

Kevgirle çıkardığınız soğanların kabuğunu soyup atın. Soğanları bir çatalla hafifçe ezin ve tekrar tencereye koyduktan sonra defne yapraklarını çıkarıp atın. Dört kişilik çorbanızı sıcak olarak servis yapın.

Egzama

Derinin sulanmasıyla meydana gelen bir iltihaptır. Daha çok el ayak ve yumuşak dokuda görülür. Kanın terkibinin bozulmasıyla alakalandırılmıştır. Karaciğer temizlenmesiyle tedavi edilebilir.

Pratik Bitkisel Formüller

* 1 çay bardağı su veya ispirto içinde 10 adet aspirin eritilip, pamukla hastalıklı cilde sürülür.
* **Taze sarımsak otu sıkılır, elde edilen suyu hastalıklı bölgeye sürülür.**
* Karanfil toz halinde, toz haline getirilmiş nöbet şekeriyle karıştırılır. Bu karışımdan sabah akşam yenilir.
* **Funda tohumu kaynatılır, posası egzamalı bölgeye sarılır.**
* 1 bardak suya, 10-15 gram adaçayı konulur. 5 dakika kaynatılıp, bu suyla hastalıklı bölgeye yıkama ya da kompres bırakılır.
* **1 avuç ısırgan yaprağı ispirto içine konulur. 1 hafta bekletilip, aynı nispette suyla karıştırılır.**

Hastalıklı cilde pansuman yapılır.

* Defneyaprağı, tohumu ve ince dalları kaynatılır. Sıcak bir şekilde hastalıklı cilt 5–10 defa bu suyun içine sokulur.
* **Kekik kaynatılıp, hastalıklı bölgeye pansuman yapılır.**
* Muz ezilir, limon suyuyla merhem haline getirilir ve hastalıklı cilde sürülür.
* **El ve ayak egzamaları için taze dutun kaynatılarak veya pekmezinin sıcak suda ıslatılarak el ve ayaklara gece yatarken sürülmesiyle önlenebilir. Dut pekmezi kanı temizleyerek de egzamanın tedavisine yardımcı olur.**

El Ayak Titremeleri

Pratik Bitkisel Formüller

* 1 bardak kaynar suya, 2–10 gram adaçayı konulur. 10 dakika bekletilip, günde 2–3 bardak içilir. * Sarımsak, sedefotu incirle beraber yenilir. Yalnız sedef otu zehirli olduğu için 1 gramdan fazla tüketilmemelidir.
* **Zencefil kökü kaynatılır, günde 2–3 bardak içilir.**
* 1 kaşık tatlandırılmış limon suyu içine, 2 damla tarçın yağı damlatılıp, içilir.
* **Çam fıstığı, bal veya üzümle yenilir.**

Ereksiyon Sorunları

(İmpotans)

İmpotans, cinsel temas için yeterli sertliği elde edememe veya ilişkiyi sonlandırabilecek kadar koruyamama durumudur. İmpotans aralarında şeker hastalığı, damar sertliği, yüksek tansiyon, hormon bozuklukları, sinir sistemi hastalıkları, kullanılan ilaçlar ve ruhsal sorunlar gibi faktörlere bağlı olarak ortaya çıkabilir. Genelde bir sorun ortaya konmayabilir. İmpotans sık rastlanan bir durumdur. 40 ile 70 yaş arasındaki erkeklerin yarısına yakın bölümü çeşitli derecelerde cinsel fonksiyonlarının eskisine göre azaldığını tarif etmektedir ve bu şikayetler yaşla doğru orantılı olarak artmaktadır.

Kainat Eczanesinden Önerilen Bitkiler

Ashwaganda (Withania somnifera):

Hint hekimlerine göre, ashwagandanın kısırlığı ve iktidarsızlığı tedavi ettiği ortaya çıktı. Erkek libidosunu yükselten bir özelliğe sahip olduğu bilinmektedir. 250 ml. kaynar suya 5 çay kaşığı kurutulmuş bitki ile hazırlayacağınız çaydan günde 1 ya da 2 fincan içmeniz yeterli olacaktır.

Ginko (Ginkgo biloba):

Ginkonun bilinen en önemli özelliği beyne giden kan akışını artırmasıdır. Aynı zamanda penise giden kan akışını da artırıp, ereksiyonu güçlendirir. 9 ay süren bir araştırma sonucunda, penil arter-

lerdeki tıkanıklık nedeniyle iktidarsızlık çeken erkeklerin yüzde 78'inde, hiçbir yan etki olmaksızın son derece büyük gelişmeler sağlandığı rapor edilmiştir.

Günde 60 ile 240 gram arası dozlarda ginkoyu yaklaşık 6 ay kadar kullanabilirsiniz.

Anason (Pimpinella anisum):

Anason erkeklerde libidoyu artırmasıyla ün yapmış bir bitkidir. Bir ya da iki tutam anason, kakule, zencefil ve ginsengi karıştırıp, meyan köküyle tatlandırılarak içilir.

Yulaf (Avena sativa):

Yabani yulafla beslenen aygırların daha canlı ve daha şehvet düşkünü olduğu varsayılır.

Yapılan bazı araştırmalar, yulafın erkeklerde de cinsel uyarıcı etkisi gösterdiğini işaret etmektedir. Yabani yulaf, ginko yaprağı, yohimbe kabuğu, ginseng kökü yapraklarının her birinden 15'er gram karıştırın. Bu karışımı yarım ya da bir litre kaynar suya atıp bekletin. Biraz soğuduktan sonra da için.

Kakule (Elettaria cardamomum):

Kakule, en önemli merkezi sinir sistemi uyarıcısı olan sineol kaynağıdır.

Çayınızın yada kahvenizin içine bir parça Kakule ekleyerek içebilirsiniz. Bitkinin hoş bir tadı vardır.

Ergenlik Sivilceleri
Pratik Bitkisel Formüller

* 1 bardak suya, 10 gram taze veya kuru ceviz yaprağı konulur. 10 dakika kaynatılıp, suyla sivilcelerin üzerine kompres yapılır.
* **Taze sinir otu yaprakları ezilir, lapa halinde sivilcelerin üzerine konulur.**
* Sabun otu kökü kaynatılır, suyu ile cilt yıkanır.
* **Marul sıkılır, suyuyla sivilceler üzerine kompres yapılır.**
* 3 bardak suya, 20 gram marul doğranıp konur. 2 saat kaynatılıp, elde edilen suyla kompres yapılır.
* **Civanperçemi otu 5 dakika kaynatılır, 15 dakika bekletilip, günde birkaç defa sivilceler üzerine kompres yapılır.**

Ezik ve Yaralarda
Pratik Bitkisel Formüller

* Taze aslanpençesi ezilir, lapa haline getirilip sarılır.
* **1 bardak suya, 50 gram maydanoz tohumu konulur. 3 dakika kaynatılıp, oluşan suyuna bez batırılıp ezilen kısma konulur. Bu işleme günde 4–5 defa devam edilir.**
* Soğan ezilir, bir miktar tuz ilave edilip, ezik ve berelerde lapa halinde uygulanır.
* **Taze enginar yaprakları, bir miktar şekerle ezilip, lapa haline getirilir. Lapa ezilen kısma günde 4–5 defa sarılır.**
* Vücudunuzda oluşan morlukların üzerine çiğ patates koyabilirsiniz.

Felç

Sinirlerdeki harabiyet nedeniyle ait olduğu kas veya kasların görev yapmaması haline denir. Soğuk rutubet beyin boşluklarından çıkarak, vücudun bazı bölümlerindeki sinirlerle karışıp, his ve hareketin bu sinirlerden geçmesine engel olur. Vücuda lavman yapılması felci olumlu etkiler.

Pratik Bitkisel Formüller

* Andız otu yaprakları, üzüm şırası içinde 2 ay bekletilir. Lapa halindeki karışım felçli uzva sarılır.
* **Çörekotu, papatya ve zeytinyağıyla kaynatılır. Felçli azaya masaj yapılır.**
* 500 gramlık su içerisine 3 avuç lavanta çiçeği konulup, 48 saat bekletilir. Bu karışım beze sürülüp felçli uzuvlar ovulur.
* **Mersin yaprağı kaynatılır, elde edilen suyla felçli uzuvlar bol bol yıkanır.**
* Ardıç yağıyla felçli uzuvlar ovulur.
* Biberiye yağından 3 damla 1 kesme şekerle yenilir. 1 bardak kaynar suya, 10 gram biberiye konulur, 10 dakika bekletilir. Bu karışımdan günde 2–3 bardak içilir.
* **Toz karabiber saf zeytinyağıyla beraber kaynatılır, elde edilen mayiden içilir veya hastalıklı uzuvlara masaj yapılır.**
* Zencefil, havlıcan, şamfıstığı öğütülüp balla macun yapılarak yenmeye devam edilir. (Kısmi Felç)
* **Limon doğranıp, kaynatılıp balla tatlandırılarak birer su bardağı içilmeye devam edilir.**
* Fıstık yağı ile masaj yapılır. Balla macun yapılıp, birer tatlı kaşığı yenmeye devam edilir. (Kısmi felç ve titremelerde)
* **Akarı kahra kökü öğütülüp zeytinyağı ve su ile su uçana kadar kaynatılıp felçli uzuvlar masaj yapılmaya devam edilir.**

Frengi

"Treponema pallidum" olarak adlandırılan bakterinin neden olduğu tedavi edilmediği zaman vücudun birçok organını etkileyen frengi, çok eski çağlardan beri bilinen ve sık rastlanılan cinsel yolla bulaşan hastalıklardan biridir.

Pratik Bitkisel Formüller

* 1 bardak suya, 6–10 gram yaprak veya kök kabuğu konulur. 5–10 dakika kaynatılan karışımdan yemeklerden önce 1 bardak içilir.
* **Bu hastalıkta bol bol kuru üzüm yenilmelidir.**
* Ilgın ağacı kaynatılır, suyu içilir.

Fıtık

Ağır yük taşımak, aşırı bağırmak, sıçramak ve tok karnına cinsi ilişkide bulunmak gibi nedenlerle yufka yerlerde oluşan yarığa "fıtık" adı verilir.

Pratik Bitkisel Formüller

* 1 bardak suya 4–6 gram taze kozalak konur. 10 dakika kaynatılan karışımdan tatlandırılarak, günde 1 bardak içilir.
* **1 bardak kaynar suya, 2–4 gram anason konulur. 10 dakika bekletilip günde 2–3 bardak içilir.**
* 1 bardak kaynar suya 10–20 gram defneyaprağı konulur. 10 dakika bekletilip, günde 2–3 bardak içilir.
* **1 bardak kaynar suya, 4 gram rezene tohumu konulur. 10 dakika bekletilip, günde 2–3 bardak içilir.**

Gastrit

Mide iç yüzeyinin iltihaplanmasıdır.

Pratik Bitkisel Formüller

* 1 fincan havuç suyu, 1 tatlı kaşığı lahana suyu ve 1 tatlı kaşığı balla karıştırılır. Havuç suyu yerine patates suyu da kullanılır. Bu karışımdan öğle yemeğinden 1 saat önce ve yatarken günde 2 defa yenilir.
* **1 çay bardağı sıcak suya, 1 çay kaşığı bal ve yarım limon sıkılıp içilir.**
* Yemeklerden sonra nane ve papatya çayı içilmelidir. Yemeklerden önce ise, ayrık kökü, ayni safa, nergis çayı, kantaron çayı, keten tohumu, meyan kökü gibi bitkilerden çay demlenip içilir.
* **1 bardak kaynar suya, 10 gram civanperçemi konulur. 10 dakika bekletilip, günde 2–3 bardak içilir.**
* 1 bardak kaynar suya, 2–6 gram ufalanmış ebegümeci konulur. 10 dakika bekletilip, günde 3 bardak içilir.
* **1 bardak kaynar suya, 4–10 gram kantaron konulur. 10 dakika bekletilip, öğle ve akşam yemeklerden önce 1 bardak içilir. Bu karışımı içmeye 25 gün devam edilir.**
* 1 bardak suya, 10 gram üzüm konulur. 10 dakika kaynatılıp içilir.
* **1 bardağa yarım fincan patates suyu, 1 tatlı kaşığı lahana suyu ve 1 tatlı kaşığı bal konulup, karıştırılır. Üzeri suyla doldurulan karışımdan aç karnına sabahları içilir.**
* 1 bardağa 1 fincan havuç suyu, 1 tatlı kaşığı lahana suyu, 1 tatlı kaşığı bal konulur. Üzeri suyla doldurulup günde 3–4 bardak açken içilir. 2 ay devam edilir.

Göz Nezlesi

Çeşitli mikropların göze bulaşması neticesinde, göz kapaklarının iç kısmında meydan gelen yanma ve şişmesi göz nezlesine neden olur.

Pratik Bitkisel Formüller

* Papatya, limon suyu, marul yaprağı ve içilen çay gibi bitkilerden 1 bardak sıcak suya 1 tatlı kaşığı konulup, 20 dakika sonra pamuğa sürülüp, gözlere sabah akşam sürülür.
* **Bol havuç, yeşil salata, taze meyve yenmeli. Günde 1 çay kaşığı toz pakmaya içilmeli.**
* 1 bardak suya, 2 kaşık tohum konur. 5 dakika kaynatılır, süzülüp, sabah akşam gözlere banyo yapılır.
* **Papatya haşlanıp, gözlere banyo yapılır.**
* 1 bardak kaynar suya, 4 gram kuru gül konulur. 10 dakika bekletilip, bu suyla gözlere banyo yapılır.
* **Marul yaprağı haşlanır, lapa halinde gözlere konulur.**

Grip

Grip, influenza denilen virüsün, solunum yoluyla insan vücuduna girerek özellikle sonbahar sonu, kış ve ilkbahar başında salgınlara neden olduğu bir enfeksiyon hastalığıdır. Grip enfeksiyonu

toplumun yüzde 1'ini etkileyen önemli bir sağlık sorunudur. Toplumun yüzde 10'undan fazlasını etkilemesi ise bir grip salgını anlamına geliyor. Grip, tüm dünyada, işe devamsızlığın yüzde 10'undan sorumlu enfeksiyondur. Grip virüslerinin neden olduğu akut bir solunum sistemi hastalığı olan grip, alt ve üst solunum yollarını tutarak, genellikle ateş, baş ağrısı ve halsizlik gibi belirtilerle kendini gösteriyor. Bu hastalıkla, geçmişte çeşitli yollarla savaşılmasına rağmen gribin henüz tam anlamıyla tedavi edilmediği bilinen bir gerçek.

Pratik Bitkisel Formüller

* Soğan suyu sıkılır, 1 çay bardağı su, bir miktar balla karıştırılıp günde 2–3 defa içilir.
* **1 bardak kaynar süte, 2–10 gram ufalanmış adaçayı konulur. 10 dakika bekletilip, günde 2–3 bardak içilir.**
* 1 bardak kaynar suya, 2 gram ıhlamur konulur. 10 dakika bekletilip, günde 3–5 bardak içilir.
* **1 bardak kaynar suya, 1 çay kaşığı tarçın konur. 10 dakika bekletilip, günde 2–3 bardak içilir.**
* 1 bardak kaynar suya, 1 çay kaşığı zencefil konur. 10 dakika bekletilip, günde 3 bardak içilir.
* **1 bardak kaynar suya, 5 gram biberiye konulur. 10 dakika bekletilip, günde 2–3 bardak içilir.**
* 2 bardak suya, 1 adet limon, kabuğuyla beraber doğranır, 5 gram ıhlamur konulup, 10 dakika kaynatılır. Günde 3–4 bardak içilir.

Gut (Nikris)

Gut, kandaki ürik asit düzeylerinin yükselmesinden (ürik asit idrarda bulunan bir atık üründür) veya böbreklerdeki ürik asit tasfiyesinin azalmasından doğan bir hastalıktır. Ürik asid kristalize olur ve eklemlerde çökelir. Bu çökelme ciddi ağrı nöbetlerine ve inflamasyona yol açar. Çoğu kez bu olay ayak başparmağı tabanında bulunan nispeten büyük eklemde cereyan eder. Ancak kollar, ayaklar, ellerde bulunan diğer eklemler de hastalıktan etkilenebilmektedir. El, ayak, parmaklar, dizler, el bilekleri ve dirseklerde şişkinlik ve ağrılar oluşur. Ispanak ve çilek kesinlikle yenmemelidir.

Pratik Bitkisel Formüller

* 1 bardak kaynar suya, 10 gram taze rezene konulur. 10 dakika bekletilip, günde 2–3 bardak içilir.
* **1 bardak suya, 4–6 gram kiraz sapı konulur. 10 dakika bekletilip, günde 2–3 bardak içilir.**
* 1 bardak suya, 20 gram ince doğranmış şalgam konulur. 10 dakika kaynatılır, günde 3–4 bardak yemeklerden 1–2 saat sonra içilir.
* **1 bardak suya, 10 gram ince kıyılmış maydanoz, 5–6 gram ebegümeci konulur. 5 dakika kaynatılıp, 10 dakika bekletilir. Günde 3–4 bardak içilir.**
* 1 bardak kaynar suya, 10 gram funda tohumu konulur. 10 dakika bekletilip, günde 2–3 bardak içilir.
* **1 bardak kaynar suya, 6–20 gram püskül konulur. 10 dakika**

bekletilip, günde 3 bardak ve daha fazlası içilir.

Kainat Eczanesinden Önerilen Bitkiler

Eğer gut hastasıysanız, şüphesiz doktorunuzun yazdığı ilaçları kullanmak zorundasınız. Bunlara ek olarak, bu ağrılı hastalığın tedavisinde işinize yarayabilecek bazı doğal yaklaşımlar olduğunu da bilmenizde yarar var.

Kereviz (Apium graveolens):

Kereviz özü, ürik asidi ortadan kaldırmaya yardımcı olur.

Avokado (Persea americana):

Avokado kandaki ürik asit seviyesini düşürür. Fazla abartmadan diyetinize arada sırada bir parça avokado ekleyebilirsiniz. Avokado yüksek oranda kalori içerir.

Kiraz (Prunus):

Her gün 250 gr. kiraz yiyerek gut krizlerini önleyebilirsiniz.

Söğüt (Salix):

Söğüt ağacının kabuğu, aspirinin yapıldığı madde olan salisilat içerdiği için aspirinin bitkisel eşdeğeridir. Aspirin gibi söğüt kabuğu da iltihapları ve ağrıları gidermede yararlıdır. Ürik asit seviyesini de düşürdüğü yapılan araştırmalarda tespit edilmiştir.

Zeytin (Olea europea):

Zeytin çok önemli bir idrar söktürücüdür. Japon araştırmacılar, üç hafta boyunca günde 4 fincan zeytin yaprağı çayı içilmesi halinde, günlük idrar atımını artırdığını ortaya koymuştur.

Yulaf (Avena sativa):

Bitkinin üst kısmında bulunan yeşil kısımlarından yapılan çayın, idrar söktürücü etkisi vardır. Ayrıca kandaki ürik asit seviyesini de düşürdüğü bilinmektedir.

Hafıza Zayıflığı ve Unutkanlık

Unutkanlık, son yıllarda şikâyet ettiğimiz sık bir durumdur. Hafıza zayıflığının bu kadar artmasında, çeşitli hastalıkların yanı sıra modern hayatın getirdiği bazı durumlar da etkilidir. Unutkanlığa bazen gizli bir depresyon neden olabileceği gibi bazen de hafıza depomuza kapasitesinin üstünde kayıt yüklenmesiyle ilgili olabilir. Elektronik aygıtlarla çok içli dışlı olan kimselerde bir cins enerji problemi oluşmakta ve bu tür aletlerin aşırı kullanımı kişilerde bellek problemine yol açmaktadır. Hafızamızı geliştirmek için satranç, briç, dama, puzzle gibi oyunlar ve bilmece, bulmaca çözmek oldukça yararlıdır. Beyninizin artık çok dolu olduğunu hissettiğiniz dönemlerde biraz tatil yapmaya çalışın ve bol bol uyuyun. B6-B12 vitaminleri, folik asit, omega–3 yağ asitleri, E vitamini, C vitamini, soya ve lesitin unutkanlık konusunda yardımcıdır. Adaçayı, yeşil çay, kahve, meyve çayları, biberiye, zencefil, karabiber ve kakule bu konuda faydalıdır.

Pratik Bitkisel Formüller

* 1 bardak kaynar suya, 10–20 gram biberiye konulur. 10 dakika bekletilir, günde 2–3 bardak içilir.

* **1 bardak kaynar suya, 3 gram kekik konulur. 10 dakika bekletilip, günde 2–3 bardak içilir.**
* 1 bardak kaynar suya, 4–10 gram karanfil konulur. 10 dakika bekletilip, günde 2–3 bardak içilir.
* **1 bardak kaynar suya, 4 gram kök konulur. 10 dakika bekletilip, günde 2–3 bardak içilir.**
* Her gün kuru üzüm, fıstık içi ve biberiye yenilir.
* **1 bardak suya 15 adet badem 1,5 kaşık şekerle ezilir, süt haline getirilir, ılık halde akşamları içilir. Yemeklerden sonra 20 adet badem yenilir.**

Hazımsızlık

Öğünlerde aşırı yemekle mideyi çok fazla doldurma sonucu mide hareket edemez ve hazmı zorlaşır. Hazımsızlık sonucu midede uzun süre kalan yemek, kusma, ishal veya kabızlık ile mide ve bağırsakta aşırı gaza sebep olur. Papaya meyvesi veya papaya özü hapları içerdiği sindirime yardımcı enzimlerle olumlu etki gösterir. Anason, kişniş, papatya, havlıcan özellikle rezene hazımsızlık ve gaz sancıları için çok faydalıdır.

Pratik Bitkisel Formüller

* 1 çay bardağı sıcak suya, yarım limon sıkmalı ve 1 çay kaşığı bal ilave edilerek yemek üzerine yudum yudum içmelidir.
* **Anason, civanperçemi, lavanta, melisa, papatya ve pelin çayları içilmelidir.**
* 1 çay bardağı sıcak suya 1 çay kaşığı yukarıda ismi geçen bitkilerden birinden konulur. 10 dakika demlenip süzülür. 1 çay kaşığı balla tatlandırılarak yemekler üzerine içilir.
* **Büyükçe bir bardağa 1 adet limon sıkılır. Üzerine 1 kahve kaşığı karbonat atılıp, hemen karıştırılır. Köpüren karışım, ağza yaklaştırılıp, içilir.**
* 1 bardak kaynar suya 10 gram civanperçemi konulur. 10 dakika bekletilip günde 2–3 bardak içilir.
* **10 gram adaçayı, 40 gram kişniş, 20 gram pelin otu, 20 gram meyan kökü karıştırılır. 1 bardak kaynar suya 5–10 gram konulur. 10 dakika bekletilip, günde 1 bardak içilir.**

Hemoroit (Basur)

Halk arasında basur olarak bilinir. Uzun süre oturmaktan, fazla acı yemekten, kabızlıktan ve yoğun stresten oluşan bir cins varis plağıdır. Beslenme ve sağlık önlemleriyle denetim altında tutulabilen, ama çoğu kez cerrahi çözüm gerektiren yaygın bir hastalıktır. Basur, anüs (makat) bölgesindeki toplardamarların varis gibi genişlemesidir. Aloe vera, rutin biyooflavonidi ve bazı ayurveda tabletleri genel varis eğilimini azaltır. Kuşburnu ve kök zerdeçaldan karışım çay yapıp içmek çok faydalıdır. Kara halle bitkisinin çekirdekleri, teflon tavada çok az miktarda sıvı yağla sürekli karıştırıp kavrulur. Yemeklerden sonra günde 2–3 kez, 1 adet kavrulmuş kara halle çekirdeği çiğneyip yutmak basura

çok faydalıdır. Tüm acı baharatların hemoroit üzerinde olumsuz etkisi vardır. Nane, safran, dereotu, biberiye, kişniş, tarçın, kakule ve gülsuyunun hemoroiti önleyici etkisi vardır.

Pratik Bitkisel Formüller

* 4 bardak soğuk suya, 4 tatlı kaşığı ufalanmış çobançantası konulur. 8 saat bekletilen karışım 1 günde tüketilmelidir. Çobançantası kaynatılır, bu su ile basur yıkanır.
* **1 bardak kaynar suya 10 gram siyah üzüm yaprağı konur. 10 dakika bekletilip, günde 2 bardak içilir.**
* Semizotu lapa haline getirilip basur üstüne konulur.
* **Saf zeytinyağı ısıtılır. Sabahları aç karnına 50 gram içilir. Birkaç gün devam edilir.**
* 1 bardak kaynar suya, 1 tutam ince kıyılmış maydanoz konur. 5–10 dakika kaynatılıp, 20 dakika bekletilir. Hasta kısımlar pamukla bolca ıslatılır.
* **1 bardak kaynar suya 2 gram papatya konulur. 10 dakika bekletilip bu suyla basura pansuman yapılır.**
* 1 bardak kaynar suya, 4 gram rezene tohumu konur. 10 dakika bekletilir, günde 2–3 bardak içilir.
* **1 bardak suya 10 gram parçalanmış keçiboynuzu meyvesi konur. 10 dakika kaynatılıp, günde 3–5 bardak içilir.**
* Kuşburnu kaynatılıp, lapa yapılır. Ilıklaştığında bir avuç dolusu alınıp, makat bölgesine yerleştirilir. Bu şekilde 15–20 dakika beklenir. Daha sonra makat ılık suyla durulanır.
* **Ilık suyun içine papatya, biberiye, ısırgan ve kuşburnundan birer parça kaynatılıp, 20 dakika kadar ılık suyla oturma banyosu yapılır.**
* Taze zakkum sürgünleri doğranıp, kaynatılır ve buharına oturulur.
* **Su teresi sıkılır, suyundan günde 1 bardak içilir. 1 bardak kaynar suya, 7–8 gram taze bitki konur. 10 dakika bekletilip, günde 3 bardak içilir.**
* Meşe kabuğu toz haline getirilir. Merhem yapılır, basurun üzerine sürülür veya hastalıklı bölgeye pansuman yapılır.
* **Kırmızı pancar ezilir, lapa haline getirilir. Basur memelerinin üzerine konulur.**
* Patates fitil halinde dilimlenir. Makata konur, gün boyu makatta tutulur.
* **Rendelenmiş patates, lapa halinde basurun üzerine konulur. Bu işleme günde 2–3 kez tekrarlanır.**
* Keçiboynuzu devamlı yendiğinde basura iyi gelir.
* **Andızotunun kökleri parçalanıp, havanda dövülür ve elekten geçirilir. 1 çorba kaşığı suya karıştırılarak, sabahları yemekten yarım saat önce içilir.**
* 1 bardak kaynar suya, 2 gram papatya konulur. 10 dakika bekletilip, bu suyla basur pansuman yapılır.
* **Sarımsak üzüm çekirdeğiyle beraber ezilip, lapa halinde**

makata konulur.

* Marul tohumu toz haline getirilip, günde 5 gram içilir.
* **Pamuğa bandırılmış saf zeytinyağı gece yatmadan makata konur. 7 gün devam edilir. Mücerrebtir.**

Kainat Eczanesinden Önerilen Bitkiler

At Kestanesi (Aesculus hippocastanum):

Bu ağacın kabukları, hemoroit tedavisinde kullanılan çeşitli kimyasallar içerir. Yapılan bazı araştırmalar, at kestanesinin hemoroit semptomlarını ortadan kaldırdığını göstermiştir. Bu bitkinin çayını hemoroitin üstüne haricen uygulayabilirsiniz.

Aloe (Aloe vera):

Aloe jeli sıkıştırıcı ve yara iyileştirici özelliklere sahiptir. Aloeyi anal bölgeye haricen uygulayabilirsiniz. Oral yolla alındığında ise, aloe müshil etkisi yapar. Hintli ayurvedik doktorlar, hemoroitin neden olduğu yangılar tamamen yok oluncaya kadar, günde 3 kez yarım bardak aloe suyu içilmesini öneriyorlar. Bu suyu doğal bitkiler ve şifalı bitkiler satan dükkanlardan temin edebilirsiniz. Aloenin suyunu kendiniz yapmaya kalkışmayın çünkü yaprağın iç bölümleri son derece güçlü laksatif etkilere sahiptir ve sorunlara yol açabilir.

Hıçkırık

Göğüs boşluğu ile karın boşluğu arasında diyafram adı verilen geniş, yayvan ve uzun bir adale mevcuttur. Bu adalenin irademiz dışında kasılarak ani biten bir (spazmodik) soluk alışına sebep olmasına hıçkırık denir. Soluk almamız sırasında (diyaframdaki kasılmadan dolayı) ses tellerimiz kapandığından, gırtlakta sert bir ses çıkar.

Pratik Bitkisel Formüller

* 2-3 adet karabiber ağza alınır.
* **1 bardak kaynar suya, 4-10 gram karanfil konulur. 10 dakika bekletilip, günde 2-3 bardak içilir.**
* 1 bardak kaynar suya, 3 gram portakal kabuğu doğranır. 15 dakika bekletilip, 1 çay bardağı içilir.
* **1 bardak kaynar suya, 8-10 gram nane yaprağı konulur. 10 dakika bekletilip, günde 2 bardak bir miktar sirkeyle karıştırılıp içilir.**
* 1 bardak kaynar suya, 1 tatlı kaşığı çekilmiş dereotu tohumu konulur. 10 dakika bekletilip, süzülür. 1 günde tüketilir.
* **Nane çiğnemek, narı çiğneyip ya da suyunu içmek, tatlı ayvanın suyunu emmek faydalı olur.**

İdrar Yolları Hastalıkları

İdrar yolları böbrekler, mesane ve üretradan (idrar kanalı) oluşmaktadır. Mesane balon şeklinde bir organ olup idrarı depolama görevi vardır. Böbrekler ise iki adet fasulye şeklinde organ olup yukarı sırt bölgesinde yer almaktadırlar.

Böbrekler kandan artık maddeleri temizleyerek idrar içinde vücuttan atılmasının sağlarlar. İdrarda yüksek miktarda bakteri (mikrop) bulunması durumunda üriner sistem enfeksiyonu gelişir.

Pratik Bitkisel Formüller

* 1 bardak kaynar suya, 4–10 gram andız otu kökü konulur. 10 dakika bekletilip, günde 2–3 bardak içilir.
* **8 kilo kaynar suya 500 gram sarı kantaron konur. 40 dakika kaynatılır, süzülür. Sabah, öğle, akşam yemeklerden 1 saat önce 1 bardak içilir.**
* 1 bardak kaynar suya, 10 gram hatmi çiçeği konulur. 10 dakika bekletilip, balla tatlandırılarak, günde 2–3 bardak içilir.
* **1 bardak kaynar suya, 10 gram civanperçemi konulur. 10 dakika bekletilip, günde 2–3 bardak içilir.**
* 1 bardak kaynar suya, 2 gram taze veya kuru kiraz sapı konulur. 10 dakika bekletilip, günde 2–3 bardak içilir.

Kainat Eczanesinden Önerilen Bitkiler

Hatmi (Althaea officinalis):

İdrar yolu iltihabı ağrılarını, soğuksu –hatmi karışımı ile hafifletebilirsiniz. 4 çay kaşığı hatmiyi yaklaşık 1 litre soğuk suya akşamdan ekleyerek hazırlayabilirsiniz.

Isırgan Otu (Urüica (dioica):

Yapılan bir araştırmada hastalara 14 gün boyunca taze ısırgan otu özü verilerek uygulanan bir tedavi sürecinin sonunda, bitkiyi kullanan hastalarda idrar miktarının önemli ölçülerde arttığı görülmüştür.

Maydanoz (Petroselinum crispum):

Havuç, kereviz, salatalık ve maydanoz gibi sebzelerin suları idrar yolları enfeksiyonları için sıkça önerilir. Maydanozun kuvvetli şekilde idrar söktürücü özelliği vardır.

Karahindiba (Taraxacum officinale):

Karahindibanın özellikle kökü son derece güçlü bir diüretiktir. Diüretikler idrar yolu iltihaplarını tedavi etmezler fakat idrarın mesaneden boşaltılmasını ve bu sayede bakterilerin idrarla birlikte dışarı atılmasını sağlarlar. Yapılan araştırmalar sonucunda bu etkinin idrar yolu iltihabı tedavisinde büyük faydası olduğu kanıtlanmıştır.

Alınacak Önlemler

Bitkiler idrar yolları enfeksiyonları için yararlıdır. Bu tür sorunlardan kurtulmak için standart olarak bazı doğal yollar izlenmelidir. İdrar yolları şikayetleri olsun ya da olmasın tüm kadınlar aşağıdakileri yapmalıdır:

* Günde 8 bardak su içmek.
* **Baskı hissettikleri zaman idrar tutmamak.**
* Duş almak.
* **İdrar bölgesini temiz tutmak.**

Sürekli olarak idrar yolları enfeksiyonları yaşayan kadınlar şunları yapmalıdır:

* **Banyo yapmak yerine duş almak.**
* Cinsel birleşmeden önce ya da sonra bir bardak su içmek.

*** Birleşmeden sonra 15 dakika içinde idrar yapmak.**

İltihaplanmalarda
Pratik Bitkisel Formüller

* 1 bardak kaynar suya, 10 gram funda tohumu konulur. 10 dakika bekletilip, günde 2–3 bardak içilir.

*** 1 bardak kaynar suya, 1 kaşık dövülmüş kenevir konur. 10 dakika bekletilip, 1 günde tüketilir.**

* 1 bardak suya, 100 gram maydanoz tohumu konulur. 5 dakika kaynatılıp, 10 dakika bekletilir. Günde 3–4 bardak içilir.

*** 1 bardak kaynar suya, 2–10 gram adaçayı konulur. 10 dakika bekletilip, günde 2–3 bardak içilir.**

* 1 bardak kaynar suya, 10 gram ince kıyılmış maydanoz, 5–6 gram ebegümeci konulur. 10–15 dakika bekletilip, günde 3–4 bardak içilir.

İnme (Beyin Krizi)

Beyin içindeki bir kan damarı yırtıldığında ya da tıkandığında, 24 saatten uzun süren semptomlara yol açan bir inme meydana gelir. Yırtılan bir kan damarından kaynaklanan inme beyin kanaması olarak ve tıkanmış bir damardan kaynaklanan inme geçici kansızlık inmesi olarak adlandırılır. İnmelerin çoğu iskemiktir. 24 saatten kısa süren semptomlara neden olan ve ölüm veya sakatlıkla sonuçlanmayan mini inme, GİA (geçici iskemik atak) olarak adlandırılır. Bazı hastalar sonuçta inmeden kurtulsa da, birçoğu ölür ya da kalıcı sakatlıklarla (örneğin felç, güçsüzlük veya konuşma problemleri) yaşamaya devam ederler. Bir serebral hemorajinin ölüme veya sakatlığa yol açma olasılığı iskemik inmeden daha yüksektir. Kan basıncı düzeyi tüm inme tipleri için son derece önemli bir belirleyicidir.

Kan basıncı ne kadar yüksekse risk o kadar yüksek ve kan basıncı ne kadar düşükse risk de o kadar düşüktür. İnme riskinin azalmaya devam etmediği herhangi bir düşük kan basıncı düzeyi saptanmamıştır, yani kan basıncı düştükçe inme riski de azalmaktadır. Hipertansiyonu (yüksek kan basıncı) olan kişilerde, kan basıncını düşüren ilaçların inme riskini üçte biri aşan bir oranda azalttığı kanıtlanmıştır.

Atrial fibrilasyonu olan kişilerde, pıhtılaşmayı önleyici ilaçlar da inmeyi önlemektedir. Sigarayı bırakmak da inme riskinin azaltılmasına yardımcı olabilir.

Kainat Eczanesinden Önerilen Bitkiler

İnme vakalarının büyük bir kısmını iskemik inme vakaları oluşturduğu için, bu bölümdeki önerilerin çoğu da beyin damarlarında kan pıhtısını toplanmasını önlemeye yönelik olacaktır.

Sarımsak (Allium sativum):

Sarımsak yüksek oranda kan sulandırıcı bileşik içerir. Pıhtılaşmayı önleyen bitkilerin en etkilisidir. Tansiyonu kontrol altında tutabilme özelliği nedeniyle en

önemli kalp krizi önleyicidir. Soğan, taze soğan, pırasa, Frank soğanı ve arpacık soğanı da aynı etkilere sahiptir. Eğer kanamalı inme riski taşıyorsanız, sarımsak ve türevlerinden tamamen uzak durmalısınız.

Söğüt (Salix):

Yapılan araştırmalar, söğüt kabuklarından yapılan bitkisel aspirinden her gün düşük dozlarda alınırsa inme riskini yaklaşık yüzde 18 oranında azalttığını ortaya çıkarmıştır. Düşük dozlarda alınan aspirin, kalp krizi riskini erkeklerde yaklaşık yüzde 40, kadınlarda ise yaklaşık yüzde 18 oranında düşürmektedir. Söğüt kabuğu ve diğer aspirin benzeri bitkiler yalnızca iskemik inmeden korunmak ya da tedavi etmek için alınmalıdır.

Havuç (Daucus carota):

Harward'da 87.245 hemşire arasında yapılan bir araştırma, havuç tüketiminin inme riskini önemli ölçüde düşürdüğünü göstermiştir. Haftada 5 porsiyon havuç yiyen kadınlarda inme riski oranının, haftada 2 porsiyondan daha az havuç yiyenlere oranla yüzde 68 daha az olduğu gözlemlenmiştir. Havuç, beta karoten ve diğer karotenoidler bakımından zengin bir kaynaktır.

Yapılan değişik araştırmalar beta karoten ve E vitamini bakımından zengin sebze ve meyveleri bolca tüketenlerde inme riskinin yüzde 54 oranında düştüğünü göstermiştir. Sonuç olarak havucu abur cubur niyetine yemeyi alışkanlık haline getirmemiz gerekiyor.

Bezelye (Pisum sativum):

Tüm baklagiller, kanser önleyici bir madde olan "genistein" bakımından zengin birer kaynaktır. Genisteinin aynı zamanda pıhtılaşma önleyici özelliklere de sahiptir. Bu madde bezelye dahil tüm baklagillerde bulunmaktadır.

Ispanak (Spinacia Oleracea):

Ispanağın inmeyi önlediğini gösteren çok sayıda sağlam kanıt var. Örneğin; Boston Tufts Üniversitesi'nde yapılan araştırmalar, folatın hem kalp krizi hem de inmeden korunmaya yardımcı olduğunu göstermiştir. Ispanak, lahana, hindiba, kuşkonmaz, maydanoz ve bamya folatin bileşiğinden bünyesinde bolca barındırır.

Zencefil (Zingiber officinale):

Zencefil de pıhtılaşmayı önleyici bir başka bitkidir. Hindistan'da yapılan bir araştırma, bir hafta boyunca günde 2 çay kaşığı zencefil alımının, 100 gr. tereyağının pıhtılaştırıcı etkisini nötrleştirdiğini göstermiştir. Bunu yanlış anlayıp zencefil aldığınız sürece tereyağı yemeye devam edebilirmişsiniz gibi bir fikre kapılmayın. Tereyağı kolesterol bakımından son derece zengindir. Ve kolesterol de inmenin en önemli nedenlerinden bir tanesidir. Yemeklerinize bolca zencefil karıştırabilir ya da bir iki çay kaşığı taze rendelenmiş zencefil tozunu, bir fincan kaynar suya karıştırarak lezzetli bir çay yapabilirsiniz.

İshal

İshal, hazım yollarındaki bir hastalığın habercisidir. Sık sık sulu dışkılama meydana gelir. İshal durumunda ayva, kestane, muşmula, muz, nar, karadut ve elma daha sık tüketilmelidir.

* Adaçayı, papatya, nane, kekik, palamut kabuğu, mersin yaprağı ve meyvesi, böğürtlen yaprağı, asma yaprağı ve altınbaş otu çayları içilmelidir.

Pratik Bitkisel Formüller

* İncir yaprağı kaynatılıp, içilir.
* **1 bardak kaynar suya, 10 gram biberiye konulur. 10 dakika bekletilip, günde 2–3 bardak içilir.**
* Günde 3–5 elma sıkılıp, suyu içilir.
* **1 bardak kaynar suya, 4–6 gram karanfil kökü konulur. 5–10 dakika kaynatılıp, günde 2–3 bardak içilir.**
* 1 bardak kaynar suya 2 gram köpek dili kökü konulur. Soğuduktan sonra günde 3 defa 1 tatlı kaşığı içilir.
* **1 bardak suya, 10–20 gram parçalanmış taze veya kavrulmuş pelit konulur. 10 dakika kaynatılıp içilir.**
* 8 kilo kaynar su içine 500 gram sarı kantaron konulur, 40 dakika kaynatılıp süzülür. Sabah, öğle ve akşam yemeklerden 1 saat önce 1 bardak içilir.
* **1 bardak kaynar suya, 10 gram funda konulur. 10 dakika bekletilip, günde 2–3 bardak içilir.**
* 1 bardak kaynar suya, 10 gram kuşburnu meyvesi konulur. 10 dakika bekletilip, günde 3–4 defa, 1 bardak içilir.
* 1 bardak kaynar suya, 1 çay kaşığı tarçın konulur. 10 dakika bekletilip, günde 2–3 bardak içilir.
* **1 bardak kaynar suya 2–10 gram adaçayı konulur. 10 dakika bekletilip, günde 2–3 bardak içilir.**

İştahsızlık

Ağız yoluyla beslenmede karşılaşılan isteksizlik iştahsızlık olarak tanımlanabilir.

Pratik Bitkisel Formüller

* Ahududu, ayva kompostosu, badem, ceviz, greyfurt, kayısı, limon, portakal, domates, enginar, havuç, kereviz, maydanoz, soğan, sarımsak, turp, adaçayı, ardıç tohumu, kekik, kimyon, kişniş, nane, rezene ve söğüt yaprağının iştah açıcı özelliği vardır.
* **1 çay bardağı sıcak suya, 1 çay kaşığı havuç tohumu konulur. Kısık ateşte birkaç dakika kaynatılır. 10 dakika demlenir ve sabah, öğle ve akşam tok karna içilir.**
* Kakule toz haline getirilir, günde birkaç defa 0,3-0,5 gram hap halinde alınır.
* **Tere-su teresi sıkılır, suyundan günde 1 bardak içilir.**
* 1 bardak kaynar suya, 4–10 gram kantaron bitkisi konulur. 10 dakika bekletilip, öğle ve akşam yemeklerinden önce 1 bardak içilir.
* **1 bardak kaynar suya, 2 gram papatya konur. 10 dakika bekletilip günde 1 bardak sabahları aç karna içilir.**
* 1 bardak kaynar suya, 1–2 tatlı kaşığı dövülmüş kereviz tohumu

konulur. 10 dakika bekletilip, günde 2–3 bardak yemeklerden önce yenilir.

* **30 gram centiyane kökü, 30 gram eğir kökü, 30 gram kimyon karıştırılır. 1 bardak suya 5–10 gram centiyane kökü konulur. 10 dakika kaynatılıp, yemeklerden 1 saat önce 1 fincan içilir.**

Kabızlık

Tuvalete hiç çıkmama veya çok seyrek çıkmaya kabızlık, peklik ya da inkıbaz denir. Tıp dilinde ise "konstipasyon" adı verilir. Yeterince sulu şeyler yememe, sinir bozukluğu, bağırsak tıkanıklığı, sindirim sistemi bozuklukları, hormon dengesizliği, basur, fıtık boğulması, kabızlığı doğuran nedenler arasındadır. Ayrıca günlerinin büyük bir kısmını oturarak geçirmek zorunda olanlarla, hamilelerde ve yaşlılarda görülür. Öncelikle kabızlığa neden olan hastalığı tespit etmek gerekir. Esas nedeni tespit etmeden alınacak müsil ilaçları kötü sonuçlar doğurabilir. Kabız olmayı önlemek için, sebze çorbaları ve yemekleri, mercimek, ıspanak, salata, balık ve çavdar ekmeği yemek çok faydalıdır. Ayrıca erik reçeli, bal, üzüm, kayısı veya elma yemek; bol su veya şerbet içmek de yararlıdır. Müzmin kabızlıktan şikayet edenlerin de; fazla et, yumurta, peynir, beyaz ekmek, muz gibi yiyecekleri azaltmaları, kahve çay ve sigarayı en az miktara indirmeleri, alkolü bırakmaları gerekir. Kabızlığı gideren ilaçların fazla miktarda ve uzun süre kullanılması kötü sonuçlar doğurabilir. Bu nedenle ilaçları kullanırken tavsiye edilen miktarları aşmamak gerekir.

Pratik Bitkisel Formüller

* 1 su bardağı kaynar su içine 5–6 yaprak sinameki yaprağı, birer çay kaşığı anason ve rezene havanda ezilerek konulur. 15 dakika demlenerek, aç karnına günde 1–2 bardak içilir.
* **Sıcak bal şerbeti içilir.**
* Günde 1 defa açken, 1 tatlı kaşığı keten tohumu tozu suyla içildiğinde bağırsakları çalıştırmaktadır.
* **Kayısı, erik, incir kurusu ve taze incir bağırsakların çalışmasını hızlandırır.**
* 1 bardak suya 10 gram parçalanmış taze keçiboynuzu konulur ve 10 dakika kaynatılır. Bu karışımdan günde 3 bardak içilir.
* **1 bardak suya, 10 gram kuru üzüm konulur. 10 dakika kaynatılıp, günde 3 bardak içilir.**
* Lahana yaprakları sıkılarak elde edilen suya sabah aç karna, öğle ve gece yatarken birer bardak içilir.
* **10 Kadar lahana yaprağının kaynatılan suyundan 2–3 bardak içildiğinde fayda sağlar.**
* Yarım litre suya 3 tatlı kaşığı çayır papatyası konulur. 8 saat bekletilir ve 1 günde tüketilir.
* **15 kadar taze gül yaprağı haşlanır, tatlandırılıp içilir.**
* 5 gram kiraz yaprağı, 1 bardak kaynar suya konulur. 10 dakika bekletilip günde 3 bardak içilir.

* 3 adet orta büyüklükte soğan ince ince doğranır ve yarım litre suda 1 gece bekletilip süzülür. Yemeklerden önce günde 3 defa birer fincan içilir.
* **Salatalık kabuğuyla maydanoz kaynatılıp içilir.**

Kainat Eczanesinden Önerilen Bitkiler

Keten Tohumu (Linum usitatissimum):

Keten tohumu kabızlık tedavisinde kullanılabilen en önemli bir bitkidir. Kronik kabızlıkta bütün ya da dövülmüş keten tohumunu günde 2 ya da 3 kez üçer çay kaşığı alımanız fayda verir. Keten tohumunun sindirim sisteminizde yol alabilmesi için günde en az 8 bardak su içmeniz gerekir.

Çemen Otu (Trigonella foenum-graecum):

Çemen otu tohumları "mucilage" denilen sıvı emici maddeler içerir. Eğer çemen otu tohumu kullanacaksanız, bağırsak hareketliliğinizin devam edebilmesi için bolca su içmeyi kesinlikle ihmal etmeyin. Asla bir defada iki çay kaşığından fazlasını almayın. Bundan fazla miktarlarda kullanmak, şiddetli karın ağrılarına neden olabilir.

Kalp Damarları Tıkanıklıkları

(Enfarktüs)

Kalbin kasılmasını sağlayan "myokard" adı verilen kas tabakasının beslenmesi, "koroner" denen (kalbe özel) damarlar vasıtasıyla gerçekleştirilir. Özellikle hayvansal gıdalarda bulunan ve fazla miktarda alındığında damar iç yüzeyine yapışan "kolesterol" isimli yağ türü, normalde esnek olan damarlarımızın esnekliğini azaltır ve damar duvarlarında birikerek damar boşluğunu daraltır.

Damar duvarındaki bu sertleşme veya damarın tıkanması durumuna "ateroskleroz" denir. Yüksek tansiyon, yaşın ilerlemesiyle damar yapısının bozulması, sigara kullanımı vb. etmenler de aterosklerozu hızlandırır. Ateroskleroz veya başka bir nedenle Myokard'a gelen kan miktarı azalırsa myokard yeterli seviyede beslenemez;"iskemi" (dokunun kanlanamaması) oluşur. Kalbin myokard kas tabakası tam beslenemediği için yeterli kasılamaz, bu da hastada kendini "angina pectoris" (göğüs ağrısı) şeklinde gösterir. Kalp krizinden korunmanın en önemli yolu bol miktarda sebze çorbası tüketmektir. Kendinize uygun olan malzemeyi alıp birleştirerek son derece lezzetli çorbalar yapabilirsiniz. Dikkat edeceğiniz tek şey, çorbanızı mevsim sebzeleriyle hazırlamaktır. İngiltere Kanser Araştırma Kurumu ve bir

çok Amerikalı sağlıklı beslenme uzmanı, günde 5 öğün sebze ve meyve tüketmeyi teşvik eder.

Pratik Bitkisel Formüller

* Yarım kilo suya, 3 baş soğan ince ince doğranır. 1 gece bekletilip süzülür. Günde 3 defa 1 fincan içilir. Yemeklerden 1 saat önce ya da 1–2 saat sonra içilmelidir.
* **5 kilo suya 200 gram hayıt tohumu konulur. 2 saat kaynatılır. Kaynama esnasında eksilen su yerine sıcak su ilave edilir. Karışım dolapta muhafaza edilir. Günde 1 bardak sabahları aç karna içilir.**
* 10 gram sarımsak iyice ezilir, üzerine 10 gram ılık su konulur. 24 saat bekletilip, bezle süzülür. Günde 3 defa 20–30 damla içilir.
* **1 bardak kaynar suya, 4–10 gram andız otu kökü konulur. 10 dakika bekletilip günde 2–3 bardak içilir.**
* 1 bardak kaynar suya 4 gram ufalanmış alıç yaprağı veya çiçeği konulur. 10 dakika bekletilip, günde 2–3 bardak içilir.

Kainat Eczanesinden Önerilen Bitkiler

Söğüt (Salix):

Söğüt kabuklarının aspirinin bitkisel kökeni olan salisin içerdiğini biliyoruz. Yapılan sayısız araştırma, günde yarım yada bir tablet alınan aspirinin damarlarda plak oluşumunu engelleyerek, kalp krizi riskini önlediğini ortaya koymuştur. Yaklaşık olarak bir çay kaşığı dövülmüş aksöğüt kabuğu, 100 mg. salisin içerir. Bu oranda salisin, aspirinin kalbi koruyucu etkisini sağlamaya yeterlidir. Bir çay kaşığı söğüt kabuğunu 250 ml. kaynar suya karıştırıp, 15 dakika kadar demlenmeye bıraktıktan sonra süzün. Bu çayı her gün ya da gün aşırı bir fincan içebilirsiniz.

Alıç (Crataegus):

Alıç yumuşak bir kalp toniği olarak bilinir. Özellikle kalp yorgunluğu tedavisinde etkilidir. Yapılan araştırmalar bu bitkinin aynı zamanda kalp krizini engellediğini ortaya koymuştur. Alıç, kroner damarları açarak kalbe kan pompalanmasını rahatlattığı gibi, kalbin yetersiz oksijenle baş edebilme yeteneğini artırır. Alıç son derece güçlü bir kalp ilacıdır.

Yer Fıstığı (Arachis hypogaea):

Fıstık yerken üzerindeki kırmızı renkli kabuğu soymadan yiyin. Çünkü oligomerik prosiyanidinler (OP'ler) olarak bilinen kalp dostu bileşikler bu kabukta bulunur. OP'ler yalnızca kalp krizini önlemekle kalmaz, aynı zamanda kanser ve inmeye karşı da koruyucudurlar.

Gerekli OP ihtiyacını fıstık kabuğu ve kırmızı üzümden alabilirsiniz. OP'yi almak isteyen kişilere tuzlu olduğu için kabuklu fıstık önerilir. İç zarı yerken fazla tuz almak vücuda zararlı olabilir. Kabuklu fıstık ise açılmadığı için daha sterildir. Üst kabuğu yapışık olduğu için ikisi yenir. Ayrıca kabuklu fıstık, şeker hastalığı için çok yararlıdır. İçindeki yağı şekerin kana karışmasını yavaşlatır. Bilhassa tatlılar bu nedenle fıstıklı sunulmalıdır. Fıstıklı baklava veya Şam tatlısı gibi...

Zeytin (Olea europea):

Zeytinyağı son derece güçlü bir kalp koruyucudur. Akdeniz diyetinin temel taşını oluşturur. Tekli doymamış yağların ana kaynağı konumundaki zeytinyağının anavatanı olan Akdeniz ülkelerinde, kalp krizi oldukça seyrek görülür.

Biberiye (Rosmarinus officinalis):

Biberiye en zengin bitkisel antioksidan kaynaklarından bir tanesidir. Besin maddelerini korumak için kullanılması bu özelliği yüzündendir. İçeriğindeki antioksidanlar, etin çürümesini önler. Bir anlamda kalbiniz içinde aynı etkiyi gösterir. Biberiye ile lezzetli çaylar yapabileceğiniz gibi yemeklerinizde de bolca kullanabilirsiniz.

Semizotu (Portulaca oleracea):

Yetiştirilmesi çok kolay bir bitki olan semizotu, omega 3 yağ asitleri olarak bilinen yararlı bileşikler bakımından en zengin bitkisel kaynaktır. Omega 3 yağ asitleri kalp krizine neden olan kan pıhtılarının oluşumunu önler. Semizotu aynı zamanda hem kalp krizini hem de kanseri önleyen antioksidanlarla doludur. Semizotu bol miktarda kalsiyum ve magnezyum içerir. Çiğ halde salata olarak yiyebileceğiniz gibi, ıspanak gibi de pişirebilirsiniz.

Kanser

Tüm teknolojik gelişmelere karşın, kanser hastalığı hala can almaya devam etmektedir. Çoğu kanser türünde çok uzun ve çok sağlıklı yaşam mümkün olmamaktadır.

Kansere, spirulina, aloe vera, üzüm çekirdeği özü, çam ektresi, selenyum, yabani sarımsak, reishi mantarı, maitake mantarı, köpekbalığı kıkırdağı, ketentohumu yağı ve özel ayurvedik bitkisel preparatlar bilinçli olarak kullanıldığında yararlı olabilir.

Yeşil çay, biberiye çayı, zeytin yaprağı, ısırgan, meyan kökü, kombu çayı, rezene, yaban mersini, deve dikeni, tane kırmızı karanfil, adaçayı, kakule, zencefil, kekik, zerdeçal, dereotu, mercan köşk, ısırgan tohumu bu konuda faydalıdır.

Pratik Bitkisel Formüller

* 10 bardak kaynar suya, 150–200 gram ufalanmış ebegümeci konulur. Soğuyunca süzülüp, bu karışım 1 günde tüketilir.
* **Günde 8–10 gram ısırgan tohumu kitre veya hünnap şerbetiyle içilmeye devam edilirse, kanseri ve ondan meydana gelen yaraları ve sertlikleri iyileştirir. Isırgan tohumu günde 10 gramdan fazla alınmamalıdır. Isırgan kanserin düşmanıdır. 5 gram ısırgan tohumu toz halinde balla karıştırılıp, aç karna yenilir veya bal şerbetiyle içilir. Isırgan yaprağı toz halinde balla karıştırılıp yenilir.**
* 1 bardak kaynar suya, 4–10 gram maydanoz tohumu konulur. 10 dakika bekletilip, günde 2–3 bardak içilir. Kuru maydanoz aynı şekilde hazırlanıp, günde 2–3 bardak içilir. Maydanoz kökleri de aynı maksatla kullanılır. Bolca maydanoz yenilmesi de faydalıdır.

*** Sarımsak, soğan devamlı yenilirse kanserin oluşumunu önler.**

* 2 bardak kaynar suya, 8–10 adet taze veya kuru menekşe çiçeği konulur. 15 dakika bekletilip, cilt kanserine pamukla sürülür. Rahim kanserinde ise, bu suyla rahme banyo yapılır.

*** Bağırsak ve mide kanseri için, mevsiminde, tabii ortamda yetiştirilmiş büyük yapraklı lahanaların haşlanarak kür halinde 3 hafta boyunca içilmesi, kürler arasında 1 hafta ara verilmesi önerilir. Lahanalar hibrit tohumdan üretilmiş, yuvarlak, düzgün yapılı ve ince yapraklı olmamalıdır.**

* Her sabah içilen tabii ve çiğden sıkılmış bir su bardağı domates suyuda kansere karşı etkili bir çözüm olabilecektir.

Kansersiz Yaşam İçin İpuçları

Kanserden korunmak, içeriğinde diğer hastalıklardan korunmayı da içeren bir çok akıllıca hamle barındırır.

Şunları yapmak için gayret göstermelisiniz:

- Hibrit –dölsüz olmayan, tabii tohumlardan kainat eczanesinden yetiştirilen;
- **Bol meyve ve sebze, inek yağı ve kırmızı eti, tercihen keçi etini yiyin..**
- Gıdalarınızı çeşitlendirip tabiiliği seçin.
- **Daha çok işlenmemiş tahıl tüketin.**
- İşlenmiş şekerden uzak durun.
- **Sentetik gıda boyalarından tamamen uzak durun.**
- Doğal baharatları sentetik olanlara tercih edin.
- **Sentetik hormonlar kullanmak yerine, bitkilerdeki fito östrojeni alın.**
- Tabii çiğden sıkılmış sebze, meyve sularını gazlı içeceklere tercih edin.
- **Temiz havalarda daha uzun sürelerde kalın.**
- Daha az strese girip, daha çok huzurlu olun.
- **Daha çok egzersiz yapıp, daha az televizyon izleyin, az uyuyun.**
- Şehirlerde, kaldırımlarda dolaşmaktansa köylerde, çayırlarda dolaşın.
- **Kimyevi ilaçlı gıdalardansa, organik olanları tercih edin.**
- Farmasötik ilaçlar yerine daha çok bitkisel alternatifleri tercih edin.
- **İntegratif tıp kurallarını öğrenip, uygulayın.**
- Gözünüzü kapatarak güneşin yokluğunu ispata çalışmayın.

Kainat Eczanesinden Kanser Önleyici Bitki Salatası Tarifi

Kanser önleyici bitki salatasının tarifinde sarımsak, soğan,kırmızıbiber, domates, kızıl yonca, doğranmış pişmiş pancar, taze aynı safa çiçekleri, kereviz sapı, taze hindiba

çiçekleri, Frenk soğanı, salatalık, kimyon, yer fıstığı, maydanoz ve adaçayı yer alıyor. Bunlara ek olarak salatanın üzerine keten tohumu yağı, eşek otu yağı, sarımsak, biberiye, bir miktar limon suyu ve acı kırmızıbiberden oluşan bir sos yapılarak yemeniz hayatınıza farklı bir kazandıracaksınız.

Kansızlık (Anemi)

Anemi (kansızlık) pek çok farklı şekilde tanımlanabilen kan rahatsızlığı olarak bilinmektedir. Bu kan rahatsızlığını kırmızı kan hücrelerinin fonksiyonlarında ve sayısındaki anormallik şeklinde ifade edebiliriz. Kırmızı kan hücreleriniz kırmızı rengini hemoglobinden alır, demir içeriği zengin protein oksijeni ciğerlerden vücudun diğer bölgelerine taşır. Anemi kırmızı kan hücrelerinin sayısını azalttığında ya da hücrelerin taşıyabileceği hemoglobin miktarını azalttığında vücudunuzun dokuları oksijenden yoksun kalır.

Oksijen eksikliği tipik anemia türleri bulgularını üretir. Bu anemi bulguları: güçsüzlük, aşırı yorgunluk, solgun bir ten, nefes darlığı, düzensiz kalp atışıdır. Hatta çok şiddetli anemi felç, kalp krizi ve kalp tıkanıklığına da yol açabilmektedir.

Demir eksikliği gibi bazı anemi türleri doğrudan kendileri rahatsızlığı yaratırken bazı anemilerde ise ardında dalak büyümesi ya da anti kanser ilaçlarının alımıyla sonuçlanan hemolitik anemia gibi bir hastalık yatmaktadır. Bazı anemi hastalıkları kolayca tedavi edilebilirken bazıları ise kronik ve hayatı tehdit edicidir. Günümüzde moda olan çay ve fazlaca içilen sütte demirin tutulması ve vücuttan atılmasına sebep olur. Bilhassa günümzdeki stres, migren, baş ağrısı ve gerginliklerin sebebi alışkanlık haline getirdiğimiz, zamanlı zamansız içilen siyah çaydır. Çayı yemeklerden önce veya sonra içine birkaç damla limon veya karanfil atarak içmeniz hem faydasını arttıracak, hem de demir emilimini engelleyerek kansızlığa sebep olmayacaktır. Ayrıca zihin yorgunluğunuzun da ilacı olacaktır. Sınava hazırlanan talebeler için ideal bir terkiptir.

Pratik Bitkisel Formüller

* Çilek kökü, oğul otu, atkuyruğu, sinirli yaprak ve keklik çayları içilmelidir.
* **Kabukları soyulmadan havuç ve turp rendelenir, çiğ olarak biraz da lahana ve ıspanak doğranır. Zeytinyağı ve limon katılıp salata halinde yenilir.**
* Günde 3 çay bardağı pancar suyu içilir. Kırmızı pancar bolca yenilir.
* **Yer elması haşlanarak yenilmelidir.**
* 1 bardak kaynar suya, 4–10 gram maydanoz tohumu konulur. 10 dakika bekletilip, günde 2-3 bardak içilir.
* **1 bardak kaynar suya, 6–8 gram ufalanmış ısırgan yaprağı konulur. 10 dakika bekletilip, günde 2–3 bardak içilir.**

* 1 bardak kaynar suya, 2 gram ıhlamur konulur. 10 dakika bekletilip, günde 3–5 bardak içilir.
* **2 kilo suya, 30 gram enginar yaprağı, 1 su bardağı siyah üzüm, 1 kaşık pelin otu ufalanıp konulur. Orta ateşte 1 saat kaynatılır. Soğuyunca süzülüp, balla tatlandırılır. Günde 3–4 bardak içilir. Bu işlemi 10–15 gün devam edilir.**
* 1 bardak kaynar suya, 3 gram zula otu konulur. 10 dakika bekletilip, günde 3 bardak içilir.

Karaciğer Rahatsızlıklarında

Tedavide kanı temizlemek esas olmalıdır. Hücreleri besleyen kandır.

Karaciğer, vücudun en önemli toksin atma ve kendini temizleme organlarından biridir. Alerji ve cilt problemlerinin çözümü için karaciğerden toksin atmak çok önemlidir. Hindiba, enginar hapları, soya lesitin, aloe vera, doğal B vitaminleri, arı poleni ve arı sütü kanserde yardımıdır.

Özel bazı ayurveda ve bitki tabletlerin çok sayıda karaciğer hastasına iyi sonuçlar vermiştir.

Öfke ve korku asit karbonlu hava gibidir karaciğerin baş düşmanıdır. İçinizdeki öfkeyi temizlemek ve korkularımızdan arınmaya çalışmak karaciğerin enerjisini rahatlatın...

Pratik Bitkisel Formüller

* ½ çay kaşığı zerdeçal, 1 tatlı kaşığı rezene tohumu, küçük bir tutam kurtpençesi, irice bir tutam hindiba ve 6–8 adet dut kurusu karıştırarak elde edeceğimiz çayı günde 2–3 fincan içilir.
* **Arı poleni, toz zerdeçal, taze nane ve nöbet şekeri karaciğer için yararlıdır.**
* Sabah ve akşam 1 tatlı kaşığı balla 1 çay kaşığı zerdeçalı karıştırarak macun yapılır.
* **Semizotu tohumu ezilir, 1 bardak suya, 8 gram konulur. 1 müddet kaynatılıp şekerle tatlandırılıp, içilir.**
* 1 bardak kaynar suya, 6–10 gram çilek kökü sapı konulur. 10 dakika kaynatılır, günde 3–5 bardak içilir.
* **1 bardak suya, 6 gram ayva yaprağı konulur. 10 dakika kaynatılıp, günde birkaç bardak içilir.**
* 1 bardak kaynar suya, 2–10 gram adaçayı konulur. 10 dakika bekletilip, günde 2–3 bardak içilir.
* **1 bardak kaynar suya, 2 kaşık koyun otu konulur. 10 dakika bekletilip, günde 1–2 bardak içilir.**
* 1 gram kaynar suya 8–10 gram nane yaprağı konulur. 10 dakika bekletilip, günde 2–3 bardak içilir.
* **Karaciğer yağlanması için maydanoz suyunun çiğden sıkılıp limon ve su eklenerek sabahları aç karna içilmesi çok iyi bir kür olacaktır.**

Kainat Eczanesinden Önerilen Bitkiler

Karahindiba (Taraxacum officinalıs):

Karahindibanın yaprakları önemli oranda idrar söktürücü özeliklere sahiptir. Kökleri yıllardır sarılık tedavisi için kullanılmaktadır. Karahindiba çiçekleri, çeşitli karaciğer rahatsızlıklarına karşı son derece etkili olduğu kanıtlanmış olan lesitin içermektedir. Karahindiba yenilebilir bir bitki olduğu için ıspanak gibi buharda pişirerek bolca tüketilmesi tavsiye edilir. Bitkisel farmakolog Daniel Mowrey da karahindiba kökükün karaciğer için önenerilen önemli bir besin olduğunu aktarmıştır.

Havuç (Daucus carota):

Hintli bilim adamları havucun, çok önemli bir karaciğer koruyucusu olduğunu keşfetmişlerdir. Hayvanlar üzerinde yapılan deneyler, laboratuar hayvanlarının kimyasal kirlenme sonucu oluşan karaciğer hasarlarına benzer şekilde, deneysel olarak kimyasallarla zarar verilmiş karaciğer hücrelerinin havuç özütünün de desteğiyle tekrar eski sağlıklı hallerine geldiğini göstermiştir.

Zerdeçal (Curcuma longa):

Zerdeçal karaciğer koruyucu özellikleri olan çeşitli bileşikler içerir.

Zencefil (Zingiber officinale):

Dr. James A. Duke ile Dr. Stephen Beckstrom-Sternberg'in birlikte yaptığı araştırmalara göre, zencefilin sekiz değişik karaciğer koruyucu bileşiği içerdiği tespit edilmiştir.

Meyan Kökü (Glycyrrhiza glabra):

Meyan kökünün aktif maddesi glycyrrhizin, birçok kimyasal maddenin karaciğer hücrelerinde meydana getirdiği tahribatı önler ve özellikle Japonya'da siroz ve kronik hepatitin tedavisinde kullanılır.

Rusya'da yapılan araştırmalar, meyan kökü, nane, gül, solucan otu ve ısırgan otu karışımının laboratuar hayvanlarında karaciğer hücre zarını sağlamlaştırdığını ve bu sayede hayvanlarda karaciğer hasarlarını önlediğini göstermiştir.

Lavanta (Lavandula angustifolia)

Hastalıkların süpürgesidir. Karaçiğer ve Hepatit türlerinde tesirlidir.

Karaciğer Hastalarına Özel Salata Tarifi

Salatalar karaciğer koruyucu içerikleri nedeniyle çok önemlidirler. Salatanızı hazırlarken içine taze meryemana diken yaprakları, havuç ve karahindiba yaprakları ilave edin. Lezzet vermek içinde üzerine zencefil ve zerdeçal serpin.

Katarakt

Katarakt gözün şeffaf lensinin saydamlığını kaybetmesidir. Bu durumu buğulanmış cama benzetebiliriz. Berrak olan göz merceğinin sütümsü bir tabakayla kaplanmasıdır. Katarakt hakkında bazı yanlış anlamalar vardır:

Katarakt göz üzerindeki bir film değildir. Gözü fazla kullanmaktan oluşmamaktadır. Kanser değildir. Bir gözden diğerine geçmez. Kalıcı körlüğe yol açmaz. Şunu belirtmeliyiz ki, katarakt çok önemli bir sağlık sorunudur.

Kendisinde buna dair en ufak bir belirti gören herkes mutlaka doktora görünmelidir. Oluştuktan sonra hiçbir bitki kataraktı tedavi edemez. Bitkiler sadece kataraktın oluşumunu engeller.

Kainat Eczanesinden Önerilen Bitkiler

Kapari (Capparis spinoza):

Amerikan Tarım Bakanlığı'nda moleküler biyolog Dr. Stephen Sternberg ile Dr. James A. Duke'nin birlikte yaptığı bir araştırmada, kaparinin aldoz-redüktoz adlı katarakt önleyici bileşik bakımından son derece zengin bir kaynak olduğu keşfedilmiştir. Ekstradan canlılık ve zindelik isterseniz, yemeklerinize kapari ilave edin.

Biberiye (Rosmarinus officinalis):

Biberiye bir düzineden fazla antioksidan madde içerdiği gibi, antikatarakt madde olarak bilinen dört farklı kimyasalı daha bünyesinde bulundurur.

Havuç (Daucus carota):

Hoffman-La Roche ilaç firmasında görevli bir araştırmacı, karotenoidlerin 3K olarak bilinen kanser, kardiyovasküler hastalıklar ve katarakta karşı koruyucu etkisi olduğunu kanıtlamıştır.

Karotenoidler (bunlara beta-karoten de dahil) havuca turuncu rengini veren bileşiklerdir. 50 mg. karotenoid almak için 7-8 tane orta boy havuç yemek gerekir.

Soğan (Allium cepa):

Soğanda bol miktarda bulunan kuersetin isimli bileşen, şeker hastalığına bağlı oluşan katarakt hastalığını tedavi etmeye yardımcı bir bitkidir.

Semizotu (Portulaca oleracea):

Semizotu kataraktı engelleyici bileşikler C vitamini, E vitamini, karotenoid ve diğer güçlü antioksidanlar özellikle bunların en önemlisi glutathion açısından son derece zengin bir sebzedir. Yalnızca 150 gr kadar taze semizotu bile, içeriğinde son derece yararlı miktarlarda beta karoten ile C ve E vitaminlerini barındırır.

Güçlü Gözler İçin

Yaşlanmaya rağmen gözlerinizin hala bir kartal gibi keskin olmasını ister misiniz? O halde kendinizi bu çayı her gün keyifle içmeye alıştırmalısınız. Bir litre suyu kaynattıktan sonra ateşten alın ve içine her birinden birer avuç dolusu olmak üzere kedi nanesi, biberiye ve melisa atın. Üzerine de birkaç çay kaşığı zencefil ve birkaç tutam zerdeçal ilave ettikten sonra 20 dakika kadar demlenmeye bırakın. Limon suyu ve balla karıştırıp ister ılık, ister soğuk içebilirsiniz.

Katarakt Engelleyici Çorba

Katarakt başlangıcı olanlar için aşağıdaki tarifimizi uygulayabilirsiniz:

"Yarım kilo konserve bal kabağı, yarım kilo incecik doğranmış portakal, 350 ml. greyfurt suyu, 250 gr. doğranmış havuç, 250 gr. doğranmış tatlı patates, 1 çay kaşığı rendelenmiş Hindistan cevizi, 2 ay kaşığı rendelenmiş portakal kabuğu, bir tutam tuz, bir tutam kırmızı biber, bir tutam zerdeçal ve isteğe bağlı şeker."

Geniş bir tencereye bal kabağı, doğranmış portakal, havuç, patates, portakal kabuğu, tuz , biber ve zerdeçalı karıştırıp, orta

ateşte kaynayıncaya kadar bekletin. Kaynayınca tencerenin kapağını kapatın ve 20 dakika kadar yada sebzeler yumuşayıncaya kadar pişirin. Daha sonra karışımı bir blendere aktararak püre haline getirdikten sonra tekrar tencereye koyun. Tadına bakın ve eğer gerekiyorsa bir parça şeker ilave edin., Eğer çok sulu kaldıysa, istediğiniz kıvama getirene kadar kaynatın ve üzerine rendelenmiş Hindistan cevizi serperek servis yapın.

Kısırlık

İnfertilite (kısırlık) korunmaksızın düzenli ilişkiye karşın 1 yıl içinde gebelik oluşmaması olarak tanımlanmaktadır. Ülkemizde bu sorunun sıklığı hakkında yapılmış doyurucu bir çalışma yoktur. Ancak Avrupa ve ABD'den bildirilen raporlardan toplumda çiftlerin yüzde 10-15'in böyle bir problemle ilgilenmek zorunda kaldıklarını bilmekteyiz.

Toplumda bu sorunun sıklığının artık benzeri oranda olmasına karşın gerek II. Dünya Savaşı sonrası üreme çağındaki popülasyonun çoğalması gerekse sunulan tıbbi tanı olanaklarının yetkinleşmesi nedeniyle infertilite kliniklerine başvuran çiftlerin sayısı gün geçtikçe artmaktadır.

Herhangi bir çiftin herhangi bir ay gebe kalma oranının yüzde 20-15 dolayında olduğu bilinmektedir. Genel olarak toplumda çiftlerin yüzde 85'in 1 yıl içinde, yüzde 93'ün ise 2. yılın sonunda gebe kaldıklarını görmekteyiz. İngiltere'de 1550 ile 1850 yılları arasındaki arşivleri inceleyen bir çalışmada kadınların ancak yüzde 8'in yaşamı boyunca gebe kalamadığı bulunmuştur. Kısırlık en büyük üzüntü kaynağıdır ve tedavisi için ileri teknoloji gerektiren yöntemler kullanmayı gerektirir.

Teknolojiye başvurmadan önce, gebelik şansının yaşam tarzınızdaki yada diğer değişikliklerle artırılıp artırılamayacağını anlamak için buna neden olan her şeyi ortadan çıkarmak isteyebilirsiniz. Bu süre zarfında da doğal alternatifleri değerlendirmekte fayda var.

Kainat Eczanesinden Önerilen Bitkiler

Ahududu (Rubus idaeus):

Kadınlarda hamilelik sırasında ortaya çıkan rahim iltihapları için ahududu yapraklarından yapılan çay önerilir. Hayvan yetiştiricileri ahdudu yapraklarını, üretkenliklerini artırmak için erkek hayvanların yemlerine karıştırırlar.

Herbalist Kathi Keville, kısır erkeklerin ahududu yapraklarından yapacakları çayı demleyip içmelerini öneriyor.

Zencefil (Zingiber officinale):

Suudi Arabistan'da hayvanlar üzerinde yapılan bir araştırma, zencefilin sperm sayısını ve hareketliliğini büyük ölçüde artırdığını göstermiştir.

Karnabahar (Brassica oleracea) ve B6 Vitamini İçeren Besinler:

Mikro gıda takviyelerini savunanlar, kısırlık için genellikle karnabahar önermektedirler. Bu vitaminin en çok bulunduğu kaynaklar karnabahar, su teresi, ıspanak, muz, bamya, soğan, brokoli, kabak, karalahana, yer lahanası, Brüksel lahanası, bezelye ve turptur.

Ayçiçeği (Helianthus annuus) ve Arginin İçeren Diğer Bitkiler:

Sperm sayısı düşük erkeklere doğal şifacılar tarafından genellikle arginin takviyesi önerilir. Arginin maddesi ayçiçeğinde yeterli oranda bulunur.

Günde 4 gram arginin almak için, 50 gram kadar ayçiçeği yeterlidir. Ayçiçeğinin kuru ağırlığının yüzde 8.2'si oranında arginin bulunmaktadır. Bu hayati besini yüksek oranlarda içeren diğer bitkilerde sırasıyla; keçi boynuzu, ak ceviz, acı bakla, yer fıstığı, susam, soya fasulyesi, su teresi, çemen, hardal, badem, bakla ve mercimektir.

Ispanak (Spinacia olaracea) ve Çinko İçeren Diğer bitkiler:

Bazı araştırma sonuçları, çinko eksikliğinin erkeklerde üretkenliği ve sperm kalitesini düşürebileceğini göstermiştir.

Çinko bakımından zengin kaynaklar arasında ıspanak, maydanoz, Brüksel lahanası, salatalık, taze fasulye, hindiba, börülce, kuru erik ve kuşkonmazı sayabiliriz. Bu bitkilerden bulabildiklerinizi büyük bir tencerede kaynatırsanız, çinko bakımından zengin bir çorba elde edebilirsiniz.

Kolesterol

İnsan vücudunda kan gibi gerekli olan bir maddedir. Fazlalığı çeşitli hastalıklara neden olur. Soya lesitin, omega 3 yağı, üzüm çekirdeği özü, greyfurt, enginar, ananas hapları, yeşil çay, zencefil, biberiye, kuşburnu, kekik, kırmızı pul biber, sivri biber kolesterolde faydalıdır. Bol taze sebze ve meyve, soya fasulyesi, kekik suyu, yosun, derin deniz balıkları, taze yeşil salatalar, limon, kivi ve narenciye yardımcı besinlerdir. Tereyağı, margarin, balık yağı, kaz yağı, sığır yağı, koyun iç yağı, tavuk yağı ve hindi yağı gibi katı yağlarla, sakatat, yumurta sarısı, krema, fazla hamur işleri ve şeker, fazla tuz, kestane ve kuru yemişler çok az kullanılmalıdır.

Pratik Bitkisel Formüller

* Ayrık kökü, ardıç tohumu, zeytin yaprağı, kekik, biberiye gibi bitkiler çay gibi demlenip içilirse, kolesterolün düşmesini sağlar.

* **Biberiye ve zerdeçal, toz haline getirilip, yemeklere yarım çay kaşığı kadar eklenir.**

* Yeşil çayın kolesterolü düşürücü özelliği vardır.

* **1 bardak kaynar suya, 1 çay kaşığı zencefil konulur. 10 dakika bekletilip, günde 3 bardak içilir.**

* 1 bardak suya, 4–10 gram zerdeçal konulur. 10 dakika kaynatılıp, günde 2–3 bardak içilir.

* **5 bardak suya, 100 gram hayıt tohumu konulur. 10 dakika kay-**

natılır. İçine 1 limon sıkılıp, 2 adet aspirin, 30 gram karabaş otu, 10 gram oğul otu ilave edilir. 10 dakika bekletilip, 1 günde tüketilir.

* 1 bardak kaynar suya, 4–10 gram kantaron konulur. 10 dakika bekletilip, günde 2 bardak içilir.

Kainat Eczanesinden Önerilen Bitkiler

Havuç (Daucus carota):

İskoçya'da yapılan araştırmalarda, üç haftalık bir sürede, günde 2 tane havuç yiyen hastaların kolesterol seviyelerinin yüzde 10 ile 20 arasında düştüğü gözlemlenmiştir. Havuç pektin lifleri bakımından zengin bir kaynaktır. Pektin bakımından zengin diğer kaynaklar arasında elma ve turunçgillerin kabuklarının içindeki beyaz kısmı sayabiliriz. Bu meyveleri her gün yemeye çalışın. Eğer portakal yiyecekseniz, kabuğundaki beyaz kısımlardan birkaç ısırık almayı ihmal etmeyin.

Sarımsak ve Soğan:

Yapılan çok sayıda araştırma, her gün bir diş sarımsağın ya da soğanın total kolesterol değerlerini yüzde 10 ile 15 oranında aşağılara çektiğini göstermiştir. Bir deneyde günde 800 mg sarımsak verilen deneklerin hem kolesterollerinin hem de tansiyonlarının düştüğü gözlemlenmiştir.

Zencefil (Zingiber officinale):

Yapılan çok sayıda araştırma, zencefilin kolesterolü düşürdüğünü göstermiştir. Yemek üzerine yenilen zencefilli tahin helvası o yemekle alınan kolesterolü dengeleyebilir.

Çemen Otu (Trigonella foenum-graecum):

Çemen otu, mucilage adı verilen yumuşatıcı lifler açısından zengin bir bitkidir. Bitkinin kolesterol düşürücü etkisi için hem laboratuar hayvanlarında hem de insanlar üzerinde yapılan deneylerde kanıtlanmıştır.

Yalancı Safran (Carthamus tinctorius):

Yapılan bir araştırma, 8 hafta boyunca yalancı safran yağı alınması halinde total kolesterol değerlerinin yüzde 9 ile yüzde 15 arasında LDL değerlerinin de yüzde 12 ile yüzde 20 arasında gerilediğini göstermiştir.

Kolesterolü Dengeleyici Örnek Diyetler

Kahvaltı

Çay içmek yerine, portakal, greyfurt, elma ve havucu birkaç kez blenderden geçirerek sıkıp elde ettiğiniz meyve suyu.

İşlenmemiş tahıllardan yapılmış musliler ve küçük ekmekler.

Taze mevsim meyveleri ve çerezler

Bir parça safran yağı katılmış yulaf lapası ve diğer tahıllar... (Süt yada krema kullanmayın)

Öğle Yemeği

Çeşitli fasulyeler, arpa soğan, havuç ve sarımsak ile yapılmış ve çeşitli baharatlarla tatlandırılmış kolesterol düşürücü sebze çorba.

Fıstık yada fındık yağı sürülmüş kepekli veya taneli ekmek.

(Tereyağı ya da margarin kullanmayın.)

Lif oranı yüksek yeşilliklerle yapılmış salata. Keten tohumu ekilmiş meyve salatası. Yulaflı ya da mısırlı kepek ekmeği.

Akşam Yemeği

Fasulye, kepekli pirinç ve salça sosu ile yapılmış ve işlenmemiş tahıllardan yapılmış dürüm ekmeğine sarılmış ana yemek..

Tofu, kırmızı biber ve kuru fasulye ile hazırlanmış vejetaryen ve üzerine bolca fındık yağı sürülmüş mısır ekmeği, lahana salatası, sebze sosu, hardal ve soğan doldurulmuş ekmeği,

Mercimek ya da yabani pirinç çorbası

Her birinden birer bardak olmak üzere küp şeklinde doğranmış lahana, havuç, soğan, kereviz ve patates ve büyük bir kase salata.

Mevsimlik Meyve Kokteyli.

(Yüksek kolesterolü olan her kim olursa olsun, böyle bir diyeti bir yada iki hafta uyguladıktan sonra, kolesterolünün büyük oranında düştüğü görülmüştür.)

Loğusalık Dönemi ve Emzirme

Loğusalık, bir kadının en özel dönemlerinden biridir. Çoğu takviye anne sütüne geçtiği için bu dönemde ilaç kullanılmaması önerilir. Isırgan otu ve rezene içilebilecek en yararlı iki çaydır. Günde 2 fincan ısırgan çayı ile 4–5 fincan rezene çayı içmek sütün kalitesini artırır. Soya fasulyesi hem sütün bol olmasını sağlar hem de bebeğin zekâsının gelişimi için çok faydalıdır. Loğusa döneminde, tarçın, gül suyu, dereotu, fesleğen, maydanoz, limon, tuz, esmer şeker kullanılabilecek en uygun baharatlardır.

Pratik Bitkisel Formüller

Fazla olan loğusa kanamaları için, 1 bardak kaynar suya, 2–4 gram kuru yapraklı ökse otu yapraklarında ya da tohumundan konulur. 10 dakika bekletilip, günde 2–3 bardak içilir.

Lumbago

Sırtın aşağı kısmında hissedilen çok şiddetli ağrıya 'lumbago' denir. Belirtileri çeşitlidir. Örneğin, hasta otururken, bir yerden kalkarken, eğilerek bir iş yaparken sırt bölgesinde şiddetli ağrılar hisseder. Ağrı, belirtili bir noktadan başlayıp, kasıklara ve kalçaya doğru yayılır.

Hastalığın belirli bir nedeni olmamakla beraber, bağların ve kasların fazla gerilmesi, disk kayması veya bel kemiği ile kalça kemiği arasındaki eklemlerin fazla zorlanması, nedenler arasında sayılabilir. Tedavinin ilk şartı dinlenmektir. Ayrıca sırta sıcak su torbası koymak ve masaj yapmak da faydalıdır.

Pratik Bitkisel Formüller

* Lahana yaprakları ütü ile ısıtılıp, hastalıklı bölgeye sarılır. Günde 2 defa değiştirilir.
* **Turp sıkılıp, suyundan günde 2 çay bardağı bal şerbetiyle tatlandırılıp içilir.**

* Acı biber, ispirto ile karıştırılıp, bir müddet bekletilir. Ağrıyan yerler ovulur.

Meme Kanseri

Meme, süt bezleri ve burada üretilen sütü meme başına taşıyan kanallardan oluşur. Bu süt bezleri ve kanalları döşeyen hücrelerin, yukarıda tanımladığımız şekilde, kontrol dışı olarak çoğalmaları ve vücudun çeşitli yerlerine giderek çoğalmaya devam etmelerine "meme kanseri" denir.

Son yıllarda meme kanseri tedavisinde oldukça önemli gelişmeler olmuştur. Birçok tedavi olanakları ortaya çıkmıştır. Bu olanaklar, önemli ölçüde, hastalığın saptandığı safhaya göre değişir. Hastalık ne kadar erken safhada saptanırsa tedavi olanağı ve seçeneği o kadar fazla olmaktadır.

Pratik Bitkisel Formüller

* Sabah akşam aç karnına 1 bardak civanperçemi çayı içilir. Öğlenleri tok karnına 1 bardak sarı kantaron çayı içilir. Akşam tok karnına 1 bardak biberiye ve mürver çiçeği çayı içilir. Gece saat 22.00'de karabaş otu çayı ile şerbetçi otu çayı içilir. Bu terkibe 45 gün devam edilirse şifa bulunur.
* **Soya fasulyesi ılık suya ıslatılır, bir gece bekletilip süzülür. Kavrulup yenilirse kanser riskini önler.**

Menopoz

Hanımlarda 45–50 yaş arası adetten kesilme dönemi "Menopoz dönemi" olarak bilinir. Her kadında farklı olarak seyretmektedir. Düzenli olarak E vitamini alınırsa veya E vitaminli yiyecekler bol miktarda yenilirse, menopoz dönemi hafif geçer. Menopoz döneminde soyadan elde edilen isoflavonlar, melek otu, gece çuha çiçeği, civanperçemi, adaçayı, anason, papatya, maydanoz tohumu, ketentohumu, tarçın kullanılır.

Pratik Bitkisel Formüller

* 1 bardak kaynar suya, 8–10 gram ufalanmış aslanpençesi bitkisi konulur. 10 dakika bekletilip, günde 3 bardak içilir.
* **1 bardak kaynar suya, 2 gram adaçayı konulur. 10 dakika bekletilip, günde 2–3 bardak içilir.**
* 1 bardak kaynar suya 2 gram papatya konulur. 10 dakika bekletilip, sabahları aç karnına 1 bardak içilir.
* **4 bardak soğuk suya, 4 tatlı kaşığı ufalanmış çobançantası konulur. 8 saat bekletilen karışım 1 günde tüketilir.**
* Isırgan otu, atkuyruğu, civanperçemi, çobançantası, eğir otu hepsinden eşit miktarda karıştırılır. 1 bardak kaynar suya, 1 kaşık konulup, 10 dakika bekletilir. Balla tatlandırılıp günde 2 bardak aç karnına gece yatarken içilir.

MÜJDE... Beden temizliği –arınma-detoks ve bu kürler ile erken menopozdan geri dönebilrsiniz.

Kainat Eczanesinden Önerilen Bitkiler

Meyan Kökü (Glycyrrhiza glabra):

Meyan kökü doğal bir östrojenik bileşikler içerir. Meyan kökü ve özütleri, makul dozlar ve sürelerde kullanılırsa güvenlidir. Uzun süreli kullanımlar ya da doz aşımları baş ağrısı, uyuşukluk, sodyum ve su tutulması, aşırı potasyum kaybı ve yüksek tansiyon gibi yan etkilere neden olabilir. Meyan kökü şekerlemesi için güvenli doz 5 gramdır.

Çilek (Fragaria) ve Bor İçeren Besinler:

Çilek bor minerali açısından oldukça zengin bir meyvedir. Bor mineralinde doğal hormondan daha fazla östrojen etkinliği mevcuttur. 3 mg. gibi az bir miktar bor alınması halinde dahi, kandaki östrojen hormonu seviyesinin iki katına çıktığı görülmüştür. Bu nedenle menopoza girmeye hazırlanan bayanlar, bor açısından zengin besinler tüketmelidir. Bor mineralinin en bol olduğu gıdalar; çilek, şeftali, lahana, domates, karahindiba, elma, kuşkonmaz, incir, haşhaş tohumu, brokoli, armut, kiraz, pancar kökü, kayısı, kuş üzümü, maydanoz, dereotu ve kimyon tohumu olarak sıralanır.

Migren

Migren, tüm dünyada hem kadınlarda hem de erkeklerde görülen, sık rastlanan ve ağrılı bir hastalıktır. Bulantı, kusma, ışığa ve sese aşırı duyarlılık gibi belirtileri olan bu hastalık, migrenli kişi ve ailesi için genellikle çok sıkıntı verir. Migren, ataklar sırasında kişinin tüm faaliyetlerini tamamen durdurabileceği gibi, ataklar arasındaki dönemde de yaşam kalitesini azaltabilir. Kişilerin yaşamlarındaki olumsuz etkilerine rağmen, migreni olanların çoğu tam tedavi edilmezler. Bu, bazen, migreni olanların tedavi edilme şanslarının olmadığına inanmalarından ve bu konuda doktora gitmemelerinden kaynaklanır. Ancak daha yeni ve daha etkili tedavilerin bulunmasıyla, migren`i olan pek çok kişi için yeni umutlar doğmuştur.

Migren atağının sebebi tam olarak bilinmemekle birlikte, migreni olan çoğu kişi, belli faktörlerin migren ataklarını "tetiklediğine" inanır. Bu tetikleyiciler arasında stres veya stres sonrası gevşeme, çok fazla veya çok az uyku, kuvvetli ışık, hava değişiklikleri ve çikolata, peynir, kırmızı şarap, kahve ve çay gibi yiyecekler yer alır. Çoğu kadında hormonal değişiklikler veya adet dönemi de migreni tetikleyebilir, ancak ataklar başka zamanlarda da olabilir.

Pratik Bitkisel Formüller

* Ağrı geldiği zaman kahvesi bol olan soğuk ve sade bir kahve içilir.
* **1 bardak kaynar suya 4–12 gram kedi otu kökü konulur. 10 dakika bekletilip, günde 3 bardak yemeklerden önce içilir.**
* Defne tohumu toz haline getirilir. Günde 5 gram balla macun yapılır ve yenilir.
* **1 bardak kaynar suya 2–3 gram kekik konulur. 10 dakika bek-**

letilip, günde 3 bardak içilir.

* 1 bardak suya 2–4 gram anason konulur. 10 dakika bekletilip, günde 2–3 bardak içilir. 1 bardak kaynar suya 4–10 gram ufalanmış oğul otu yaprağı konulur. 10 dakika bekletilip, günde 3 bardak içilir
* **MİGREN noktalarına papatya yağıyla masaj yapılmalıdır.**
* 2 su bardağı kaynar su içine, birer tatlı kaşığı hafif ezilmiş defne, oğul otu ve fesleğen koyularak 15 dakika demlenir. Bu karışım ılık olarak günde 2–3 bardak içilir. Şeker hastalığı olmayanlar bitki çayını bir kaşık balla tatlandırabilir. Düzenli olarak en az 1 ay içilmeye devam edilmelidir.

Mide Rahatsızlıkları

Midenin başlıca görevi, besinleri ince bağırsağın sindirebileceği kıvama getirmektir. Mide borusundaki yanmalar ve ağızda ekşimsi bir tat meydana getiren geğirmeler, bir mide rahatsızlığının belirtisidir. Bu gibi rahatsızlıklar ebegümeci ve keten tohumu ile giderilebilir.

Pratik Bitkisel Formüller

* 1 bardak kaynar suya, 20 gram menekşe konulur. 10 dakika bekletilip, günde 2–3 bardak içilir.
* **Civanperçemi az pelin otuyla birlikte kaynatılıp, balla tatlandırılarak günde 3 su bardağı içilmeye devam edilir.**
* Yemeklerin üzerine veya gerektiğinde 3–5 adet çiğ nohut yenilir. Yemeklerden sonra midede meydana gelen ağırlığı giderir.
* **Bir bardak kaynar suya 4 gr dağ reyhanı konulur 10 dakika bekletilip, çay yerine içilir.**
* Yemekten 1–2 saat sonra içilen çay faydalı olur.
* **8 kilo kaynar su içine, 500 gr sarı kantaron bitkisi konulur.40 dakika kaynatılır, süzülüp dolapta muhafaza edilir, sabah, öğle, akşam yemeklerden 1 saat önce bir bardak içilir.**
* Bir bardak suya 4–10 gr zerdeçal konulur 10 dakika kaynatılır günde 2–3 bardak içilir.
* **Kudret narı olgun meyvelere balla macun yapılıp yenilir.**
* Bir bardak kaynar suya, 10 gr civanperçemi konulur. 10 dakika bekletilip günde 2–3- bardak içilir.
* **Bir bardak kaynar suya 10 gr kuşburnu konulur. 10 dakika bekletilip, günde 3–4- bardak içilir.**

Kainat Eczaneşinden Mide Bulantısına Önerilen Bitkiler

Zencefil (Zingiber officinale):

Zencefil mide bulantısı ve kusma tedavisinde kullanılan önemli bir bitkidir. Toz zencefille harika bir zencefil çayı yapıp içebilirsiniz.

Tarçın (Cinnamomum):

Tarçın, bünyesinde mide bulantısını bastırma özelliği olan "catechin" adlı bir kimyasal barındırır. Catechin aynı zamanda; kasık otu, arpa, yaban mersini, tespihat ağacı, şerbetçiotu, akdiken, kızıl kuzey meşesi, zeytin, armut, adaçayı, çilek, çay ve aksöğüt gibi bitkilerde de mevcuttur.

Nane (Mentha piperita):

Nane çayı güçlü bir antispazmodiktir. Bunun anlamı, kusmaya sebep olanlar da dahil olmak üzere, sindirim sisteminde yer alan kasların kasılmasını önlüyor demektir. Eğer hamileyseniz nane çayını çok fazla içmeyin.

Mide ve Oniki Parmak Ülseri -Reflü

Ülser midenin iç yüzeyinde meydana gelen arızalanmadır. Kekik çayı, papatya çayı, limonlu su ve sarımsaklı ayran gibi içeceklerin birinden mide boşken 1–2 çay bardağı içilerek ülserli kısım dezenfekte edilir.

* **Çiğ olarak sıkılmış patates her sabah içilir. Çiğ olarak sıkılıp içilen beyaz lahana suyu ile ülser ve reflüye şifa olur. Denenmiş ve mücerrebtir.**
* Reflü ve ülser için bir çay bardağı taze sıkılmış havuç suyu aç karna yudum yudum içildiğinde çözümdür, iyileşme sağlar. 2 çay bardağından fazla içilmemelidir.
* **Reflü için, her sabah taze ve tabii beslenen inekten sağılmış, kaynatılmış ılık bir çay bardağı sütü aç karna yudum yudum içmek faydalı olacaktır. KOBİK diğer şekilde sütün çocuklar dışında çok ve hastalıklar için tüketilmesini önermemektedir.**

Pratik Bitkisel Formüller

* Kantaron çayı, meyan kökü, nergis çayı ve havuç, lahana, bal ve ya patates, lahana, bal karışımı ile zeytinyağı içinde eritilmiş kudret narı kullanılmalıdır. Ülser ağrısı için kantaron, meyankökü, nane, pelin otu, papatya, şerbetçi otu gibi bitkiler karıştırılıp demlenir, bu karışımdan aç karnıına 3–4 bardak içilir.
* **3 su bardağı kaynar su içine, birer tatlı kaşığı ezilmiş veya toz halinde civanperçemi, meyan kökü ve kantaron otu konularak 20 dakika demlenir sabah, öğle ve akşam açken bu karışımdan bir su bardağı içilir.**
* Günde bir defa aç karnına kudret narı yenilir, su ile içilir. Düzenli olarak 1 ay devam edilmelidir.
* **400 gr keten tohumu toz haline getirilir. Balla macun yapılıp sabahları aç karına bir miktar yenilir. Bu işleme 30–40 gün devam edilir.**
* Bir bardağa yarım fincan patates suyu,1 tatlı kaşığı lahana suyu sonra bir tatlı kaşığı bal konulur, karıştırılıp üzeri su ile doldurulur, aç karnına 1,5-2 ay içilmeye devam edilir.
* **3 su bardağı kaynar su içine, birer tatlı kaşığı ezilmiş veya toz halinde civanperçemi, meyan kökü ve kantaron otu koyularak 20 dakika demlenir. Bu çaydan sabah, öğlen, akşam aç karnına 1 su bardağı içilirse mide ülserine iyi gelir.**

Multiple Sclerosis (MS)

Multipl Skleroz (MS), merkezi sinir sistemini oluşturan beyin, beyincik

ve omurilik gibi yapıları etkileyen ve genç erişkinlerde görülen bir hastalıktır. İlk belirtileri bir gözde görme kaybı veya bulanıklığı, çift görme, konuşmada zorluk, bir beden yarımında güçsüzlük ve uyuşukluk, ellerde titreme, yürüme güçlüğü veya dengesizlik, ince hareketlerde beceri kaybı olan bu hastalık en çok 20 ile 40 yaşlar arasında ortaya çıkmaktadır. Hastalığa ait ilk belirtilerin ortaya çıkış yaş ortalaması memleketimizde 27, Batı ülkelerinin çoğunda ise 30 yaşında olup kadınlarda erkeklere göre iki kat daha fazla görülmektedir. Ancak yukarıda sayılan belirtilerin, tek başlarına MS hastalığı için özgün olmayıp, birçok başka nörolojik veya diğer hastalıkta da görülebileceğini unutmamak gerekir. MS kesinlikle bulaşıcı ya da bir akıl hastalığı değildir. MS'de ana sinirlerin üzerini kaplayan koruyucu miyelin tabakası bozularak, sinirler arasında küçük elektrik arızalarına neden olur. MS hastalarında önemsiz halsizliklerden felce kadar geniş bir yelpazede yer alan bir takım semptomlar görülür. Her ataktan ya da kötüleşmeden sonra, bazı MS hastaları tamamen normal hallerine dönerken bazılarında kalıcı arazlar oluşur.

Kainat Eczanesinden Önerilen Bitkiler

Isırgan Otu (Urtuca dioica):

Isırgan otunun içerdiği bazı bileşikler, tıpkı arı sokması gibi bir etkiye neden olurlar. Isırgan otu demetlerini eldivensiz olarak tutmanız sayesinde son derece güçlü birçok yararlı bileşik, vücudunuza enjekte edilir.

Semizotu (Portulaca oleracea):

İngiltere'de yayınlanan bir tıp dergisinde, MS hastası bir İngiliz biyokimyacı, bol magnezyum kaynağı olan semizotunu yemenin kendisine çok faydası olduğunu belirtmiştir. Günde 375 mg. kullandığını söyleyen biyokimyacı, böylece MS ataklarının azaldığını söylemiştir. Bir tabak dolusu buharda pişmiş semizotu, 375 mg, dozun alınmasında yardımcı olacaktır.

Nasır

Daha ziyade el ve ayağın sürekli olarak sürtünmelere uğrayan noktalarında üst derinin kalınlaşması ve sertleşmesi ile meydana gelen ve basılınca ağrı veren sertleşmiş deri tümseğine "nasır" denir. Nedeni, nasırlaşan bölgeye yapılan basınç ve sürtmedir.

Ayakta görülen nasırlara çoğunlukla sıkı ayakkabılar neden olur. Derinin boynuzsu tabakasının, uzun süre devam eden basınç veya sürtünme sonucu, belirli bölgelerde kalınlaşması.

Tepesi içeri bakan bir piramit şeklindedir. Geniş bölgede meydana gelen sertleşme koruyucudur, fakat küçük olanları genellikle ağrılıdır. Özellikle ayakta meydana gelen nasırları, kendi kendine evde tedaviye yeltenmek pek bir sonuç vermez, bunları ilgili bir hekime göstermek uygundur.

Ayak tabanlarında meydana gelen ağrılı ve mikroplu siğilleri, nasırla

karıştırmamalıdır. İnsanlarda nasır, genellikle yaptığı işin bir belirtisi olarak ortaya çıkar.

Meselâ, çiftçilerin, işçilerin elleri nasır tutar. Ayak parmaklarındaki nasırlar, çok dar ayakkabı giymeye bağlıdır. Ağrı veren nasırlardan kurtulmak için en mühim husus, nasırı meydana getiren sebebi gidermektir.

Pratik Bitkisel Formüller

* Kırmızı soğan sıkılır, suyu nasırın üzerine günde 3–4 defa sürülür.

* **Domates dilimlenip, nasırın üzerine sürülür.**

* Limon dilimlenip, yatarken nasırın üzerine sarılır.

* **Sinir otu yaprağı sıcak suda yumuşayıncaya kadar bekletilir. Nasırların üzerine konulur.**

* Ceviz yağı bir müddet nasırların üzerine sürülür.

* **İncir ikiye bölünür. İçine ıslatılmış kına konulup, nasırın üzerine sarılır.**

Kainat Eczanesinden Önerilen Bitkiler

Kırlangıçotu (Chelidonium majus):

Kırlangıç otu nasır ilacı olarak dünya çapında bir üne sahiptir. İşte size nasırlarınız için harika bir bitkisel çözüm.

"1,5 litre su, 1 çay kaşığı potasyum klorit, 115 gram doğranmış taze kırlangıçotu, 250 ml gliserin."

Suyu orta boy bir tencereye koyun ve içine potasyum kloridi ekleyin. Ocağı yakın ve potasyum klorit suda eriyinceye kadar karıştırın. Eriyince tencereyi ocaktan alın ve kırlangıç otunu ekledikten sonra, 2 saat kadar dinlenmeye bırakın. Bu sürenin sonunda tencereyi yeniden ocağa koyun ve karışımı kaynatın. Kaynadıktan sonra altını kısın ve 20 dakika daha pişirin. Bir elek ya da tel süzgü kullanarak karışımı büyük bir kasenin içine süzün.

Süzgüde biriken kırlangıç otu kalıntılarını atın. Kaseye süzdüğünüz sıvıyı tekrar tencereye aktarıp, buharlaşıp 1,5 bardak kalana kadar kaynatın. Kalan sıvıya gliserin ekleyin ve bir süre daha kaynatın. Daha sonra sıvıyı süzüp, bir şişeye doldurun ve serin bir yere koyun. Elde ettiğiniz bu karışımı günde 2 kez, örneğin işe gitmeden önce ve yatmadan önce, nasırlarınıza uygulayın. Potasyum kloridi marketlerde, eczanelerde bulabilirsiniz.

Söğüt (Salix):

Söğüt kabuklarından hazırladığınız lapayı kullanırken sadece nasıra temas etmesine dikkat edin. Nasırın etrafını çevreleyen sağlıklı deriyle, temas etmemesine özen gösterin. Asidik olmaları nedeniyle, salisilatlar ciltte tahrişlere yol açabilir.

İncir (Ficus carica):

Hz. Süleyman'ın her yanında çıbanlar çıkınca, doktorları çıbanlarının üzerine incir ve sapının suyunu koyarak tedavi etmişler. İncir, bünyesinde protein parçalayıcı enzimler barındırır. Bu enzimler nasırlar da dahil olmak üzere, istenmeyen deri oluşumlarını önlemeye yardımcı olurlar.

Nezle

Grip mi yoksa nezle mi olduğunuzu nasıl anlarsınız? İki hastalık arasındaki farklar ve korunma yolları aşağıda belirtilmiştir: Grip ve nezle aynı yollardan kişiden kişiye geçer.

Hastaların öksürüp aksırmasından havaya mikroplu su damlacıkları dağılır ve bunlar diğer kişilere solunum yoluyla geçer. Ancak grip, nezleden daha yaygındır. Bazı kişilerde, özellikle 65 yaşın üstünde olanlarda zatürree gibi ciddi sorunlara yol açabilir. Kalp hastalarında ölüme neden olabilir.

Grip ateş, titreme, kaslarda ağrı, ağızda ve boğazda kuruluk, baş ağrısı, öksürük ve yataktan kalkamayacak derecede bitkinlik ve uyuma hissi ile kendini gösterebilir. Bazı kişilerde kusma görülebilir. Genellikle 7-10 gün sürer.

Çocuklar nezleye yılda ortalama 10 defa, büyükler ise 2-3 defa yakalanırlar. Hastalığın en kötü belirtileri 2-3 gün sürer. Belirtiler arasında hafif ateş, baş ağrısı, burun akması ve aksırma sayılabilir.

Önlem ve tedavi gripte olduğu gibidir. Ancak nezlenin aşısı yoktur ve genelde hastalara yatak istirahatı gerekmez. Gripte olduğu gibi, nezleye tutulduğunuz zaman da başkalarından uzak kalarak hastalığın onlara bulaşmasını engellemelisiniz.

Pratik Bitkisel Formüller

* Ihlamur toz haline getirilip günde 3–5 defa 1–4 gr içilir.
* **Bir bardak kaynar suya bir çay kaşığı tarçın konulur 10 dakika bekletilip günde 2–3 bardak içilir.**
* Çörekotu suyla ıslatılıp, sonra kurutulur. Toz haline getirilip, buruna çekilir.
* **Lahana yaprakları 5 dakika kaynatılır. Elde edilen sudan günde 2–3 bardak içilir.**
* 1 bardak suya, 4 gram ayrık kökü konulur. 10 dakika kaynatılıp, günde 2–3 bardak içilir.
* **1 bardak suya, 10 gram maydanoz konulur. 5 dakika kaynatılıp, 10 dakika bekletilir. Suyuna bal ve limon ilave edilerek günde 3–4 bardak içilir.**
* 1 bardak süte, 3 diş sarımsak, 1 baş soğan ezilip konulur. Hafif ateşte 10 dakika kaynatılıp, süzülür. 1 kaşık bal ilave edilip, 2 saat arayla 1'er kaşık sıcak olarak içilir.
* **500 gram kaynar suya, 10 gram parçalanmış kuru incir, 10 gram kuru üzüm konulur. 30 dakika bekletilip, nezle başlangıcında 1 günde tüketilir.**
* 1 kilo kaynar suya, 10 gram ebegümeci, 10 gram menekşe, 10 gram sığırkuyruğu konulup, 10 dakika bekletilir. Günde 3–4 bardak içilir.

Kainat Eczanesinden Önerilen Bitkiler

Sarımsak (Allium sativum):

Sarımsağın çok kuvvetli bir antibiyotik olduğun biliyoruz. Bu bitkinin insanın nefesini kokutmasının nedeni, sarımsağın aromatik bileşenlerinin soğuk algınlığı mikroplarına karşı en etkili içeriklerini en çok ihtiyaç duyulan yer-

lere bırakarak, akciğerler ve solunum yolundan dışarıya çıkmasıdır.

Kiraz (Prunus serotina):

Yaz sezonu boyunca limonatanızın içine ezilmiş kiraz parçaları atarak için. C vitamini deposu olan kirazı sofranızdan eksik etmeyin.

Soğan (Allium cepa):

Sarımsakla yakın akraba olan soğan, sarımsağın içeriğindeki antiviral bileşiklerin aynısına sahiptir. Bala yatırılan soğan dilimleri gece boyu bekletildikten sonra, elde edilen karışım öksürük şurubu gibi belli aralıklarla içilir.

Anason (Pimpinella anisum):

Birkaç çay kaşığı dövülmüş anason tohumunu, 250-500 ml. kaynar suya karıştırarak 10-15 dakika daha kaynattıktan sonra süzerek elde edilen çay, sabah ve akşamları bir fincan içilir. Bu hem balgam sökmenize yardımcı olur hem de soğuk algınlığına karşı bir direnç oluşturur.

Hatmi Çiçeği (Althaea officinalis):

Hatmi içeceği binlerce yıldan bu yana, soğuk algınlığına bağlı öksürük, boğaz ağrısı ve diğer solunum yolları hastalıklarında rahatlatıcı bir ilaç olarak kullanılmıştır.

Hatmi çiçeği köklerinde bulunan ve mucilage adı verilen zamk benzeri bir sıvı iltihaplı mukozaları yumuşatır. Bu etki muhtemelen, bitkinin içeriğinde olduğu bilinen antiseptik ve anti inflamatuar bileşikler nedeniyle ortaya çıkmaktadır.

Söğüt (Salix):

Söğüt kabuğu ağrı kesici, ateş düşürücü anti inflamatua olarak onaylanmıştır. Yalnızca bir çay kaşığı kuru bitkiden yapacağınız çay, 100 mg salisin içerir ki, bu da soğuk algınlığına bağlı olarak gelişen öksürüğün tedavisi için yeterli bir dozdur.

Osteoporoz

Osteoporoz, kemik erimesi olarak da adlandırılan bu durum kemiklerin incelmesi, zayıflaması ve kırılması ile karakterize bir hastalıktır.

45 yaşından sonra kadınların bir çoğunda osteoporoz görülür. Kemik dokusu sürekli değişen bir dokudur ve kan ile sürekli kalsiyum alışverişi içindedir.

Osteoporoz kronik sırt ağrısına, boy kısalmasına, akşamları bacak kramplarına, eklem ağrılarına, diş kaybına ve dişeti problemlerine yol açar.

Kainat Eczanesinden Önerilen Bitkiler

Maydanoz (Petroselinum crispum):

Maydanoz flor ve bor minerali bakımından çok zengin bir bitkidir. Yaklaşık 90 gram kuru maydanoz 3 mg. bor ihtiva eder. Bu miktar birçok insanın almak isteyeceğinden fazladır.

Karabiber (Piper nigrum):

Karabiber dört değişik anti osteoporoz bileşik içerir. Eğer karabiberi seviyorsanız yemeklerinize bolca serpmeyi ihmal etmeyiniz.

Soya ve Diğer Fasulyeler:

Fasulyeler yüksek oranda protein içeren besin kaynakladır, ancak idrarla yüksek oranlarda kalsiyum atılmasına neden olmazlar. Buna

ek olarak soya fasulyesi ve diğer fasulye türleri, bitkisel bir östrojen olan genistein içerirler. Bu madde de kemiklere çok faydalıdır.

Lahana (Brassica oleracia):

Bor minerali bakımından zengin yapraklı sebzeler listesinde, kuru ağırlığı göz önüne alındığında, her bir milyonda 145 birim ile lahana en üst sırada yer alıyor. Bor kandaki östrojen seviyesinin artmasını sağlar ve östrojen de kemiklerin korunmasına yardımcı olur. Lahanayı yüksek oranda kalsiyum içeren brokoli, kale lahanası, fasulyeler ve tofu ile karıştırıp salatalar ve buharda pişirerek lezzetli sebze öğünleri hazırlayabilirsiniz.

Herkese ve Osteoporoz Hastalarına Özel Diyet Çorbası

Büyük bir kabın içine su doldurarak bol miktarda balık kılçığını atın. Eğer kılçıklar çok küçükse bir tülbent içine koyarak düğüm yapın. 30 dakika boyunca kabı kaynatın. Bir miktar lahana, karahindiba, marul, maydanoz ve semizotu ekleyin. Yeşillikler yumuşayıncaya kadar yavaş yavaş kaynatın. Karışıma tuz ve biber ekleyin. Servis yapmadan önce balık kılçıklarını kaldırın. Avokado dilimleri ve karabiber ekleyerek bu bitki çorbasını servis yapabilirsiniz. Bu karışım bol miktarda kalsiyum, magnezyum, boron, betacarotene ve C vitamini içermektedir. Bunun yanı sıra bir miktar D vitamini, florür ve silikon da ihtiva eder.

Ödem

Vücutta anormal miktarda su toplanmasıdır. Kalp, damar ve böbrek hastalıklarının bir belirtisi olabildiği gibi bazı alerjik durumlarda ve beyin travmalarında ciddi sonuçlar doğurabilir.

Özellikle derialtı ve kaslardaki doku aralıklarında, seröz boşluklarda (kalp, akciğer ve karın iç zarları) serbest sıvının toplanması, ödemin tespitini mümkün kılar. Dolayısıyla ödem, klinikte hücre dışı ve damar dışı sıvı miktarının artışını ifâde eder.

Ünlü tıp düşünürü Hipokrat, vücutta ödem oluşmasında en iyi tedavinin kan aldırmak olduğunu söylemiştir. Sülükler bunun en iyi tedavi yollarından biridir.

Pratik Bitkisel Formüller

* 1 bardak kaynar suya, 4–6 gram kiraz sapı konulur. 10 dakika bekletilip, günde 2–3 bardak içilir.
* **1 bardak kaynar suya, 4–6 gram enginar yaprağı konulur. 10 dakika bekletilip, günde birkaç bardak içilir.**
* 1 bardak süte, 1 bağ ince kıyılmış maydanoz konulur. Süt yarıya ininceye kadar hafif ateşte tutulur. Süt kaynatılmadan hazırlanan karışım, gündüzleri 2 saatte bir 2 çay kaşığı içilir.
* **1 bardak kaynar suya 6–20 gram püskül konulur. 10 dakika bekletilip, günde 2–3 bardak içilir.**

Öksürük

Uzun süren öksürükler bir hastalık olmayıp, çeşitli hastalıkların belirtisidir. Herhangi bir tıbbı hastalığa bağlı olmayan uzun süreli öksürüklerde bazı bitkisel tedaviler uygulanabilir.

Okaliptüs, nane, ıhlamur, zencefil, meyankökü hapları ve şurupları, C vitamini, ıhlamur, zencefil, şahtere, hibiscus, meyankökü öksürük için faydalıdır. Ihlamur, zencefil, meyankökü birlikte kaynatılırsa etkisi büyük olur. Yulaf samanı çayı ile üzerlik otu tohumu da kronik bronşite ve öksürüğe iyi gelir.

Pratik Bitkisel Formüller

* 2–3 parça parmak ucu kadar zencefil, iri bir tutam ıhlamur, 1 çay kaşığı hibiscüs, 1 çay kaşığı şahtere bir su bardağı kadar suda 3–4 dakika kaynatılır. 2–3 dakika demlenip içilir. Şekeri fazla kullanmak iyi değildir. Çaya nöbetşekeri konursa öksürük azaltılır.
* **Günde 2–3 kere meyankökü çiğnemek de yararlıdır.**
* Zencefil, kekik ve alerjik kökenli olmayan öksürükte karabiber faydalıdır.
* **Kronik öksürük için, 2 adet karaturp, kabak oyacağıyla 5–6 yerinden oyulur. Oyukların içine bal doldurulur ve sadece oyuklarının üstü turp parçacıklarıyla kapatılır. En erken 24 saat içindeki sıvı kaşığa doldurulur ve günde 3 çorba kaşığı şurup şeklinde içilir.**
* Kuşburnu, ısırgan, zencefil, şahtere ve hibiscus çaylarını içmek de çok yararlıdır.
* Okaliptüs yağıyla buğu yapmak, sırta ve göğse mentol ve okaliptüs karışımları sürüp üstüne sıcak kompres uygulamak, ayak tabanlarını susamyağıyla ovup, tuzlu sıcak suya sokmak bu konuda yardımcıdır.
* **Ayva çekirdekleri kaynatılıp, bol şekerle karıştırılarak günde 3–4 bardak ılık olarak içmeye devam edilir.**
* Ebegümeci kaynatılır, zeytinyağı ve limon katılarak bol bol yenirse göğsü yumuşatır. Öksürüğü hafifletir ve balgam söker.
* **2 fincan suyun içine 4–5 diş ezilmiş sarımsak konur, yarıya ininceye kadar hafif ateşte kaynatılır.**
* Ebegümeci, meyankökü, sinirli ot ve hindiba eşit oranda ince kıyılarak karıştırılır. 1–2 tatlı kaşığı dolusu hazırlanan karışım, 1 bardak kaynar suyla haşlanır, 10 dakika demlendikten sonra süzülür. Günde 3 kere 1 bardak çay, balla tatlandırılıp içilir.
* **20 gram andızotu kökü, 5 gram kekik, 5 gram ince kıyılmış çuhaçiçeği kökü karıştırılır. Hazırlanan karışımdan 1 tatlı kaşığı dolusu 1 bardak soğuk suya eklenir. Kaynama derecesine geldikten sonra 1–2 dakika kaynatılır ve süzülür. Biraz balla tatlandırılarak günde 2–4 kere 1 bardak içilir.**
* Kaynatılmış salep üzerine zencefil ekilerek içilirse, her türlü öksürük için faydalıdır.
* **20 gram kekik, 10 gram çuhaçiçeği kökü, 10 gram**

ezilmiş anason, 10 gram sinirli ot, 10 gram meyan kökü karıştırılır. 1 tatlı kaşığı dolusu karışım, 1 bardak kaynar suyla haşlanır. 10 dakika demlendikten sonra süzülür ve balla tatlandırılarak, günde 2–3 kere 1 bardak içilir.

* Hastanın göğsünün süsen yağıyla ovulması, fayda sağlar.

* **Benefşe hamuru, köknar yağı veya fıstık yağıyla karıştırılıp, badem, incir, hurma ve kuru üzümle yenilir.**

* 3 dirhem köknar içi, 5 dirhem fıstık içi, 10 dirhem ağartılmış badem, 10 dirhem keten tohumu, 30 dirhem bal karıştırılarak, oluşan karışımdan her gün ceviz büyüklüğünde yenilir.

* **Keten tohumu balla karıştırılıp yenilir.**

Kainat Eczanesinden Önerilen Bitkiler

Öksürüğün nedeni ne olursa olsun, bitkiler bazı rahatlatıcı yararlar sağlayabilir. Bitkisel öksürük ilaçları antik çağlardan beri kullanılmaktadır.

Hatmi Çiçeği (Althaea officinalis):

Hatmi çiçeğinin rahatlatıcı özellikler gösteren kökleri ve özütleri, aynı zamanda boğaz ağrısı ve öksürüğün tedavisinde büyük yararlar sağlayan "mucilage" adlı kimyasalı içerir.

Bir bardak kaynamış suya karıştıracağınız iki çay kaşığı kurutulmuş hatmi köküyle, güçlü bir çay yapabilirsiniz.

Isırgan Otu (Urtica dioica):

Isırganla yapılan çay, her zaman en iyi öksürük ilaçlarından biri olmuştur. Isırgan otunun aynı zamanda boğmaca öksürüğü ve tüberküloz tedavisinde de kullanılması oldukça eskilere dayanır.

Öksürüğünüz ve saman nezleniz için bitkinin yapraklarıyla yapılan çay çok fayda sağlar.

Limon (Citrus limon):

İki çay kaşığı organik limon kabuğu, bir çay kaşığı adaçayı ve yarım çay kaşığı kekiği kaynamış suda 15 dakika bekletin. Yarım limon suyu ve bir çorba kaşığı balı ilave ettikten sonra, günde 2-3 kere afiyetle için.

Meyan Kökü (Glycyrrhiza glabra):

Bir bardak suya koyacağınız bir çay kaşığı kurutulmuş meyan köküyle harika bir çay yapabilir ya da bitkisel öksürük ilaçlarınıza bir miktar meyan kökü ekleyebilirsiniz.

Parkinson Hastalığı

Parkinson hastalığı, ilk kez 1817 yılında İngiliz bir hekim olan James Parkinson tarafından tanımlandı. Parkinson hastalığının ileri yaşlarda başlaması ve çok eski çağlarda insan ömrünün nispeten kısa olması nedeniyle hastalığın ilk ne zaman ortaya çıktığı bilinmiyor. Parkinson hastalığı, beyinde hareketlerimizden sorumlu olan hücrelerin ufak bir bölümünün hasara uğraması ve eksilmesi (dejenerasyon) sonucu ortaya çıkan bir hastalık olarak nite-

lendiriliyor. Bu hücreler dopamin adı verilen kimyasal bir madde salgılıyor. Dopamin, bilgileri bir sinir hücresinden diğerine gönderiyor. Beyinde yeterli dopamin yapılmazsa hareket ve denge işlevleri etkilenerek Parkinson hastalığı belirtileri ortaya çıkıyor. Parkinson hastalığı ölümcül olmayan, yaşam beklentisini kısaltmayan ve felce yol açmayan bir hastalıktır. Başlıca belirti ve bulgular şunlardır: İstirahat halinde uzuvlarda titreme, hareketlerde yavaşlama, bir veya daha fazla uzuvda sertlik, yürürken kolları sallamama, konuşurken yüz ifadesinde donukluk ve eşlik eden doğal el hareketlerinin kaybı, yavaş, küçük adımlarla veya ayak sürüyerek yürüme, vücut duruşunun öne eğik şekil alması, yumuşak ve alçak sesle, monoton konuşma, el yazısında küçülme ve yazının okunaksız olması, ağızdan salya sızması, yutkunma güçlüğü, halsizlik, yorgunluk, ruhsal çöküntü hali (depresyon), nedensiz sıkıntılar, kabızlık, aşırı terleme, tansiyon düşmesi ve ağrı, kas spazmları. Titreme, Parkinson hastalarının yaklaşık olarak yüzde 80'inde oluyor. Genellikle ellerde dinlenme halindeyken ortaya çıkıyor, heyecan ve stresle şiddeti artıyor. Ellerin dışında; kollar, ayaklar, çene ve dudakta da titreme olabiliyor. Ancak her titremesi olan kişi Parkinson hastası değildir. Titreme başka birçok hastalıkta da ortaya çıkabileceği gibi, normal insanlarda heyecanlanınca özellikle ellerde görülebiliyor. Hareketlerdeki yavaşlık çok belirgin olduğu zaman hastalar günlük işlerinde zorluk çekebiliyor ve yakınlarının yardımına gereksinim duyabiliyor.

Kainat Eczanesinden Önerilen Bitkiler

Bakla (Vicia faba):

Bakla beyindeki dopamin maddesinin doğal öncülü olan Ldopa olarak bilinen bileşik bakımından, doğadaki en zengin bitkisel kaynaktır. Parkinsonlularda genellikle beyindeki dopamin üreten hücrelerin bozulmaları nedeniyle, beyindeki dopamin ve asetilkolin arasında bir dengesizlik oluşur. Eğer beyniniz daha az dopamin üretiyorsa yalnızca L-dopa almak yeterli olur. Parkinson hastaları üzerinde fiziksel etkilerini görmek için gereken miktarda L-dopa'yı, yaklaşık 450-500 gramlık bir kutu bakla konservesinden almak mümkün. Bu miktar parkinsonlu bir hastanın semptomlarını tedavi etmede yardımcı olur.

Çarkıfelek Çiçeği (Passiflora incarnata):

Çarkıfelek çiçeğinin içeriğindeki harmin ve harmalin adlı iki alkaloitin, parkinsona karşı etkisi resmen kabul edilmiştir. Günde 3 kez yüzde 0,7 oranında flavanoid içeren çarkıfelek çiçeği türünden 10-30 damla kullanılır.

Ginko (Ginkgo biloba):

Ginko, Alzheimer hastalığı, inme ve Parkinson tedavisinde yaygın olarak kullanılır. Ginko beyne

giden kan miktarını artırarak, L-dopa'nın gerekli yerlere ulaşmasını sağlar. Ginko özütü içeren kapsüllerden 300-500 miligramlık üç kapsül kullanılır.

Prostat Sağlığı

Erkeklerde 50 yaşından sonra görülen bir hastalıktır. Özellikle geceleri sık sık idrara çıkma, idrarın ağrılı ve sızılı olması, damla damla akması gibi belirtilerle kendini gösterir. Her gün 1-2 fincan adaçayı tüketmek, mısır püskülü, yeşil çay, anason ve Zerdeçal'dan oluşan karışımı çay yapıp içmek prostat için faydalıdır.

Yine her gün 1 çorba kaşığı keten tohumu ya da yağı tüketmek, meyankökü çiğnemek, bol biberiye, dereotu, zerdeçal ve maydanoz yemek ve bol su içmek prostat sağlığı için çok önemlidir.

Pratik Bitkisel Formüller

* 10 gram hazenbel, 10 gram kereviz yaprağı veya tohumu ayrı ayrı 1 litre suda 10 dakika kaynatılır. 30 dakika demlenip, sabah akşam tok karnına birer su bardağı ayrı ayrı içilir. Bu terkibin içilmesine 1 ay devam edilmelidir.
* **250 gram brokoli bitkisi 1 kilo suda 4 dakika kaynatılır. Günde birkaç bardak içilir.**
* 8 kilo kaynar su içine 500 gram sarı kantaron konulur. 40 dakika kaynatılıp, süzülür. Dolapta muhafaza edilen karışımdan sabah, öğle, akşam yemeklerden 1 saat önce 1 bardak içilir.
* **At kestanesi, tam açılmamış servi kozalağı, mazı yaprağı, ardıç tohumu, ökse yaprağı, ayrık kökü ve maydanoz gibi bitkilerin çayları günde 3–4 bardak içilir.**
* Kocayemiş yaprağı, funda yaprağı, mazı yaprağı az miktarda ardıç tohumu karıştırılıp çay gibi demlenir. Günde 3–4 bardak içilir.
* **Kenevir, kereviz tohumuyla beraber kaynatılıp balla tatlandırılarak macun yapılıp yenmeye devam edilir.**
* Isırgan otu prostat büyümesinden kaynaklanan idrar zorluğunu rahatlatır.
* **1 bardak kaynar suya, 10 gram funda konulur. 10 dakika bekletilip, günde 2–3 bardak içilir.**
* Maydanoz kaynatılıp, günde 3 bardak içilir.

Kainat Eczanesinden Önerilen Bitkiler

Isırgan Otu (Urtica dioica):

Araştırmacılar 60 yaş üzerindeki 67 erkeğe bir çay kaşığı ısırgan otu kökü özütü vermişler ve bunun sonucunda gece idrara kalkma ihtiyaçlarının gözle görülür oranda azaldığını gözlemlemişlerdir. Günde 2-3 çay kaşığı özüt alınması öneriliyor.

* **Prostat iltihabı için her gece 1 lt suda 1-2 soğan sabaha kadar bekletilerek, sabah aç karna içilir.**

Kabak Çekirdeği (Cucurbita pepo):

Kabak çekirdeği Bulgaristan, Türkiye ve Ukrayna'da geleneksel İPB tedavisidir. Erişkinlik döneminde her gün bir avuç kabak çekirdeği yenilmesi önerilmektedir.

Romatizma ve Eklem Problemleri

Eklem romatizması, eklem yerlerinde ağrı, şişme ve hareket zorluğu şeklinde belirtisi olur. Kas romatizması ise, genellikle şiddetli soğuk algınlığının sebep olduğu ve adale ağrısı, hareket zorluğu şeklinde belirtisi görülür. Papatya, melisa, karanfil, anason ve lavantanın özellikle ağrı kesici yönü çok kuvvetlidir.

Zencefil, biberiye, kekik, karanfil ve mercanköşk baharatlarının yemeklerde bolca tüketilmesi yararlıdır. Aloe vera ve meyankökü hapları da romatizma ve eklem problemlerine karşı yararlıdır. Omega–3 yağının iltihabi ve ağrılı durumlara karşı olumlu bir etkisi vardır.

Pratik Bitkisel Formüller

* Çörtük otu, adaçayı ve kekik ayrı ayrı olmak üzere, 1 çay bardağı sıcak suya, 1 çay kaşığı konulur. 10 dakika demlenip, süzülür ve adaçayı aç, diğerleri tok karna sabah, öğle, akşam içilir. Bu terkibe ara vermeden en az 6 ay devam edilirse eklem romatizmasına şifa olur.
* **Kereviz tohumu, elma kabuğu, ayrık otu, menekşe, söğüt yaprağı ve meyan kökü gibi bitkilerden biri veya birkaçı birlikte kaynatılıp, günde 3 bardak suyu içilirse bu hastalığa iyi gelir.**
* Zencefil, havlıcan ve Şam fıstığı bala katılarak macun yapılır. Sabah akşam birer tatlı kaşığı yutulur.
* **Siyatik, lumbago ve kollarda bacaklarda meydana gelen sinir iltihaplanmalarında, ağrılı bölgelere sürülerek kullanılır. Bitkinin yakıcı tüylerinin deriyi tahriş etmesiyle uzun süreli rahatlatıcı bir sıcaklık meydana gelir ve ağrılar diner. Başlangıçta rahatsız edici olan deri yanması bir süre sonra azalır ve daha sonra sona erer.**
* 1 bardak kaynar suya, 10 gram ince kıyılmış hindiba kökü konulur. 10 dakika bekletilip, günde 1–2 bardak içilir.
* **20 baş sarımsak iyice ezilir, bir miktar iyice ezilir. Bir miktar suyla kuvvetli çıkıncaya kadar kaynatılıp, süzülür. Elde edilen suya, 30 gram toz karabiber, 30 gram saf zeytinyağı konulur. Hafif ateşte tutulur. İçine 15 gram günlük, 10 gram kâfur toz halinde konulur. 2 dakika kaynatılır. Hastalıklı bölgeye masaj yapılır.**
* 10 gram sarımsak ezilir, üzerine 10 gram ılık su konulur. 24 saat bekletilip, tülbentle süzülür. Günde 3 defa 15–30 damla içilir.

Saç Bakımı

İnsanların loğusalık, sonbahar, kronik rahatsızlıklar, yanlış diyet ve rejimler, uzun süreli ruhsal gerginlik gibi dönemlerinde saç dökülmesi artabilir.

Atkuyruğu, ısırgan, adaçayı, biberiye, meyankökü, rezene, kekik ve zerdeçal oldukça faydalıdır. Soya fasulyesi, ıspanak, ısırgan, pazı zeytinyağı gibi gıdılar da yararlıdır. Hatalı beslenme, demir, kalsiyum,

çinko, A, E, D gibi vitamin eksikliği saç dökülmesinin önemli sebeplerindendir.

Pratik Bitkisel Formüller

1 tatlı kaşığı susamyağı, 1 tatlı kaşığı badem yağı, ½ tatlı kaşığı Hint yağı, 2 ampul bepanten, 2 ampul E vitamini ılık olacak şekilde bir kabın içinde karıştırılır.

Bu karışım, önceden 2–3 dakika su buharına tutulmuş olan saçlı deriye, avuç içiyle ve yumuşak hareketlerle yedirilir. 10 dakika kadar yumuşak bir masaj yapılır. 1,5-2 saat kadar saçlı deriye emdirildikten sonra bir şampuanla açı aşırı zorlamadan yağın fazlası akıtılır.

Daha sonra saçlar soyalı veya doğal saç kremleriyle nemlendirilir. Çam yağı, sarımsak ve ısırgan yağı başa sürülür. Masaj yapılır. Bone ile birkaç saat kadar kapatılıp ılık sirkeli suyla yıkanır.

Üç hafta devam edilir.

Kainat Eczanesinden Önerilen Bitkiler

Isırgan Otu (Urtuca dioica):

Her gün 1 ya da 2 çay kaşı ısırgan otu tentürü ya da 1-2 bardak ısırgan otu çayı içmek saçlar için çok faydalıdır.

Biberiye (Rosmarinus officinalis):

Kadın ya da erkek saçlarının gür olması için zeytinyağıyla karıştırdıkları biberiye ile kafa derilerine masaj yapabilirler. Bu, o bölgedeki kan dolaşımını artırarak saçların gelişmesini destekler. Doğal şifacılar, kafa derisine her akşam iki ölçek badem yağıyla, bir ölçek biberiye yağı karışımıyla masaj yapılmasını tavsiye ediyorlar.

Meyan Kökü (Glycyrrhiza glabra):

Duş alırken kullandığınız şampuanınıza meyan kökü ekleyerek saç dökülmesini önleyici bir şampuan elde edebilirsiniz.

Sara

Beyindeki hücrelerin kontrol edilemeyen, ani, aşırı ve anormal deşarjlarına bağlı olarak ortaya çıkan, beyin yollarını tıkayan bir durumdur. Sara balgamdan ya da sevdadan meydana gelir. Balgamın sebep olduğu sarada, ağız köpüklenir, beniz sararır. Sevdadan olan sarada ise, vücutta zayıflık ve beniz kararması baş gösterir.

Pratik Bitkisel Formüller

* Çınar kabuğu kaynatılıp, balla tatlandırılarak içilmeye devam edilir.
* **Kantaron çiçeği balla macun yapılıp yenmeye devam edilirse, sara köpüğüne iyi gelir.**
* Mavi çarkıfelek otu kaynatılıp balla tatlandırılarak içmeye devam edilir.
* **Nergis çiçeğinin kokusu saraya iyi gelir.**
* İçerdiği paenol sayesinde yatıştırıcı etki yapar. Şakayık kökü ya da çiçekleri kaynatılıp balla tatlandırılarak içilmeye devam edilir.
* **Yulaf tek başına ya da kedi otu ile beraber kaynatılıp içilmeye devam edilirse sara nöbetlerine iyi gelir.**

Sarılık

Safranın kana karışıp, bütün dokuları hatta göz aklarını bile sarıya boyaması ile ortaya çıkan bir hastalık belirtisidir.

Öd yolunda, safra çokluğundan ya da karaciğerin şişmesiyle birlikte tıkanma meydana gelir. Böylelikle safra vücuda yayılır. Hastalığın neden olduğu sarı renk, önce göz aklarında görülür. Sonra yüz, boyun, gövde, kol ve bacaklara kadar yayılır. İdrarın rengi sarı ile koyu kahverengi arasında değişir. Ciltte de kaşıntı vardır. Büyük abdest, kil renginde ve fena kokuludur.

Tedavinin ilk şartı, yatak istirahatıdır. Sıkı bir perhiz uygulanır.

Pratik Bitkisel Formüller

* Olgun acur rendelenip balla karıştırılarak yenmeye devam edilir.
* **Andız otu kökü, ayrık otu köküyle kaynatılıp balla tatlandırılarak soğuk olarak içilmeye devam edilir.**
* Ayrık otu kökü tek başına veya kekik ile beraber kaynatılıp iyi balla tatlandırılıp soğuk olarak içilmeye devam edilir.
* **Tarçın tozu, yumurta sarısı ve balla karıştırılıp yenmeye devam edilir.**
* Balla salatalık rendelenerek yenirse susuzluğu giderir, kanı temizler, sarılığı kısa sürede iyileştirir.
* **Deve dikeni ayrık otu köküyle beraber kaynatılıp balla tatlandırılarak soğuk olarak içilmeye devam edilir.**
* Göz otu çiçekleri kaynatılıp balla tatlandırılarak soğuk olarak içilmeye devam edilir.
* **Kara Hindiba,ayrık otu köküyle kaynatılıp balla tatlandırılarak soğuk olarak içilmeye devam edilir.**
* Köpek otu, ayrık otu köküyle kaynatılıp balla tatlandırılarak ve soğuk olarak birer su bardağı içilmeye devam edilir.
* **Peygamber çiçeği ,ayrık otu köküyle kaynatılıp balla tatlandırılıp soğuk olarak içilmeye devam edilir.**
* Şakayık çiçekleri, ayrık otu köküyle kaynatılıp balla tatlandırılarak soğuk içilir.
* **1 bardak kaynar suya, 2–6 gram yaban yasemini dallarından konulur. 10 dakika bekletilip, günde 2–3 bardak içilir.**

Sekte

Organların hissini ve hareketini etkisiz hale getiren, bilmeyenin karşısındakini ölü sandığı, beynin ruhi kanallarında meydana gelen bir rahatsızlıktır. Bu hastalığın şifası kan aldırmak, hacamat ya da kusmaktır. Bu işlemlerin ardına hastaya lavman yapılması uygun olur.

Selülit

Hatalı beslenme ve az hareket başta olmak üzere pek çok faktörle oluşan selülitin tedavisi bazen oldukça güçtür. Erkeklerden daha çok göbek altı ve cinsel organ arasında görülürken, kadınlarda ise, kalça bölgesi, karın civarı

hatta kolların üst bölümlerinde bile görülebilir. Kadınlarda daha çok görülür. Ananas özlü haplar, papaya hapları, enginar hapları ve zencefil hapları bu konuda çok yararlıdır. Bu tarz hapları diyet, beslenme ve spor kurallarına da uyarak kullanmak gerekir.

Piyasada satılan selülit haplarını bu kurallara uymadan tek başına kullanmak faydalı olmaz. Hiçbir çay veya baharat tek başına selüliti yok etmez. Ancak yeşil çay, biberiye çayı, rezene çayı, zencefil, mısır püskülü, maydanoz, zerdeçal, mercanköşk ve kereviz sapları faydalıdır. Günde en az 2-2,5 litre sıcak su içmek gerekir. Ayrıca kahve, asitli içecekler, fazla miktarda doğum kontrolü hapı, şarküteri ürünleri, beyaz un, beyaz şeker, alkollü içecekler ve kırmızı et gibi gıdalardan kaçınmak gerekir. Daha çok yeşil yapraklı sebzeler, az yağlı gıdalar, bol bitki çayı, posalı lif oranı yüksek gıdalar, bol taze meyve ve sebze tüketilmelidir.

Pratik Bitkisel Formüller

* 1/2 tatlı kaşığı susam yağı, ½ kahve kaşığı portakal yağı, 4–5 damla biberiye yağı ve 10 damla kekik yağı karıştırılır. Daha sonra bu karışım hafifçe ısıtılır. Vücut ısısına yakın olan karışım, selülit olan bölgeye sürülür. Karışım tene iyice yedirildikten sonra hafifçe cildi kızartacak kadar ham ipek keseyle veya kabak lifi gibi bir keseyle sertçe bastırarak 10–15 dakika masaj yapılır. Yağlanmış bölge daha sonra mutfak streçiyle sarılıp, ter atmak için egzersiz yapılır. En az 20 dakika aktif ve terletici hareket yaptıktan sonra banyoda iyice ovularak yıkanır. Bu işlemi en az 3 hafta boyunca günde 1 kez yapmalısınız.

Sinüzit

Sinüs adı verilen yüzdeki kemik boşlukların iç yüzünü kaplayan mukoza iltihabına ve boşlukta cerahat toplanmasına sinüzit adı verilir. Baş ağrısı ve burundan rahatça soluyamama duygusu, gözaltındaki ve göz üstündeki bölgelere bastırıldığında hafif veya aşırı basınç ağrısı, sinüzitin belirtisidir.

Pratik Bitkisel Formüller

* Hatmi yaprağı, altın başak, orman sarmaşığı eşit karışımının çayı, 2–3 saatte 1 bardak içilir.
* **1 litre suya 2 yemek kaşığı dolusu papatya eklenir. Ağır ateşte kaynamaya başlayınca ocaktan alınır. Baş ve göğüs büyük bir havluyla örtülerek, papatya buğusu 10 dakika solunur. Tedavi sonrası hemen açık havaya çıkılmaz.**
* Her 3 günde bir limon sıkılıp aynı miktarda su ilave edilerek gözlerden yaş gelecek şekilde buruna iyice çekilmelidir. Bu tedaviye 1 ay kadar devam edilmelidir.
* **1 çay bardağı suya, 1 çay kaşığı kekik yağı konulur. Bir başka fincanda fındık kadar kil eritilir. Üzerindeki duru su alınıp, kekik yağıyla birleştirilir. İyice çalkalanır, günde 3–4 defa burun deliklerine birkaç damla damlatılır.**

* Maydanoz ve ebegümeci beraber haşlanır. Buharı teneffüs edilir.
* **Burnun iç kısmına sabah akşam okaliptüs yağı sürülür.**

Kainat Eczanesinden Önerilen Bitkiler

Sinüzit tedavisinde kullanılabilecek çok sayıda bitki vardır.

Sarımsak (Allium sativum) ve Soğan (A. Cepa):

Sarımsak ve soğan yoğun antibiyotiklerdir. Sarımsak soğana göre daha güçlü antibiyotik taşır. Her gün bir diş sarımsağı çiğneyip yutmayı alışkanlık haline getirin. Yapılan birçok araştırma sarımsak ve soğanın antibiyotik etkisini ispat etmiştir.

Okaliptus (Eucalyptus globulus):

Sinüzit tedavisi için alnın ve başın üst kısımlarının, seyreltilmiş okaliptus yada nane yağıyla ovulmasını her zaman için bu hastalığa iyi gelmiştir. Nane yada okaliptus yağlarından birini yada her ikisin birden birkaç yemek kaşığı bitkisel yağla karıştırarak seyrelttikten sonra, doğrudan cildinize uygulayın. Eğer elinizin altında bu yağların hiç birisi yoksa, bitkilerin yaprakları da işinizi görecektir. Birkaç yaprağı ezin ve bir parça suyla karıştırarak lapa haline getirin. Bu karışımı isterseniz göğsünüze isterseniz burun deliklerinize uygulayın.

Ananas (Ananas comosus):

Ananasın içeriğindeki "bromelain" adlı bileşik, sinüzit tedavisinde oldukça yararlıdır. Günde 250-500 gram arası taze sıkılmış ananas suyu içebilirsiniz.

Soğuk Algınlığı

Soğuk algınlığında C vitamini ve çinko almak çok yararlıdır. Kivi, kuşburnu marmelâdı, taze narenciye, taze sivribiber ve maydanoz gibi yüksek oranda C vitamini içeren besinlerin bu dönemde bolca tüketilmesi gerekir.

Pratik Bitkisel Formüller

* Her bir fincan için, parmak ucu kadar kök zencefil, 1–2 parça hibiscus, 2 çay kaşığı kadar kuşburnu. Bütün bitkiler 1 tatlı kaşığı kadar ıhlamur çiçeği veya yaprağı, 1 adet karanfil 1 su bardağı kadar suya atılıp, 2–3 dakika kaynatılır ve 2–3 dakika kadar da demlenir. Çok ince bir dilim limonla, şekersiz olarak günde 3–4 fincan içilir.
* **1 tatlı kaşığı balı, 1,5 çay kaşığı toz zencefili ve 1 çay kaşığı toz zerdeçalı karıştırarak, macun yapıp sabah akşam yutmak faydalıdır.**
* 1 bardak kaynar suya, 1 çay kaşığı tarçın konulur. 10 dakika bekletilip, günde 2–3 bardak içilir.
* **Tarçın kabukları çay gibi kaynatılır, günde 2–3 bardak içilir.**
* 1 bardak kaynar suya, 2 gram ıhlamur tozu konulur. 10 dakika bekletilip, günde 3–5 bardak içilir.
* **2 bardak suya, 1 elma kabuğu, 1 tutam ıhlamur, bir miktar karanfil konulur. 5 dakika kaynatılıp, balla tatlandırılır. Sıcak olarak içilir.**
* 1 bardak kaynar süte, 2–10 gram adaçayı konulur. 10 dakika bekletilip, günde 2–3 bardak içilir.

Stres

Çağımızın en büyük problemi ve çoğu hastalıklara neden olan stres, yapılacak işlerin çoğalması, dinleneceğimiz zamanın azalması, manevi değerlerimizi ihmal etme gibi durumlardan kaynaklanan özel bir haldir. Uzun süren stres, vücudun direncini azaltıp, kanser, kalp hastalıkları ve kolesterol gibi birçok hastalığa neden olur. Strese karşı en uygun ve rahatlatıcı adım, bulunduğumuz durumu kabullenmekten geçer. Stresin artmasına yol açan önemli etkenlerden biri de, hayatta aşırı isteklerde bulunarak ve sürekli onların peşinden koşmaya çalışarak kendimizi gereğinden fazla yıpratmaktır. Strese karşı melisa, şerbetçi otu, papatya, rezene, anason, lavanta, fesleğen, nane, gülsuyu, esmer şeker kullanılabilir. B vitaminini özellikle tüketmek gerekir. Stresle başa çıkmada sporun ve düzenli egzersizlerin önemi çok büyüktür. Bazı taşların da stresi yok etmeye etkisi vardır. Özellikle ameteist bu konuda yardımcıdır. Bazı kötü kokular olumsuz duyguları ve stresi artırırken, bazı güzel ve özel kokular da stresi azaltır. Sandal ağacı, lavanta, limon, sardunya, portakal, melisa, gül gibi kokular sinir sistemine iyi gelir.

Tansiyon

Tansiyon yüksekliği çok ciddi bir rahatsızlıktır. Genellikle tansiyonun 140/90 değerlerinden daha yüksek olduğu durumlar "yüksek tansiyon" olarak adlandırılır.

Geç kalmamış olmak için zaman zaman tansiyonu yani kan basıncını ölçtürmek gerekir. Yüksek tansiyonda hayvani besinler azaltılıp, nebati besinlere ağırlık verilmelidir.

Günlük tuz tüketiminin bir çay kaşığının onda birini geçmemesine dikkat edilmelidir. Sarımsak, alıç çayı, limon, zeytin yaprağı çayının tansiyonu düşürücü özelliği vardır.

Pratik Bitkisel Formüller

* 1–2 çay kaşığı ince kıyılmış ökse otu 1 bardak soğuk suda 8–10 saat kadar demlenir. Bu çaydan tatlandırılmadan aç karnına içilir.
* **Günde 3–4 diş sarımsak yenilmelidir.**
* Alıç kalbi güçlendirici ve çalışma hareketlerini düzenleyici etkilere sahiptir. Kan basıncının düzenlenmesinde başarıyla kullanılabilir. Hiçbir yan etkisi yoktur. Günde 2–3 bardak alıç çayı balla tatlandırılarak aç karnına ya da öğün aralarında içilmelidir.
* **Sabahları aç karnına 4–5 ceviz içi yenilmesi tansiyonu düşürür. Uygulamaya uzun süre devam edilmelidir.**
* Biberiye çayı düşük tansiyona çok faydalıdır.
* **Haftada bir gün boyu portakal yenilir, başka hiçbir şey yenilmez.**
* 1 bardak kaynar suya, 4–10 gram kimyon konulur. 10 dakika bekletilip, günde 2–3 bardak içilir.
* **1 bardak kaynar suya, 2–4 gram ardıç tohumu konulur. 10 dakika bekletilip, günde 2–3 bardak içilir.**

* Yemeklerden önce 100–150 gram çilek devalı yenilir.

*** 500 gram suya, 3 adet soğan ince ince doğranır. 1 gece bekletilip, süzülür. Günde 3 defa 1 fincan yemeklerden 30–60 dakika önce ya da sonra içilir.**

Kainat Eczanesinden Önerilen Bitkiler

Sarımsak (allium sativum):

Sarımsak sadece tansiyonu normal hale getirmekle kalmaz, aynı zamanda kolesterolü de düşürür.

Büyük bir titizlikle yapılan bir araştırmada, yüksek tansiyon hastası deneklere 12 hafta boyunca her gün bir diş sarımsak verilmiş. Bu sürenini sonunda, hastaların kan basınçları ile kolesterollerinde önemli ölçüde düşme kaydedilmiş.

Alıç (Crataegus):

Alıç yüzyıllardır kalp ilacı olarak kullanılmaktadır. Alıç, damarları özellikle de kroner atardamarları genişletmektedir. 250 ml. suya bir çay kaşığı kuru alıç karıştırarak etkili bir çay yapabilirsiniz.

Soğan (Allium cepa):

Yapılan bir araştırma, her gün alınan 2-3 çay kaşığı soğan yağının, orta derecede tansiyon hastalarının tansiyonlarını yüzde 67 oranında düşürdüğünü ortaya çıkarmıştır.

Semizotu (Portulaca oleracea):

Magnezyum eksikliği yüksek tansiyona neden olur. Çok sayıda insanda bu hayati mineral eksiktir ve onların bundan haberi yoktur.

Magnezyum daha ziyade yeşilliklerde, baklagillerde ve işlenmemiş tahıllarda bulunur. Günlük olarak alınacak 400 mg. magnezyum takviyesi tansiyona iyi gelir.

Safran (Crocus sativus):

Bu pahalı bitki, "crocetin" adı verilen tansiyon düşürücü özellikte bir bileşik içerir.

Bazı uzmanlar İspanya'da kalp hastalıklarının düşük oranlarda olmasını, bu ülkedeki safran tüketiminin çokluğuna bağlamaktadır.

Titreme

Korku ve öfke gibi nedenlerle organı hareket ettiren kuvvetin zayıflamasından meydana gelir. Vücuda titreme hasıl olduğunda, bedene bürudet hâkim olur.

Soğuk su ve içkiyi çok tüketen yaşlılarda titreme fazlalaşır. Hastaya ceviz yağı, belesan yağı gibi sıcak yağlar içirmek faydalı olur.

Topuk Dikeni

Kanda ürik asit yüksekliği topuk dikenine neden olur. Bu hastalığa yakalananlar, öğle ve akşamları yemeklerden sonra 5'er adet ardıç tohumu yemelidirler.

Pratik Bitkisel Formüller

* Günde bir defa, bir kova sıcak suya, 1 çay bardağı kekik konulup, ılık hale gelince, hasta olan ayak bu suda 20–30 dakika kadar bekletilir.

*** 4 adet elma kabuğu, 1 litre suda 10 dakika kaynatılır. 30 dakika demlenir ve süzülür. İki yemek arası saatlerde ve yatarken birer bardak içilir.**

Tiroid

Tiroid bezlerinin normalden fazla ya da az çalışması sonucu meydana gelen bir rahatsızlıktır. Bu rahatsızlık da kendi arasında ikiye ayrılır. Vücutta dolaşan tiroid hormonu kan seviyelerinin normalin üstünde değerlere ulaşmasına hipertiroid adı verilir. Tiroit hormonlarının vücutta yeterince olmamasına da hipoiroid adı verilir. Hormonların eksikliği ya da fazlalığı vücutta çok ciddi düzensizliklere neden olur.

Pratik Bitkisel Formüller

* 1 bardak kaynar suya, 10 gram dövülmüş kereviz tohumu konulur. 10 dakika bekletilip, günde 2–3 bardak içilir.

* **Lahana yaprakları sıkılır, elde edilen karışımdan günde 2–3 bardak içilir. Taze ceviz fındıktan biraz büyük hale gelince 50–60 adet toplanır. Tofuyla beraber bir kap içinde dolapta muhafaza edilir, günde 1 adedi yutulacak şekilde parçalanıp yutulur.**

* Ceviz perdelerinin elli adedi bir hafta kapalı yerde bir litre suda tutularak her gün bir fincan içilir.

* **Meşe kabuğu sirke ile kaynatılır, suyuna bir bez batırılıp, guatrın üzerine sarılır. Bu işleme 1 hafta devam edilir.**

* Kuzukulağı zeytinyağıyla ezilir. Krem haline getirilip guatr üzerine sürülür.

* **Büyük çiçekli papatya, tavuk yağıyla iyice ezilir. Lapa halinde guatrın üzerine sarılır.**

* 1 bardak kaynar suya, 4 gram taze veya kuru yaprak konulur, 10 dakika bekletilip günde 3 barda içilir.

Kainat Eczanesinden Hipotiroite Karşı Önerilen Bitkiler

Ceviz (Juglans):

Ceviz çeşitli hastalıklara iyi gelen bir bitkidir. Yapılan bir araştırma taze sıkılmış yeşil ceviz kabuğu suyunun, tiroksin seviyesini iki kat artırdığını ortaya çıkarmıştır. Yeşil cevizi 20 dakika kadar kaynatıp içerseniz, tiroksini yüzde 30 oranında artırırsınız.

Ceviz yağını haricen boğaz bölgesine sürülür. Üç ay devam edilir.

Sarı Kantaron (Hypericum perforatum):

Sarı Kantaron hipotiroide karşı çok etkili bir bitki değildir. Ancak hipotiroidden kaynaklanan depresyona faydalıdır.

Hamileyseniz sarı kantoron kullanmamanızı öneririz.

Turp (Raphanus sativus):

Turpun içeriğindeki "raphanin" isimli bileşik, tiroit hormonu seviyesinin dengede kalmasını sağlar.

Oğul otu (Melisa officinalis):

Melisa olarak bilinen oğul otu, tek bir kez enjekte edildikten sonra bile, kandaki hipofiz bezlerindeki tiroit uyarıcı hormon üretimi miktarını azalttığını göstermiştir.

Brokoli (Brassica oleracea):

Brokoli, içeriğinde tiroit bezini baskı altında tutarak, aşırı miktarlarda tiroit hormonu üretmesine engel olan "izotiyosiyanat" maddesi barındırır.

Uyku Bozuklukları

Uykusuzluk için öncelikle kava kava, valerian gibi doğal preparatlar ilk akla gelenlerdir. Melisa ağırlıklı, içinde rezene, papatya ve anason da bulunan karışım çayları uyku bozukluğunu düzene sokar. Bu çayların yatmadan bir veya yarım saat önce içilmesi doğru olur.

Pratik Bitkisel Formüller

* 1 su bardağı sütle, 1 su bardağı yoğurt karıştırılır. 10 dakika bekletilip yatmadan önce yenilir.
* **Alıç çiçeği, yaprağı ve meyveleri, fesleğen, kedi otu, karabaş otu, lavanta çiçeği, marul, söğüt yaprağı, oğul otu karıştırılır. Bu karışımdan 1 su bardağı sıcak suya 1 tatlı kaşığı kadar konulur. 10 dakika demlenip, günde 2–3 bardak tok karnına içilir.**
* 1 bardak suya, 1 tatlı kaşığı ıhlamur konulur. 10–15 dakika demlenir. Yatmadan önce içilir. Buna belli bir süre devam edilir.
* **Havuç ve kereviz sapının suyu karıştırılarak içilir.**
* Kedi otu kökü çayı, gün boyunca 3–4 bardak içilir.
* **Şerbetçiotu çayı, gün boyunca 2–3 bardak içilir. Yatmadan önce içilen 1 bardak çayın rahatlatıcı etkisi çoktur.**
* İnce kıyılmış 4–5 dal dereotu, 1 bardak kaynar suyla haşlanır. 5–6 dakika demlendikten sonra süzülür. Yatmadan önce içilir.
* **1 çay bardağı kaynar suya, 1 tatlı kaşığı rezene toz halinde konulur. 10 dakika bekletilip, şekerle tatlandırılarak içilir.**
* 50 gram nane, 50 gram su yoncası, 50 gram kimyon, 50 gram kedi otu kökü karıştırılır. 1 bardak kaynar suya 1 çay kaşığı konulur. 10 dakika bekletilip, sabah ve gece yatarken yarımşar bardak içilir.

Kainat Eczanesinden Önerilen Bitkiler

Oğul Otu (Melisa officinalis):

Melisa olarak da bilinen bu bitki, hem yatıştırıcı hem de rahatlatıcı bir bitkidir. Ardıç, zencefil, fesleğen ve karanfil gibi bazı bitkilerde bu özelliklerin bazılarını bünyelerinde barındırır. 3-4 kaşık kurutulmuş oğul otunu 250 ml kaynar suya karıştırarak hazırlayacağınız çay uyku düzeni için önemli bir karışımdır.

Çarkıfelek Çiçeği (Passiflora incarnata):

Bitki yumuşak bir yatıştırıcıdır. İngiltere'de reçetesiz satılan yaklaşık 40 çeşit sakinleştirici ilacın içinde çarkıfelek çiçeği yer alır. Taze ya da kurutulmuş haldeki çarkıfelek çiçeği, yüzyıllarca sinirsel tansiyon, anksiyete ve uykusuzluk için kullanılmıştır.

Papatya (Nepeta cataria):

Papatya çayı yüzyıllardır uyku vakti içeceği olarak kullanılmıştır. Papatyanın içeriğinde bulunan apigenin, sakinleştirici etkisi kanıtlanmış bileşiklerden bir tanesidir. Yatmadan önce içilen bir bardak papatya çayının, uykusuzluğunuza büyük etkisi olacaktır.

Lavanta (Lavandula):

Lavanta yağı, uykusuzluk da dahil olmak üzere her türlü rahatsızlık için kullanılan aromaterapistlerin favorileri arasındadır. Lavanta yağının bazı bileşenleri hücre zarlarını etkileyerek, hücrelerin birbirleriyle olan etkileşimlerini keser. Yağ sinirlerindeki iletişimi yavaşlattığı için, huzursuzluk halini yatıştırarak uykuya geçmeyi sağlar. Ancak dikkatli olun, tüm lavanta türleri sakinleştirici değildir.

Bazı türler, özellikle de İspanyol lavantası, biberiye gibi sinirleri uyarıcı özelliklere sahiptir. Lavanta yağı satın alırken, yatıştırıcı etkisi olup olmadığına bakın. Ve uykusuzluk için kullanacağınızı mutlaka belirtin.

Uyuz

Uyuz, bir tür parazitin neden olduğu, deri altına yerleşerek kaşıntıya neden olan bir deri hastalığıdır. Bu hastalığa neden olan böcek çok küçüktür ve ancak mikroskop yardımıyla görülebilir. İnsandan insana bulaşan bir hastalık olan uyuz halk arasında "gidişik" olarak da bilinir. Ellerde, koltuk altlarında, parmak aralarında, karın bölgesinde, parmak aralarında yara ve kaşıntıya neden olur. Kaşıntı sonucu iltihap oluşabilir. Halk arasında uyuz hastalığının pislikten dolayı meydana geldiği gibi yanlış bir düşünce vardır. Bu hastalığa neden olan parazit, temiz ortamda da üreyebilir. Uyuz hastalığı, her yaşta ortaya çıkabilen bulaşıcı bir hastalıktır. Kış aylarında ve sonbaharda daha fazla görülür. Okullarda, askeriyede, toplumun bir arada yaşadığı yerlerde görülme ihtimali fazladır. Hastalık; 15 yıllık salgın dönemi, 15 yıllık sakin bir dönem izleyen evreler şeklindedir. İnsanların böceğe karşı direnç oluşturması bunun sebebini ortaya koymaktadır. Uyuzlu hastalarda en çok görülen belirti, geceleri artarak görülen kaşınmadır. Bu kaşıntı elde, parmak aralarında, göbek bölgesinde sıktır. Kalçalar, genital bölge, bacaklar da kaşıntı ve yaraların görüldüğü yerlerdir. Kişiyi uykusundan uyandırır. Göğüs ve sırt bölgesinde, ayrıca yüzde kaşıntı ya da yara görülmez. Buralar parazitin tutmadığı yerlerdir. Sadece bebeklerde tüm vücudu sarabilir. Uyuz, deride kıvrımlı ya da çizgi şeklinde tüneller meydana getirir. Bu tünellerin üstü deride siyah noktalarla kaplıdır. Çünkü kir, buraları doldurmuştur. Hastalığın önemli bir belirtisidir. Hastalığın ilerlediği dönemlerde deri pullu ve kabukludur. Erken dönemlerde ise kırmızı kabarcıklar, su kabarcıkları ve döküntü görülebilir. Ayrıca şunu bilmek gerekir ki, kaşıntı ve yaralar görülmeden önce de uyuz vardır ve bulaşıcıdır.

Pratik Bitkisel Formüller

* Taze kekik yapraklarıyla vücut ovulur.
* **Taze nane yapraklarıyla bütün vücut ovulur.**
* Beyaz çöpleme kaynatılıp suyu ile kaşınan yerler yıkanır.
* **Kekik sirkeyle kaynatılıp uyuzlu bölgeye 3 kere pansuman yapılır.**

* Sabun otu kaynatılıp kaşınan yerlere pansuman yapılır.
* **Allicin (C6H10OS2) kuvvetli bir mikrop öldürücüdür. Sarımsak ezilerek sirke karışımı veya sade olarak egzama, uyuz gibi hastalıklara sürülürse şifa verir.**
* Söğüt yaprağının suyu ile kaşınan yerler yıkanmaya devam edilir.

Kainat Eczanesinden Önerilen Bitkiler

Soğan (Allium cepa):

Soğanların kabuklarında bulunan kuersetin, uyuz ve diğer cilt problemlerinde derinin rahatlatma sağlamasına yeterli olur. Uyuz için, 6-7 tane soğanı 600 ml. suyun içinde, 15-30 dakika kadar haşlayın. Su soğuduktan sonra bunu tüm vücudunuza sürün.

Aloe (Aloe vera):

Aloenin yumuşatıcı jeli, sinir bozucu kaşıntılara ve uyuz istilasının neden olduğu tahrişlere karşı güçlü bir etkisi olan, bradikininaz adlı bir bileşik içerir.

Nane (Mentha piperita):

Nanenin aktif maddesi mentol, serinletici, anestezik ve antiseptik özellikli bir maddedir. Bazı herbalistler, uyuz tedavisi için yaygın olarak mentol ve benzer bileşikler önermektedirler. Nane, yaban fesleğeni, biberiye, adaçayı, yeşil nane ve kekiği istediğiniz miktarlarda karıştırarak yeterli miktarda çay yapın ve bu çaydan birkaç bardak banyo suyunuza ekleyin.

Ceviz (Juglans):

Kırdığınız birkaç parça cevizi, bir bardak suda, suyun yarısı buharlaşıncaya kadar kaynatarak bir karışım hazırlayabilirsiniz. Daha yoğun bir çözelti hazırlamak isterseniz, bütün haldeki cevizleri üstlerini örtecek kadar suda, suyun yarısı buharlaşıncaya kadar kaynatın. Elde ettiğiniz iki çözeltiyide vücudunuza bolca sürün.

Üre

Üre, atılması gereken zararlı maddeler arasındadır. Proteinli gıdaların kullanılması ve parçalanması sonrasında oluşan bir maddedir. Bu madde böbrekler tarafında süzülerek idrar şeklinde dışarı atılır. Normal koşullarda 100 ml. kanda 50 mg'dan daha az bulunması gerekir. Eğer böbrekler bu maddeyi yeterince uzaklaştıramıyorlarsa kanda birikmeye başlar. Bunun yükselmesi, vücut için toksik etki yaratır, çok yükseldiğinde de yaşamak mümkün değildir. Ürenin zarar vermesi, başka birçok etkene de bağlı olduğu için hangi düzeyden daha fazla olduğunda hayati risk çıkacağını önceden belirlemek mümkün değildir.

Ürenin yükselmesinde temel etken böbreğin süzmesi olmakla beraber, süzme oranını etkileyen birçok mekanizma da bulunur. Örneğin, bir kişide ileri düzeyde sıvı kaybı varsa, böbrekler bu maddeyi eritmek ve idrar halinde atmak için yeterli sıvı bulamayacağı için atılım azalır ve üre yükselebilir. Eğer doku ezilmeleri gibi nedenlerle böbreğin süzme yeteneğinin üstünde üre üretimi olursa o zaman da kanda üre artışı görülebilir.

Bu gibi üre yükselmelerine prerenal, yani böbrek öncesi nedenlere bağlı üre yükselmesi denilebilir. Böbrek de hasarlanabilir. Böbreğin glomerül adı verilen süzme birimleri çeşitli nedenlerle hasarlanırsa süzme kapasitesi de azalmış olacaktır. Bu durumda, üre üretimi normal düzeyde bile olsa, atılım azalacağı için kanda birikme olacaktır.

Böbreğin hasarlanmasına yol açan birçok neden mevcuttur. Çok geniş bir konu olduğu için bu aşamada ayrıntıya girmek istemiyorum. Üre yükselmesinde böbreğin sorumlu olduğu durumlara renal, yani böbreğe bağlı üre yükselmesi adı verilir.

Bazen sorun böbrekten sonraki idrar kanallarındadır. Böbrekle mesane arasında üreterler, mesane, prostat ve dış idrar yolu (üretra) gibi organlarda, idrar boşaltımını engelleyen taş, iltihaba bağlı büzüşme, tümör veya benzeri bir oluşum olursa idrar atılması engelleneceği için kanda üre yükselmesi görülür ki, buna da postrenal, yani böbrek sonrası üre yükselmesi denilmektedir.

Tedavisi, öncelikle nedenin araştırılmasına bağlıdır. Eğer neden tedavi ile ortadan kaldırılması mümkün bir sorun ise, bunun ortadan kaldırılmasıyla üre yükselmesi de düzelecektir.

Pratik Bitkisel Formüller

* 1 bardak kaynar suya, 4–6 gram kiraz sapı konulur. 10 dakika bekletilip, günde 2–3 bardak içilir.
* **Nohut kaynatılıp, suyundan günde 3 bardak içilir.**
* 1 bardak kaynar suya, 2–4 gram ardıç tohumu konulur. 10 dakika bekletilip, günde 2–3 bardak içilir.
* **1 bardak kaynar suya, 4–6 gram rezene konulur. 10 dakika bekletilip, günde 2–3 bardak içilir.**
* 1 bardak kaynar suya, 4–10 gram maydanoz tohumu konulur. 10 dakika bekletilip, günde 2–3 bardak içilir.
* **1 bardak suya, 10 gram maydanoz konulur. 5 dakika kaynatılıp, 10 dakika bekletilir. Günde 3–4 bardak içilir.**
* Salatalık sıkılır, suyundan günde 1–2 bardak içilir.

Varis

Varis, toplardamarların bozulması ve kanında katılaşarak, kan dolaşımının bozulması neticesi, toplardamarların şişmesi şeklinde olur.

Pratik Bitkisel Formüller

* Çobançantası otu, kekik, atkuyruğu otu ve atkestanesi meyvesinin kabuğu ayrı ayrı veya hepsi birlikte çay gibi demlenip, günde 3–4 su bardağı içilir.
* **Fındık yaprağı ve asma yaprağı çayları varise çok iyi gelir.**
* 1 bardak kaynar suya, 4 gram rezene konulur. 10 dakika bekletilip günde 2–3 bardak içilir.
* **Çobançantası taze bitkisi doğranıp bir kaba konulur. Üstüne keskin sirke konulup, 10 gün güneşte bekletilir. Elde edilen karışımla varisli bölgeler her gün aşağıdan yukarıya doğru ovulur.**
* 1 kova 40 derece ısıtılmış sıcak suya, yarım fincan ezilmiş şap ve

1 fincan karbonat konulup, eritilir. Haftada 3 gün 15 dakika boyunca bacaklar dize kadar bu suya konulur. Varisler daha yukarı çıkmışsa, aynı işlem küvette tekrarlanır.

* **Fındık ağacı kabuğu, ceviz ağacı kabuğuyla kaynatılır. Suyuyla varislerin üzerine pansuman yapılır.**

Kainat Eczanesinden Önerilen Bitkiler

At Kestanesi (A. hippocastanum):

Geleneksel bitkisel ilaçlardan olan atkestanesi tohumları, varis ve hemoroit tedavisinde kullanılır. Atkestanesinin içinde bulunan aescin maddesi kılcal damar hücrelerinin güçlenmesine yardımcı olur ve sıvı sızıntısını azaltır.

Menekşe (Viola):

Menekşe çiçekleri "rutin" adı verilen ve kılcal damar duvarlarını güçlendiren bileşik bakımından son derece zengin kaynaklardır. Günde 20 ile 100 mg. arası rutin, kılcal damar duvarlarını önemli ölçüde güçlendirir. Yarım bardak taze menekşe yaprağı 200 ile 2. 300 mg arasında değişen miktarlarda rutin içermektedir.100 mg. rutin almak için birkaç çay kaşığı menekşe yetecektir.

Limon (Citrus limon):

Limon kabuğu, menekşede bulunan "rutin" gibi damarların geçirgenliğini azaltan başka bir madde olan flavanoidler bileşiğini barındırır. Hemen hemen her seferinde meyve suyunuzun içine birkaç parça limon kabuğu karıştırarak için.

Soğan (Allium cepa):

Soğan kabuğu en zengin "kuersetin" kaynaklarından bir tanesidir. Rutin gibi kuersetin de kılcal damarların kırılganlığını azaltır. Kuersetin etkisinden en üst düzeyde yararlanmak için, soğanları mümkün olduğunca kabuklarıyla birlikte pişirin. Servis yapmadan önce kabukları ayırın.

Çoban Püskülü (Ruscus aculeatus):

Bu ağaçsı bitkinin hemoroit ve varis gibi problemlerin tedavisinde kullanılmasının tarihi çok eskiye dayanır. Bitki içeriğinde, anti inflamatuar ve vazokonstriktif özellikleri olan ruscogenin ve neoruscogenin adlı kimyasalları barındırır.

Veba

Bulaşıcı ve öldürücü bir hastalıktır. Veba mikrobunu taşıyan farelerin pireleri tarafından insanlara geçer. Nedeni, pisliktir. Pis ve güneş girmeyen yerler veba için en uygun ortamlardır. Hastalık, mikrop kapıldıktan sonra gelen 2-8 gün içinde kendini gösterir. Hastada, aniden başlayan baş ve sırt ağrıları, ateş, titreme, kusma, nefes darlığı, halsizlik, deri lekeleri, burun kanaması, kan tükürme, kasık ağrıları ve devamlı dalgınlık görülür. Dili de kahverengi ve kurudur. Yapılacak ilk iş hastayı tecrit etmektir. Çevresindeki sağlıklı kimselerin de koruyucu aşı olması gerekir. Bugün için önemi kalmayan ve eski devirlerde olduğu kadar çok görülmeyen bu hastalığın tedavisi için geç kalmadan sağlık kuruluşlarına haber vermek gerekir.

Pratik Bitkisel Formüller

* Veba hastalığında bolca incir yenmelidir.
* **Günde 4–5 adet ceviz yenilir.**
* Bol soğan yenilip, sıkılır suyu içilir.
* **Çokça elma yenilmelidir.**
* Bol bol nane tüketilir.

Verem

Eskiden beri bilinen insan toplulukları arasında derin çöküntüler meydana getiren önemli toplumsal hastalıklardan biri. Yabancı adı olan Tüberküloz adı ile de bilinir. Robert Koch tarafından keşfedilmiş olan (1882) verem basili aracılığı ile meydana gelen bir hastalıktır. Verem basili çok küçük ve hareketsizdir. (2-3 mikron). Asit ve bazlara, soğuk ve sıcağa, kuru ve nemli havaya direnci fazladır. Buna karşılık bol ışığa ve fazla sıcaklığa dayanamaz. Güneş ışığında beş saatte yok olur. Kaynayan suda hemen ölür.Verem hastalığı çeşitli yollarla insandan insana bulaşır. Veremli hastaların öksürük ve aksırıkları ile çevreye yayılan tükürük damlacıkları verem mikrobu ile bulaşmış her hangi bir şeyle temas verem mikrobu bulunan çeşitli yiyeceklerin yenmesiyle (solunum ve barsak yolları) verem hastalığına yakalanmak imkanı sağlanmış olur.Verem hastalığı, çeşitli yollarla insan vücuduna girer ve bir yerde bir odak kurarak yerleşir ve zamanla, lenfa bezlerinde bir odak kurma yolunu bulur.

Vücudun direnci fazla ise, herhangi bir hastalık belirtisi meydana getirme imkanı bulamaz, verem mikrobuna bürünmüş olan kimse, hastalığa yakalanmaz.Verem, insan vücudunun her bölümünde çeşitli belirtiler şeklinde hastalık meydana getirir. Mafsallar, kemikler ve çeşitli organlar, verem mikrobunun yerleşip hastalık meydana getirdiği yerlerdir. Fakat, verem hastalığının en sık görüldüğü yer, akciğerlerdir. Solunum yolu ile verem mikrobunun alınması ile hastalık, hemen meydana çıkmaz. Vücudun dayanaklığına göre, uzun ya da kısa bir süre geçer. Öyle insanlar vardır ki, bütün hayatları boyunca verem mikrobu taşıdıkları halde, verem hastalığı belirtileri göstermezler. Buna sebep, verem mikrobunun gelişebilmesi için belirli zemini bulamamasıdır. Verem hastalığına yakalanmış olan bir kimse, hastalığın başlangıç devresinde hafif baş ağrısı, mide bozukluğu, iştahsızlık, zayıflamadan şikayet eder. İlerlemiş hallerde kısa ve kuru öksürmeler, vücut kırgınlıkları, yüksek ateş görülür. Daha ilerlemiş hallerde de balgamlı öksürük başlar. Akciğerde meydana gelmiş verem hastalığında, en son belirti, kan çıkarmaktır.

Verem, çoklukla genç insanlar üzerinde etkisini gösteren bir hastalıktır. 10 - 20 yaş arasında olanlar, en fazla verem hastalığına yakalananlardır.Verem hastalığı, ilaçla, ameliyatla ve vücudu kuvvetlendirmekle tedavi edilir. Bu tedavilerden her hangi birinin uygulanabilmesi için, erken teşhis

edilmesi önemlidir.Vücudu kuvvetli tutmak, fazla yorgunlukları gerektirecek işlerde çalışmamak, veremli hastalarla teması kontrollü yapmak şeklinde uygulanan şartlar, verem hastalığına yakalanmayı önler.

Pratik Bitkisel Formüller

* 400 gram keten tohumu toz haline getirilir. Balla macun yapılıp, sabahları aç karnına bir miktar yenilir. Karışım 30–40 günde tüketilmelidir.

* **Beyaz soğanın suyu çıkarılır. 1 gece ayazda bekletilip, sabahları 1 fincan içilir.**

* 50 gram çam reçinesi, 50 gram şeker toz haline getirilir. Günde 2–3 adet fındık büyüklüğünde yutulur.

* **1 bardak kaynar suya, 2–10 gram adaçayı konulur. 10 dakika bekletilip, günde 3 bardak içilir.**

* 2 bardak suya, 4 gram zerdeçal, 1 gram kına kına, 20 gram nöbet şekeri konulur. Kaynatılıp, süzülür, balla tatlandırılıp, günde 3 defa 1 fincan içilir.

* **1 bardak kaynar suya, 4–10 gram kantaron konulur. Öğle ve akşam yemeklerinden önce 1 bardak içilir.**

* Günde 10–15 badem yenilir.

* **5 adet kaynatılmış yumurta kabuğu toz haline getirilir. Üzerine 1 bardak limon suyu konulur. Eriyinceye kadar bekletilip, 4 kaşık bal eklenir. Macun haline getirilip, yemeklerden sonra 1 fincan içilir.**

Kainat Eczanesinden Önerilen Bitkiler

Sarımsak (Allium sativum):

Yapılan araştırmalar, sarımsağın bileşimindeki anti bakteriyel bileşik salicinin, kloramfenikol ve streptomisin gibi antibiyotiklerin tüberküloz bakterisine karşı etkisini önemli ölçüde artırdığını göstermiştir.

Hanımeli (Lonicera japonica):

Hanımeli yüzyıllardan bu yana aralarında tüberküloz, bronşit, grip, soğuk algınlığı ve zatürre gibi solunum yolları hastalıklarının tedavisinde kullanılmaktadır.

Hanımeli bitkisi, verem bakterisi de dahil olmak üzere, çok sayıda bakteriye karşı son derece etkilidir. Hanımeli çayını günde 3 bardağa kadar içebilirsiniz. Acılığını gidermekiçin içine bir parça limon ve bal atabilirsiniz.

Meyan Kökü (Glycyrrhiza):

Meyan kökü, yüzde 33 oranında anti bakteriyel bileşikler içermektedir. Bitkinin kök kısmı bitkisel çayları tatlandırmak için kullanılır. Verem için oldukça etkili bir bitkidir.

Soğan (Allium cepa):

Soğan da sarımsak kadar güçlü bir anti bakteriyeldir. Eğer tüberküloz hastasıysanız bol miktarda soğan ve sarımsak tüketin.

Okaliptus (Eucalyptus):

Birkaç damla okaliptus yağını su yada çayla karıştırarak içmeyi deneyin. Bir çok uçucu bitkisel yağ içilmez fakat okaliptus bu konuda ayrıcalıklıdır. Birkaç damladan fazla

kullanmamaya özen gösterin. Son derece güçlü bir bitkidir.

Yanıklarda

Isı, ışın, elektrik veya kimyasal maddelere maruz kalma sonucunda deri ve deri altı dokularda meydana gelen bir çeşit yaralanmadır. Yanıkların şiddetini 5 etken belirler.

Pratik Bitkisel Formüller

* Böğürtlen yaprakları toz haline getirilir, yanığın üzerine serpilir.

* **Bir miktar susam yağı, kaynar suya karıştırılıp, yaralar sürülür.**

* Tahinin üzerine biriken yağ alınır. 200 gram balmumuyla beraber hafif ateşte mum eriyinceye kadar tutulur. Biraz soğuyunca 1 yumurta sarısı ilave edilerek karıştırılır. Bu karışım yanıklara sürülür.

* **Lahana yaprakları ezilir, yumurta akıyla karıştırılıp, yanıkların üzerine konulur.**

* Lavanta çiçekleri haşlanır. Suyuyla pansuman yapılır.

* **Marul yaprakları ezilir. Lapa halinde yanıklara konulur.**

* 1 bardak kaynar suya, 10 gram kuşburnu yaprak ve çiçeği konulur. 10 dakika bekletilip, süzülen suyla yanıkların üzerine kompres yapılır.

* **Semizotu lapa haline getirilir. Yanıkların üzerine konulur.**

Kainat Eczanesinden Önerilen Bitkiler

Aloe (Aloe vera):

Yapılan bir çok araştırma, bitkinin yapraklarından elde edilen jelin, bir çok yanık vakasında son derece yararlı olduğunu ortaya koymuştur. Aloe aynı zamanda, ağrı kesici, ateş düşürücü, şişlik ve kızarıklıları önleyici etkileri olan enzimler içerir. Bunlara ek olarak, aole jelinin yanıkların enfekte olmasını önleyen antibakteriyel ve antifungal özelliği de vardır.

Sarımsak (Allium sativum) ve Soğan (A. Cepa):

Sarımsak, soğan, Frenk soğanı, pırasa ve taze soğan gibi bitkiler, Afrika'dan Avrupa'ya ve Amerika'ya kadar her yerde doğrudan doğruya yanıklara uygulanır. Bu bitkilerin hepsinin antiseptik özellikler taşıdıkları hiçbir şekilde inkar edilemez. Bu bitkilerden herhangi bir tanesini lapa haline getirdikten sonra bitkiyi doğrudan yanığın üzerine tatbik ediniz.

Lavanta (Lavandula):

1920'lerde Fransız parfüm imalatçısı ve kimyager Rene-Maurice Gattefosse, laboratuarında yaptığı bir çalışma sırasında elini yakmıştı.

Can havliyle elini en yakında duran sıvıya, bir kap dolusu lavanta yağına daldırdı. Acısı çabucak geçti ve yanan yer en ufak bir yara oluşmadan iyileşti. Bu olay aromaterapinin gelişmesinde önemli bir rol oynamıştır. Papatya, okaliptus, sardunya, soğan, nane, biberiye ve adaçayı yağı gibi bitki özü yağları da yanık tedavisinde etkili sonuçlar vermiştir. Ama bunların içinde en etkilisi lavanta yağıdır.

Sarı Kantaron (Hypericum perforatum):

Almanya'da yapılan bir araştırma, sarı kantaron içeren merhemlerin

yanıkların tedavi sürecini büyük ölçülerde kısalttığını ve yara oluşumunu da en aza indirdiğini göstermiştir. Bu bitkinin tentürlerini piyasadan kolaylıkla temin edebilirsiniz.

Yara İzlerini Giderici

Yaranın kapanmasından, iyileşmesinden sonra geride kalan belirtiye yara izi denir.

Pratik Bitkisel Formüller

* Tarçın kaynatılır, suyuna bir pamuk batırılarak yara izlerine sürülür.
* **Yabani roka tohumları toz haline getirilir. 10 dakika bekletilip, suyuyla yara izlerine pansuman yapılır.**
* Taze roka yaprakları sıkılır. Elde edilen su yara izlerine sürülür.
* **1 bardak kaynar suya, 10 gram abanoz yongası konulur. 10 dakika bekletilip, suyuyla yara izlerine pansuman yapılır.**

Yaşlanma

Yaşlanmak bünyenin dinçliğini, yeteneklerini ilerleyen yaşla birlikte kaybetmesidir. Yaşam saatini geriye doğru çalıştırmak isteyen her yaştan kadın ya da erkek için faydalı öneriler:

- Sebze ve meyvelerin her türlü çeşidini kullanarak tüketin.
- **Her gün yiyeceğiniz et yemeğini sebze tabağıyla değiştirin.**
- Her gün düzenli olarak yürüyüş yapın.
- **Her gün en az bir porsiyon yeşil salata yiyin. Genellikle yaprak ne kadar yeşilse, o kadar çok antioksidan içerir. Semizotu, ıspanak ve hindiba gibi çeşitli sebzelerle salatanızı yapabilirsiniz.**
- Her gün içine diğer kuruyemişlerden de karıştırdığınız bir avuç ayçiçeği yiyin.
- **Her gün en azından bir kök brokoli ve bir kök kereviz yiyin. Brokoli ve kereviz lif bakımından son derece zengin sebzelerdir.**
- Her gün bir meyvenin suyunu için. Dilediğiniz meyveyi blenderden geçirin. Meyve suyu sıkacağı kullanmayın. Çünkü meyve suyu sıkacağı meyvenin liflerini ayırıp, yalnızca suyunu sıkar.
- **Her gün antioksidan içeren 2 bardak bitki çayı için. Şifalı bitkiler olduğu gibi pek çok meyvede son derece önemli oranlarda antioksidan içerir. Araştırmalar mercanköşk, biberiye, melisa, yabani nane, yeşil nane, adaçayı, sater ve kekiğin yüksek oranlarda antioksidan içerdiğini ortaya koymuştur.**
- Zeytinyağı kullanın. Mısır özü ve diğer bitkisel yağlar çoklu doymamış yağlardır. Zeytinyağı ise tekli doymamış yağdır. Tekli doymamış yağların sağlığınız için daha yararlı olduğuna inanmak için çok sayıda nedeniniz var. Salatalarınızda kullandığınız çoklu doymamış yağları zeytinyağı ile değiştirin.
- Eşinizle düzenli olarak cinselliğinizi yaşayın.

- **Sigara içmeyin ve alkol kullanmayın.**
- **Yaşamı ve ölümü gereğinden fazla ciddiye almayın.**
- Diyetin fanatiği olmayın.

Kainat Eczanesinden Önerilen Bitkiler

Ginko (Ginko Biloba):

Yaşlanmanın nörolojik sistemimizde yaptığı hasarları önlemede kullanılan bir bitkidir. Beyne kan akışının artmasına yardımcı olur.

Sarımsak (Allium Sativum):

Son derece güçlü bir antibiyotik ve antiviral bitki olmasının yanı sıra sarımsak, kolesterol ve yüksek tansiyonu düşürücü bir etkiye sahiptir.

Nane (Mentha Piperita):

Sindirim güçlüğü ve mide rahatsızlıklarını giderici bir özelliği vardır. Nane aynı zamanda kalp hastalıkları ve yaşlılığa bağlı diğer birçok hastalığa karşı korunmamıza yardımcı olan güçlü antioksidanlar da içerir.

Semizotu (Portulaca Oleracea):

Antioksidan bakımından çok zengin olduğu için kullanılması önerilir. A, C ve E vitaminleri açısından oldukça zengindir. Semizotu aynı zamanda hem güçlü bir antioksidan hem de bağışıklık sistemi desteği olan glutatin içerir.

Kekik (Thymus Vulgaris):

Kekiğin çayını yaparak içebilirsiniz. Duş kabini değil de, banyo küveti olan yerlerde, banyo suyunuza bir avuç kekik atmak, sırt ağrılarınıza iyi gelir.

Söğüt (Salix):

Bu ağacın kabukları aspirinin asıl kaynağıdır. Söğüt kabuğundan yaptığınız çayları baş ağrısı, diş ağrısı, artrit ve benzeri ağrılı durumlarda acıyı azaltmak için kullanabilirsiniz.

Atkuyruğu (Eguisetum Arvense):

Atkuyruğu, kırık tedavilerinde, bağ doku yırtılmalarında ve buna benzer yaralanmalarda uzun bir zamandır kullanılmakta olan, harika bir bitkisel silikon kaynağıdır. Eğer bu bitkiyi kullanmak isterseniz, bir uzmandan yardım alarak deneyebilirsiniz.

Yorgunluk

Günümüzün en büyük yakınmalarından biri de yorgunluktur. Günlük hayatta karşılaşılan pek çok durum, insanın bedensel enerjisini tüketebilir. Meyankökü, ginseng, A.B,E,C vitaminleri, omega–3, balık yağı, kafein, arı poleni, arı sütü gibi ilaçlar doğal yorgunluğa karşı yararlıdır.

Adaçayı, biberiye, zencefil, kakule, kuşburnu, kekik çaylarının canlandırıcı etkileri vardır. Limon, fesleğen, kırmızı pul biber, zencefil, biberiye, kâfur, mercan köşk, karanfil ve okaliptüsün kokusu canlandırıcı bir etkiye sahiptir. Ayrıca susamyağı, biberiye, limon yağı ve kekik yağı gibi canlandırıcı yağların da karıştırıldığı aromatik masajların da enerji yükseltici özeliği vardır.

Pratik Bitkisel Formüller

* 1 bardak kaynar suya, 4–10 gram oğul otu yaprağı ufalanarak konu-

lur. 10 dakika bekletilip günde 3 bardak içilir.

* **Günde 15–20 gram polen kullanılır. Bu işleme 15 gün devam edilip, 1 hafta ara verilir. Sonra yeniden başlanır.**
* Centiyane, nane, oğul otu aynı miktarda karıştırılır. 1 bardak kaynar suya, 1 kaşık konulur. 10 dakika bekletilip, günde 3 bardak içilir.
* **1 bardak kaynar suya, 4–10 gram karanfil konulur. 10 dakika bekletilip, günde 2–3 bardak içilir.**

Yüz Felcinde

Yüz hareketlerini (dudak, yanak, kaş,göz çevresi) yapmamızı yüz siniri (fasial sinir) aracılığı ile sağlarız.

Beyinden gelen hareket emirlerini yüz siniri, yüz kaslarına ileterek istediğimiz hareketleri yapmamızı sağlar.

Eğer beyindeki veya yüz sinirindeki bazı hastalıklar bu iletiyi engellerse yüz felci oluşur ve yüz hareketleri kısmen ya da tamamen ortadan kaybolur.

Yüz felci tıbbi olarak fasial paralizi olarak isimlendirilir.

Pratik Bitkisel Formüller

*Ardıç yağıyla yüze masaj yapılır.

* **Zencefil balla macun yapılır. Sabah, akşam bir ceviz büyüklüğünde yenilir.**
* 50 gram ılık su içine 3 avuç lavanta çiçeği konulur. 48 saat bekletilip, bezle süzülür. Bu karışım felçli kısım üzerine masaj yapılarak sürülür.
* **1 bardak kaynar suya, 10 gram biberiye konulur. 10 dakika bekletilip, günde 2–3 bardak içilir.**
* Üzerlik yağıyla yüze masaj yapılır.

Yüzdeki Çiller-Lekeler - Sivilce ve Akneler

Esas olan kanın temizlenmesi ve sağlıklı beslenmedir.

Yüzlerdeki çilleri geçirmek için, 1 çay bardağı çiğ süt içine 1 adet salatalık doğranarak konur. 2 saat beklenir, süzülür.

Salatalık tülbentten sıkılarak özünün süte geçmesi sağlanır. Bu sütle yüze sık sık pamukla pansuman yapılır. Bu terkibe 10–15 gün devam edilirse yüzdeki çiller geçer. Gül suyu ile sabah akşam cilt temizlenir.

Zatürree

Akciğerlere dökülen kan nedeniyle meydana gelir. Ateşle seyreden titremeyle kendini gösterir. Zatürree, dünyanın bilinen en eski hastalıklarından biridir.

Günümüzde de en gelişmiş ülkelerde bile, düzinelerce antibiyotiğe, tanı yöntemlerinin, hastane ve yoğun bakım olanakları çok artmasına rağmen sık görülen ve ölümlere neden olan bir hastalıktır. Zatürree, ülkemizin de en önemli sağlık sorunlarından birisidir. İstatistiklere göre yılda her bin kişinin 10-15' i Zatürre geçirmektedir.

Buna göre, Türkiye' de her yıl ortalama 500 bin kişinin bu hastalığa yakalandığı hesaplanmaktadır. Zatürree her yaşta görülebilen bir hastalık olmakla birlikte, en çok bebek ve küçük çocuklarla yaşlılarda rastlanır. Yılda 5 yaş altındaki her 1000 çocuğun 36'sı, Yılda 60-74 yaş arasındaki her bin kişinin 15' i, yılda 75 yaş üzerindeki her 1000 kişinin 34' ü

Zatürree olurken, 15-19 yaşları arasındaki gençlerde ise 1000' de 6 kişi zatürreeye yakalanmaktadır.

Zatürree, özellikle küçük çocuklar, yaşlılar, kalp, şeker, böbrek, bronşit hastalarında ölümlere yol açabilmektedir.

Pratik Bitkisel Formüller

* 1 bardak kaynar suya, 4 gram sığırkuyruğu çiçeği konulur. 10 dakika bekletilip, günde 2–3 bardak içilir.

*** 1 kilo kaynar suya, 20 gram sığırkuyruğu çiçeği, 20 gram gelincik çiçeği, 10 gram ebegümeci konulur. 10 dakika bekletilip, balla tatlandırılıp, günde 2–3 bardak içilir.**

* 1 bardak limon suyu, 3 bardak suyla karıştırılır. Balla tatlandırılıp günde 3–4 bardak içilir.

*** Ilık olarak ve bolca ıhlamur içilir.**

* Nane haşlanır, ılık olarak bolca içilir.

*** Nane, ıhlamur, ebegümeci bir arada haşlanıp içilir.**

* 1 bardak kaynar suya, 1 çay kaşığı hatmi kökü toz halinde konulur. 10 dakika bekletilip, günde 2 bardak içilir.

*** 3 bardak suya, 20 gram köpek üzümü yaprağı konulur. 10 dakika kaynatılıp, günde 3 bardak içilir.**

* 4 bardak suya, 5 adet incir doğranır. 15 dakika kaynatılıp, 10 dakika bekletilir. Günde 3 bardak sıcak olarak içilir.

*** Badem, dövülmüş gül ve kâfur gül suyunda ezilip, göğse sürülür.**

Kainat Eczanesinden Önerilen Bitkiler

Karahindiba (Taraxacum officinale):

Çok sayıda klinik araştırmalar, karahindibanın zatürree, bronşit ve üst solunum yolları enfeksiyonlarına karşı, etkili bir bitki olduğunu göstermiştir.

Bitkinin kökleriyle yeşil kısımlarını pişirerek yemenizi öneririz. Yeşil kısımlarını pişirdikten sonra kalan suyu içmeyi de unutmayın.

Sarımsak (Allium sativum):

Sarımsak enfeksiyon tedavilerinde mucizevi ilaç tanımına en yakın bitkidir.

Zatürree, bronşit gibi üst solunum yolları enfeksiyonlarında günde en az 4-5 diş sarımsak yemek fayda sağlar. Mümkünse sarımsak yemeği bir alışkanlık haline getirmeliyiz.

Sarmısağın kokusunu ağzımızda çiğneyip yutacağımız birkaç maydanoz parçasıyla yok edebiliriz.

Hanımeli (Lonicera japonica):

Bitkinin çiçeklerinden elde edilen özüt, bir çok bakteri ve virüs türüne karşı son derece etkilidir. Yaz mevsiminde bir bardak hanımelini bir bardak suda kaynatın ve bitki atıklarını süzerek için.

Daha da güçlü bir etki elde etmek istiyorsanız, hanımelini hor çiçeğiyle karıştırarak kullanabilirsiniz.

Hanımeli çiçeği de çeşitli antiseptik ve anti viral bileşikler içerir.

Soğan (Allium cepa):

Soğan, sarımsaklarla aynı sülfür içerikli bileşikler taşır. Zatürre dahil olmak üzere her türlü solunum yolları şikayetleriniz için soğan çorbasını önerebiliriz.

Eğer soğuk algınlığı, grip, bronşit ve zatürre için tercihiniz tavuk çorbası olursa, tarifin içine birer parça soğan ve sarımsak eklemeyi unutmayın.

Zayıflamak için

Günümüzün en büyük problemlerinden biri fazla kilodur. Genetik faktörler, hareketsizlik, hatalı beslenme, gibi nedenlerle şişmanlık oluşabilir.

Fazla kiloları bir hastalığa dönüşmeden dengelemek çok önemlidir. Çok hızlı verilen kilolar ve şok programlar genelde sakıncalıdır.

Rastgele hazırlanan zayıflama programları ve diyetler insanın dengesini bozabilir. Sağlıklı ve bilinçli zayıflama, diyetin yanı sıra düzenli egzersizi, bilinçli beslenme tekniklerini, stres atmayı, masajı ve doğal destekleri içerir. Zayıflamak isteyenler, tuzu az yemeli ve yemek arasında asla su içmemelidir. Ananas hapları, maydanoz tabletleri, mısır püskülü, sinameki, sarımsak, soğan katkılı doğal preparatlar da metabolizmanın canlanmasına ve toksin atmaya faydalıdır.

Yeşil çay ve tabletleri, mısır püskülü, kiraz sapı, sinameki, rezene incelmede faydalıdır. Ihlamur, papatya ve nane de iştahı denetler.

Sağlıklı zayıflama programlarında günde en az 1,5-2 litre katkısız sıcak su ve günde en az 3–4 fincan şekersiz bitki çayı içmek çok önemlidir.

Çok özel durumlar dışında asla ve asla hızlı kilo verilmemelidir. En ideali haftada 1 kilo verilmesidir.

Pratik Bitkisel Formüller

* 1 kilo suya, 30 gram ayrık kökü, 30 gram arpa, 30 gram mısır püskülü konur. 10 dakika kaynatılıp, soğuduktan sonra süzülür. Günde 3–4 bardak içilir.
* **1 bardak kaynar suya, 8–10 gram ufalanmış aslanpençesi konulur. 10 dakika bekletilip, günde 3 bardak içilir.**
* 1 bardak kaynar suya, 8–10 gram şahtere konulur. 10 dakika bekletilip, günde 3 bardak içilir.
* **Günde 2–3 adet elma yenilir.**
* 200 gram rezene, 200 gram kimyon, 200 gram melek otu kökü toz haline getirilip, karıştırılır. Günde 1 kaşık içilir.
* **1 bardak suya, 10 gram yulaf**

konulur. 10 dakika kaynatılıp, günde 2-3 bardak içilir.

* 4 bardak suya, 1 avuç dolusu ince kıyılmış maydanoz konulur. Hafif ateşte 20-30 dakika kaynatılır. 1 günde tüketilmesi gerekir.
* **500 gram suya 1 adet portakal, 3 adet limon doğranıp, kaynatılır. 2 kaşık bal konulur, 5 dakika kaynatılıp, günde 3-4 bardak içilir.**
* 1 kilo suya, 30 gram mısır püskülü, 30 gram arpa, 30 gram ayrık kökü konulur. 10 dakika kaynatılır, soğuduktan sonra süzülür. Balla tatlandırılabilir veya limon sıkılır. 1 günde tüketilmesi gerekir. Bu karışıma 20 gram da kiraz sapı ilave edilebilir.
* **Yemeklerden 1 saat evvel 100-150 gram çilek yenilir.**
* Sabahları aç karnına 100 gram dut yenilir.
* **1 bardak kaynar suya, 2 gram ıhlamur konulur. 10 dakika bekletilip, günde birkaç bardak içilir.**
* 1 bardak kaynar suya, 1 kaşık funda konulur. 10 dakika bekletilip, günde 3 bardak içilir.
* **Lahana tabii turşusunun suyundan günde 1-2 bardak içilir.**

Kainat Eczanesinden Önerilen Bitkiler

Acı Kırmızıbiber (Capsicum) ve diğer Acı Baharatlar:

Kilo vermeye çalışıyorsanız, acılı yiyeceklerden ekstra bir yarar sağlayabilirsiniz. Acılı baharatlar susuzluğu artırır ve daha fazla sıvı almanızı sağlar.

Ceviz (Juglans):

Ceviz içinde bulunan serotonin bileşiği kendimizi tok hissetmemizi sağlar. Bu da abur cubur yememizi engeller ve formumuzu korumamız için çok önemlidir.

Ananas (Ananas comosus):

Ananas "bromelain" adlı bir enzim içerir ve bu enzim de proteinlerin ve yağların sindirilmesini sağlar.

Zayıflıkta

Zayıflık da şişmanlık gibi sağlık riskleri taşıyan bir durumdur. Zayıflık kişinin vücut kitle indeksinin% oranının düşük olması ile tanımlanır.

Şişmanlığın tespitinde kullanılan formül zayıflık tespitinde de geçerlidir. Kişinin kg cinsinden vücut ağırlığı, boyunun metre cinsinden karesine bölünür. Vücut kitle indeksi kg/m2'dir. Örneğin 1.78 boyunda ve 56 kilogram ağırlığında bir delikanlı zayıftır çünkü vücut kitle indeksi 56/(1.78x1.78)=17.7'dir. Diğer bir kriter de insanın ideal vücut ağırlığından %20 daha fazla zayıf olmasıdır. İdeal kilo toplumdan topluma, cinsiyete ve yaşa göre değişmektedir.

Vücut ağırlığının zayıf olmasının olumsuz sağlık sonuçları olduğu gibi bireyin karakterine de negatif etkileri olabilir. Zayıf kişilerin vücut dirençleri düşük olur, kolaylıkla mikrop kapabilirler.

Normal kilolu bir kişinin bağışıklık sistemi bu mikropları kendi akyuvarları ile temizlerken zayıf kişilerde bu her zaman mümkün olmamaktadır. Zayıf kişilerin vücut direnci de zayıftır.

Verem hastalığı, zatürree, solunum yolu hastalıkları, böbrek iltihabı ve tifoya yakalanmaları daha kolaydır. Bazı kanser türleri zayıf kişilerde daha fazla görülür. Zayıflık bireyin özgüvenini olumsuz etkiler ve dış görünüşe çelimsizlik ve kuvvetsizlik olarak yansır.

Zayıf kişiler bu özellikleri dolayısı ile komplekse girebilirler ve karşı cinsten insanlar ile ilişki kurmakta çekinirler. Bu özellikle zayıf erkeklerde kız arkadaşlarına yetememe ve cinsel performans gösterememe korkusu ile belirginleşir. Bu durumda beslenme girişimlerinin ve psikolojik destek tedavisinin önemi ortadadır.

Pratik Bitkisel Formüller

* 250 gram kuru siyah üzümün içine 1 çay kaşığı kına kına, bir tutam da pelin otu katılır, et makinesinde çekilir. 3 litre suyun içine konulup, yarı suyu gidinceye kadar kaynatılır.

Daha sonra bir tülbentle süzüp kalan posası ikinci defa 3 litre su ile yarı suyu gidinceye kadar kaynatılır süzüldükten sonra önceki üzüm suyuna katılır ve üzerine yeterince şeker ilave edilir.

* **Sabahtan ikindiye kadar bol bol üzüm suyu içilir, su içilmemelidir, ikindiden sonra susuz kalınır. Akşamdan sonra da bol yoğurt yenir.**
* Gece yarısı içine bal katılmış süt içilir, bu terkip kesinlikle bırakılmamalıdır.
* **Sabah kahvaltıda çay içilmemeli sebze meyva suları içilmelidir.**

Zehirlenmelerde

Organizmada, fizyolojik bozukluklara neden olan kimyasal maddelere zehir, bu zehirlerle organizmanın geçici yada sürekli olarak bozulmasına da zehirlenme adı verilmektedir. Zehir ve toksik madde sözcükleri gibi zehirlenme ve entoksikasyon sözcükleri de eş anlamlıdır. Çocukluk çağı zehirlenmeleri, kazalar içinde çok önemli bir yer tutmaktadır.

Pratik Bitkisel Formüller

* 1 bardak kaynar suya, 10–12 gram meşe kabuğu konulur. 10 dakika bekletilip, 2–3 bardak içilir.
* **1 bardak kaynar suya, 10 gram mazı konulur. 10 dakika bekletilip, 2–3 bardak içilir.**
* 1 bardak kaynar suya, 4–10 gram saparna kökü konulur. 10 dakika bekletilip, günde 3 bardak içilir.
* **1 bardak kaynar suya, 4–10 gram maydanoz tohumu konulur. 10 dakika bekletilip, günde 2–3 bardak içilir.**
* 1 bardak kaynar suya, 10 gram kök karahindiba konulur. 10 dakika bekletilip, içilir.

Zona

Normal sağlıklı kişilerde ve gençlerde nadir görülen artan yaşla birlikte görülme sıklığı artan bu hastalık, kişinin yaşam kalitesini bozan bir virüs hastalığıdır. Günümüzde çok sık görülür ve tedaviye rağmen tekrarlama eğilimi sıktır. Bu hastalık genelde çocukluk çağında su çiçeği virüsünün (mikrobunun) sinirlere yerleşerek yıllar sonra

kendiliğinden büyük bir nedenle de vücudun savunma mekanizması bozulunca tekrarlayan bir hastalıktır. Daha çok kişinin göğüs ve sırt bölgelerinde görülür.Ender olarak boyun, bel ve baş bölgesinde de görülebilir. Bu hastalık döküntülü bir hastalıktır. Bu döküntüler aşırı ağrılı ve dokunmaya çok hassastır. Hastada ender de olsa ateş ve halsizlik olabilir. Döküntüler yaklaşık 10 gün sonra kabuklanır. Sağlıklı kişilerde 2-3 hafta içinde lezyon kayıp olur. Bazen döküntüler uzun süre etkisini gösterebilir.

Bu hastalığın en rahatsız edici yanı çok şiddetli batıcı ve yanıcı ağrı dokunmakla artan hassasiyettir. Bazen döküntü iyileştikten sonra da uzun süre bu ağrılar devam eder. Bu durumu post herpetik nevralji denir. Bu hastalık sadece ağrı yapmaz.

Kişinin hayatını ve hayati organlarını etkileyen hasarlara da sebep olabilir. Örneğin baş bölgesinde en çok göz tutulur. Önlem alınmazsa körlüğe gidebilen durumlar olur. Yine bazen bu hastalıktan dolayı felç gelişebilir. Özellikle döküntünün olduğu ilk 3 ile 5 hafta arasında felç geçirme olasılığı vardır. Bu felç kas güçsüzlüğü şeklindedir. Bu hastalık sinir sistemini etkileyen ve büyük oranda da orta ve daha çok ileri yaşta görülen bir hastalıktır. Çok basit izah edersem çocukluk çağında bu su çiçeği geçirildiği zaman bu hastalığa sebep olan mikrop sinirlere yerleşir ve ileriki dönemlerde vücut direnci düşünce aktif hale gelir ve hastalık oluşur. Tedaviyle hastalık belirtileri geçer. Fakat vücut direnci düşünce tekrarlama,vücut direncini düşüren en önemli etken aşırı üzüntü,kronik depresyon gibi sinir sistemini zarara uğratan etkenlerdir. Bunun yanında vücut direncini düşüren diğer hastalıklarda (diabet ..vs) bu hastalığın açığa alınmasına neden olur. Bunun için hastalığın tedavisinde hastalığa yol açan mikroba karşı yapılacak tedavinin yanında vücut direncini düşüren etkenlerde mücadele etmek gerekir. Örneğin; depresyonu olan hastanın tedaviye paralel bu durumunun düzeltilmesi gibi. Tedavinin yanında en önemli yapılması gereken vücut direncini arttırmaya yönelik destek tedavisidir. Hastalığın tekrarlamaması için vücut direncinin arttırmak hastalığa yol açan mikrobun yok olması veya inaktif hale gelmesi gerekmektedir.

Pratik Bitkisel Formüller

* Lahana yaprakları ezilir. Lapa halinde konulur, günde 4 defa içilir.
* **Vücut saf zeytinyağıyla ovulur.**
* Vücut sirkeyle karıştırılmış suyla yıkanır.
* **Ağrıyan yerler badem yağıyla ovulur.**
* 4 bardak suya, 4 kaşık ezilmiş kuşburnu konulur. 30 dakika kaynatılıp, nöbet şekeriyle tatlandırılır. Bu karışımdan günde 3 bardak içilir.

Zihni Gücü Artırıcı Pratik Bitkisel Formüller

* 1 bardak kaynar suya, 5 gram hanımeli yaprağı ve taze dal kabuğu konulur. 10 dakika bekletilip, günde birkaç bardak içilir.

*** 1 bardak kaynar suya, 2 gram acı biber acı biber konulur. 10 dakika bekletilip, günde 2–3 bardak içilir.**

* Zencefil tozu balla macun yapılır. Günde 2–3 defa 1 tatlı kaşığı içilir.

*** 1 bardak kaynar suya, 4–10 gram oğul otu ufalanmış yaprak konulur. 10 dakika bekletilip, günde 3 bardak içilir.**

* Meyve veya Yeşil Çay'ın içine birkaç karanfil konularak içilmesi sizi zinde tutacaktır.

Kainat Eczanesinden Önerilen Bitkiler

Armut (Pyrus):

Armut suyu güçlü bir antiviral bileşik olan kafeik asit bakımından zengindir. Zona hastalarına bolca armut yiyip, armut suyu içmeleri önerilir.

Semizotu (Portulaca oleracea):

Semizotu Çin'de herpes ilacı olarak ün yapmıştır. Semizotunu ıspanak gibi pişirip, lezzetli bir yemek yapabilirsiniz.

Çarkıfelek Çiçeği (Passiflora incarnata):

Çarkıfelek çiçeği yumuşak bir sakinleştiricidir. Bu nedenle zona ağrıları için kullanmak çoğu zaman fayda verir.

Acı Kırmızıbiber (Capsicum):

Biberin içinde bulunan "kapsaikin" isimli bileşik, oldukça acıdır. Kapsaikin deri altındaki sinir hücrelerinin ilettiği acı mesajlarını engelleyerek, ağrının giderilmesine yardımcı olur. Kapsaikin içeren merhemler, ağrılar için son derece olumlu gelişmelere neden olmuştur.

Oğul Otu (Melisa oficinalis):

Oğul otunun herpes familyasından virüsler üzerindeki etkisi kanıtlanmıştır. Zona için bol miktarda oğul otu ile zufa otu, yabani mercanköşk, nane, biberiye, ada çayı, yeşil nane ve kekik gibi nanegillerden herhangi bir kaçını karıştırarak yapılan çay faydalı olur. 250 ml. kaynar suya karıştıracağınız 2 çay kaşığı kurutulmuş oğul otu ile hazırlayacağınız çayı doğrudan döküntülerin üzerine uygularsanız faydasını göreceksiniz.

"Öyleyse Rabbinizin nimetlerinden hangisini yalanlıyorsunuz?"

(Rahman Suresi)

Yukarıdaki ayetin muhteşem ifadesiyle Allah'ın(cc) verdiği nimetlerin hangisini yalanlayabilirsiniz ki?

Her şeyi yoktan yaratan ve yarattıklarının en güzellerini insanın emrine veren Allah(cc), insandan buna karşılık kendisine kulluk yapmasından başka birşey istememektedir. İnsan olan insana düşen; "bir kahvenin kırk yıl hatırını saydığı" gibi, ömrü boyunca kendisini yaratan ve her türlü nimetlerle perverde edene karşı hakkıyla kulluk yapmak ve bu kulluğu fiili olarak göstermek için günde beş kez önünde saygıyla eğilmektir.

8. BÖLÜM

BİTKİ VE MEYVELERİN KİRLİAN RESİMLERİ

Yaptığı Kozmik Bilim çalışmaları ile tanınan Prof. Dr. Ahmet Maranki bir basın toplantısında kozmik bilim ışığında yetiştirilen pamuğun insan sağlığına ne derece faydası olduğunu anlatıyor. Bilindiği üzere 1 hektar toprağın üzerinde bulunan 80 ton havadaki azotun kozmik metotlarla toprağa alınması ve bununla "Kozmik Bio Pamuk" yetiştirilmesi mümkündür.

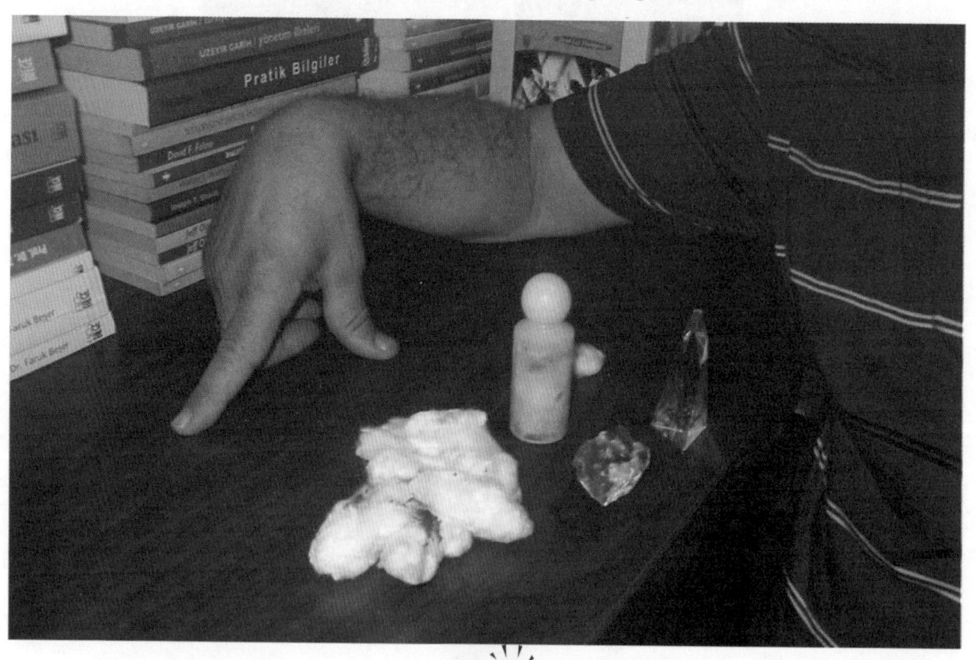

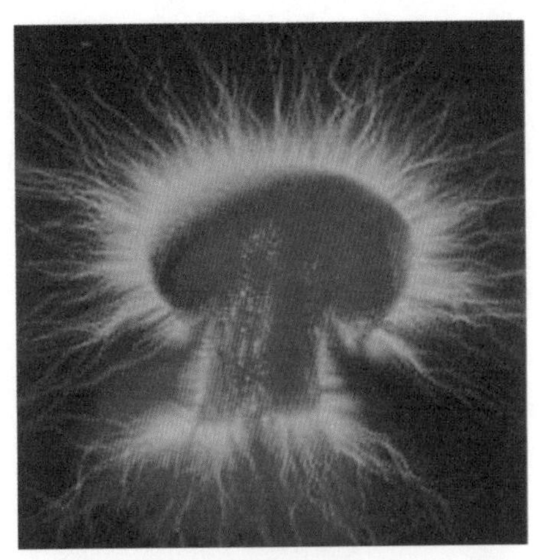

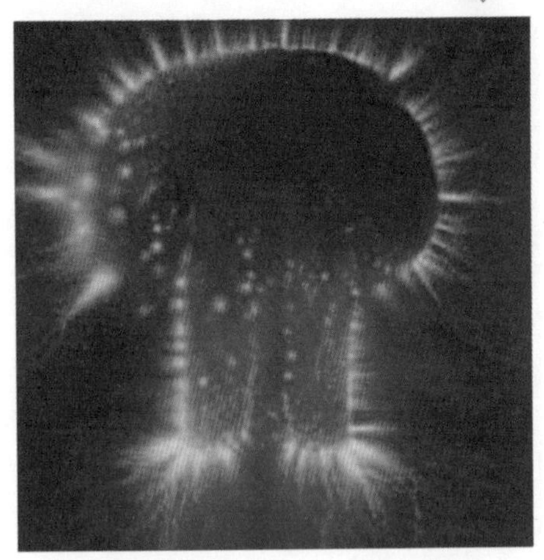

Organik Mantar

GDO'lu Kültür mantarı

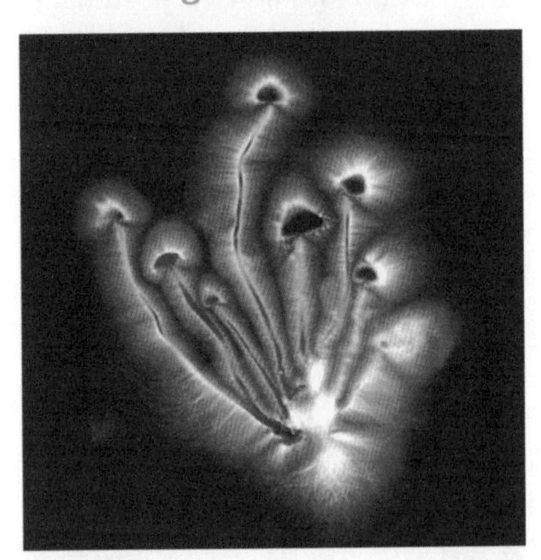

Kirlian fotoğraf tekniği ile İğne Mantarı ve Taneli Tohum'un görüntüleri. Bu bitkilerin çimlendirilmiş hali ile tüketilmesi bedenimize yoğun bir enerji girmesini sağlar.

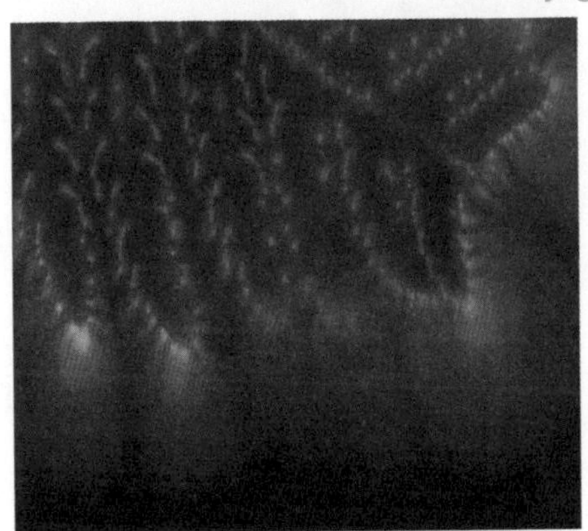

Deniz bitkileri ve yosunlardaki renk cümbüşü ile Yaratıcı bize acaba hangi mesajı vermek istiyor? Yoksa bunlar tesadüfen rengarenk ve simetrik belli bir plan, nizam içinde meydana gelmiş olabilir mi? Bilim adamları bunların cevabını ne zaman bulacak ve bunların enerjilerinden insanlık ne zaman istifade edecek?

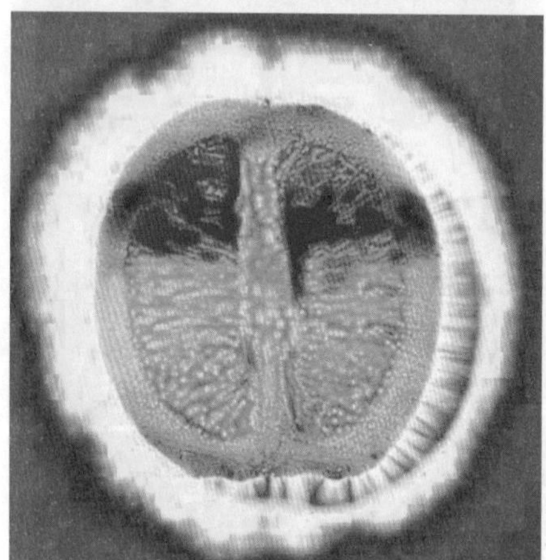

Bekletilmiş Greyfurt
(Enerji boyutları çok düşük)

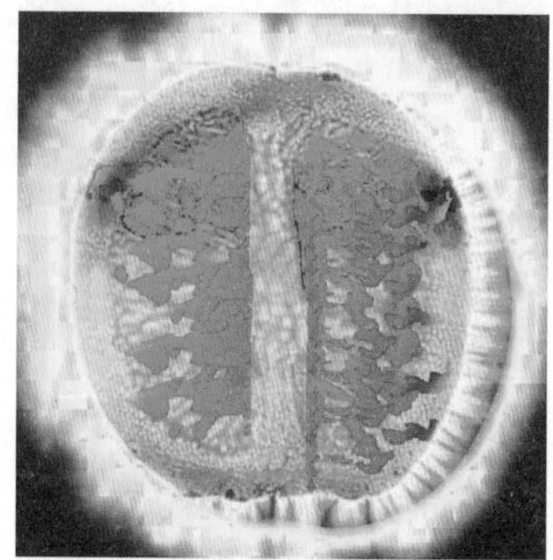

Bekletilmiş, bozuk portakal
(Enerji boyutları çok düşük)

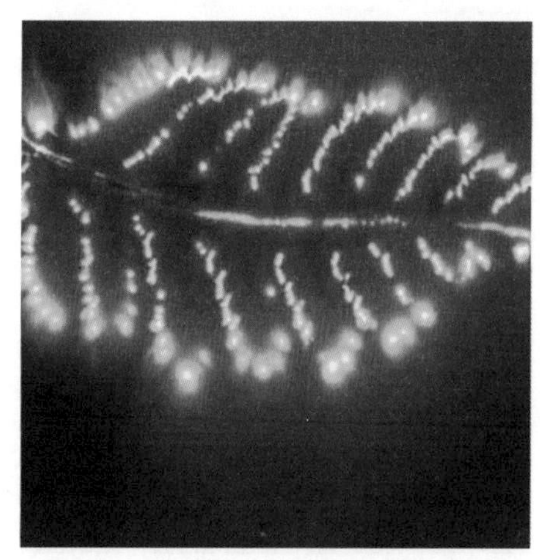

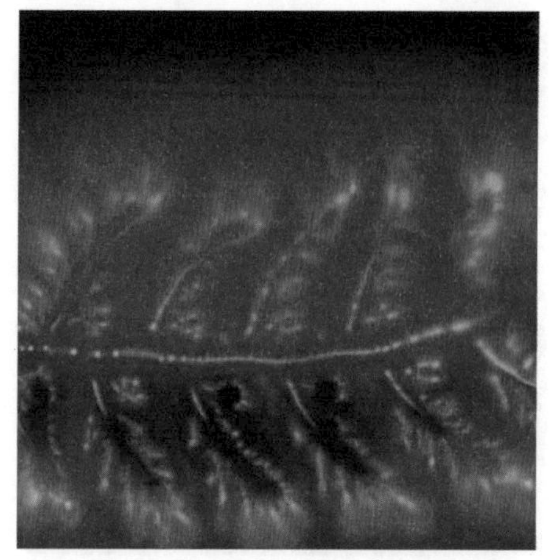

Kirlian tekniği ile bazı yaprakların enerji boyutları. Her an yaydıkları renklerin enerjileriyle insanlığa hizmet etmek için yaratılmışlar. Tabii bu görüş bilenler, bitkilerin dilini anlayanlar ve Kozmik Bilinç anlayışında olanlar için geçerlidir.

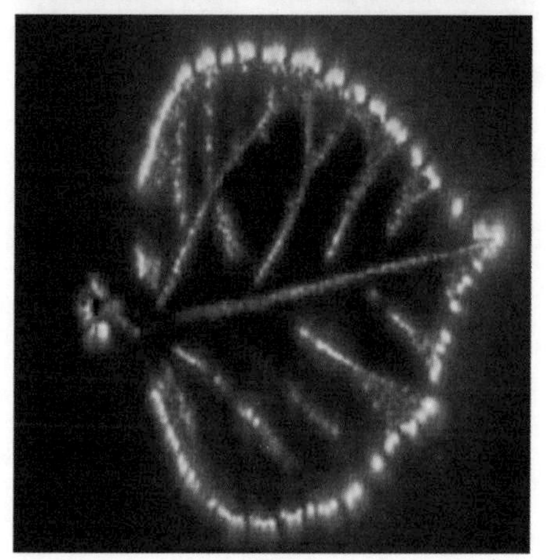

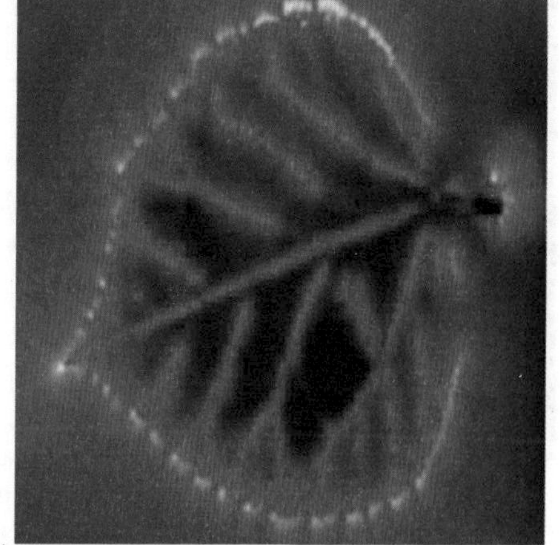

Kirlian tekniği ile bazı yaprakların enerji boyutları. Bütün bu akıllara durgunluk veren renkler ve görüntüler kendiliğinden olabilir mi? Bunu aklını yitirmişlerden başkası iddia edemez.

Yeşil Çay'ın yaprağındaki enerjiyi insanlık bugüne kadar neden göremedi? Yoksa birileri göstermedi mi?

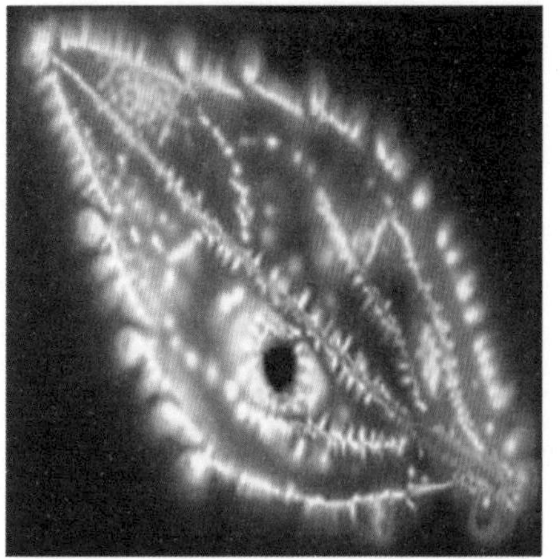

Kirlian tekniği ile bazı yaprakların görüntüleri. Bütün bu nizam ve intizam kainatta hiçbir şeyin tesadüfen olamayacağını ve mutlaka bir Yaratıcısı'nın bulunduğunu kör olmayan gözlere ve akıllara gösterir.

Yonca (Alfa Alfa) yaprağı ve çiçeğiyle "İnsan neslini kurtarabilirim" diye mesaj veriyor. Anlayabilenlere tabii ki!!!

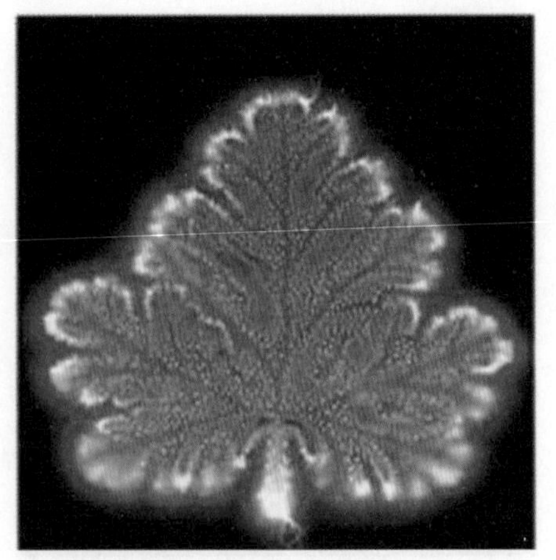

Kirlian tekniği ile çekilen resimlerde bazı yaprakların enerji boyutlarının muhteşem bir ahenk ve renk içinde oldukları görülüyor.
Bütün bunları sadece kör tesadüfe ve tabiata vermek akılsızlık değil midir?

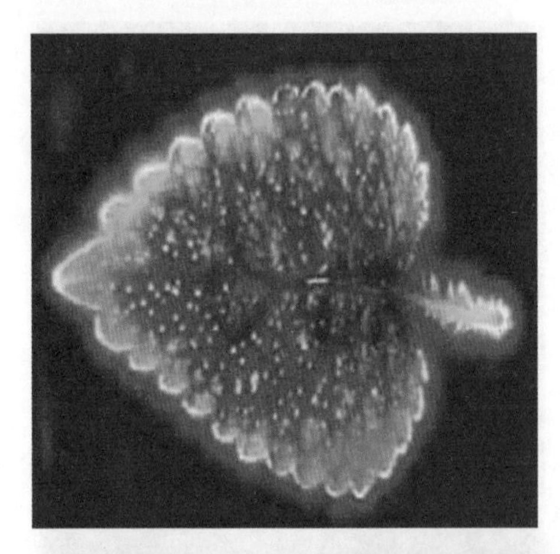

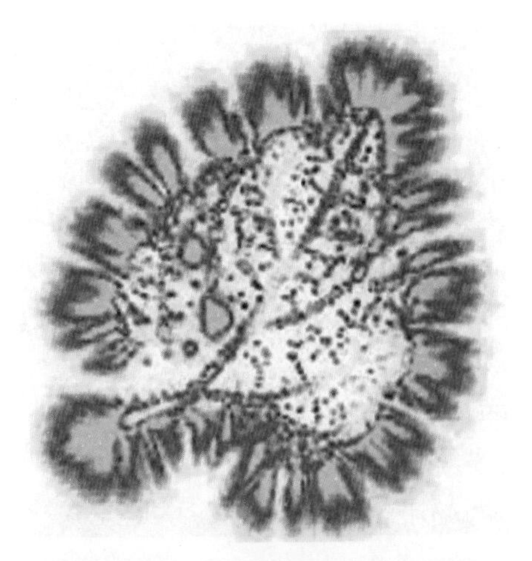

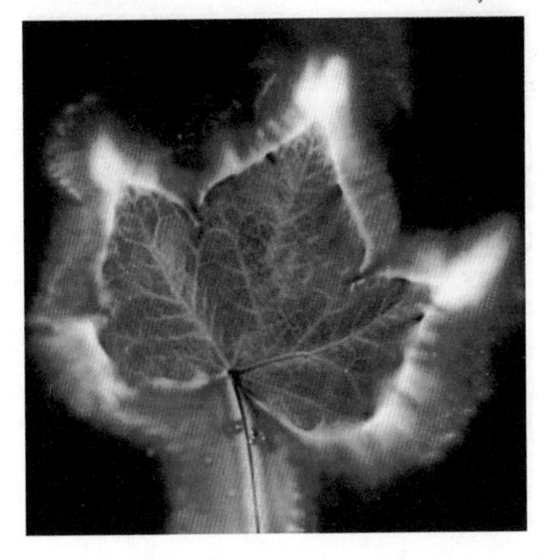

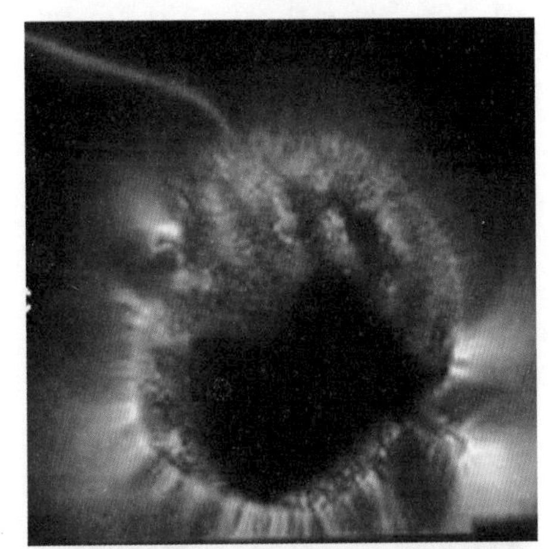

Yukarıda bir Çınar yaprağının kopan parçasının enerji alanı görülüyor. Diğer resimlerde de çeşitli bitkilerin Kirlian tekniği ile çekilmiş resimleri. Hemen hepsi sanki bir ağızdan kendilerine bu nizam ve intizamı veren "Nazım Bir Zat"ın varlığını ve birliğini kör olmayan şuurlu gözlere ve gönüllere göstermektedir. Zaten görmek isteyenler için bütün kainat; Hak ve Hakikati anlatan, sadece BİR olan Yaratıcıyı haykıran bir dil mesabesindedir.

Maydonoz yapı, şekil ve enerjisiyle böbreklere benzeyerek şifa mı dağıtıyor?

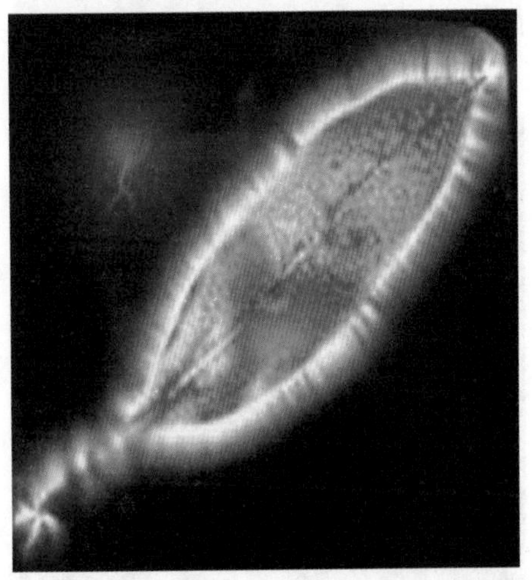

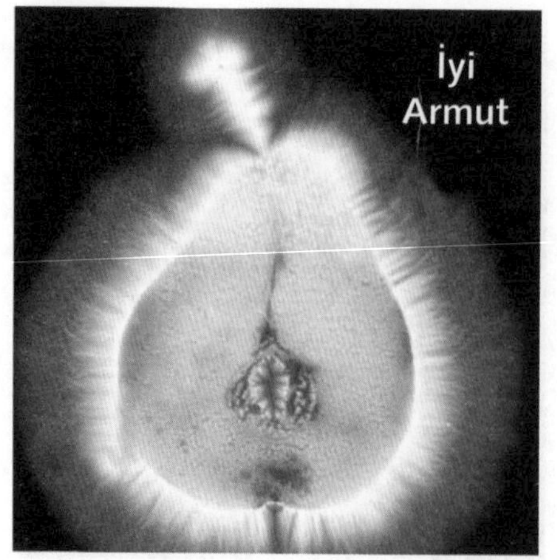

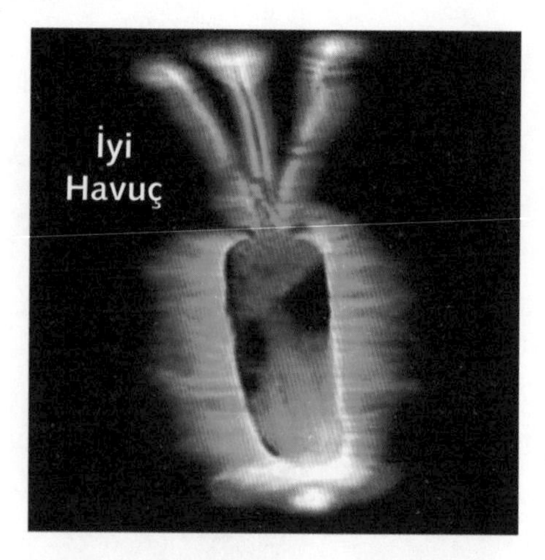

Kirlian tekniği ile çekilen bazı meyve ve bitkilerin görüntüleri kainatta hiçbir şeyde tesadüfün olmadığı gerçeğini biz kez daha gözler önüne seriyor.

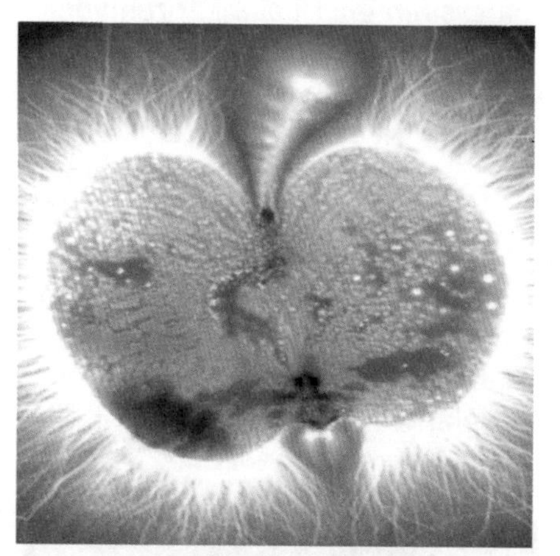

Bozuk Elma (Hormonlu)

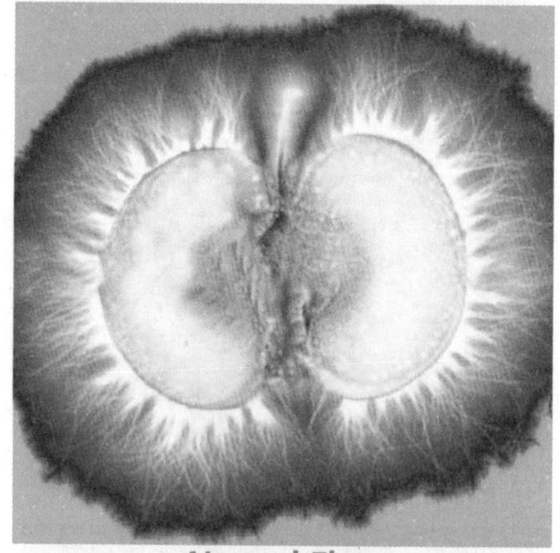

Normal Elma

Gül ve yaprağı

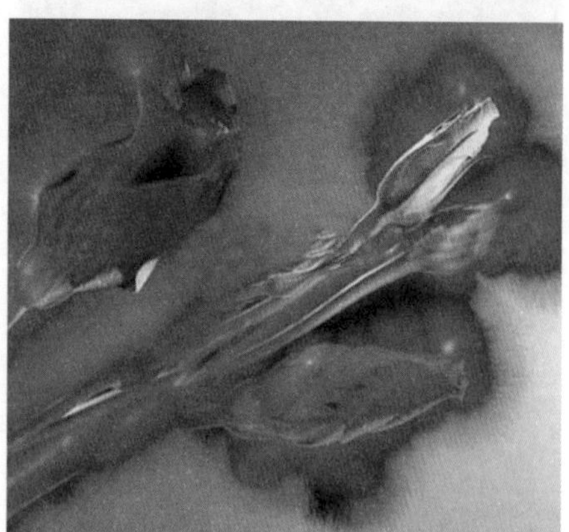

"Rahman olan Allah'ın yaratmasında hiçbir tesadüf, çelişki ve uygunsuzluk göremezsin. İşte gözünü bütün kainata çevirip gezdir. Herhangi bir düzensizlik, bozukluk ve çarpıklık göremezsin. Sonra gözünü iki kere daha her şeyde çevirip gezdir. Muhakkak ki o göz düzensizlik, tesadüf, uygunsuzluk bulmaktan umudunu kesmiş bir halde bitkin olarak sana dönecektir."
(Kur'an-ı Kerim, Mülk Suresi 3 ve 4. ayetler)

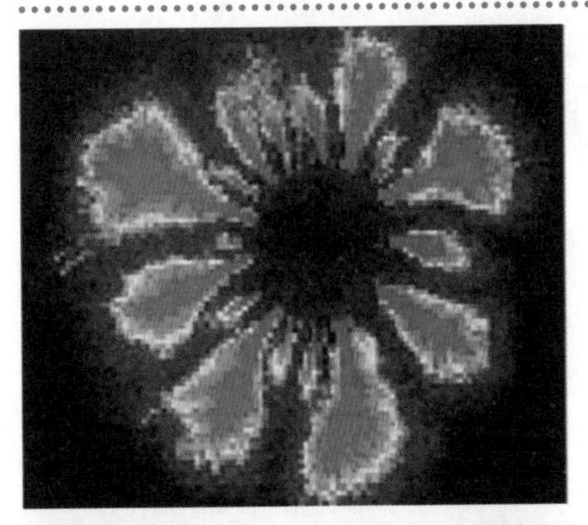

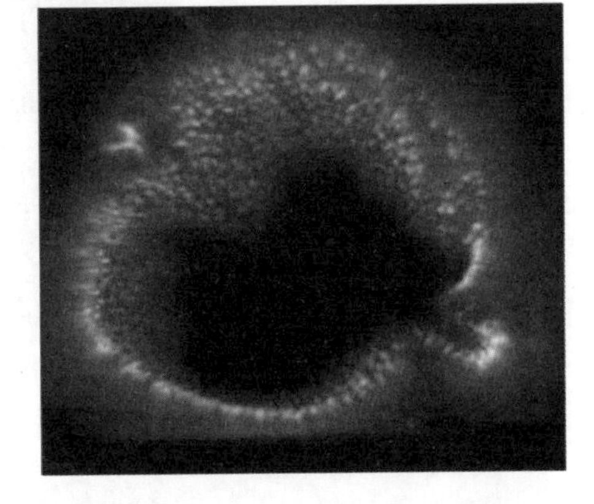

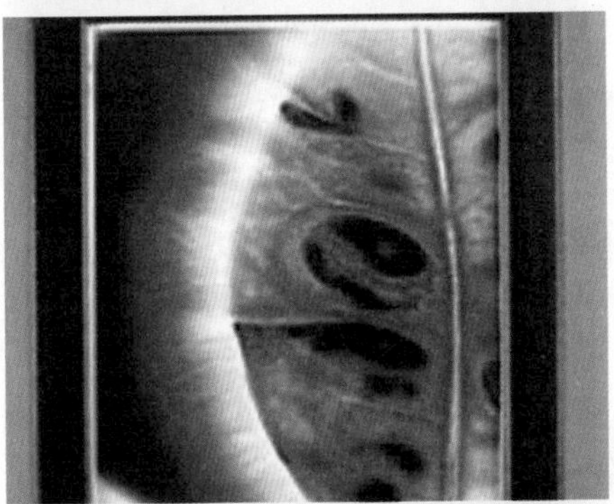

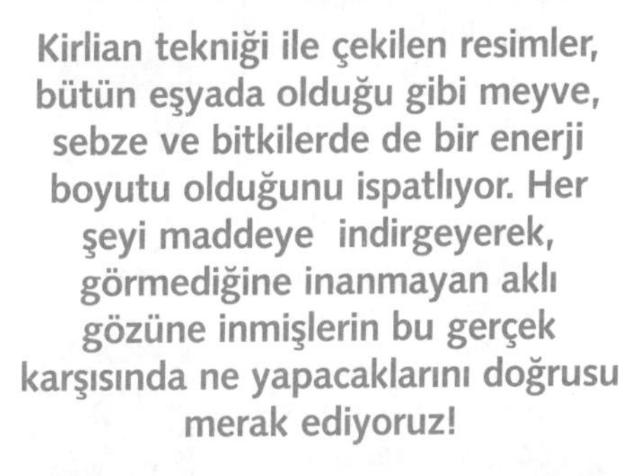

Kirlian tekniği ile çekilen resimler, bütün eşyada olduğu gibi meyve, sebze ve bitkilerde de bir enerji boyutu olduğunu ispatlıyor. Her şeyi maddeye indirgeyerek, görmediğine inanmayan aklı gözüne inmişlerin bu gerçek karşısında ne yapacaklarını doğrusu merak ediyoruz!

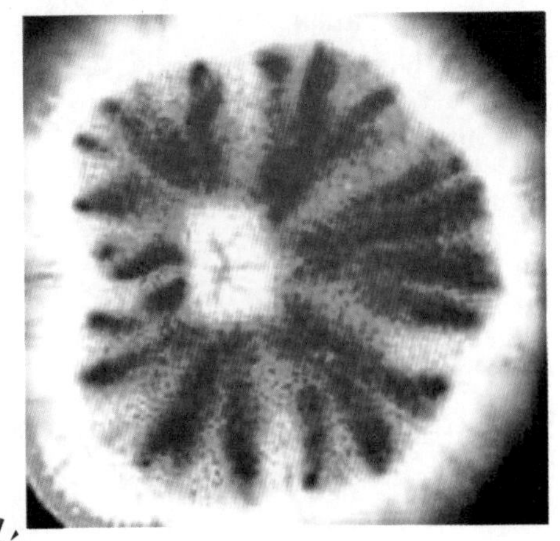

Çocuklar İçin Genel Öneriler

Doğru beslenen ve sevgi dolu, huzurlu, güvenli bir ortamda yetişen çocuklar, ilerleyen yaşlarında daha sağlıklı olurlar. Çocuk için en iyi ilk gıda, anne sütüdür. En az 6 ay çocuğa anne sütü vermek gerekir. Bu sürenin 2 yıla kadar uzaması daha iyidir.

Son yıllarda yapılan en büyük hatalardan biri, çocukları kolay ve hızlı beslenme biçimi olan "fast food" tarzı beslenmeye yönlendirmektir. Bir çocuğun sağlıklı beslenmesi için çeşitlilik ve denge çok önemlidir.

Sadece hayvansal gıdalar tüketmek, kızartma ve çerez ağırlıklı beslenmek çocuğa uzun vadede çok zarar verir. Çocuğu anlık mutlu etmek için "fast food" adı altındaki yiyecekleri tüketmesine izin vermek, aslında ona kötülük yapmaktır. Çinko, doğal multivitamin hapları, kalsiyum ve D vitamini çocuklar için yararlıdır, büyüklere önerilmez.

Süt çocuğu, oyun çocuğu ve ergenlik çocuğunun ihtiyaçlarının birbirinden farklılık gösterdiğini unutmamak gerekir.

Çocuklar için en sağlıklı içecekler, taze meyve suyu, ayran, komposto, maden suyu, süt, boza, salep ve bitki çayları ve kefirdir. Bunlara rağmen çocuk için en iyi ve sağlıklı içecek sudur. Özellikle ıhlamur, tarçın, elma, papatya, rezene, adaçayı gibi çaylar çocuk için çok faydalıdır. Çok şekerli içmeyi seven çocuklar için bal gibi tatlandırıcılar kullanılmalıdır. Çocukların aşırı baharatlı gıdalar tüketmeleri uygun değildir. Özellikle aşırı acı çocukların fizyolojisini zorlayabilir. Kişniş, tarçın, limon, fesleğen, kekik gibi fazla acı olmayan ve hoş kokulu baharatlar çocuklara uygun olabilir.

Beslenmenin yanı sıra çocuklarımızı küçük yaşta harekete alıştırmalı ve spora yönlendirmeliyiz.

Televizyon ve bilgisayar başında yemek yemeye alıştırmak sindirim sisteminde sorunlara sebep olabilir. Çocuklara beslenmenin sadece fast food yiyeceklerden oluşmadığını, sağlıklı yiyeceklerin de lezzetli olabileceğini aile içinde uygulayarak göstermeliyiz..

9. BÖLÜM

KAİNAT ECZANESİNDEN COSMİC BİTKİSEL BESİN DESTEK HAZIR ÜRÜNLER

Allah(cc)'ın isimlerinden biri "Rezzak", yani rızk verendir ve hepsi ayrı birer mükemmellikte yaratılmış olan bütün rızkları bize veren de O'dur. Buna karşı insanın ne yapması gerektiği Kuran'da şöyle belirtilir: "...Rabbinizin rızkından yiyin ve O'na şükredin..." (Sebe Suresi, 15)

KOZMİK BİTKİSEL KARIŞIM TABLET ÜRÜNLERİ

Bağışıklık sistemini güçlendirmeye yardımcı Cosmic Alfa Alfa'dır.

- **Bağışıklık sistemini güçlendirmeye yardımcı olarak hastalık riskini azaltılmasında rol oynar.**
- Vücut direncini artırmaya yardımcı olur,
- **Hastalıklara karşı bedeni koruyucu etki sağlar,**
- **Vücudun kendi kendini onarmasına destek olur,**
- Bağışıklık sistemini güçlendirerek hastalık riskini azaltmaya yardımcı olur,
- **Sağlıklı yaşama ve yaşlanma sorunlarının azalmasına yardımcı olur.**
- Vücuttaki serbest radikallere karşı destekleyicidir,
- **Prostat hipertrofisi'nin giderilmesinde tıbbi tedaviyi desteklemek üzere gıda takviyesi olarak kullanılabilir.**
- Tip I ve Tip II Diabetus Mellitus'un semptomlarının azaltılmasında tıbbi tedaviye destek niteliğinde gıda takviyesi olarak kullanılabilir.
- **Psoriaziz (Sedef) hastalığının semptomlarının azaltılmasında tıbbi tedaviye destek niteliğinde gıda takviyesi olarak kullanılabilir.**
- Psikosomatik durumların semptomlarının azaltılmasında tıbbi tedaviyi destek niteliğinde gıda takviyesi olarak kullanılabilir.
- **Romatoid Artirit hastalığının tıbbi tedavisine destek niteliğinde gıda takviyesi olarak kullanılabilir.**

Cosmic Alfa Alfa

İçindekiler:

Alfa Alfa, Kapari,hibisküs, soya, anason,yeşilçay,ısırgan yaprağı,kantaron çiçeği,karabaş lavanta çiçeği, Sakkaroz(%1 Bağlayıcı)

Kullanım Şekli (Pozoloji)

Aksi belirtilmemişse 3x2 tablet yemeklerden 1 saat önce bol su ile yutularak kullanılması önerilir.Bu ürünün kapari tableti ile birlikte kullanılması önerilir. Kapari tabletiyle birlikte en az üç kür uygulanması önerilir. Ürünlerimiz bir aylık kür içindir.

160 tablet/128 gr

Cosmic Soya

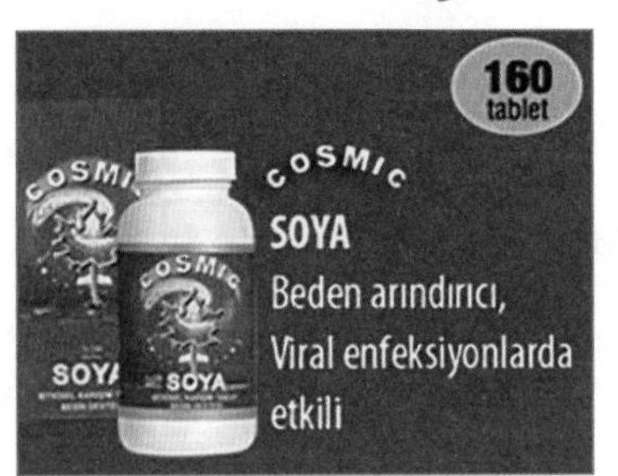

İçinde bulunan tıbbi ve aromatik bitkiler sayesinde viral enfeksiyonların tıbbi tedavisini desteklemek için kullanılır. Bilhassa Hepatit B,Hepatit C hastalarında (alfa-alfa,kapari ve enginar ile birlikte)çok net sonuçların alındığı gözlemlenmiş bir üründür.

Kullanım Alanları

- **Romatoid Artrit,Ankilozan Spondilit, bel-boyun fıtığı ve romatizmal rahatsızlıkların tıbbi tedavisine destek mahiyetinde semptomlarının giderilmesi amacıyla kullanılabilen bir gıda takviyesidir.**

-Sindirim sistemin problemlerinin (gastrit, reflü, ülser, spastik kolon, polip)tıbbi tedavisine destek amaçlı kullanılabilen bir gıda takviyesidir.

-Herpes S., ve Herpes Z. viral enfeksiyonlarının semptomlarını gidermeye yardımcı olur.

-Hepatit B ve Hepatit C problemlerinin tıbbi tedavisini desteklemek amacıyla kullanılabilir.

-Çocuk gelişiminde bağışıklık sistemini güçlendirmeye yardımcı olur.

Kullanım Şekli (Pozoloji)

Aksi Belirtilmemişse 3x2 tablet yemeklerden 1 saat önce bol su ile yutularak kullanılması önerilir. Bu ürünün kapari tableti ile birlikte kullanılması önerilir.

İçindeki Bitkiler: Soya, Alfa alfa, Kapari, hibisküs, buyotu, ısırgan yaprağı, keten tohumu. Sakkaroz (%1 Bağlayıcı) Kapari tabletiyle birlikte en az üç kür uygulanması önerilir. Ürünlerimiz bir aylık kür içindir.

160 tablet/128 gr

Isırgan Otu

- Vücuttaki fazla ödem ve iltihabın giderilmesine yardımcı olur.
- **Demir eksikliği ve kansızlığın giderilmesinde, Cosmıc kapari tablet ile birlikte kullanıldığında yardımcı olur.**
- Anne sütünü arttırmaya yardımcı özelliği klinik deneylerle ispat edilmiştir.
- **Vücuttaki salgı bezlerinin faaliyetini arttırır.**

Kullanım Önerisi

Yemeklerden 1 saat önce 2 tablet alınması önerilir. Bilinen hiçbir yan etkisi gözlemlenmemiştir.

160 tablet / 128 gr

Cosmic Kapari

Akdeniz yöresinde yetişen, ülkemiz tarafından kıymeti bilinmeyen, Türkiye'de ilk defa tarafımızdan tablet formunda ve doğal yapısı bozulmadan hazırlanan bir üründür. İçinde bulunan 16 aminoasitten 6'sı esansiyeldir. *(Mutlaka dışardan takviye edilmesi gerekir)*

- **Resulullah Efendimiz'in, (sav) sahabelerine birçok hastalığın şifası olarak işaret buyurduğu bir bitkidir. (Bkz. Tıbb-ı Nebevi)**
- İspanya, Kapari'yi milli bitkileri ilan etmiş ve Kapari tarımından ve ihracatından 20 milyar dolar gelir sağlamaktadır. Bu ihracatın % 85'i ilaç sanayinde kullanılmaktadır.

İçerdiği Aminoasitler

- **Threonine, valine, methionine, isoleucine, leucine, lycine, aspartic acid, serine, glutamic acid asit, proline, glycine, alanine, cystine, tyrosine.**

Mineraller

- Sülfür, potasyum, magnezyum, kalsiyum, sodyum, çinko, demir, manganez.

Vitaminler

- Betakaroten, vitamin B1, vitamin B2, vitamin C

Kullanıldığı Alanlar

- Kronik kabızlık semptomlarının giderilmesinde, tıbbi tedaviye destek amaçlı,
- **Kansızlık ve demir eksikliği anemisi semptomlarının giderilmesinde, tıbbi tedaviye destek amaçlı,**
- Kapari bitkisinin Anti-Tümör özelliği Amerika'da yapılan klinik deneylerle ispat edilmiştir.
- **Karaciğer fonksiyonlarının düzenlenmesine yardımcı olarak kullanılabilir,**

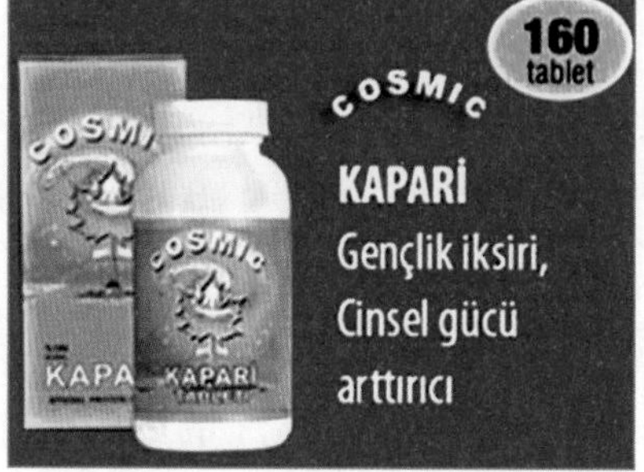

- Cinsel fonksiyonları arttırmaya yardımcıdır,
- **Adet düzensizliklerinin giderilmesine yardımcı olur,**
- Bronşlarda biriken balgamlarının atılmasına yardımcı olur,
- **Hemoroit problemlerinin semptomlarının giderilmesinde tıbbi tedaviyi destekleyen bir gıda takviyesidir.**
- Kan temizleyici ve plazma yenilemeye yardımcıdır.
- **Viral enfeksiyonların, antijenlerinin atılmasına yardımcı olmak üzere kullanılabilen bir gıda takviyesidir.**
- Alerjik durumların semptomlarının azaltılmasını sağlamak ve tıbbi tedaviyi destekleyici nitelikte kullanılabilir.

Kullanım Şekli (Pozoloji)

Aksi belirtilmemişse 3x2 tablet yemeklerden 1 saat sonra bol su ile yutularak kullanılması önerilir.

160 tablet/128 gr.

Doğadaki en zengin komple yüksek biyolojik değerde proteine sahiptir. Soya fasulyesinden yaklaşık 2 kat daha fazladır. Doğadaki en zengin B-12 vitamine sahip besindir. En yakin takipçisi dana ciğerine göre 2-6 kat daha fazladır. B-12 kısaca yüksek enerji anlamına gelmektedir.

Başlıca sahip olduğu Antioksidantlar; vitaminler B-1 , B-5 ve B-6, Mineraller çinko , mangenezyum ve bakır, amino asitler methionine ve superantioxidant beta-carotene, vitamin E ve selenyum. Doğadaki en zengin E vitamini içeren besindir. Sentetik E vitamine göre, biyolojik aktivitesi % 49 daha fazladır. Doğadaki en zengin Gamma Linolenic Asit (GLA) içeren besindir. Doğa-daki en zengin klorofile sahiptir. Alfalfa ve buğday bitkisinden 5-30 kat daha fazladır.

- Kilo kontrolünde kullanılır.
- **Kolesterol ve tansiyonu düzenler.**
- Geni değiştirilemeyen tek yosundur.
- **Kırmızı ve beyaz kan hücrelerini yenileyicidir.**
- Bağışıklık sistemini destekler.
- **Kansızlık sorunu olanlarda ve kadınlarda menopoz rahatsızlığında etkili olur.**
- Gastrit, ülser gibi mide rahatsızlıklarında destekleyici olarak kullanılabilir.
- **Radyasyonun vücuttan atılmasında etken rol oynar.**
- Doğadaki en yüksek organik demir oranına sahiptir.

Doğadaki en zengin Gamma Linolenic Asit (GLA) içeren besindir. En yakın Çuha Çiçeği yağından 3 kat daha yüksektir.

Kullanım şekli (Pozoloji)

Aksi belirtilmemişse 3x2 tablet yemeklerden 1 saat önce bol su ile yutularak kullanılması önerilir.

Cozmic Spirulina

160 tablet
COSMIC
SPIRULINA
Hücre temizleme ve
Kilo kontrolünde
zayıflatıcı

Bu ürünün kapari tableti ile birlikte kullanılması önerilir.

İçindekiler:

Bitkiler: Spiriluna

Amino-Asitler: Isoleucine, leucine, lysine, methionine, phenylalanine, threonine, tryptophan, valine, alanine, arginine, asparticacid, cystine, glutamic acid, glycine, histidine, proline, serine, tyrosine,

Vitaminler: Vitamin A, Betakaraoten, itamin C,vitamin D, vitamin E, vitamin K, Biotin, İnositol, B1 Thiamine, B2 Riboflavin, B3 niacin, B6 Pyrdoxine, Folate, B12 Colobalimine, Pantothenic Acid.

Mineral: Calsium, İron, Phosphorus, Lodine, Magnesium, Zinc, Selenium, Copper, Manganese, Chromium, Molybdenum, Chloride, Sodium, Potassium, Germanium, Boron

160 tablet / 96g

Nar Çiçeği Tablet Çayı (Bamya Çiçeği)

Kullanım Alanları

- Kanın temizlenmesine yardımcı olur.
- Çok yoğun C vitamini içerir.
- Kışın soğuk günlerde gribal enfeksiyonların semptomlarının giderilmesine yardımcı olur.
- Yemek sonrası oluşan şişkinlik ve hazımsızlık sorunlarının giderilmesinde yarar sağlar.
- Lezzetleriyle fark oluşturan bu içeceği günün her saatinde dilediğiniz kadar tüketebilirsiniz.
- Bilinen hiçbir yan etkisi yoktur.

Kullanım Şekli

1 fincan sıcak suya 2 tablet atınız. Arzuya göre doğal şeker ilave ediniz. Su sıcaklığının yeterli olması için bardağı bir defa sıcak su ile çalkalayınız.

İçindekiler: Nar Çiçeği, Sakkaroz (%1 Bağlayıcı)

160 tablet/128 gr.

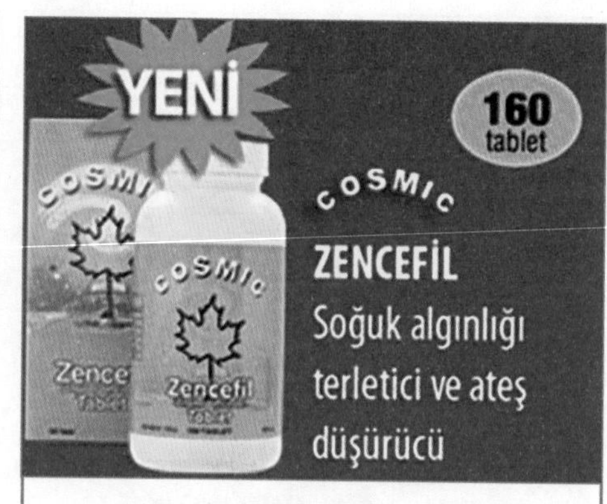

Zencefil Tableti

Kullanım Alanları

- Kışın soğuk günlerinde sıkça yakalandığımız soğuk algınlığı, nezle, grip gibi rahatsızlıkları en iyi tedavi eden ve önleyen doğal ürünlerden biri zencefildir.
- **Mide bulantısı, şişkinlik ve kolit gibi sindirim problemlerine karşı başarıyla kullanılabilir**
- Antiseptik etkisi sayesinde, mide ve bağırsak enfeksiyonlarına ve hatta gıda zehirlenmelerine karşı kullanılabilir.
- **İlaçların mide ve bağırsaklara yaptığı yan etkiyi yok eder.**
- Kan dolaşımını uyarır ve böylece kanın yüzeysel bölgelere de rahatça ulaşmasını sağlar. Aynı zamanda yüksek kan basıncını da normalleştirir.
- **Te letici ve ateş düşürücü etkileri vardır.**
- Kabızlığa karşı kullanılabilir.

Kullanım Önerisi

Yetişkinler için yemeklerden 1 saat önce 2 tablet kullanılması tavsiye edilir.

160 tablet/128 gr.

Yeşil Çay Tableti

Uzmanlara göre, yeşil çay hapı, sıvı olarak alınan yeşil çaydan daha etkilidir. Kalp damar hastalıkları ve kanser riskini düşürdüğü belirlenen yeşil çay, aynı zamanda beyin hücrelerini tahrip eden Alzheimer hastalığını da engelli-yor. İngiliz Daily Mail Gazetesi'nde yer alan bir habere göre, Güney Florida Üniversitesi'nden bilim adamları, yeşil çayda bulunan antioksidan maddelerin Alzheimer'e neden olan etkenleri ortadan kaldırdığını söylüyor. Kanserin en önemli sebeplerinden biri vücudumuzdaki serbest radikallerdir. Günde içilen 3 tablet bardak yeşil çay vücudumuzun serbest radikallerden arınmasına yardımcı olur. Siyah çay bir parçalanmaya ve oksidasyona maruz kalırken, yeşil çay en-zimlerinin denature edilmesiyle bu parçalanmaya ve etkili polifenolik maddelerinin azalmasına karşın korunmuş olur.

Yüzüncü Yıl Üniversitesi Ziraat Fakültesi Gıda Mühendisliği Öğretim Üyesi Prof. Dr. İsmail Sait Doğan, son yıllarda yapılan araştırmalarda yeşil çayın insan sağlığına olumlu etkiler yaptığını, özellikle kanser tedavisinde kullanılabileceğini belirtti. Şekersiz olarak kullanılan yeşil çayın insan vücudunda sıvı dengesini sağladığını vurgulayan Doğan, "Araştırmalara göre yeşil çaydaki polifenolik maddeler antioksidan özelliğe sahip olduklarından kanser riskini azaltmada müspet etki gösteriyor" dedi. Çayın içerdiği antikanserojen ve antioksidan bileşenlerin vitamin E ve C'den daha etkili olduğu tespitini yapan Doğan, bu bileşenlerin kanser tedavisinde büyük rol oynamasının yanı sıra yeşil çayda E ve C vitaminlerinin bulunduğunu dile getirdi. Tokyo Üniversitesi tarafından yapılan bir araştırmada, yeşil çayın kanser ve kalp hastalıkları gibi çok sayıda hastalığa karşı etkili olmasının sebebinin EGCG maddesi olduğunu söyleyen Doğan, "EGCG'nin akciğer, mide, kolon, karaciğer ve cilt kanserlerini önleyici etkisi bulunmaktadır. Avustralya'daki Curtin Üniversitesi ile Çin'deki Hangzu hastanesinin kanser uzmanları yeşil çay içen Çinli erkeklerle çay tüketmeyen Avustralyalı erkekler arasında yaptıkları karşılaştırmalı inceleme-ler sonucunda yeşil çayın prostat kanseri riskini azalttığı gözlenmiştir. Bu yüzden dünyada prostat kanserinin en düşük oranda görüldüğü ülke Çin'dir" dedi. Sürekli kullanımı, romatizma hastalığının tedavisinde yardımcıdır. Zayıflama rejimlerine yardımcı olur.

Kullanım Şekli (Pozoloji)

Aksi belirtilmemişse 3x2 tablet yemeklerden 1 saat önce bol su ile yutularak kullanılması önerilir. Bu ürünün kapari tableti ile birlikte kullanılması önerilir.

160 tablet/128 gr. F

Enginar Tableti

İçeriğindeki luteolin maddesi sayesinde kötü kolesterol LDEyi düşürür. İyi kolesterol HDL'yi yükselterek de kalbi korur.

Zehirli ve yorgunluk veren maddeleri idrarla dışarı atar. Beyin yorgunluğunu çabucak geçirir.

Bedeni ve ruhi yorgunluk,sinir zafiyeti, sürmenaj olanları süratle iyiliğe kavuşturur.

Kalp adelelerini kuvvetlendirir, kalbin kuvvetli ve sıhhatli olmasını sağlar.

Enginar, karaciğerin en iyi dostudur.

Süratle karaciğerin kendi kendini tamir etmesini, kuvvetlenmesini ve ifrazatının artmasını sağlar.

Siroz ve sarılıkta faydalıdır.

Böbrekleri çalıştırarak, kum ve taş döker.

Mafsallarda ürat birikmesini önler ve romatizmaya faydalıdır.

Şeker hastalarına çok fayda verir.

Enginarda tabii olarak insülin yerini tutan madde vardır. Bununla kan şekerini düşürür.

Enginar mide ve bilhassa bağırsakları dezenfekte ederek ishalleri durdurur.

Kullanım Şekli

Sindirim sistemi, karaciğer ve kolesterol kontrolü için: Her gün 3 adet 700 miligramlık tablet alın. Yüksek yağ tükettiğiniz dönemlerde sindirim için.

Doktorunuza danışarak 700 miligramlık 6 adet tablet alabilirsiniz. Yemekle beraber ya da yemekten hemen sonra soğuk suyla için.Bilinen hiç bir yan etkisi yoktur.

160 tablet/128 gr.

Pirenli Bitkisel Karışım Tablet

(Formunuzu Korumaya Yardımcı Zayıflama Ürünü)

Kullanım Alanı: Fazla kilosu olanlarda kilo düşürücü, ideal kilolularda mevcut kilonun korunması için bitkisel destek olarak önerilir.

İçindeki bitkiler

Piren, Kekik, Kiraz sapı, Biberiye, Rezene

Etkisi: Vücuttaki depo yağlarının kullanımını hızlandırarak enerjiye dönüşmesine ve yemeklerden sonra vücudun depoladığı yağ oranının minimum seviyede kalmasına destek olur. Cosmic Bitkisel Karışım Tablet'in formülünde bulunan piren, fitoterapide (bitkilerle tedavi) doğal bir antibiyotik olarak da kabul edilir. Kadınlarda ve özellikle rahim akıntısı ile idrar yolları enfeksiyonlarında kullanılmaktadır.

Önemli Açıklama

Şeker ve şekerli yiyecek ve içecekler yüksek miktarda kalori içerdiğinden, tüm diyet programları uygulama süresince bu tip yiyeceklerden uzak durulması veya çok az miktarlarda tüketilmesi gerekir. (Sebze ve Meyve hariç). Mide ve bağırsaklar üzerinde olumsuz bir etkisi yoktur. Emzikli ve hamile anneler, midesinde aşırı hassasiyeti olanlar ve troit rahatsızlığı bulunanlara önerilmez. Çocukların ulaşamayacakları yerlerde, ambalajında, kuru ve serin yerlerde muhafaza ediniz.

Formunuza Ulaşmak İçin Kullanım Şekli ve Dozu: Sabah-Öğle-Akşam yemeklerden 30 dakika önce 2 şer tablet olmak üzere günde 6 tablet alınması tavsiye edilir.

Formunuzu Koruma İçin: Günlük doz sabah-öğle-akşam 1'er tablet olmak üzere aynı şekilde alınır.

Ürünün daha etkili olabilmesi için özellikle bol su ile alınması gerekir.(2 bardak su v.s.) Belirgin bir yan etkiye henüz rastlanmamıştır

Doz Aşımı: Tamamı bitkisel bir ürün olan Cosmic Bitkisel Karışım Tablet'in önerilen dozlardan fazla kullanılmasında sakınca görülmemiştir. (günlük en fazla 12 tablet).

Fitoterapide ürünlerden istenilen sonucun alınabilmesi için en az 4-6 hafta düzenli bir şekilde kullanılması ve bu süreçte ara verilmemesi gerekmektedir.

Bitkisel ürünler her bünyede yeterli sonuç vermeyebilir ve bu durum fitoterapide (bitkisel tedavi) normal kabul edilir.

Beden Kitle İndeksi 27 kg/m2 ve üzerinde olanlara aynı zamanda düzenli fiziksel egzersiz ve/veya bir diyet programı ile alınması tavsiye edilir.

Sarı Kantaron (Hypericum perforatum);(St.Jonh's WORT)

YENİ
COSMIC
160 tablet
SARI KANTORON
Doğal bir antidepresan ve antibakteriyal.

Asya' dan Amerika' ya kadar dünyanın pek çok ülkesinde doğal olarak yetişen ve Orta Asya, Selçuklu ve Osmanlı'daki şifahanelerde en çok istifade edilmiş ve yüzyıllardır güvenle kullanılan bir bitkidir. Tanen (tannin), uçucu yağlar (carophyllene, pinene, limonene, myrcene), flavon türevleri (quercitrin, quercitin, rutin), hipericin (hypericin), karoten (carotene), Vitamin C ve resin içermektedir.

Bundan yıllarca önce başta Almanya olmak üzere birçok Avrupa ülkesinde bu bitki yan etkisiz bir "Doğal Antidepresan" olarak kullanılıyordu. Depresyon önleyici olarak kullanılmasının nedeni; Sarı kantaronun içerisindeki başta hiperisin olmak üzere ve diğer bileşikler sayesinde, beyin içerisinde sinir uyarılarının iletiminde önemli seviye artışı sağlamasıdır.

Yapılan araştımalara göre bitki birçok etken madde içermekte olup; bunlardan en önemlileri hiperisin (hypericin), flavonoidler, taninler, resin ve prosiyanidinler' dir. Hiperisin beyindeki Teta dalgalarını da arttırmaktadır. Teta dalgaları normalde uyku esnasında meydana gelirler ve derin düşünce veya meditasyon, yüce duygular, memnuniyet ve yaratıcı düşüncenin artması gibi şeylerle ilişkilidirler. Sarı kantaron ile ilgili çalışmalarda; endişe, kayıtsızlık, uyuşukluk, fazla uyuma, uykusuzluk, depresyon ve umursamazlık hissi gibi semptomlarda olumlu gelişmeler görülmüştür.

Faydaları ve Kullanım Alanları: Anti-stres ve anti-depresyon etkilidir.

Korku, endişe, kaygı, umutsuzluk, umursamazlık ve çaresizlik duygularının giderilmesinde yardımcıdır.

Uykusuzluk ve fazla uyuma problemlerinde faydalıdır.

Yara ve yanıkların iyileşme sürecini hızlandırmaya yardımcı olur.

Kronik yorgunluk sendromunda ve menopoz dönemindeki sıkıntı, stres ve gerginliklerin giderilmesinde yardımcıdır..

İRTİBAT VE TALEBLERİNİZ İÇİN:

www.marankialisveris.com
Tel: 0536 980 29 71

UÇUCU VE SABİT ÖZELLİKLİ KARIŞIM YAĞLAR

MASAJ YAĞI:

Avokado, Bergamot, Biberiye, Buğday, Havuç, Lavanta, Limon, Melisa, Susam, Yasemin yağlarının karışımından oluşmaktadır.

Kullanımı: Haricen kullanılır. Her akşam ağrıyan yerlere sürülür, streçle kapatılır. 3 hafta devam edilir. Bilinebilen hiçbir yan etkisi yoktur.

SAÇ BAKIM:

Susam, Badem, Isırgan, Sarımsak, Biberiye, Kekik, Buğday, Defne, Çam Yaprak Yağı, Menekşe, Zeytinyağlarının karışımından oluşmaktadır.

Kullanımı: Haricen kullanılır. Her akşam başa ve saç dökülen yerlere sürülür. Streçle, boneyle kapatılır.3 hafta devam edilir. Bilinebilen hiçbir yan etkisi yoktur.

ROMATİZMA YAĞI:

Susam, Papatya, Kantaron, Çörekotu, Kekik, Ardıç, Defne, Biberiye, Karabaşotu, Çitlembik, Lavanta, Hardal yağlarının karışımından oluşmaktadır.

Kullanımı: Haricen kullanılır. Her akşam ağrıyan yerlere sürülür. Streçle kapatılır. 3 hafta devam edilir. Devamlı kullanılabilir. Bilinebilen hiçbir yan etkisi yoktur.

GÜNEŞ YAĞI:

Badem, Ceviz, Havuç, Kakao, Kayısı, Keten, Fındık yağlarının karışımından oluşmaktadır.

Kullanımı: Haricen sürülerek kullanılır. Bilinebilen hiçbir yan etkisi yoktur.

SELÜLİT YAĞI:

Susam, Buğday, Fındık, Kayısı, Kekik, Keten, Menekşe, Nane, Pelesenk, Okaliptüs, Portakal, Limon, Lavanta yağlarının karışımından oluşmaktadır.

Kullanımı: Haricen kullanılır. Her akşam bedende yağlı yerlere sürülür. Streçle kapatılır. 3 hafta devam edilir. Devamlı kullanılabilir. Bilinebilen hiçbir yan etkisi yoktur.

ÜRÜNLERLE İLGİLİ SIKÇA SORULANLAR

Ürünlerin yan etkisi var mı?

Ürünlerimiz Türk Gıda Kodeksi'ne uygun bitkilerden üretilmektedir ve önerilen dozda kullanılması halinde bilinen bir yan etkisi tespit edilmemiştir.

Ürünlerin bakanlık onayı var mı?

Bakanlık onayı vardır.

Son kullanım tarihleri var mı?

Ürün kutuları üzerinde mevcuttur.

İleri yaşlarda kullanım nasıl?

BKT ürünlerimizin hiçbir yaş grubu için yan etkisi yoktur. (0-2 yaş grubu çocuklar için kontrollü ve dozaj ayarlanarak kullanılmalıdır) Mama içine eritilerek kullanılabilir.)

Hamileler kullanabilir mi?

Uzman kontrolünde ve ihtiyatla kullanılması önerilmektedir.

Cosmic BKT ürünleri zayıflamaya yardımcı olur mu?

Şişmanlatmadığı gibi zayıflamaya da yardımcı olduğu görülmüştür.

ÜRÜNLERLE İLGİLİ GENİŞ BİLGİYİ
www.maranki.com
İSİMLİ SİTEMİZDE BULABİLİRSİNİZ.

HASTALIKLARLA İLGİLİ ÜRÜN KULLANIM TABLOSU

SIRA NO	SYMPTOMS	TAVSİYE EDİLEN ÜRÜN	AÇIKLAMALAR
1	AIDS	CA+CS+CK+CSP	1 SENE KULLANILMALIDIR.
2	ALZHEIMER	CA+CS+CK+CE	1 SENE KULLANILMALIDIR.
3	ALOPECİA	CA+CS+CK+CSP	UZMAN GÖZETİMİNDE
4	ARTHRITIS	CA+CS+CK+CSP+CZ	UZMAN GÖZETİMİNDE
5	ANKSİYETE BOZUKLUKLAR	CA+CS+CK+CKAN	6 AY SÜRE İLE KULLANILMALIDIR.
6	ANEMİ	CA+CS+CK+CSP+CIS	6 AY SÜRE İLE KULLANILMALIDIR.
7	ASTIM	CA+CS+CK+CZEN	6 AY SÜRE İLE KULLANILMALIDIR.
8	ATHEROSCLEROSİS	CA+CS+CK+CENG	6 AY SÜRE İLE KULLANILMALIDIR.
9	CARDIOMYOPATHY	CA+CS+CK+CENG+CZEN	6 AY SÜRE İLE KULLANILMALIDIR.
10	BRONŞİT	CA+CS+CK+CENG+CZEN	3AY SÜRE İLE KULLANILMALIDIR.
11	KOLESTEROL	CA+CS+CK+CENG	3AY SÜRE İLE KULLANILMALIDIR.
12	SOĞUK ALGINLIĞI	CA+CS+CK+CZEN	SEMPTOMLARI AZALANA KADAR DEVAM
13	SİROZ	CA+CS+CK+CENG	UZMAN GÖZETİMİNDE
14	CERABRAL PALSİ	CA+CS+CK+CENG+CZEN	UZMAN GÖZETİMİNDE
15	CHOLLECYSTITIS	CA+CS+CK+CENG+CZEN	3AY SÜRE İLE KULLANILMALIDIR.
16	YORGUNLUK SENDROMU	CA+CS+CK+CSP	SEMPTOMLARI AZALANA KADAR DEVAM
17	KANSER	CA+CS+CK+CSP+CIS	UZMAN KONTROLU GEREKİR
18	CONSTIPATION	CA+CS+CK+CZEN	SEMPTOMLARI AZALANA KADAR DEVAM
19	KORONER KALP HASTALIĞI	CA+CS+CK+CENG+CZEN	6 AY SÜRE İLE KULLANILMALIDIR.
20	DEMANS	CA+CS+CK+CSP	6 AY SÜRE İLE KULLANILMALIDIR.
21	DERMATİT	CA+CS+CK+CSP+CIS	SEMPTOMLARI AZALANA KADAR DEVAM
22	GUT HASTALIĞI	CA+CS+CK+CENG+CZEN	6 AY SÜRE İLE KULLANILMALIDIR.
23	TIP I VE TIP II DİYABET	CA+CS+CK+CENG+CZEN	AKŞ-TKŞ DÜZENLİ ÖLÇÜLECEK
24	DIZZINESS	CA+CS+CK+CSP	SEMPTOMLARI AZALANA KADAR DEVAM
25	EPİLEPSİ	CA+CS+CK+CSP+CZEN	HASTANIN TAKİBİ YAPILACAKTIR.
26	ENDOMETRIOSIS	CA+CK+CSP+CZEN	3AY SÜRE İLE KULLANILMALIDIR.
27	ERKEN MENAPOZ	CA+CK+CSP+CZEN	3AY SÜRE İLE KULLANILMALIDIR.
28	FİBROMİYALJİ	CA+CS+CK+CSP+CZEN	6 AY SÜRE İLE KULLANILMALIDIR.
29	GUT HASTALIĞI	CA+CS+CK+CENG+CZEN	3AY SÜRE İLE KULLANILMALIDIR.
30	İKTİDARSIZLIK	CA+CS+CK+CSP	3AY SÜRE İLE KULLANILMALIDIR.
31	NODULER GUATR	CA+CS+CK+CENG+CZEN	HASTA BAYAN İSE CS KULLANMAMALI.
32	HEMOROİD	CA+CS+CK+CZEN	3 AY SÜRE İLE KULLANILMALIDIR.
33	HERPES SIMPLEX	CA+CS+CK+CSP+CZEN	UZMAN KONTROLU GEREKİR.
34	HERPES ZOSTER	CA+CS+CK+CSP+CZEN	UZMAN KONTROLU GEREKİR
35	KOLİT	CA+CS+CK+CENG+CZEN	3AY SÜRE İLE KULLANILMALIDIR.
36	BÖBREK TAŞI	CA+CS+CK+CZEN	TAŞIN EBATI DEĞERLENDİRİLECEK
37	SİNÜZİT	CA+CS+CK+CENG+CZEN	SEMPTOMLARI AZALANA KADAR DEVAM
38	YÜKSEK TANSİYON	CA+CS+CK+CENG+CZEN	SEMPTOMLARI AZALANA KADAR DEVAM
39	HEPATİT B-C	CA+CS+CENG+CK	3AY-15 AY SÜRELİDİR. KONTROL
40	SİROZ	CA+CS+CENG	SİROZUN TİPİ DEĞERLENDİRİLECEK
41	TALASEMİ	CA+CS+CK+CSP+CZEN	UZMAN GÖZETİMİNDE
42	FMF	CA+CS+CK+CSP+CZEN	KLİNİK TABLO GÖZLEMLENECEKTİR.
43	SLE	CA+CS+CK+CSP+CZEN	AntidS-DNA klinik tablosu yorumlanacak
44	NEFRİT	UZMAN GÖZETİMİNDE	UZMAN GÖZETİMİNDE

HASTALIKLARLA ILGILI URUN KULLANIM TABLOSU

45	OBEZİTE	CA+CS+CK+CPİR+CYÇ+CSİP	6 AY SÜRE İLE KULLANILMALIDIR.
46	OSTEOARTHRITIS	CA+CS+CK+CENG+CZEN	6 AY SÜRE İLE KULLANILMALIDIR.
47	MS(MULTIPLE-SKLEROS)	CA+CS+CK+CYÇ+CSİP	6 AY SÜRE İLE KULLANILMALIDIR.
48	HPV	CA+CS+CK+CSP+CZEN	3AY SÜRE İLE KULLANILMALIDIR.
49	ITP	CA+CS+CK+CSP+CZEN	UZMAN KONTROLUNDA 3 AY-15 AY
50	SSPE	CA+CS+CK+CSP+CZEN	SEMPTOMLARI AZALANA KADAR DEVAM.
51	CROHN HASTALIĞI	CA+CS+CK+CSP+CZEN	SEMPTOMLARI AZALANA KADAR DEVAM
52	ÜLSERATİF KOLİT	CA+CS+CK+CSP+CZEN	SEMPTOMLARI AZALANA KADAR DEVAM
53	POLİP	CA+CS+CK+CSP+CZEN	SEMPTOMLARI AZALANA KADAR DEVAM
54	MYOM	CA+CS+CK+CSP+CZEN	3 AY SONU KONTROL
55	POLİKİSTİK OVER	CA+CS+CK+CSP+CZEN	UZMAN KONTROLUNDA 3 AY-15 AY
56	ÇİKOLATA KİSTİ	CA+CS+CK+CSP+CZEN+CEN	UZMAN KONTROLUNDA 3 AY-15 AY
57	SJÖGREN SENDROMU	CA+CS+CK+CSP+CZEN	KLİNİK TABLO GÖZLEMLENECEKTİR.
58	ROMATOİD ARTRİT	CA+CS+CK+CSP+CZEN	KLİNİK TABLO GÖZLEMLENECEKTİR.
59	ANKİLOZAN SPONDİLİT	CA+CS+CK+CSP+CZEN	KLİNİK TABLO GÖZLEMLENECEKTİR.
60	HİDROSEFALİ	UZMAN GÖZETİMİNDE	UZMAN GÖZETİMİNDE
61	ALS	CA+CS+CK+CSP+CZEN	6 AY SÜRE İLE KULLANILMALIDIR.
62	ALL,KLL	CA+CS+CK+CSP+CZEN	6 AY SÜRE İLE KULLANILMALIDIR.
63	MUSCULAR DİSTROPHY	CA+CS+CK+CSP+CZEN	6 AY SÜRE İLE KULLANILMALIDIR.
64	HİPOTİROİDİ-HİPERTİROİDİ	CA+CK+CSP+CZEN	6 AY SÜRE İLE KULLANILMALIDIR.
65	KİREÇLENME	CA+CS+CK+CIS+CENG	SEMPTOMLARI AZALANA KADAR DEVAM
66	İNFERTİLİTE	CA+CS+CK+CSP+CZEN	KLİNİK TABLO GÖZLEMLENECEKTİR.
67	AZOSPERM	CA+CS+CK+CSP+CZEN	KLİNİK TABLO GÖZLEMLENECEKTİR.
68	SAFRA TAŞI	UZMAN GÖZETİMİNDE	UZMAN GÖZETİMİNDE
69	VİTİLİGO	CA+CS+CK+CSP+CZEN	6 AY SÜRE İLE KULLANILMALIDIR.
70	SEDEF	CA+CS+CK+CSP+CZEN	6 AY SÜRE İLE KULLANILMALIDIR.
71	ÜRTİKER	CA+CS+CK+CSP+CZEN+CEN	SEMPTOMLARI AZALANA KADAR DEVAM
72	BAĞIŞIKLIK SİSTEMİ ZAYIFLIĞI	CA+CK	UZMAN KONTROLU GEREKİR
73	GASTRİT	CA+CS+CK+CENG+CZEN	UZMAN KONTROLU GEREKİR
74	ÜLSER	CA+CS+CK+CENG+CZEN	UZMAN KONTROLU GEREKİR
75	REFLÜ	CA+CS+CK+CENG+CZEN	UZMAN KONTROLU GEREKİR
76	DUODENİTİS	CA+CS+CK+CENG+CZEN	UZMAN KONTROLU GEREKİR
77	WİLSON SENDROMU	KLİNİK TABLO GÖRÜLECEK	KLİNİK TABLOSU GÖRÜLECEK
78	HCC	CA+CS+CK+CENG+CZEN	UZMAN GÖZETİMİNDE
79	KİST HİDATİK	CA+CS+CK+CENG+CSP	DÜZENLİ USG TABLOSU İNCELENECEK
80	PNÖMONİ	CA+CK+CSP+CZEN	SEMPTOMLARI AZALANA KADAR DEVAM
81	VARİS	CA+CS+CK+CENG+CSP	SEMPTOMLARI AZALANA KADAR DEVAM
82	GİLBERT SENDROMU	UZMAN GÖZETİMİNDE	KLİNİK TABLOSU GÖRÜLECEK
83	FAZLA KİLO	CA+CS+CK+CENG+CSP	EN AZ 3 AY KULLANIM VE KONTROL

KISALTMALAR: CA: Cosmic Alfa-Alfa, **CS: Cosmic Soya,** CK:Cosmic Kapari, **CSP:Cosmic Spirulina,** CZEN:Cosmic Zencefil, **CENG:Cosmic Enginar,** CIS:Cosmic Isırgan

ÖNEMLİ NOT: Ürünlerin kullanımı sırasında kesinlikle et, süt ve tavuk ürünleri tüketilmeyecektir. Beyaz ekmek, siyah çay, konsantre ürünler, kolalı içecekler ve suni tatlandırıcılar kullanılmayacaktır.

COSMIC ÜRÜNLERDEKİ BİTKİLERİ BİLİM KONUŞTURUYOR

Alfa Alfa
Mikrop öldürücüyüm ve yoğun enerji vericiyim.[1] Kalsiyum, magnezyum, potasyum gibi vitaminleri taşıdığımdan vücuttaki bir çok kronik hastalığın iyileşmesine yardımcı olurum. Kas hücrelerine glikoz girişini arttırırım. Vücuttaki Zaralı serbest radikallerin temizlenmesine yardımcı olurum. Karaciğeri toksinlerden korurum. Kalp hastalarına, kansere ve bedendeki ağır metal birikimlerine karşı kullanılırım.[12]

Hibiskus
Bedeni sakinleştirici, iyileştirici ve yumuşatıcı etkiye sahibim. Sağlıklı kemik gelişiminde, kireçlenme, iltihablanmalarda kullanılırım. Anemi ve kansızlıkta. İdrar yolları, böbrek taşı veya kumu düşürmek için yardımcıyım ve idrar artırıcıyım. Karaciğer, kan ve böbrekleri temizleyiciyim (detoxifier.) Hipofiz bezi fonksiyonlarını destekleyiciyim. Kabızlıkta rahatlatıcıyım. Estrogen üretimine ve kan şekerinin ayarlanmasına yardımcıyım.[6]

Buyotu
Göğüs yumuşatıcı, balgam söktürücü, müshil etkiye sahibim. Cinsel içgüdüleri arttırırım.[11] Kolesterol düzeyini dengelerim. Diyabet, dizanteri, diyar, kronik öksürük, karaciğer ve dalak büyümesi, iştahsızlıktan oluşan hazımsızlık ve gastrit gibi durumlarda vücuda destek veririm. İçimdeki steroidal saponinlerinden dolayı anti mikrobiyel etkilerim.[12] bulunmaktadır.

Anason
İştah açıcı, uyku verici, gaz-balgam söktürücü, hazmı kolaylaştırıcı etkilere sahibim.[5] Menopoz yakınmaları olan hastalarda östrojenik etki yapar, ağrıyı keserim. Bağırsak şikayetlerine, hazımsızlığa ve soğuk algınlığına karşı kullanılırım.[12]

Karabaş Lavanta
Karabaş Lavanta
Ağrı kesici, mikrop öldürücü, sakinleştirici, balgam söktürücü, yaraları iyileştiriciyim. İdrar yolları iltihaplarını giderici, egzama yaralarını iyileştiriciyim. Sinir ve kalp kuvvetlendirici etkilere sahibim.[8] Tansiyonu olan hastalar benden istifade etmiştir.[12]

Kapari
İçerdiğim A ve E vitaminlerimin yanı sıra, bağırsak ve mide rahatsızlıklarında, idrar söktürücü, kabızlık giderici, enerji verici ve cinsel gücü arttırıcıyım.[4] Kansızlığı gideririm, kanı temizlerim, vücuttan toksinleri atarak hücreleri yenilerim.[12]

Sarı Kantoron
Sarı Kantaron
Hazmı kolaylaştırır, iştah açarım. Mikrop öldürür, yaraları iyileştiririm, kuvvetli bir sakinleştiriciyim.[6] Üzerinde en çok çalışma yapılan etkili bir doğal antidepresanım. Antibakteriyel olarakta kullanılırım.[12]

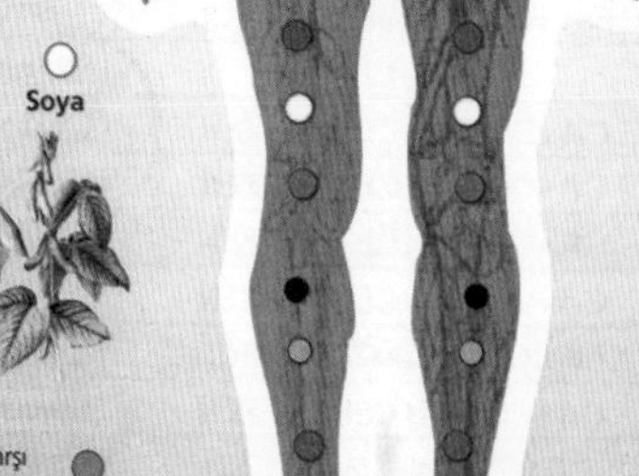

Soya
Dünyada en çok kullanılan, yağı çıkarılan sanayi ürünüdür. Beden bağışıklık sistemine faydalıdır. Sinirlerin adalelerin güçlenmesine, şeker hastalarına, nekahet dönemlerinde çok etkindir.[8] Bitkisel östrojen olarak bilinene soya kolesterolü düşürür, menopoz semptomunu giderir, hormon dengesinin sağlar ve çeşitli kanser türlerinde ve osteoporoz kemik kaybı riskinden koruduğu bilinmektedir.[9]

Isırgan Otu
Kanı temizler, idrar söktürürüm. İştah açıcıyım, kan hücrelerinin çoğalmasını sağlarım.[7] Virüslere karşı etkin prostat ve idrar yoluna yardımcı, böbrek taşlarına karşı korurum, Bünyemde bulunan demir sebebiyle kemik iliğini uyararak kansızlığı gideririm ve genel olarak da bağışıklık sistemini güçlendiririm.[12]

Keten Tohumu
Sindirim sistemi iltihaplarına ve tahrişlerine karşı koruyucuyum. Ağrı azaltıcıyım. Astım, nefes darlığı ve öksürük giderici etkilere sahibim.[3] Omega 3 ihtiva etmem sebebiyle kalın bağırsak yumuşatıcı ve başta prostat kanseri olmak üzere, kanser türlerinden korunmada yararlıyım. Bağışıklık sistemi, üreme, kalp-damar ve sinir sistemi gibi sistemlerin fonksiyonlarının düzenlenmesine yardım ederim. Koroner kalp hastalıkların da ölüm riskini azaltmaktayım.[12] Damarlardaki pıhtılaşmayı önlemeye de yardım etmekteyim.[3]

Yeşil Çay
Hücre ölümlerine sebep olan ve kanser olarak adlandırılan bedenimizdeki serbest radikallerin bedenden arındırılmasına yardımcı olurum. Kolesterolün lenfatik emilimini önleyerek, tansiyonu, kan şekerini ve damar sertliğini düzenlerim. Antiaging olup yaşlanmayı geciktiririm. İyi bir idrar söküçüyüm. Metabolizmayı canlandırırım.[12] Çeşitli kanser türlerine ve kalp hastalıklarına koruma sağlar, toksinleri atarak zayıflamaya yardımcı olurum.[12]

KAYNAKLAR

1. Prof. Dr. Baytop, Turhan, "Türkiye'de Bitkilerle Tedavi", İst. 1984 S. 423 / 2. a.g.e. S. 181 / 3. a.g.e. S. 291 / 4. a.g.e. S. 279 / 5. a.g.e. S. 164 / 6. a.g.e. S. 270 / 7. a.g.e. S. 258 / 8. Prof. Dr. Baytop, Turhan, a.g.e. S 316, Prof. Dr. Demirhan. E. Ayşegül, "Şifalı Bitkiler, Doğal İlaçlarla Geleneksel Tedaviler" S. 253. / 9. Prof. Dr. Baytop, Turhan, a.g.s. S. 331 / 10. Yıldız, Abdulmecit, "Şifalı bitkiler ve Doğal İlaçlarla Tedavi" S. 298 / 11. Prof. Dr. Demirhan. E. Ayşegül, "Şifalı Bitkiler, Doğal İlaçlarla Geleneksel Tedaviler" S. 11 / 12. Dr. Saraç. M. Ender, "Doğanın Şifalı Eli" Doğan Kitap Yay. İst. 2005

10. BÖLÜM

KOZMİK BİLİM İLE İLGİLİ EK BELGELER

Atomdan insana, hücreden galaksilere kadar bütün kâinatta ince ve baş döndürücü bir sanat göze çarpmaktadır. Evet, bir baştan bir başa kâinattaki her eser çok büyük sanat değerine sahiptir; çok kıymetlidir; çok kısa zamanda ve çok kolay yapılmaktadır; çok sayıda olmaktadır; karışık ve çeşit çeşittir; devamlıdır. Hâlbuki zahire göre kısa zamanda, çok sayıda, kolay ve karışık yapılan işlerde sanat ve kıymet olmaması gerekir. Ancak yapan Sonsuz bir ilim, sonsuz bir kudret ve sonsuz bir irade sahibi bir Allah (cc) olursa, o zaman her şey değişir ve zıtlar bir araya gelir!

BURÇLAR TABLOSU

Burcu	Tarihi	Gezegeni	Hastalığı	Tesir Sahaları	Teşhisi	Tabiatı	Taşı	Rengi	Kokusu
Hamel Koç	21 Mart 20 Nisan	Merih Mars	Baş uzuvları	Deniz ve göl kenarları	Yüzü şişer kendinden geçer	Ateş	Kırmızı taşlar	Kırmızı	Gül
Sevr Boğa	21Nisan 21 Mayıs	Zühre Venüs	Boğaz bölgesi	Viranelik, sulak yerler	Vücut halsizliği, yüzde renk kaçması	Toprak	Gümüş, zümrüt	Mavi	Lavanta
Cevza İkizler	22 Mayıs 21 Haziran	Utarit Merkür	Göğüs, kol, omuz bölgesi	Viran yerler, su kenarları	Takatsizlik, uykusuzluk	Hava	Gümüş, firuze, zümrüt	Sarı, yeşil	Fulya
Seratan Yengeç	22 Haziran 22 Temmuz	Kamer Ay	Mide bölgesi	Viranelik, kilise harabeleri	Sıtma, titreme ve ağırlaşma	Su	Gümüş, firuze	Mavi, sarı, açık yeşil	Leylak
Eset Aslan	24 Temmuz 23 Ağustos	Şems Güneş	Kalp, sırt, kan dolaşımı	Dağlar, ağaç dipleri	Baş ağrısı, korku, kulakta sesler	Ateş	Gümüş, yakut	Sarı, turuncu	Miskiambe r
Sümbüle Başak	24 Ağustos 23 Eylül	Utarit Merkür	Bağırsaklar, karaciğer, sinir merkezleri	Pis yerlerde, yol aralarında	Karın ve kasık şişmesi	Toprak	Gümüş, zümrüt	Yeşil, beyaz, lacivert	Limon turunç
Mizan Terazi	24 Eylül 23 Ekim	Zühre Venüs	Böbrekler, karın boşluğu	Viranelikler, kapı aralıkları	Kasık ağrısı, baş ağrısı, konuşamama	Hava	Yakut	Mavi, yeşil, sarı	Gül
Akrep	24 Ekim 22 Kasım	Merih Mars	Bağırsak, akciğer	Su, göl kenarları	El ayak tutmaz, göz kararır, takatsizleşir	Su	Gümüş, yeşil, mavi taşlar	Yeşil, mavi	Sümbül manolya
Kavs Yay	23 Kasım 21 Aralık	Müşteri Jüpiter	Böbrekler	Viranelikler, kapı aralıkları	Baş ağrısı, kalbi daralır, kusar, bayılır	Ateş	Gümüş, turkuvaz, elmas	Mavi, sarı	Zambak menekşe
Cedi Oğlak	22 Aralık 20 Ocak	Zuho! Satürn	Eklem yerleri, romatizma	Viranelik yollar	Baş ağrısı, halsizlik, uykusuzluk	Toprak	Yeşil taş, inci	Beyaz, açık renk	Fulya
Dalu Kova	21 Ocak 17 Şubat	Zuhaf Satürn	Baş, beyin, bel kemikleri	Viranelik yer, kapı eşikleri	Bütün uzuvlarda ağrıma	Hava	Gümüş akik	Gümüş, sarı renkler	Yasemin
Hud Balık	18 Şubat 20 Mart	Müşteri Jüpiter	Kemikler ve sinirler	Dağlar, ağaç dipleri	Korkar, ayakları tutmaz, yel olur	Su	Gümüş yakut	Beyaz, mavi	Hanımeli

KOZMİK BESLENME TABLOSU

	Mantar	Süt	Sebzeler	Yoğurt	Domates	Sirke, Hardal	Ekşi Meyveler	Patates	Ekmek, hamur işleri	Tatlı Meyveler	Bal, tatlındırıcı	Zeytin	Tereyağı, kaymak, yağ, yumurta sarısı	Çerez, çekirdek, baklagiller	Peynirler, lor peyniri	Et, balık, tavuk
Et,balık, tavuk	✓	✗	✓	✗	✓	✗	✗	✗	✗	✗	✗	✗	✗	✗	✗	
Peynirler, lor peyniri	✓	✗	✓	?	✓	✗	✓	✗	✗	✗	✗	✗	✗	✗		✗
Çerez, çekirdek, baklagiller	■	✗	✓	?	✓	✗	✓	✗	✗	✗	✗	✗	✗		✗	✗
Tereyağı, kaymak,yağ, yumurta sarısı	✓	?	✓	✓	✓	✓	✓	✓	✓	?	✗	✗		✗	✗	✗
Zeytin	✓	✗	✓	✓	✓	✓	✓	✓	✓	✗	✗		✗	✗	✗	✗
Bal, tatlındırıcı	✗	✗	✗	✓	■	■	✓	✗	✗	?		✗	✗	✗	✗	✗
Tatlı meyveler	✗	✗	✗	✓	✗	?	✓	✗	✗		?	✗	?	✗	✗	✗
Ekmek, hamurlu işleri	✓	✗	✓	✗	✗	✗	✗	✓		✗	✗	✓	✓	✗	✗	✗
Patates	✓	✗	✓	✗	✗	✗	✗		✓	✗	✗	✓	✓	✗	✗	✗
Ekşi Meyveler	✗	?	?	✓	?	✓		✗	✗	✓	✓	✓	✓	✓	✓	✗
Sirke, hardal	✓	?	✓	✗	✓		✓	✗	✗	?	■	✓	✓	✗	✗	✗
Domates	✓	?	✓	✓		✓	?	✗	✗	✗	■	✓	✓	✓	✓	✓
Yoğurt	■	✓	✓		✓	✗	✓	✗	✗	✓	✓	✓	✓	?		✗
Sebzeler	✓	?		✓	✓	✓	?	✓	✓	✗	✗	✓	✓	✓	✓	✓
Süt	■		?	✓	✓	?	?	✗	✗	✗	✗	✗	?	✗	✗	✗
Mantar		■	✓	■	✓	✓	✗	✓	✓	✗	✗	✓	✓	■	✓	✓

✓ yenmeli
✗ yenmemeli
? şüpheli
■ tartışmalı

SICAK VE SOĞUK BİTKİLER İLE BESİNLERİN TABİİ ÖZELLİK TABLOSU

İSİMLERİ	Soğutucu			Isıtıcı			Yaş			Kuru		
	1.	2.	3.	1.	2.	3.	1.	2.	3.	1.	2.	3.
Arpa	X									X		
Ayva	X									X		
Armut	X									X		
Anber				X						X		
Ağaç Kavunu Kabuğu				X						X		
Asma	X									X		
Bakla	X						X					
Bazek	X						X					
Badem								X				
Balık	X						X					
Ceviz					X			X				
Çam Ağacı				X			X					
Çemen Otu					X					X		
Çörekotu				X								X
Darı	X									X		
Dut	X							X				
Elma	X									X		
Erik	X							X				
Fındık				X						X		
Fesleğen				X								
Gül	X									X		
Güyegü Otu				X						X		
Güneyik	X									X		
Gül Yağı										X		
Havuç				X						X		
Haşhaş	X									X		
Hıyar	X							X				
Hurma				X						X		
Havlıcan				X						X		
Hardal				X						X		
Ispanak	X											
İncir (Taze)				X			X					
İç Yağı				X			X					
İncir (Kuru)					X					X		
Kendene						X					X	
Kereviz					X						X	
Kişniş	X						X					
Kaşni	X									X		
Kabak		X						X				
Kuzukulağı		X									X	
Kavun					X			X				
Karpuz	X											
Kafur		X									X	
Karanfil					X						X	

SICAK VE SOĞUK BİTKİLER İLE BESİNLERİN TABİİ ÖZELLİK TABLOSU

İSİMLERİ	Soğutucu				Isıtıcı				Yaş				Kuru		
Kuru Üzüm					X				X						
Kenevir Tohumu						X								X	
Koyun Eti						X			X						
Keçi Eti	X												X		
Lahana					X								X		
Mercimek	X												X		
Marul		X								X					
Menekşe	X														
Müşk							X								X
Mersin	X													X	
Nohut					X				X						
Nane						X								X	
Nergis					X				X						
Nar	X														
Ödağacı					X									X	
Pirinç					X										
Pazı					X								X		
Patlıcan						X								X	
Pırasa					X								X		
Susam	X								X						
Semizotu					X								X		
Soğan					X								X		
Sarımsak					X								X		
Süsen													X		
Sandal		X													
Sünbül					X									X	
Şahtare						X							X		
Şalgam						X			X						
Şeftali		X								X					
Şeker Kamışı					X				X						
Tarhun					X								X		
Turak Otu					X								X		
Tere Otu					X								X		
Turp							X							X	
Tarçın					X								X		
Tereyağı					X				X						
Üzüm					X				X						
Yumurta					X				X						
Zerdali	X								X						
Zaferan					X								X		
Zencefil					X								X		
Zeytinyağı									X						

NOT: Soğutucu bitkiler ve gıdalar yaz aylarında tercih edilen, serinletici özelliği olan yiyeceklerdir. Isıtıcı gıdalar ise, soğutucu gıdaların aksine genellikle kış aylarında tüketilen, taneli ve vücudu ısıtıcı özelliktedir. Yukarıdaki tabloda bitki ve gıda maddelerinin bu özelliklerinin dereceleri ilk defa tablo halinde bu kitabımızda gösterilmiştir.

Prof. Dr. Ahmet Maranki Kimdir?

1956 yılında İnebolu'da doğdu. Liseyi İstanbul'da bitiren yazar ilk önce Tütün Eksperleri Yüksek Okulu'nu bitirip 1976 yılında stajını tamamlayarak devlet görevine başladı. Sırasıyla 1981 yılında İstanbul Üniversitesi T. Endüstri Mühendisliği'ni, 1986 yılında İstanbul Üniversitesi İktisat Fakültesi Sosyal Bilimler Enstitüsü Sosyal Siyaset Bölümü'nde 'master'ını, 1990 yılında aynı bölümün Sosyal Siyaset Çalışma Ekonomisi Endüstri İlişkileri alanında doktorasını tamamladı. 1991 yılında ABD'de mesleki alanda mahalli idareler, sosyal güvenlik sistemleri ve tarım alanında bitkilerdeki genetik çalışmalar ve tohum standartizasyonu üzerine doktora üstü bilimsel çalışma ve araştırmalarda bulundu.

1993 yılında SSCB'nin yıkılmasıyla Azerbaycan devletinin talebi üzerine, T.C. adına görev yaptığı ilgili birimin baş uzmanı olarak araştırmalar yapmak ve üniversitelerde ders vermek üzere görevlendirildi. T.C. adına Azerbaycan Birleşmiş Milletler Teşkilatı (BMT) U.N.D.P, UNV birimlerinin kalkınma programları çerçevesinde devlet ve özel üniversitelerinin planlı ekonomiden pazar ekonomisine geçişleriyle ilgili "Principles Marketing", International Economic Organization", "International Marketing", "Islam Economy Relation" ders programlarının hazırlanıp uygulanmasında "University Lecturer" unvanıyla "Specialist" olarak diplomatik statüde görev yapan yazar, Azerbaycan Millî Meclisi'nde danışmanlık yapmış olup, bu çalışmalarını "Türkiye Azerbaycan Haricî İktisâdî Alakaları" , "Agent Mukaveleleri" adlı kitaplarıyla yayınlamıştır. Ahmet Maranki yaptığı bu ve burada kaydedilmeyen çalışmalarıyla 1998 yılında Azerbaycan'da "Yılın En Başarılı Yabancı Bilim Adamı" seçilmiştir. BMT'nin Unesco ve Avrupa Birliği nezdinde kurularak faaliyet gösteren IPA-International Personal Academy'de görev yapan yazar; yaptığı bu ilmî çalışmalar, hazırlanan ders programları ve bunların uygulanması, yayınlanan kitaplar ile ilmi şura kararıyla "Univesity Lecturer" göreviyle "Economy" alanında profesör unvanı alarak 'Ateste' edilen tek T.C. vatandaşıdır.

Kafkasya ve Azerbaycan'da kaldığı bu sürede yazar, SSCB'nin çağdaş dünyaca bilinmeyen yönleriyle ilgili stratejik ve kozmik araştırma merkezlerinde kozmik çalışma ve eğitimlere katılmış, burada bitkilerle, kokularla, sülükle, sidikle, kristallerle, taşlarla, hipnozla, suyla, noktalarla, radyo dalgalarıyla, metafizik boyutta ve burada sayamadığımız insanlığın bilinmeyen pek çok konuda 15 yıl süren eğitimlerde bulunarak ekstrasens ve bioenerjist unvanını almıştır.

Yazar eserlerinde de görüleceği gibi T.C.'deki devlet görevi sırasında meslekî çalışmaları yanında, 1987'de Ortadoğu'daki İran-Irak Savaşı sırasında Musul-Kerkük bölgesinde Türkmenlerle ve Suudi Arabistan'da İslam konferansıyla ilgili, 1990 yılında Balkanlarda ve Bulgaristan'daki Türklere uygulanan asimilasyon ve tehcirle ilgili, 1991 yılında ABD'de

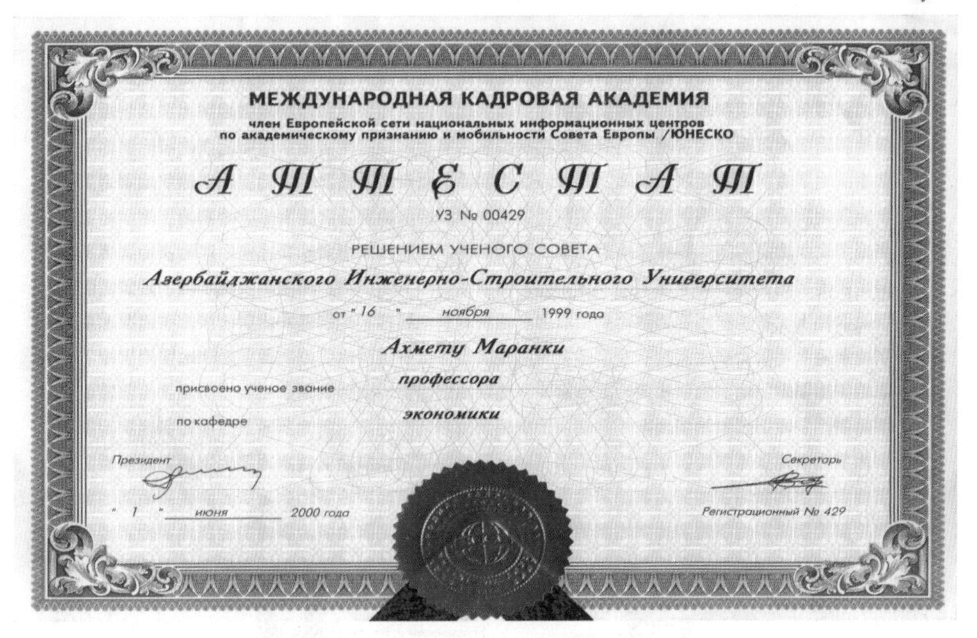

МЕЖДУНАРОДНАЯ КАДРОВАЯ АКАДЕМИЯ

член Европейской сети национальных информационных центров
по академическому признанию и мобильности Совета Европы /ЮНЕСКО

АТТЕСТАТ

УЗ № 00429

РЕШЕНИЕМ УЧЕНОГО СОВЕТА

Азербайджанского Инженерно-Строительного Университета

от "16" ноября 1999 года

Ахмету Маранки

присвоено ученое звание профессора

по кафедре экономики

Президент

"1" июня 2000 года

Секретарь

Регистрационный № 429

Müslüman-Kızılderililerle ilgili, 1993'ten günümüze kadar da Kafkaslardaki Türkler ve bilhassa Azerbaycan'la ilgili çeşitli kuruluşlarla işbirliği içinde görev yapmıştır. Bu çalışmalarını ulusal ve uluslararası yazılı ve görsel medyada 55 adet tebliğ, 10 adet ders ve sosyal muhtevalı kitap ve "strateji" adıyla yayınlanan makaleleriyle kamuyla paylaşmıştır.

Pek çok bilimsel araştırmanın öncülüğünü yapan ve Rusya-Avusturya-Azerbaycan -Türkiye'nin bilim adamlarından oluşarak 1990 yılında kurulan "Bilim ve Buluş Adamları Derneği'nin genel sekreterliğini de yürüten yazar, halen Türkiye'nin AB'ye girme sürecinde AB stratejilerinin hazırlanmasıyla ilgili olarak Hollanda Amsterdam'da "Türkiye Hollanda Vakfı"nı ve bu kitabın konuların bilimsel olarak araştırmalarının yapıldığı "The Institute for Cross Cultural Health" adlı enstitünün başkanlığını yürütmektedir.

BMT Asya-Pasifik ve Avrupa Başkanı Setsuka Yamazaki tarafından başka projelerde uzman olarak çalışmak üzere davet edilen yazar, Türkiye'de kalarak bu necip millete hizmeti ön planda tutmuştur.

1969 yılından beri sporla yakından ilgilenen yazar, kara kemer, judo, tekvando, şhiatsu hocası olarak halen Güreş İhtisas Kulübü'nde Türk sporuna hizmet vermektedir.

Dünyada ve Türkiye'de sosyal ve stratejik pek çok vakıf, dernek, düşünce kulüpleri vs. gibi NGO'larda (Sivil Toplum Kuruluşu) faaliyet gösteren yazar evli ve 3 çocuk babası olup İngilizce, Arapça, Rusça, Azerice, Osmanlıca bilmektedir.

Prof. Dr. Ahmet Maranki'nin 5 ayrı sahada 54 adet yayınlanmış eseri bulunmakta olup, yazarımızın "Noktalarla ve Masajla Tedavi" kitaplarının yanında son eseri "Kozmik Bilim ve Bilinçle Yaşam Enerjisi" kitabı bugüne kadar (2 yılda) 73 baskı yapmıştır.

Elmas Maranki Kimdir?

.Elmas Maranki 1957 yılında ilk, orta, lise tahsilini tamamladığı Zile'de doğdu. 1976 yılında Milli Savunma Bakanlığı'nda sivil memur olarak devlet görevine başlayan yazar, İstanbul Üniversitesi Tıp Fakültesi Florance Nightingale Yüksek Okulu'nu bitirip aynı yıl İstanbul Darülaceze Müdürlüğü'nde kimsesiz çocukların rehabiliteleriyle ilgili, bu konudaki ilk çalışmalarına başladı. Pedagojik formasyonu da olan yazar, 1984 yılından itibaren sağlık kolejlerinde meslekî alanda sağlıklı nesiller yetiştirmek üzere eğitim faaliyetlerinde bulundu. 1992 yılında İstanbul Fizik Tedavi Rehabilitasyon Ortopedik Protez Eğitim Merkezi'nde de çalışan yazar 1994 yılında T.C. Sağlık Bakanlığı tarafından bilgi, görgü artırmak ve meslekî alanda ihtisas yapmak üzere Azerbaycan'da görevlendirildi.

Azerbaycan'da tıp sahasında sırasıyla Uluslararası Bilim Araştırma Enstitüsü, Fizik Tedavi Rehabilitasyon Merkezi'nde iki yıllık Fizyoterapi ve İgleroterapi Eğitimi (1995-1996), iki yıllık Ektrasens-Bioenerji Eğitimi (1997-1998) ve Nokta Masajı Kursu'nu bitirerek mezun oldu.

Eğitim aldığı konularla ilgili olarak Azerbaycan 8 yıl süreyle Rehabilitasyon ve Fizik Tedavi Merkezi, Savaş Yaralıları Tedavi Merkezi ve Sosyal Korunma Bakanlığı'nın pek çok araştırma merkezinde konusuyla ilgili uzman olarak çalışan tek T.C. vatandaşı oldu.

Bakü Devlet Üniversitesi'nde "Halk Tebâbeti ve İnkişaf Yolları" ve 'Noktalarla Tedavi' başlığıyla doktora çalışması yapan yazar devlet görevinin uzamaması sebebiyle bu çalışmasının bir bölümünü bu kitapta sizlerin bilgisine sunma imkanı buldu.

«ZNANİYE» BEYNƏLXALQ ASSOSİASİYASI
BEYNƏLXALQ TƏDRİS MƏRKƏZİ
«BİLİK» MAARİFÇİLİK CƏMİYYƏTİ
«SƏNƏT» TƏDRİS MƏRKƏZİ

DİPLOM № 203

Verilir ***Elmas Maranki***

ondan ötrü ki, o, 5 yanvar 1995 ildə

FIZIOTERAPEVT - AKOPUNKTURA

kursuna daxil olmuş və 9 yanvarı 1996 ildə tədris proqramının tam kursunu bitirmişdir.

Attestasiya komissiyasının «9» yanvar 1996 il tarixli qərarı ilə o,

FIZIOTERAPEVT - AKOPUNKTURA

peşəsinə yiyələnmişdir

Attestasiya komissiyasının sədri:

Pedaqoq:

Protokol N° 20 9 Yanvar 1996 il

Qeydiyyat N°-si 203

"ZNANIYE" INTERNATIONAL ASSOCIATION
INTERNATIONAL EDUCATIONAL CENTRE
KNOWLEDGE EDUCATIONAL SOCIETY
"SANAT" EDUCATIONAL CENTRE

DIPLOMA № 203

This is certify that ***Elmas Maranki***

admitted to course of public

PHISIOPHISITION-ACUPUNCTURE

From "5" January 1995 to "9" January 1996 and completed the full course program

By the Decision of the Certification Commission Board in 9 January she has been Conferred the qualification public PHISIOPHISITION-ACUPUNCTURE

Chairman of Certification Commission Board

Teacher

Protocol № 20 om «9» January 1996 г.

Registration № 203

Ayrıca Halk Tebabetinin Esasları, Materyalist Felsefe ve İslam, Halk Tebabetinde Felsefi, İlmi ve İslami Makaleler (doktora çalışması), Fizyoterapi-Bitkisel Tedavi, Nokta Tedavisi, Renkler, Taşlar, Kokularla Tedavi, Bioenerji, Kozmik Enerji gibi, sağlıklı yaşamda yeni boyutlar ortaya koyacak kitap çalışmaları da devam etmektedir.

Azerbaycan'da görev yaptığı 1994-2001 yılları arasında Bakü Devlet Üniversitesi, Asya Üniversitesi'nde konusuyla ilgili araştırmalarda bulunarak konferanslar vermiştir.

Türkiye dönüşünde İstanbul Büyükşehir Belediyesi Sağlık İşleri Müdürlüğü'nde çalışan yazar 2004 yılında uzman olarak emekli oldu. On yılda büyük maddî ve manevî emekler harcanarak öğrenilen ve öğretilen bu bilgilerin bir kısmını da olsa bu kitapta paylaşarak insanlığın hizmetine sunmak isteyen yazar, "Sağlıklı Bir Yaşam Merkezi" kurarak insanlara faydalı olmayı hedeflemektedir.

Evli ve üç çocuk annesi olan yazar Fransızca ve Azerice bilmektedir.

Azerbaijan Republic
Ministry of Health

DİPLOMA

Given to **Maranki Elmas Mehmet**

about the completing Massace Course

Under the Medical Centre “LOGMAN”

(licence AB № 016072) from ***02.03.03-02.06.03***

Director: Mirzoyev A.
Head Doctor: Maharramov O.
Instructor Doctor: Sadiqov I.

Azerbaycan Cumhuriyeti Sağlık Bakanlığı tarafından Elmas Maranki'ye verilen proflaktik masaj ve genel masaj diploması

«ZNANİYE» BEYNƏLXALQ ASSOSİASİYASI
BEYNƏLXALQ TƏDRİS MƏRKƏZİ
«BİLİK» MAARİFÇİLİK CƏMİYYƏTİ
«SƏNƏT» TƏDRİS MƏRKƏZİ

DİPLOM № 310

Verilir ***Ahmed Maranki***

ondan ötrü ki, o, 7 Fevral 1996 ildə

EKSTROSENS-BİOENERQETİK

kursuna daxil olmuş və 9 Fevral 1997 ildə tədris proqramının tam kursunu bitirmişdir.

Attestasiya komissiyasının « 9 » Fevral 1997 il tarixli qərarı ilə o,

EKSTROSENS-BİOENERQETİK

peşəsinə yiyələnmişdir

Atestasiya komissiyasının sədri:

Pedaqoq:

Protokol N° 20 9 Fevral 1997 il

Qeydiyyat №-si 310

"ZNANIYE" INTERNATIONAL ASSOCIATIO
INTERNATIONAL EDUCATIONAL CENTRE
KNOWLEDGE EDUCATIONAL SOCIETY
"SANAT" EDUCATIONAL CENTRE

DIPLOMA № 310

This is certify that ***Ahmed Maranki***

admitted to course of public

EKSTROSENS-BIOENERGYPHYSICIAN

From "7" February 1996 to "9" February 1997 ,and completed the full course program

By the Decision of the Certification Commission Board in
9 February she has been
Conferred the qualification public
EKSTROSENS-BIOENERGYPHYSICIAN

Chairman of Certification Commission Board

Teacher

Protocol № 20 om «9» February 1997 г.

Registration № 310

Ahmet Maranki'nin "Ekstrosens" ve "Bioenerji" diplomaları ve konsolosluk tasdik mührü.

Prof. Dr. Ahmet Maranki

participant of International conference
«Integrative medicine»
May 26-27, 2007 year, Kiev

President of International Association of
Integrative Medicine
Taranenko E.A.

Prof. Dr. Ahmet Maranki'nin İntegratif tıplı diploması.

INTERNATIONAL ASSOCIATION OF INTERGRATIVE MEDICINE

CERTIFICATE

This Certificate is issued to

Prof. Dr. Ahmet MARANKİ

and certifies the he (she) has completed the full theoretical and practical course of

"Electropuncture diagnostic and informotherapy"

and successfully passed the graduate examinations, according to the educational course.

TARANENKO E.

Registation No. 712 005

" 01 " 12 200 7

© IAIM

Prof. Dr. Ahmet Maranki'nin Dünya İntegratif Tıp Konseyi'nce verilen "Electropuncture diagnostic and informotherapy" sertifikası.

INTERNATIONAL ASSOCIATION OF INTERGRATIVE MEDICINE

CERTIFICATE

This Certificate is issued to

Elmas MARANKİ

and certifies the he (she) has completed the full theoretical and practical course of

"Electropuncture diagnostic and informotherapy"

and successfully passed the graduate examinations, according to the educational course.

TARANENKO E.

Registation No. 712 003

" 01 " 12 200 7

© IAIM

Fizyoterapist Elmas Maranki'nin Dünya İntegratif Tıp Konseyi'nce verilen "Electropuncture diagnostic and informotherapy" sertifikası.

Volontaires des Nations Unies
United Nations Volunteers

UN Volunteers Postfach 260 111 D-53153 Bonn Germany

Mr. Ahmet Maranki
Eski Ali Pasa Cad
Nurlu apt. No 54-24
Kat 1 Fatih-Istanbul
TURKY

28 April 2000

Ref.:

Dear Mr. Maranki,

This is to acknowledge with thanks receipt of your End-of-Assignment Report, covering your UNV assignment as Marketing University Lecturer in Azerbaijan from August 1996 to August 1997.

First we would like to apologize for this late response. However, your report did not reach UNV Headquarters until recently.

We are happy to note your critical contributions to several universities in Azerbaijan through providing high quality marketing lectures and support to curricula design. We would like to highlight your excellent organizational skills as well as the highly appreciated professional techniques with which you increased the knowledge of free market economy.

You did not only bring the technical specialisation and experience in the field of teaching but also cultural sensitivity and a Volunteer's commitment to your assignment.

Please do not hesitate to contact us should you wish again to serve as a UN Volunteer. Once again our thanks for your significant to the UNV programme and with our best wishes for your future.

Yours sincerely,

Setsuko Yamazaki
Chief,
Asia, Pacific, Eastern Europe and CIS

Mr. Ahmet Maranki

2001 IS THE INTERNATIONAL YEAR OF VOLUNTEERS: EXCHANGE IDEAS AT HTTP://WWW.IYV2001.ORG

Postfach 260 111
D-53153 Bonn, Germany

Tel. +49 228 8152000
Fax +49 228 8152001

Email: hq@unv.org
URL: http://www.unv.org

Birleşmiş Milletler Teşkilatı Avrupa-Asya Pasifik Başkanı Setsuka Yamazaki'nin Ahmet Maranki'yi B.M'de yaptığı çalışmaları devam ettirmesi için yaptığı çalışma teklifi daveti yazısı. Ahmet Maranki ilmi birikimini kendi insanıyla paylaşarak, bu milletin torunlarına hizmet için şimdilik bu daveti kabul etmemiştir.

INTERNATIONAL PERSONNEL ACADEMY

member of European Network of National Information Centres
on Academic Recognition and Mobility
of Council of Europe / UNESCO

BMT-UNESCO ve Avrupa Birliği nezdinde kurulup faaliyet gösteren "I.P.A" "International Personel Academy"nin "Uluslararası Kadrolar Akademisi"nin AB ve BMT-UNESCO'ya üyelik belgesi.

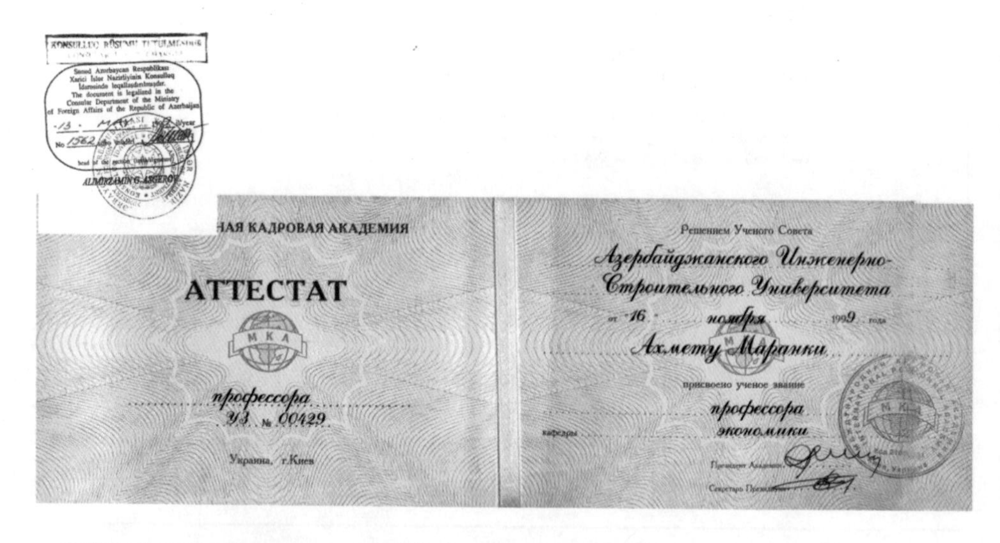

...НАЯ КАДРОВАЯ АКАДЕМИЯ

АТТЕСТАТ

профессора

УЗ № 00429

Украина, г.Киев

Решением Ученого Совета
Азербайджанского Инженерно-Строительного Университета
от «16» ноября 1999 года
Ахмету Маранки
присвоено ученое звание
профессора
кафедры экономики

Президент Академии

Секретарь Президиума

BMT-UNESCO ve Avrupa Birliği nezdinde kurulup faaliyet gösteren "I.P.A" "International Personel Academy"nin ilk defa ve T.C. vatandaşı olarak yazarımız Ahmet Maranki'ye "University Lecturer" adıyla "Economy" alanında verdiği profesör ve "Atectat" belgesinin tasdiki ve mührü

Azərbaycan Respublikası
Əmək və Əhalinin Sosial
Müdafiəsi Nazirliyi

RESPUBLIKA ƏLILLƏRIN BƏRPA MƏRKƏZI

Министерство труда и социальной
Защита Населению
Азербайджанской Республики

РЕСПУБЛИКАНСКИЙ ЦЕНТР РЕАБИЛИТАЦИИ ИНВАЛИДОВ

Bakı - 370114, 6-cı mikrorayon
1410 keçid, 3215 məhəllə

Telefon: 68-46-15
68-46-25

Баку—370114, 6 микрорайон,
проезд 1410, квартал 3215.

№ 25 «29» Temmuz 1996 il

Türkiyenin Azerbaycan Sefirliğine
(T.C. SAĞLIK BAKANLIĞI)

Konu. Elmas MARANKİ'nin vazifesi hakkında

13.05.1992 tarihli iki ülke rehberleri arasında imzalanan mükavile ve diğer mükaveleler gereği Türkiye Cumhuriyyeti vatandaşı Elmas MARANKİ 01.01.1994 yılından bugüne Nazırlığımızın şö'belerinde mukavile üzre işleyib, bize yardımcı olubdur.

Hanım Elmas MARANKİ halı hazırda faliyyette bulunan Nazırlığımızın aşağıda yazıp bildirdiğimiz gibi bütün bölmelerinde faaliyet gösterip, eğitim çalişmalarına katılıptı. Bu barede Emek ve Ahalının Sosyal Müdafaası Nazırlığı'na tabi Ortopedik Protez ve rehabılıtasyon Merkezlerinin her cüre çalışmalarına katılıp işleyibdir.

Ona göre ki, evvela ortopedik protezlerin hazırlaşması sonrası, bunların hastalara adaptesı, tekamülü, fizyoterapısı, fizikoterapısi, mesajı, hidroteraisi, iqloterapısi, medikal tedavisiile ilgili bütün bölmelerde faaliyet gösteribtı.

Hanım Elmas MARANKİ bu merkezlerimizdekibölmelerin mütehassısları, hekımleri, teknisvenleri ile yakın alakalar kurup, istişarelerde bulunup, hastalarla da çok yakın alakalanmıştır. Bilhassa hekim ve mütehassıslarımızla yapılan ilmi mülahazalardan karşılıklı olarak yüksek seviyede istifade olunuptur. Bu barede merkezımızde mütehassıslarımızla ortak çalışmalar başlatılmış ve fevkalşade yüksek neticeler alınmış ve bu çalışmalar muvaffakiyetle devam ettirilmektedir.

Hanım Elmas MARANKİ'nin Nazırlığimize bağlı merkezlerde yaptığı bu ilmi çalışmalardan, mukavelenin de ötesinde biz öz razılığımızı bildirırık. Ancak, Hanım Elmas MARANKİ'nin Size onunla ilgili raporları bildirmemize rağmen onun vazifesinin devamına icaze verilmemesine bugüna kadar bir mana verebilmiş deyilik. Size yazıp bildirdiğimiz raporlara göre ondan razı olduğumuzu ve beraberce başlanılan bu ışlerin bitirilmesi için ve iki ülke alakalarının mühkemleştirilip daha yüksek seviyeye çıkarılması için hanım Elmas MARANKİ'nin hastalığının son bulduğu 8 Eylul 1996 tarihinden itibaren 1997 yılı sonuna kadar tekrar vazifelendirilmesini Nazirliğinizden haiş eder, onun Bakü'de ikenki iaşe ve ibatesini üzerimize götürdüğümüzü bildirir, bu vesileyle hürmetlerimizi bildiririk.

Rehabilitasyon Merkezının Baş Hekımı
Dr. Fazil İsmailov

Yazarımız Elmas Maranki'nin Azerbaycan'da tedavi merkezinde yaptığı çalışmalarla ilgili T.C. Sağlık Bakanlığı'nca yazılan rapor

Cam seralarda Güneş enerjisinin dik pramit yapılı çatı ve sivri uçlardan belli açılarla canlılar üzerindeki müspet enerji tesirinin bitkilerdeki örneği. İnsanlığın sağlıklı yaşamasına katkı sağlayabilir.

Patenti merkezimize ait olan resmi Rusya'daki kozmik bioenerji merkezinin ilk logosu ve kitap kapak logomuz.

CERTIFICATE OF ACHIEVEMENT

USA

PRESENTED TO

Ahmet Maranki

For successfully participating in a seminar and training program on United States flue-cured and Burley tobacco.

Burley and Dark Leaf Tobacco Export Association, Inc.

Mr. Jerry L. Horner
Division Training Instructor/A.M.S.
U.S. Department of Agriculture

Tobacco Associates, Inc.

UNITED NATIONS OFFICE IN AZERBAIJAN, BAKU
Corrected

Prof. Dr. Ahmet Maranki'nin ABD'de Kozmik Bilim ile ilgili Tarım Bakanlığı'nda yaptığı çalışmalar ve buradan aldığı sertifikası

MOSKOVA ÜNİVERSİTESİ ÖNCÜ OLDU

Sovyetler zamanında Djuna Davitaşvili isimli bir Gürcü doktor, artık çok yaşlanmış olan Sovyet lideri Brejnev'i tedavi edince, Moskova Üniversitesi harekete geçti. Fizik ve Radyoteknik Enstitüsü'nde biyoenerji üzerine ilk bilimsel çalışmalar da başlamış oldu. Enstitüde yapılan deneylerde, bu gücü içinde sakladığı sanılan insanların beyinlerindeki değişiklikler, beyin dalgalarının gücü, vücut ısılarının yükselip alçalması gibi şaşırtıcı sonuçlar elde edildi.

SINAVI GEÇEN OKUYOR

Bugün Moskova Üniversitesi yerine, Halk Bilimleri Akademisi'nde eğitim yapılıyor. Bioenerjik güce sahip olduğuna inananlar, önce bir sınavdan geçiriliyor ve gerçekten bu gücünü minimum düzeyde kullanmasını bilenler seçiliyor. Akademideki eğitimin safhalarından biri, içindeki enerjiyi daha fazla keşfedebilme, konsantrasyon ve enerjiyi doğru aktarabilme egzersizlerinden oluşuyor. İnsan vücuduna yapılacak müdahaleler için gerekli tıp bilgisi de ek olarak veriliyor.

HÜRRİYET ÖZEL H

Bioene

11 May 1994 Çarşanba

ZAMAN

AZƏRBAYCAN

Gəncədə Konfrans keçirildi

Bazar İqtisadiyyatının əsas faktor

Müşavirə keçirildi

Prof. Dr. Ahmet Maranki'nin konuşması Zaman gazetesinin Azerbaycan baskısında manşet oldu.

AVRASİYA

Qurucuları: İrfan Sapmaz, Rıdvan Sapmaz   Çərşənbə, 6 yanvar 1999-cu il   Qiyməti : 975 manat

Doktor Maranki Bakıya əlvida deyir

Азəрбајчанын бејнəлхалг аләмдə танынмасында бөјүк ролу олан професcор Əhмəд Маранки Вəтəнинə дөнүр

Türkiyə vətəndaşı doktor Əhməd Maranki ilin ən bacarıqlı xarici elm adamı seçilib.

Birləşmiş Millətlərin İnkişaf proqramı çərçivəsində könüllü mütəxəssis olaraq Bakıda bazar iqtisadiyyatı ilə bağlı proqramlar da hazırlayan doktor Maranki həm də 1993-cü ildən bəri Türkiyə Cumhuriyyəti dövləti tərəfindən Baş Bakanlıqda Dövlət bakanlığı bölümünün baş məsləhətçisi olaraq proqramlar hazırlamışdır.

Davamı 4-də

Prof. Dr. Ahmet Maranki'nin Rusya'da yaptığı ilmi çalışmalara göre "Yılın en başarılı ilim adamı" seçilmesi gazetelere manşet oldu. (1998)

TÜRK-AZERBAYCAN BİLİM ve BULUŞ ADAMLARI BİRLİĞİ 1991

REPRESENTATIVE IN TURKEY

TARIMDA DEVRİM

ŞOKLAMA + KOZMİK BİO ENERJİ

TEKNOLOJİSİ İLE AZ GÜBRE BOL ÜRÜN İÇİN

KAHRAMANMARAŞ SÜTÇÜ İMAM ÜNİVERSİTESİ İLE ELELE

1989 yılından bu yana yoğun çalışmalar sonunda kozmik fezada bulunan 10^{16} mikrona kadar olan mikro-organizmaları çok miktarda üzerinde toplayan özel silikat bileşimleri sayesinde bir enerji-kaynağı yaratmanın mümkün olduğu görülmüştür.

Özel silikat bileşimleri tarımda gübre yerine toprağa verilmesi halinde yüksek iyonlaşma ile birlikte Bio-Ultra ses dalgaları meydana getirirler.

PAMUK ÜRETİMİNDE KOZMİK BİO-ENERJİ (Yıl 1994)
ADANA KAMU SEKTÖRÜNDE

Bugüne kadar dünyada yapılan tüm çalışmalara rağmen havada, 1 hektar toprak üzerinde bulunan 80 ton azottan direkt olarak büyük çapta fayadalanmak mümkün olmamıştır.

Türk-Azerbaycan Bilim ve Buluş Adamlarının son 5 yıl sürekli çalışmalar sonunda atmosferdeki azotu direkt olarak kozmik Bio-enerji teknolojisi sayesinde toprağa alma başarısını elde etmişlerdir. Bu dünya çapında bir hadise olup Nobel düşünülebilir. Bundan büyük mutluluk duymaktayız. Bu teknoloji asra damgasını vuracaktır.

LABORATUAR ANALİZLERİ TOPLAM CETVELİ (15-12-1994)

Numunenin adı	Çenet Adedi	Şf %	Koza Gr.	Kütlü Gr.	Çırçır Rand. %	Öş.100 Tohum ağırlığı gr	Lint Index	FİBROGRAF			Lif mukavemeti (presley/ inc)	Lif inceliği
								% 50	% 2.5	% UR		
Kozmik Bio Enerji Parseli	4.52	22.28	8.00	6.22	42.85	9.70	7.29	12.76	30.22	43.4	82.1	4.19
Kontrol	4.54	21.28	7.92	6.23	41.00	10.02	7.02	12.67	30.82	44.9	82.0	4.45

Azerbaycan'daki Bilim ve Buluş Adamları Birliği'ni Cumhurbaşkanı Turgut Özal'ın ziyareti ve yapılan çalışmalara verdiği destek.

"DENEME OLUMLU" Şoklama yöntemi yapılan tarladaki verimi gösteren Prof. Dr. Ahmet Vatansever bu tekniğin yaygınlaştırılmasının yararlarını anlattı. (Fotoğraf:hha-Zeki DURAK-ADANA)

Kozmik bioenerji tarımda

"Kozmik Gübre" ile üretilen raporlarda teşvik edilen kozmik enerjili ve renkli pamuk görüntüleri

SABAH 17 MAYIS 1998

Yerli renkli pamuk

Dünyada ilk kez Türk uzmanlar, tarlada mavi, yeşil ve kırmızı renklerde pamuk üretmeye hazırlanıyor

Renkli pamuk üretimi için laboratuvarda genetik çalışmalar sürüyor. Kahramanmaraş Sütçü İmam Üniversitesi Rektörü Prof. Dr. Osman Tekinel, ilk aşamada kırmızı, yeşil ve mavi pamuk üretimini hedeflediklerini söyledi.

Tekstil için önemli gelişme

Bu yıl ilk kez deneme ekimi yapacaklarını, Kahramanmaraş ikliminin çok uygun olduğunu kaydeden Prof. Dr. Tekinel, "Bunu başarırsak, ki başaracağız, tekstil sanayinde büyük bir olayı gerçekleştirmiş olacağız" dedi.

Boyama işlemine gerek kalmayacak

İstenen renkte pamuk üretilirse, ipliğin boyanması işinin ortadan kalkacağını ve pamuğun doğal renkleriyle kullanılacağını söyleyen Tekinel, "Bu da ekonomimize milyarlarca liralık katkı sağlayacak" diye konuştu.

"Yeni arayışlar içindeyiz"

Prof. Dr. Tekinel, başta pamuk olmak üzere tarım ürünlerinde verimin artırılmasına yönelik yeni arayışlar içinde olduklarını, daha az gübre kullanılması, kaliteli üretimin sağlanması, toprak kirliliğinin önlenmesi konularında bir dizi çalışma yürüttüklerini sözlerine ekledi.

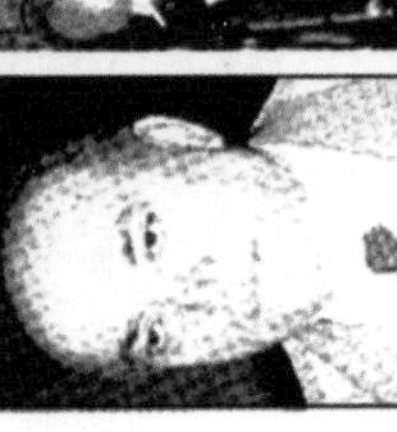

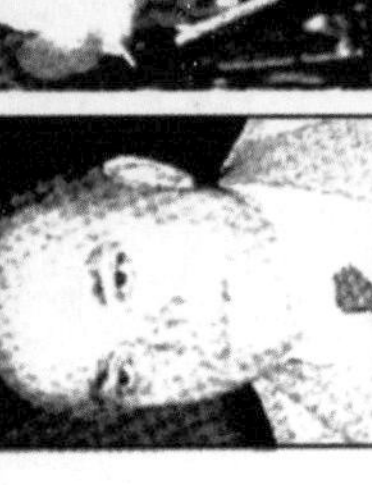

İplik boyamaya gerek kalmayacak

Sütçü İmam Üniversitesi Rektörü Prof. Dr. Osman Tekinel, ilk aşamada kırmızı, mavi ve yeşil renkte pamuk üreteceklerini söyledi. Tekinel, "Başarırsak, istediğimiz renkte pamuk üretebileceğiz. Böylece ipliği boyama zorunluluğu ortadan kalkacak ve tasarruf sağlanacak" dedi.

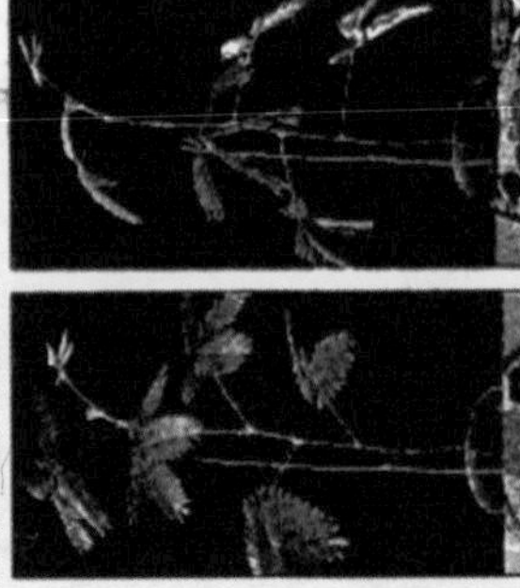

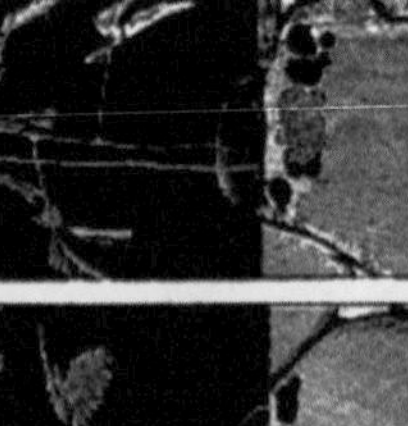

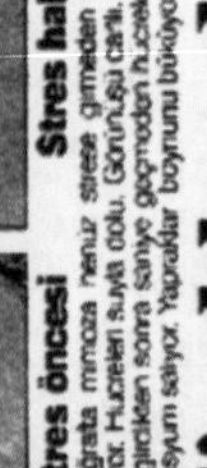

Stres öncesi **Stres hali**

İlk fotoğrafta mimoza henüz strese girmeden önce görülüyor. Hücreleri suyla dolu. Görünüşü canlı. Ama strese girdikten sonra saniye geçmeden hücreleri su ve potasyum salıyor. Yapraklar boynunu büküyor.

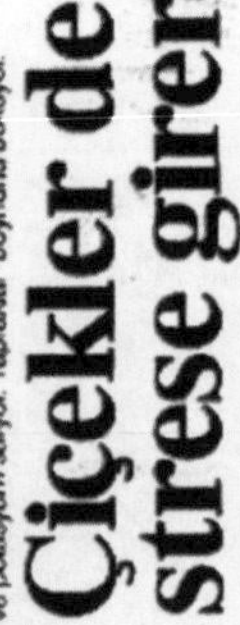

Çiçekler de strese girer

Çiçeklerin nasıl strese girdiğini araştıran Fransız bilimadamları çok ilginç sonuçlar elde etti. Buna göre çiçekler genel olarak sıcak, soğuk, gürültü, gübre ve haşarat ilaçları karşısında strese giriyor.

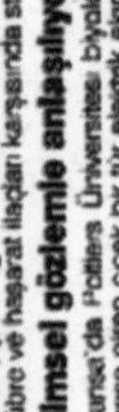

Bilimsel gözlemle anlaşılıyor

Fransa'da Poitiers Üniversitesi biyologlarına göre strese giren çiçek bir tür elektrik akımıyla hücrelerini uyarıyor. Hücreler de su ve potasyum salıyor. Bunun sonucunda da yapraklar boynunu büküyor. Olumsuz şartlar giderildiğinde, kökler yeniden topraktan su çekiyor ve çiçek normale dönüyor.

Sabah gazetesinde yer alan bir habere göre dünyada ilk kez Türk uzmanların Kozmik Bilim ışığında renkli pamuk üretecekleri kamuoyuna duyurulmuştur.

Innovative Bioenergy Fiber That Improves Microcirculation

A Great Revolution in the Textile Field

Products:

- Bioenergy Healthy Mattress
- Bioenergy Healthy Pillow Case
- Bioenergy Healthy Pillow
- Bioenergy Healthy Seat Cushion
- Bioenergy Healthy Waist and Abdomen Cushion
- Bioenergy Healthy Knee Pad
- Bioenergy Healthy Waist Support
- Bioenergy Healthy Wrist Band
- Bioenergy Healthy Undershirts
- Bioenergy Healthy Underpants
- Bioenergy Healthy Socks
- Bioenergy Healthy Bra
- Bioenergy Healthy Facial Film
- Bioenergy Healthy Padding
- Bioenergy Healthy Linen Quilt
- Bioenergy Healthy Adjustable Comforter
- Bioenergy Healthy Mattress
- Bioenergy Healthy Plaster

Functions:

- Substantially improves the body's microcirculation
- Effectively prevents sickness and aids in the healing of blockage or microcirculation-related illnesses
- Relieves arthritis, soreness of the joints, aches and pains caused by inflammation of the shoulder, neck and waist
- Eliminates inflammation and relieves pain
- Enhances metabolism, soothes fatigue and restores vitality
- Inhibits bacteria, removes unpleasant odors, beautifies the skin, keeps the body fit and enhances immunity

Awarded the EDISON Golden Eagle Cup in the **"1994 American International Fair"**
Gold medal awardee in the **"1993 Singapore International Patent, Innovation and Design Technology & Product Exhibition"**
Gold Medal Winner in the **"1994 American Innovation & Patent Technology Exhibition"**

BIO ENERGY
天年素系列產品

Patent No. 93111620.1

Bioenergy fiber, a bioactive microfilament, was developed by Wonder & Bioenergy Hi-Tech International Inc. and is supported by the China Textile University and by other pioneer research institutes. Approved by the National Science & Technology Committee of China and tested in the U.S.A., bioenergy fiber was found to have no toxicity and thus does not cause irritation. Bioenergy products look and feel the same as ordinary textile products but offer innovative health protection functions. They are durable and not easily damaged by washing. Call us today for more details.

Manufacturer & Exporter
BIO WONDER & BIOENERGY Hi-Tech International Inc.
天年高科技國際企業公司
Gangchang Road, Gongbei, S.E.Z., China
Tel: (86-756) 887 5348, 887 1766, 888 8755
Fax: (86-756) 888 8756, 887 1766

INQ. NO. 2553

İnsan sağlığı için kozmik bioenerjili pamuktan üretilen mamüllerin dünyadaki kullanım sahaları ve dünya kamuoyunca konuya verilen önem ve alınan madalyalar.

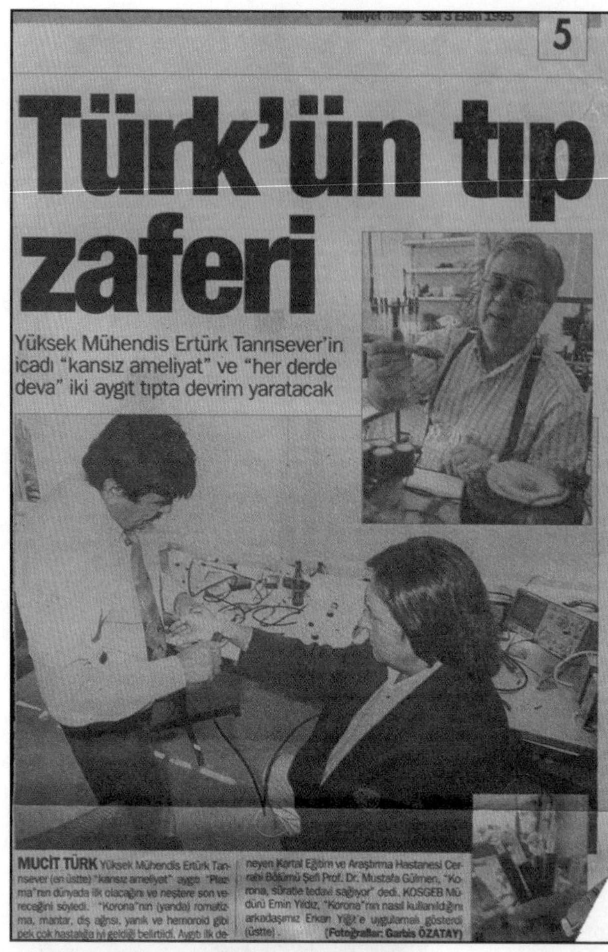

5

Türk'ün tıp zaferi

Yüksek Mühendis Ertürk Tanrısever'in icadı "kansız ameliyat" ve "her derde deva" iki aygıt tıpta devrim yaratacak

MUCİT TÜRK Yüksek Mühendis Ertürk Tanrısever (en üstte) "kansız ameliyat" aygıtı "Plazma"nın dünyada ilk olacağını ve neştere son vereceğini söyledi. "Korona"nın (yanda) romatizma, mantar, diş ağrısı, yanık ve hemoroid gibi pek çok hastalığa iyi geldiği belirtildi. Aygıtı ilk deneyen Kartal Eğitim ve Araştırma Hastanesi Cerrahi Bölümü Şefi Prof. Dr. Mustafa Gülmen, "Korona, süratle tedavi sağlıyor" dedi. KOSGEB Müdürü Emin Yıldız, "Korona"nın nasıl kullanıldığını arkadaşımız Erkan Yiğit'e uygulamalı gösterdi (üstte). (Fotoğraflar: Garbis ÖZATAY)

Elektro manyetik dalgalarla yapılan tedavi metodları artık basında geniş yer buluyor.

Dünyada kozmik bioenerji metodunun evlerde uygulanışı. Piramit ve dik çatılı evlerde sağlıklı bir yaşama geçiliyor. Deneyin...

Sayın basın bildirisi Tarih: 01/11/1995

KOMZİK BİO-ENERJİ

Artık hayatın Kozmozdan geldiği hakikatı herkesçe malumdur. Yer küresinin etrafında kozmik fezada külliyetli miktarda bir hücreli mikro-organizmalar mevcuttur.

Milyonlarca yıl önce daha atmosfer meydana gelmediği zamanlarda yer yüzeyine gelerek ilk canlı hayatı meydana getirmişlerdir.

Şimdi ise atmosfer teşekkül ettiği için uzaydan dünyaya gelen mikroorganizmalar sürtünme sebebi ile parçalanarak kozmikbio-enerjinin esasını meydana getirmişlerdir.

13 yıl boyunca dünyanın her yerinde yapılan deneyler kozmik enerjinin değeri 3 c. derece sıcaklık ve kozmik şuaların dalga boyunun da 5,7 cm olduğu meydana çıkmıştır. 1965 yılında yapılan bu buluş 20. asrın en önemli keşiflerinden biri olmuştur.

1985 yılında Kırım'da prof BAKOV gözetiminde 720 adet fare üzerinde 6 ay müddetle yapılan çalışmalar sonunda kozmik bio-enerji teknolojisi ile:

1- Radyasyon efektlerine karşı
2- Astım hastalığına karşı
3- Tüberkülos hastalıklarına karşı
4- Tansiyon problemlerinde başarılar temin edilmiş olup % 80 pozitif netice alınmıştır.

Suya Atılan Farelerin Suda Kalma Müddetleri

	7 Gün	20 Gün	30 Gün
BİO-GIDALI BESLENME 12 Fare	1,38 dakika	2,4 dakika	4 dakikiada boğularak ölüyor.
NORMAL GIDALI BESLENME 12 FARE	0,28 dakika	0,26 dakika	0,33 " "

Bu teknoloji sayesinde yukarıdaki tablo canlılara güç kattığımızı kanıtlamaktadır.

<u>KOZMİK BİO-ENERJİSİ İNSAN SAĞLIĞINDA:</u>

Fiziki bir buluş olan kozmik bio enerji teknolojisi aynı zamanda insan sağlığında da özellikle şeker ve damar hastalıklarınıda ilaçsız ve bıçaksız tedavi sistemleri geliştirmiş bulunuyoruz Çalışmalarımıza ait video kasetlerimiz mevcuttur.

Halen Bakü'de topçubaşı devlet hastanesinde çalışmalarımız devam etmektedir. Türk-Azerbeycan ortak çalışması olan bu teknolojiyi evvela memleketlerimizde sonra da dünya ülkelerine ve insanlık hizmetine sunmak üzere bütün hazırlıklarımız tamdır.

Azerbaycan topubaşı devlet hastanesinde yapılan çalışmalarımız, bir fikir vermek üzere bilgilerinize aşağıdaki tabloyu sunuyoruz.

Hastalığın adı	Hasta sayısı	Müspet dinamik	Değişiklik yok	Menfi dinamik
El damarlarında kandevranı bozukluklarından dolayı ağrılar	40	34	6	-
Asap bozukluğu	10	9	1	-
Belde kireçlenme	11	9	2	-
Damardaki iltihaplardan dolayı ağrılar	9	6	3	-
Damarlarda daralma	15	12	3	-
Şeker hastalıklarında damardaki değişiklikler ve rahatsızlıkları	21	21	-	-
Felç	1	1	-	-
Toplam	107	92	15	Başarı % 85

Fındıkzade, Kızılelma Caddesi Edalı Sokak No. 9 İstanbul
Tel.: 511 88 16 - 588 12 53 Telex: 30090 BARD Fax : 512 73 49

Bioenerji teknolojisinin insanlar ve hayvanlar üzerinde gösterdiği etkilerle ilgili Türkiye-Azerbaycan Bilim ve Buluşadamları Birliği'nin çalışma ve basına yaptığı açıklama raporu

BAKI ASİYA UNİVERSİTETİ
Azərbaycan Respublikası,
370033 Bakı şəhəri,
Gabdulla Tukay küç 4

BAKU UNIVERSITY OF ASIA
Azerbaijan Republic,
Baku city, 370033
4, Gabdulla Tukay str.

Tel.: 86-63-70

"26" Temmuz 1996 il
N 00-101

Türkiyenin Azerbaycan Sefirliyine

Hörmetli Sefir,

Asya Ünüversiteti Azerbaycan Nazirler Kabinetinin kaydıyatından geçip Resmi Devlet Statüsü almış sahasındakı en büyük ve ilk tahsil kurumlarındandır. halen 3 yıldır üniversitetimizde tahsıl devam etmektedir.

Ünüversitetimizde sosyal bilimler ve tıp sahasinde lisans ve lisansüstü egitim verilmektedir. Ünüversitetimizde 1000'e yakın harici ve yerli talebe, harici mutahassızlarla beraber 200'e yakın öğretim üyesi professor , doçent heyeti derslemektedir.

Sizden haişimiz odur ki, Bakü'de 2 yıldır tıp sahasında iki ülke arasında imzalanan mukavileler gereği faliyet gösteren hanım Elmas MARANKİ'nin mesleği ile ilgili sahalarda ünüversitetimizdede faliyet gösterip, ders vermesi, ihtisaslaşması ve lazımı faliyetlerde bulunup iki ülke arasındakı alakaları dahada muhkemleştirmesi bizim öz isteğimizdir.

Sizden haişimiz Elmas marankinin 1996-1997 öğrenim yılında davetimiz üzere 1 Eylul 1996'den, 1997 yılının sonuna kadar onun her türlü iaşe ve ibate masrafları ünüversitemizce karşılanmak şartı ile ünüversitemizde görevlendirilmesini ve yazımızın onun çalışdiği Sağlık Bakanlığına gönderilmesine ve bu konuda bize yardımcı olmanızı haiş edirik.

En derin hörmetlerimizle

REKTÖR
[illegible] OĞLU NAĞIYEV

Elmas Maranki'nin Azerbaycan Asya Üniversitesi'nde konuyla ilgili çalışmaları

Azərbaycan Respublikası
Əmək və Əhalinin
Sosial Müdafiəsi
Nazirliyi

Ministry
of Labour and Social
Protection of Population
of Azerbaijan Republic

370016, Hökumət evi,
Tel: (994-12) 939310, Faks: (994-12) 939472

370016, Goverment House,
Phone: (994-12) 939310, Fax: (994-12) 939472

№ 12/KS-06

"29" iyun 2001-ci il

İLGİLİ MAKAMA / ARAYIŞ /

Konu ; Elmas MARANKİ " nin çalışması hakkında

13.04.1992- tarihli iki ülke rehberleri arasında imzalanan mükavele ve digər mükaveleler gereği Türkiye Cumhuriyeti vatandaşı Elmas Maranki 01.01.1994 yılından 01.01.1998 - ci yılları arasında Nazirliğımızın şe" belerinde mükavile üzre işleyib , bize yardımçı olubdur.

Hanım Elmas Maranki hali hazırda fəaliyette bulunan Nazırlığımızın aşağıda yazıp bildirdiğimizin gibi bütün bölmelerində fəaliyyət gösterip , egitim çalışmalarına katılıptır. Bu barede Emek ve Ahalinin Sosyal Müdafaası Nazirligına tabi Ortopedik Protez ve Rehabilitasyon Merkezlerinin her cüre çalışmalarına katılıb işleyibtir.

Ona göre ki , evvela ortopedik protezlerin hazırlaşması, sonrası , bunların hastalara adaptesi , tekamülü , fizyoterapisi , masajı , hidroterapisi , igleoterapisi, medikal tedavisi ile ilgili bütün bölmelerdə fəaliyyət gösteribtir.

Hanım Elmas Maranki bu merkezlerimizdeki bölmelerin mütehassisları, hekimleri, texnisyenleri ile yakın alakalar kurub , istişarelerde bulunub , hastalarla da çok yakın alakalanmıştır . Bilhassa hekim ve mütehassislarımızla yapılan ilmi mülahazalardan karşılıklı olarak yüksek seviyede istifade olunubtur. Bu barede yüksek neticeler alınmış ve bu çalışmalar müvaffakiyetle devam ettirilmiştir.

Hanım Elmas Maranki" nin Nazirligımıza bağlı Tibb Merkezlerində yaptığı bu ilmi çalışmalardan , mükavelenin de ötesində biz öz razılığımızı bildiririk.

İlgili makama lazım olduğu yerə təgdim etmək üçün verilir.

Hörmətlə , C.Əliyev.

Yazarımız Elmas Maranki'nin sağlık alanında kitapta sizlere sunduğu konularla ve uygulamalarla ilgili Azerbaycan'da görevli olduğu bakanlığın yaptığı çalışmalarla ilgili referans mektubu

Halq Təbabətində Fəlsəfi, Elmi Ve İslami Naqıllar

Hazırlayan
Elmas MARANKİ & Reşit ƏLİYEV

BAKÜ 1994

Elmas Maranki'nin Bakü Devlet Üniversitesi'nde hazırladığı doktora çalışması, Halk Tababetinde İlmi ve İslami Nakiller kitabı.

Materyalist Felsefe ve İslam

Hazırlayan
Elmas MARANKİ

İSTANBUL 1994

Elmas Maranki'nin Bakü Devlet Üniversitesi'nde hazıladığı master çalışması, Materyalist Felsefe ve İslam kitabı

KOZMİK BİO ENERJİ SAĞLIK SEKTÖRÜNDE...

АЗӘРБАЈЧАН ССР
СӘһИЈӘ НАЗИРЛИЈИ
М. А. ТОПЧУБАШОВ АДЫНА
ЕЛМИ-ТӘДГИГАТ
КЛИНИКИ ВӘ ЕКСПЕРИМЕНТАЛ
ЧӘРРАҺЛЫГ ИНСТИТУТУ

МИНИСТЕРСТВО ЗДРАВООХРАНЕНИЯ
АЗЕРБАЙДЖАНСКОЙ ССР
НАУЧНО-ИССЛЕДОВАТЕЛЬСКИЙ
ИНСТИТУТ КЛИНИЧЕСКОЙ И
ЭКСПЕРИМЕНТАЛЬНОЙ ХИРУРГИИ
ИМЕНИ М. А. ТОПЧИБАШЕВА

г. Баку 370122, ул. Шариф-заде, 196 — Телефон № 32-00-81

738—10000

№ 187 — 21 августа 1965 илг.

SAYİN PROF. DR. FİKRET TÜZÜN

BAKÜ TOPÇUBAŞI HASTANESİNDE İKİ SENE İÇİNDE KOZMİK BİO-ENERJİSİ İLE HASTANEMİZ DOKTORLARINDAN PROF. DR. CEMALEDDİN KOSİEV İN TOPLAM 106 HASTA ÜZERİNDE YAPILAN TEŞHİS VE TEDAVİLERDE ALINAN NETİCELERİ BİR FİKİR OLSUN İÇİN SİZLERE SUNUYORUZ.

HASTALIĞIN ADI	HASTA SAYI	MÜSPET DİNAMİK	DEGİŞİKLİK YOK	MENFİ DİNAM
EL DAMARLARINDA KANDEVRANI BOZUKLUKLARINDAN DOLAYI AĞRILAR	40	34	6	-
ASAP BOZÜKLUĞU	10	9	1	-
BELDE KİREÇLENME	11	9	2	-
DAMARLARDAKI İLTİHAPLARDAN DOLAYI AĞRILAR	9	6	3	-
DAMARLARDA DARALMA	15	12	3	-
ŞEKER HESTELERİNDE DAMARLARDAKİ DEGİŞİKLİKLER VE RAHATSIZLIKLARI	21	21	-	-
TOPLAM	106	91 % 85.8	15 % 14.2	

Kozmik Bio-Enerji teknolojisiyle 106 hasta üzerinde yapılan denemelerle ilgili % 85 müspet netice raporu

John Hopkins'den Kanser Güncellemesi ve Kozmik Bilim Tarafında da Söylenenlerin Özeti

John Hopkins Kanser Araştırma Enstitüsü'nün ilgili bölümünün 2007 Nisan da yayınlanan raporu; 2005 yılında hocalarımız tarafından yazılan Kozmik Bilim ve Bilinçte Yaşam Enerjisi kitabı ve hocalarımızın dünyada ve Türkiye' de verdiği 250 konferanstaki sağlıklı yaşamla ilgili bütün bilgileri aynen ve bilimsel verileriyle doğrulamakta kalmayıp bir özet rapor halinde kamuoyuna duyurmuştur.

1. **Herkesin vücudunda kanser hücreleri vardır. Bu kanser hücreleri birkaç milyara kadar çoğalmadıkça standart testlerde görülmezler. Doktorlar kanser hastalarına tedaviden sonra vücutlarında artık kanser hücresi kalmadığını söyledikleri zaman, bu yalnızca kanser hücrelerinin testlerle saptanamayacak düzeyde olduğu anlamına gelir.**
2. Bir kişinin hayatı boyunca 6 ile 10 kez kanser hücreleri oluşabilir.
3. **Kişinin bağışıklık sistemi güçlü olduğu zaman kanser hücreleri yok edilir ve çoğalarak tümör oluşturmalarına engel olunur.**
4. Bir kişide kanser olması, o kişide çoklu beslenme eksikliği olduğuna işaret eder. Bunlar genetik, çevresel, beslenme ve yaşam tarzı faktörlerine bağlı olabilir.
5. **Şoklu beslenme eksikliğini yenebilmek için diyeti değiştirmek ve ek takviye almak bağışıklık sistemini güçlendirir.**
6. Kemoterapi hem hızlı çoğalan kanser hücrelerini, hem de kemik iliğinde, sindirim sisteminde v.s.'deki hızlı büyüyen sağlıklı hücreleri yok eder ve karaciğer, böbrekler, kalp, akciğerler v.s.'de organ tahribatına yol açar.
7. **Radyasyon kanser hücrelerini yok ederken; sağlıklı hücre, doku ve organları da yakar, yaralar zarar verir.**
8. Kemoterapi ve radyasyon başlangıçta tümörün küçülmesine yol açar. Kemoterapi ve radyasyon tedavisinin uzaması tümörün daha fazla yok olmasına yol açmaz.
9. **Kemoterapi ve radyasyondan dolayı vücut çok fazla toksin yüklenmesine maruz kalınca, bağışıklık sistemi ya tehlikeye düşer, ya da yıkılır; dolayısıyla kişi çeşitli enfeksiyonlara ve komplikasyonlara yenik düşer.**
10. Kemoterapi ve radyasyon kanser hücrelerinde mutasyona neden olabilir ve dirençlerinin artarak yok edilmelerini zorlaştırabilir. Cerrahi işlem de kanser hücrelerinin başka taraflara atlamasına neden olabilir.
11. **Kanser hücreleri ile savaşmakta etkili bir yöntem ise onları çoğalmak içn ihtiyaçları olan gıdalardan yoksun ve aç bırakmaktır.**

KANSER HÜCRELERİ AŞAĞIDAKİLERLE BESLENİRLER:

a. Şeker kanser besleyicidir. Şekeri kesilerek kanser hücrelerinin önemli bir gıdası kesilmiş olur. NutraSweet, Equal, Spoonful v.s. gibi tatlandırıcılar zararlı olan Aspartam ile yapılırlar. Daha iyi bir tatlandırıcı Manuka balı veya molastır, ama az miktarda alınmalıdırlar. Sofra tuzunda beyazlatıcı olarak kimyasallar bulunmaktadır. Daha iyi bir seçenek Bragg'in aminosu veya deniz tuzudur.

b. **Süt vücudun, özellikle sindirim sisteminde, mukus üretmesine neden olur. Kanser mukusla beslenir. Süt yerine tatlandırılmamış soya sütü tüketilerek kanser hücreleri aç bırakılabilir.**

c. **Kanser hücreleri asit ortamda gelişirler. Et temelli diyet asittir ve sığır eti veya domuz eti yerine bol balık ve az tavuk eti yemek en iyisidir. Ette, özellikle kanserli kişilere zararı olan, canlı hayvan antibiyotikleri, büyüme hormonları ve parazitleri bulunur.**

d. %80 taze sebze ve meyve suyu, kepekli tahıllar, tohumlar, nohutgiller ve biraz meyveden oluşan bir diyet vücudu bazik (alkali) ortamda tutar. %20 de fasulye içeren pişmiş gıdalardan oluşabilir. Taze sebze suları kolayca emilip 15 dakika içinde hücre düzeyine ulaşabilen ve sağlıklı hücreleri besleyen ve çoğalmalarını hızlandıran canlı enzimler içerirler. Sağlıklı hücre üretimi için gerekli olan canlı enzimlerin sağlanması amacıyla, taze sebze (sebzelerin çoğunluğu ve fasulye filizi) yiyin veya suyunu için ve günde 2-3 kez çiğ sebze yiyin. Enzimler 40 derecede yok olurlar.

e. **Yüksek kafein içerikli kahve, çay ve çikolatadan uzak durun. Yeşil çay daha iyi bir seçenektir ve kanserle savaşan özellikleri vardır. Bilinen toksinler ve ağır metaller içeren musluk suyu yerine arıtılmış veya filtrelenmiş su içiniz.** Damıtılmış su asittir, kaçınılmalıdır.

12. Et proteininin sindirimi zordur ve çok sindirim enzimi ister. Bağırsaklarda duran sindirilmemiş et çürür ve daha çok toksin birikimine neden olur.

13. **Kanser hücrelerinin duvarları sert protein ile kaplıdır. Et yemekten kaçınarak veya azaltarak, kanser hücrelerinin protein duvarlarına saldıran enzimler daha çok açığa çıkar ve vücudun öldürücü hücrelerinin kanser hücrelerini yok etmelerini sağlar.**

14. Bazı destek maddeleri (IP6, Florssence, Essiac, anti-oksidanlar, vitaminler, mineraller, EFA'lar v.s.) bağışıklık sistemini güçlendirerek, vücudun kendi öldürücü hücrelerinin kanser hücrelerini yok etmesine yardımcı olur. E vitamini gibi diğer destek maddelerinin de, vücudun hasarlı, istenmeyen veya ihtiyaç olmayan hücrelerin atılmasının normal yolu olan, apoptoziz veya programlanmış hücre ölümüne yardımcı olduğu bilinmektedir.

15. **Kanser zihinsel, bedeni ve ruhsal bir hastalıktır. Öngörülü ve olumlu bir ruh kanser savaşçısını muzaffer yapar. Öfke, affetmezlik ve acı bedeni stresli ve asitli bir ortama sokar. Seven ve affe-**

den bir ruha sahip olmayı öğrenin. Sakin olmayı ve hayatın tadını çıkarmayı öğrenin.

16. Kanser hücreleri oksijenli ortamda gelişemezler.

Günlük egzersizler ve derin nefes alma hücre düzeyine kadar daha fazla oksijen alınmasına yardımcı olur. Oksijen terapisi kanser hücrelerini yok etmek için diğer bir yöntemdir.

JOHN HOPKINS HASTANESİNDEN KANSER GÜNCELLEMESİ

1. Mikrodalga fırına plastik kap ve ambalaj koymayınız.
2. Dondurucuya su şişesi koymayınız.

John Hopkins Hastanesi bunu yakın bir zamanda bülteninde yayınlamıştır. Bu bilgi Walter Reed Ordu Tıp Merkezi tarafından da yayınlanmaktadır. Dioksin kimyasalları kansere, özellikle de göğüs kanserine, neden olmaktadır. Dioksinler vücudumuzun hücreleri içn son derece zehirlidir. Plastik şişelerdeki suyu dondurmayınız, çünkü bu plastiğin içindeki dioksinin salınmasına neden olur.

Castle Hastanesi Sağlıklılık Programı Yöneticisi Dr. Edward Fujimoto bu sağlık tehdidini anlatmak için yakınlarda bir televizyon programına çıktı. Dioksinleri ve bizim için ne kadar kötü olduklarını anlattı. Plastik kaplar içindeki yiyeceklerimizi mikrodalga fırınlarda ısıtmamamız gerektiğini söyledi. Bu özellikle de yağlı yiyecekler için geçerli. (İngilizce metindeki fat sözcüğünün gerçek anlamı hayvansal yağdır.) Söylediğine göre yağ, yüksek sıcaklık ve plastik kombinasyonu dioksinin gıdaya geçmesine ve sonunda vücudumuzun hücrelerine ulaşmasına neden olmaktadır.

Bunun yerine kendisi yemekleri ısıtmak için Corning Ware, Pyrex gibi cam kaplar veya seramik kaplar kullanılmasını tavsiye etmektedir. Yani hazır yemek ve çorbalar ısıtılmadan önce ambalajından çıkarılıp uygun kaplara konulmalıdır. Kağıt uygundur, ama kağıdın içinde de ne olduğu bilinmemektedir. Sıcaklığa dayanıklı cam kap kullanmak daha güvenlidir. Kendisi yakın bir zamanda fast food restoranlarının plastik köpük kaplardan kağıt kaplara döndüğünü de hatırlattı. Nedenlerden biri dioksin sorunuydu. Kendisi plastik ambalaj malzemesi ile örtülmüş yiyeceklerin mikrodalga fırında pişirilmesinin aynı derecede sakıncalı olduğunu da söyledi. Yiyecekler radyasyona maruz kalıp ısınıca, yüksek sıcaklıkta plastiğin içindeki zehirli toksinler eriyip yiyeceklerin üstüne damlamaktadır. Yiyecekler plastik yerine kağıt havlu ile örtülebilir.

Tarih: 27.09.2007

Not: ***Adımız John Hopkins olmasa da bilim bir doğruyu kabul ettiğinden söylenenler aynı. Farkımız, insan neslinin sağlıklı geleceği için bu doğruları ehillerinin vaktinde ve hiçbir kaygı duymadan söyleyebilmesi faziletidir.***

A'DAN Z'YE KONULAR İNDEKSİ

- A -

A Vitamini / 242
Abanoz Ağacı / 79
Acı Çiğdem / 80
Acı Pelin Otu / 80
Adaçayı / 81
Adam Otu / 83
Adet Düzensizlik Ve Sancıları / 288
Ağaç Kavunu / 83
Ağız Kokusu / 290
Ahlât Nedir? / 33
AIDS (HIV Virüsü) / 291
Akasma / 85
Akciğer / 38
Akdiken / 85
Akhuş Ağacı / 86
Akrep Otu / 87
Alalık / 293
Alerji / 293
Alfa Alfa / 87
Alıç / 88
Altınbaş Otu / 89
Alzheimer / 294
Anason / 89
Anber / 90
Andız / 91
Anti-Aging Beslenme / 67
Antioksidan Nedir? / 231
Ardıç / 92
Arı Sütü / 92
Armut / 273
Arnica / 93
Arpa / 94
Arpacık / 295
Artrit(Eklem İltihabı) / 296
Ascidophilus / 232
Ashwganha / 94
Aslanpençesi / 95
Asma / 96
Aspir / 97
Asthaxanthin / 232
Astım (Nefes Darlığı) / 298
At Kuyruğu Otu / 98
Atardamarlar Ve Toplardamarlar / 38
Ateş Yükselmesi / 299
Atkestanesi / 97
Avokado / 274
Ayçiçeği / 99
Ayçiçeği-Pamuk-Mısır Yağları / 254
Aynı Safa Otu / 100
Ayrık Otu / 101
Ayva / 273

- B -

B1 Vitamini (Thiamine) / 242
B10 Vitamini-H2 Paba / 244
B11 Veya O Vitamini / 244
B12 Vitamini Ve L2 Vitamini / 244
B13 Vitamini (Oratik Asit) / 244
B14 Vitamini (Xanthapterine) / 244
B15 Vitamini (Panganik Asit) / 244
B2 Vitamini (Riboflavine) / 242
B3 Vitamini (Nicotniamide) / 243
B4 Vitamini (Adenine) / 243
B5 Vitamini (Pantathenniqu Asit) / 243
B6 Vitamini (Pyridoxine) / 243
B8 Veya H1 Vitamini (Biotine) / 243
B9 Vitamini (Folik Asit) / 243
Badem / 102
Bademcik / 300
Bağırsak Solucanları / 301
Bağırsak / 38
Bahar Otu / 103
Bakır / 238
Bakla / 257
Bal Mucize Besin / 254
Balgam / 34
Balık Yağı / 234
Bamya / 256
Barut Ağacı Kabuğu / 104
Baş Ağrısı / 302
Bazek / 104
Bazı Natüristlerin Hastalığa Yaklaşımı /43
Beden Organlarının Aktif Vakti / 60
Bel Soğukluğu / 303

Besinlerin Kalori Değerleri / 57-59
Beş Parmak Otu / 105
Beta-Glucan / 232
Beyaz Hardal / 104
Beyin Krizi / 326
Beyin / 36
Bezelye / 257
Biber / 257
Biberiye Yaprağı / 105
Bilim Bitkileri Konuşturuyor / 405
Bioflavonoitler / 233
Bira Mayası / 233
Bit Otu / 106
Bitki Çayı Kürü Hazırlama Yöntemi / 77
Bitkilerle Sağlıklı Beslenme / 25
Bitkileri Toplama Ve Saklama / 76
Bitkileri Toplama Zamanı / 76
Bitkileri Yetiştirme / 76
Bitkilerin Gruplandırılması / 227
Bitkilerle İlgili Özel Bilgiler / 61
Bizmut / 238
Boğumlu Sıraca Otu / 107
Bor / 238
Boswellia Serrata / 107
Boşaltma Ve Çıkarmanın Önemi / 72
Böbrek İltihabı / 305
Böbrek / 38
Böğürtlen / 108
Börülce / 258
Brewerrs Yeast (Bira Mayası) / 233
Brokoli Kürü / 258
Brokoli / 258
Brom / 238
Bromelain / 233
Bronşit / 304
Brusella / 303
Burçlar Tablosu / 408
Burun Tıkanıklığı / 305

- C -

C1 Vitamini / 244
C2 Vitamini / 245
Carnitine / 233
Cat's Claw / 109
Centiyane / 109
Ceviz / 275
Chlorella-Spirulina / 233
Ciğer Otu / 110
Cilt Bakımı / 305
Cinsel Performans Eksikliği / 308
Cismin Hareketi Ve Önemi / 71
Civanperçemi / 111
Coenzyme Q-10 / 233
Cosmic Ürünler / 393
Cranberry / 109
Cüzam / 308

- Ç -

Çam Ağacı / 112
Çarkıfelek / 113
Çay / 113
Çemen Otu / 115
Çıban / 309
Çilek Otu / 116
Çilek / 275
Çinko / 238
Çobançantası / 117
Çobandeğneği / 118
Çocuklar İçin Genel Öneriler / 286
Çördük Otu / 118
Çörek Otu / 118
Çöven Otu / 120
Çuha Çiçeği / 121

- D -

D Vitamini (Kalsiferol) / 245
Dalak Otu / 122
Dalak Rahatsızlıkları / 310
Dalak / 38
Damar Sertliği / 309
Darı / 122
Defne Yaprağı / 123
Demir / 239
Deniz Üzümü / 124
Depresyon / 310
Dereotu / 124
Deri / 39
Deve Dikeni / 125
Dhea (Dehidroepiandrosterone) / 233
Diken Otu / 126
Dilin Tat Almayı Kaybetmesi / 314
Diş Ağrılarında / 312
Diş Eti Kanamalarında / 313

Diş Otu / 127
Dişbudak Otu / 127
Diyabet / 314
Domates / 258
Dong Quai / 128
Dulavrat Otu / 129
Dut / 276
Duvar Sarmaşığı / 128

- E -

E Vitamini / 245
Ebegümeci / 130
Egzama / 315
Eğir Otu / 131
Ek Belgeler / 409
Eklem İltihabı / 296
Eklem / 39
El Ayak Titremelerinde / 316
Elma / 276
Emu Oil / 234
Enginar / 131
Enzimler / 232
Ereksiyon Sorunları / 316
Ergenlik Sivilcelerinde / 317
Erik / 277
Et / 251
Ezik Ve Yaralarda / 317

- F -

F Vitamini / 245
Fasulye / 259
Felç / 317
Fesleğen / 133
Fındık / 277
Fıstık Çamı / 134
Fıstık / 277
Fıtık / 318
Fish Oil (Balık Yağı) / 234
Flaxseed Oil (Keten Tohumu Yağı) / 234
Fluor / 239
Fosfor / 239
Frengi / 318
Funda Yaprağı (Piren) / 134

- G -

Gastrit / 319
Gece Çuha Çiçeği / 135
Geleboru / 135
Gelincik / 136
Gentian / 136
GHR (Büyüme Hormonu) / 234
Ginko Biloba / 137
Ginseng / 137
Glutathione (Glutatyon) / 234
Gotu Kola / 139
Göz Nezlesi / 319
Greyfurt / 278
Grip / 319
Guarana / 139
Gut(Nikris) / 320
Güçlü Gözler İçin / 337
Gül / 139
Güvey Feneri / 140
Güyegü Otu / 140

- H -

Hacamat / 46
Hafıza Zayıflığı Ve Unutkanlık / 321
Hafıza / 41
Hamamın ve Yıkanmanın Edepleri / 73
Hamile Kadınların Tedbirleri / 69
Hamilelikte Kaçınılması Gerekenler / 76
Hareket Etmek / 71
Hastalık Ve Sağlık Sebepler / 44
Hastalık Ve Sağlığın Tanımı / 42
Hastalıkların Tedavi Yolları / 45
Hastalıkta Teşhis / 43
Haşhaş / 140
Hatmi Çiçeği / 141
Hava-Suyun Önemi / 69
Havlıcan / 141
Havuç / 259
Hayıt / 142
Hazanbel / 143
Hazımsızlık / 322
Hemoroit(Basur) / 322
Hıçkırık / 324
Hıyar / 261
Hodan / 143
Hurma / 278

- I -

Ihlamur / 144
Isırgan Otu / 145

Ispanak / 261
Itır / 146

- İ -
İ Vitamini / 245
İdrar Yolları Hastalıklarında / 324
İdrar / 40
İğde / 147-279
İhtiyarların Alacağı Tedbirler / 69
İlacın Vücuda Verilmesi / 46
İltihaplanmalar / 326
İnci Çiçeği / 147
İncir / 279
İnme(Beyin Krizi) / 326
İnsan Vücudunda Şifrelerle Şifa / 41
İnsanoğlunun Yaşam Evreleri / 44
İshal / 328
İştahsızlık / 328
İt Üzümü / 148
İyot / 240

- J -
J Vitamini / 246
J. Hopkins'ten Kanser Güncellemesi /435

- K -
K Vitamini / 246
Kabak / 262
Kabızlık / 329
Kâfur / 148
Kahve / 149
Kakao / 149
Kakule Meyvesi / 150
Kalp Damarları Tıkanıklıkları / 330
Kalp / 36
Kalsiyum / 240
Kan Aldırmak / 46
Kan / 34
Kanın Bileşimi Ve Oluşumu / 47
Kanser / 332
Kansızlık / 334
Kapari / 151
Kaplıca Ve Kür Sularının Önemi / 73
Kara Ardıç / 152
Karabaş Otu / 153
Karabiber / 153
Karaciğer Rahatsızlıklarında / 335
Karaciğer / 36
Karahindiba / 154
Karanfil / 155
Karbonhidratlar / 248
Karga Düveleği / 154
Karnabahar / 262
Karpuz / 280
Kas / 39
Kaşni / 156
Katarakt / 336
Kava Kava / 157
Kavak / 156
Kavun / 280
Kaya Kekiği / 157
Kaya Tuzu / 158
Kayın Ağacı Yaprağı / 158
Kayısı / 280
Kaymak / 250
Kaynaklar / 448
Keçi Boynuzu / 158
Kedi Otu Kökü / 159
Kefir / 236
Kekik / 160
Kemik Ve Kıkırdaklar / 38
Kendene / 160
Kenevir / 160
Kereviz / 263
Kestane / 281
Keten Tohumu Yağı / 234
Keten Tohumu / 161
Kılıç Otu / 162
Kınakına / 163
Kırmızı Pancar / 264
Kırmızıbiber / 163
Kısırlık / 338
Kızılcık / 164
Kimyon Meyvesi / 165
Kiraz Sapı / 165
Kiraz / 281
Kişniş / 166
Kobalt / 240
Kolesterol / 231
Kolesterol / 339
Kolesterole Dikkat / 254
Kombu Çayı / 167
Koyun Otu / 167
Kozmik Beslenmenin Önemi / 61

Köpek Dili / 168
Krom / 240
Kudret Narı / 168
Kurt Pençesi / 169
Kuru Fasulye / 264
Kusmak / 47
Kuşburnu / 170
Kuşkonmaz / 170
Kuşüzümü / 171
Kuzukulağı / 172
Küçük Hindistan Cevizi / 172
Kükürt / 240

- L -

Lahana / 264
L-Arginine / 235
Lavanta Çiçeği / 173
Lecithin / 235
Leylek Burnu / 174
Likopen / 235
Limon Otu / 174
Limon / 281
Lityum / 240
L-Lysine / 235
Loğusalık Ve Emzirme / 341
L-Tyrosine / 235
Lumbago / 341

- M -

M Vitamini (Stigmasteriol) / 246
Magnezyum / 241
Mahlep / 175
Maitake / 175
Mandalina / 282
Manganez / 241
Mantar / 265
Marul / 265
Mate Yaprağı / 175
Maydanoz / 176
Melatonin / 235
Melek Otu / 178
Melisa Yaprağı / 178
Meme Kanseri / 342
Menekşe / 179
Menopoz / 342
Mercanköşk / 180
Mercimek / 266
Mersin / 181
Meşe Ağacı / 181
Mevsimlerin Önemi / 70
Meyan Kökü / 182
Mısır Püskülü / 183
Mısır / 266
Mide Rahatsızlıkları / 344
Mide Ve Onikiparmak Ülseri / 345
Mide / 38
Migren / 343
Mizaç / 39
Molibden / 241
Mukus / 43
Multiple Sclerosis(MS) / 345
Muşmula / 282
Muz / 283
Mürver / 184
Müşk / 184

- N -

N Vitamini (Thiotik Veya Lipoik) / 246
Nabız / 39
Nac / 236
Nane / 185
Nar / 283
Nasır / 346
Nefsin Hareketi / 71
Nergis / 186
Nezle / 348
Nikel / 241
Nikris / 320
Nohut / 267
Noni / 186

- O -

Okaliptüs / 186
Olive Leaf Extract / 236
Omega-3 Oil / 236
Omirilikle Başlayan Sinirler / 37
Organ / 36
Osteoporoz / 349

- Ö -

Ödem / 350
Ökse Otu / 187
Öksürük Otu / 189
Öksürük / 351

- P -

P Vitamini (Rutine) / 246
Papatya / 190
Papaya / 189
Parkinson Hastalığı / 352
Parthenium) / 234
Patates / 267
Patlıcan / 268
Pazı / 191
Pelit Burcu / 193
Pelit Yosunu / 193
Peygamber Çiçeği / 192
Peygamber Düğmesi / 193
Peynir / 251
Phenylalanine / 236
Phyllanthus / 194
Pırasa / 268
Pirinç / 268
Portakal / 283
Potasyum / 241
Propolis / 236
Prostat Sağlığı / 354
Proteinler / 247
Psyllium Husks Fibre / 236

- R -

Ragner Berg'in Listesi / 51
Reishi Ve Shiitake Mantarları / 194
Rezene / 194
Rhodiola / 196
Roka / 269
Romatizma Ve Eklem Problemleri / 355
Rooibus / 196
Ruh / 41
Rutin / 236

- S -

Sabun Otu / 196
Saç Bakımı / 355
Safra / 34
Safran / 197
Sağlıklı Beslenme Formülleri / 51
Sağlıklı Beslenmek İçin Özel Bilgiler / 63
Sağlıklı Bir Hayata Geçiş Diyeti / 57
Sağlıklı Olmanın Kuralları / 48
Sağlıklı Uyku Saatleri / 71
Sağlıklı Yaşam İçin Özel Bilgiler / 62
Sağlıklı Yaşamın Diğer Boyutları / 59
Sakız Ağacı / 197
Saklama Şartları / 77
Sandalwood / 198
Sara / 356
Sarı Kantaron / 198
Sarılık / 357
Sarımsak / 269
Sarısabır / 199
Sarmaşık / 200
Saw Palmetto / 201
Schisandra / 201
Sedef Otu / 201
Sekte / 357
Selenyum / 241
Selülit / 357
Semizotu / 270
Serbest Radikal Nedir? / 230
Sevda / 35
Shar Liver Oil / 236
Shark Cartilage / 236
Sığırkuyruğu / 202
Sibirya Ginsengi / 203
Silisyum / 241
Sinameki / 203
Sinir / 36
Sinirli Ot / 204
Sinüzit / 358
Siyah Çay / 205
Siyah Hardal / 204
Sodyum / 242
Soğan / 270
Soğuk Algınlığı / 359
Soya İsoflavonları / 236
Soya / 271
Söğüt / 205
Spirulina / 206
Stres / 360
Su / 248
Sultan Otu / 208
Sumak / 208
Superoxide Dismutase / 236
Susam / 209
Suyla İlgili Özel Bilgiler / 67
Süt / 249

- Ş -

Şahtere / 210
Şakayık / 211
Şalgam / 271
Şeftali / 284
Şeker Pancarı / 211
Şerbetçi Otu / 212
Şeytan Teresi / 212
Şimşir / 213

- T -

Tansiyon / 360
Tarçın / 213
Tarhun / 214
Temizleyici Besinler- Sebzeler / 258
Tere Tohumu / 215
Tere / 272
Tereyağı / 253
Tıbbın Tanımı / 33
Tiroid / 363
Titreme / 361
Tongat Ali / 215
Topuk Dikeni / 361
Turp / 272
Türbüt / 215

- U -

U Vitamini / 246
Uyku Bozuklukları / 363
Uyku Ve Uyku Saatleri / 71
Uyku / 40
Uyuz / 364

- Ü -

Üre / 365
Üretkenlik Ve Cimanın Önemi / 72
Ürünlerle İlgili Sıkça Sorulanlar / 403
Üvez / 215
Üzerlik / 216
Üzüm Çekirdeği Ekstresi / 217
Üzüm / 284

- V -

Varis / 366
Veba / 367
Verem / 368

- Y -

Yaban Pelini / 217
Yaban Razyanesi / 218
Yabani Hindiba / 217
Yağlar / 248
Yanıklarda / 370
Yara İzlerini Giderici / 371
Yarpuz / 218
Yaşlanma / 371
Yemeği Çok Yemenin Zararları / 69
Yemlik / 219
Yer Fıstığı / 219
Yerelması / 285
Yeşil Çay / 220
Ylang Ylang / 222
Yoğurt Otu / 222
Yoğurt / 250
Yohimbin / 222
Yorgunluk / 372
Yulaf / 223
Yumurta / 249
Yumurtalık / 36
Yüz Felcinde / 373
Yüzdeki Çiller / 373

- Z -

Zakkum / 223
Zambak / 224
Zatürree / 373
Zayıflamak İçin / 375
Zayıflıkta / 376
Zehirlenmelerde / 377
Zencefil / 224
Zerdali / 285
Zerdeçal / 226
Zeytin / 272
Zeytinyağı Ekstreleri / 236
Zeytinyağı / 253
Zihni Gücü Artırıcı Formüller / 379
Zona / 377

KAYNAKLAR

1 - Prof. Dr. Arnold Ebret, Die Schleimfreie Heilkost, Şifalı Besinler ve Mukussuz Şifa Diyeti, İm Yayıncılık, İstanbul, 2001.

2 - Prof. Dr. Arnold Ebret, Vom Kranken Zum Gesunden Menschen Durch Fasten, Oruçla Yeniden Sağlığa Kavuşma ve Gençleşme, İm Yayıncılık, İstanbul, 2001.

3 – Dr. M. Ender Saraç, Doğanın Şifalı Eli, Doğan Kitapçılık, İstanbul, 2005.

4 – Roy Eugene Davıs, Ayurveda Doğal Bütünsellik Rehberi, Ruh ve Madde Yayınları, İstanbul, 1999.

5 – Prof. Dr. Ahmet Maranki- Elmas Maranki, Kozmik Bilim ve Bilinçle Yaşam Enerjisi, Mozaik Yayıncılık, İstanbul, 2006.

6 – İbn Kayyim El-Cevziyye, Peygamber Efendimizin Sağlık Öğütleri Tıbb'un-Nebevi, Milli Gazete Yayınları, İstanbul, 1997.

7 – Mehmed bin Ali, Yayına Hazırlayanlar Bülent Özaltay- Abdullah Köşe, Terceme-i Cedide fil-Havassi'l- Müfrede (1102-1690), Merkez Efendi Geleneksel Tıp Derneği- Zeytinburnu Tıbbi Bitkiler Bahçesi, İstanbul, 2006.

8 – Abdülvehhab bin Yusuf ibn-i Ahmed el-Mardani, Yayına Hazırlayan Prof. Dr. Ali Haydar Bayat, Kitabu'l-Müntehab fi't-Tıb (823-1420), Merkez Efendi Geleneksel Tıp Derneği- Zeytinburnu Tıbbi Bitkiler Bahçesi, İstanbul, 2005.

9 – H. Arif Pamuk, Hastalıksız Uzun Ömür İçin Şifalı Bitkiler ve Emraz, Pamuk Yayıncılık, İstanbul, 1998.

10 – Tahsin Palaz, Hastalıkları Bitkilerle Tedavi Reçeteleri, Hikmet Neşriyat, İstanbul, 2001.

11 – Tahsin Palaz, Sağlıklı Bir Hayat İçin Anahtar Bitkiler, Hikmet Neşriyat, İstanbul, 2001.

12 – Ömer Öngüt, Allah-u Teala'nın İhsan Ettiği Bitkilerdeki Şifalar, Hakikat Yayıncılık, İstanbul, 2005.

13 – Prof. Dr. Turan Baytop, Türkiye'de Bitkilerle Tedavi, İstanbul Üniversitesi Yayınları, İstanbul, 1984.

14 – Prof. Dr. Turan Baytop, Türkçe Bitki Adları Sözlüğü, Türk Dil Kurumu Yayınları,1993.

15 - Niyazi Eröztürk, Bir Yudum Sağlık, İstanbul, 2000.

16 – Nejat Ebcioğlu, Sağlığımız İçin Yararlı Bitkiler, Remzi Kitapevi, 2001.

17 - Mustafa Özer, Tabiat Eczanesi Saray yayınları

18 – Hüseyin Şengöz, İksir, Nesil Yayınları.

19 – Doç. Dr. Yusuf Zeynalov, İlaç Bitkiler, ADen yayınları

20 – M. Kandehlevi, Hadislerle Müslümanlık

21- Grete Flach, Sıhhatli Yaşamanın Genç ve Güzel Kalmanın Sırları.

22- Prof. Dr. Ali Nihat Eskioğlu, Şifalı Bitkiler Ansiklopedisi.

23- Dr. James A. Duke, Yeşil Eczane, Pegasus Yayınları,2006.

İNTERNET SİTELERİ

www.bitkisel-tedavi.com.
www.herbalistatabay.com
www.doctordoga.com
www.sihirliiksir.com
www.bahce.biz
www.saracoglu.at